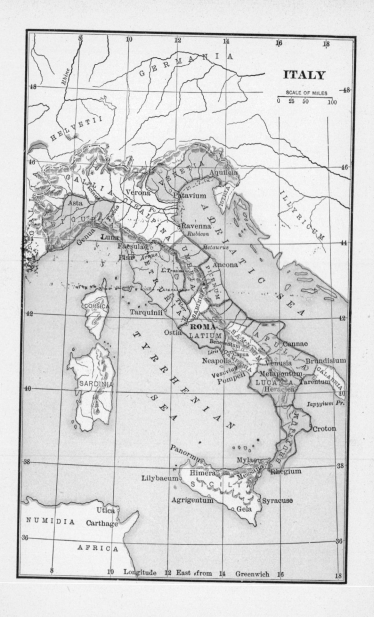

Bennett's Latin Series

Cicero's
Selected Orations

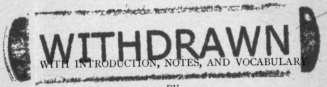

WITH INTRODUCTION, NOTES, AND VOCABULARY

BY

CHARLES E. BENNETT

PROFESSOR OF LATIN IN CORNELL UNIVERSITY

Y 10 2

Allyn and Bacon

Boston and Chicago

ODD

Norwood Press
J. S. Cushing & Co. — Berwick & Smith Co.
Norwood, Mass., U.S.A.

PREFACE.

THE text of this edition is based in the main upon that of C. F. W. Müller. *J* has been printed instead of *i* where the character has consonantal force, since without such differentiation the pupil must be entirely at a loss to know whether *i* before a vowel is consonantal or vocalic. Following the example of the *Thesaurus Linguae Latinae*, I have also regularly printed *aff-* (not *adf-*), *agg-* (not *adg-*), *arr-* (not *adr-*), *ass-* (not *ads-*), *ast-* (not *adst-*), etc., in prepositional compounds.

The Vocabulary has been independently prepared with great care upon the basis of Merguet's *Lexikon zu den Reden des Cicero*.

To avoid confusing the student, the dates given in the notes have uniformly been adapted to the Julian calendar, although in some instances this procedure has involved a slight inaccuracy.

Grateful acknowledgments are hereby tendered to Professor Charles L. Durham, Professor H. C. Elmer, and Dr. John C. Watson for invaluable criticisms and suggestions on the notes of this volume.

C. E. BENNETT.

ITHACA, February, 1904.

MAPS.

ILLUSTRATIONS.

CONTENTS.

INTRODUCTION.

———◆———

OUTLINE OF CICERO'S LIFE.

Marcus Tullius Cicero was born January 3, 106 B.C., a few miles from Arpinum, a small town of southeastern Latium. His family was of merely equestrian rank; no one of his ancestors had ever held a Roman magistracy. Cicero and his brother Quintus both evinced such fondness for study that they were early taken to Rome by their father to enjoy the best instruction afforded by the capital. One of Cicero's teachers at this period was the poet Archias, who had come to Rome in 102 B.C. In the celebrated oration (*pro Archia Poeta*) which Cicero delivered in 62 B.C., defending the citizenship of his former teacher, he gratefully refers to Archias as the source of his interest in the fields of philosophy and literature. His studies were interrupted by the Social War (91–89 B.C.), after which he devoted himself to the study of law, under the guidance of Q. Mucius Scaevola, the augur, one of the foremost jurists of the day. Scaevola died in 87 B.C., and Cicero continued his legal studies for a while under the direction of Q. Mucius Scaevola, *pontifex maximus*, a cousin of the augur. At this time and for some years afterwards, he was also a diligent attendant upon the courts and the legislative assemblies, studying the oratory of the great leaders at the bar and on the Rostra, among whom Hortensius was the most eminent.

Cicero's first appearance as an advocate was in 81 B.C., when he was twenty-five years old. The speech, *pro Quinctio*, which he delivered on that occasion, was unimportant.

Of great significance, however, was the oration *pro Roscio Amerino*, delivered in the following year. Roscius was a respectable young man of a wealthy country family. In the era of disorder following the Sullan proscriptions, Roscius's father had been murdered by private enemies. Chrysogonus, a freedman and worthless favorite of Sulla, thereupon secured the insertion of the elder Roscius's name among the list of the proscribed, and when the valuable property was sold at auction, bought it in himself for a trifling sum. Later he attempted to fasten the guilt of Roscius's murder upon the son. It was a bold and dangerous step to reveal in a public speech the details of Chrysogonus's villainy. Few would have ventured to risk incurring the displeasure of Sulla by attacking his favorite; yet Cicero fearlessly undertook the defence of Roscius and conducted it with such success as to establish immediately his reputation and standing as a forensic leader.

The next two years Cicero spent abroad, pursuing philosophical and oratorical studies at Athens, in Asia Minor, and at Rhodes, where he enjoyed the instruction of Molo, also the teacher of Caesar. Returning to Rome in 77 B.C., he resumed his profession of advocate with great distinction, and began his political career. In order to reach the consulship, the highest ambition of every Roman, it was necessary to pass through the lower offices of quaestor and praetor; often the curule aedileship was also included, though this was optional. A fixed interval between these offices was prescribed by law; thus forty-three was the earliest legal age at which the consulship could be attained. Cicero prided himself on filling all the magistracies at the earliest age compatible with law. His quaestorship fell in the year 75 B.C., and he was assigned to duty in the province of Sicily, with headquarters at Lilybaeum, where he distinguished himself by sending supplies of grain to Rome at a time of great scarcity.

The most noteworthy event in the orator's career in the course of the next few years was his impeachment of Verres in 70 B.C. Verres had been governor of the province of Sicily and had pursued a career of tyranny and extortion phenomenal even among provincial governors. Cicero's prosecution of this offender was so vigorous and aggressive that his preliminary statement of the case forced Hortensius, Verres's legal adviser, to throw up the defence, whereupon Verres himself withdrew into voluntary exile.

Cicero held the aedileship in 69 B.C., and two years later was elected praetor. It was in his praetorship that he lent his support to the bill of Manilius, investing Pompey with supreme command in the Mithridatic War. In 63 B.C. he held the consulship and signalized his year of office by his energy in crushing the Conspiracy of Catiline. Several of the ringleaders of the Conspiracy were captured and executed in the city, while the rest of Catiline's followers were defeated and slain in battle, their leader at their head. Honors were heaped upon Cicero without stint for his services at this juncture. He was called *pater patriae*, and a special *supplicatio* or thanksgiving was decreed in his honor.

Had it not been for one serious error committed in connection with the suppression of the Conspiracy, Cicero's future would have been more secure. Roman law provided that no citizen should be put to death without the privilege of final appeal to the people. Cicero in the Senate debate on the punishment of the detected conspirators (see the Fourth Oration against Catiline) had taken the unjustifiable position that men who had plotted against their country were not citizens and consequently were not entitled to claim this privilege of appeal. His urgency in pressing this arbitrary and unjust interpretation of the law was largely instrumental in inducing the Senate to decree the death of the captured conspirators. At the same time it proved his own political ruin. Cicero had begun his public career as a

man of the people. It was the people's cause he had championed in the prosecution of Verres and in his effective support of Pompey's appointment against Mithridates. His
consulship marked a profound change of attitude and of
political associations. It was as the candidate of the aristocrats that he had stood for the consulship, and it was as
their representative that he filled the office. His conduct
with regard to the conspirators evoked the severest condemnation at the hands of the popular party, since Cicero
was not merely known to have advocated in the Senate the
immediate execution of the conspirators, but as consul was
the executive agent of the state in inflicting the death penalty. The storm of popular indignation, however, did not
break till four years later (58 B.C.). At that time Clodius,
a young demagogue of the worst type, impelled by a private
feud with Cicero, introduced a bill providing "that any one
who had put Roman citizens to death without trial should
be outlawed." Cicero's name was not mentioned in the bill,
but it was perfectly obvious that Clodius's purpose was
directed against him. In vain did he appeal to Pompey to
assist him at this juncture in return for former favors;
Pompey was now bound up with Crassus and Caesar in the
Triumvirate formed in the year 60, and Caesar had not only
opposed the execution of the conspirators, but was the
acknowledged leader of the democracy and in close political
alliance with Clodius.

All attempts to prevent the enactment of Clodius's bill
proved futile, and Cicero mournfully withdrew into exile.
Subsequently his house on the Palatine was razed to the
ground, and on its site was erected a temple to Libertas.
His wife, Terentia, was also made the object of wanton per-
secution. The decree of banishment forbade Cicero's presence within a radius of four hundred miles of the city, and
imposed penalties upon all who received or sheltered him
within these limits. He accordingly retired to Thessalonica

in Macedonia, where he arrived in May, 58 B.C. Later he changed his residence to Epirus. But active efforts for his recall began soon after he left Italy. For a time these were effectively thwarted by the fierce opposition of Clodius, who hesitated at no violence and no bloodshed in the execution of his purposes. In August, 57 B.C., nearly eighteen months after Cicero's banishment, the bill for his recall finally became a law. His return was a perfect ovation from the time of his landing at Brundisium to his triumphal entry into the city and the Forum, — an instructive illustration of the temper of democracies, and in some respects a close parallel to the return of Alcibiades to Athens.

From 57 to 49 B.C., Cicero lived comparatively retired from public life, devoting himself largely to the prosecution of his rhetorical and philosophical studies and to the composition of treatises in these fields. The years 51 and 50 B.C., he spent as governor of Cilicia. His administration of this province was characterized by justice, humanity, and a sincere desire to improve the condition of the provincials, who had been almost impoverished under previous governors. He was also successful in some military operations against the wild mountaineers of this region.

Returning to Rome toward the close of the year 50 B.C., he found the country fast approaching the throes of civil war. With much hesitation, Cicero finally attached himself to the senatorial party headed by Pompey, but after the Battle of Pharsalus (48 B.C.), convinced of the futility of further resistance, he returned to Italy, where he was generously pardoned by Caesar.

The next few years were spent in the seclusion of private life, and were devoted mainly to the composition of philosophical works. In 46 B.C. he was divorced from his wife, Terentia, and in the next year suffered bereavement in the loss of his daughter, Tullia, to whom he was devotedly attached. He was drawn once more into public life by the high-handed acts of Antony after the assassination of Caesar. Caesar's death had been hailed by Cicero with no small satisfaction. The event gave him new hope for a restoration of the freedom of the republic. Later, as he saw these prospects shattered by Antony's measures, he threw himself, at the age of sixty-three, into the final struggle for the preservation of the old constitution. Never had he shown more energy or greater disinterestedness. With unmeasured bitterness he denounced Antony in his famous Philippics. Yet his efforts were unavailing, and with the formation of the Second Triumvirate in 43 B.C., Cicero's name was put upon the list of the proscribed. He seems to have been tired of life, for though he might have escaped, he suffered himself to be overtaken, and even forbade his slaves to raise a hand in his defence. He was put to death by emissaries of Antony, near Cajeta, December 7, 43 B.C., when he had almost completed his sixty-fourth year. At Antony's direction his head and hands were cut off and fastened to the Rostra, in mockery of his former triumphs.

CICERO AS A MAN OF LETTERS.

Cicero's chief title to fame is as a man of letters. Of all Latin writers, he is the most versatile, and the greatest master of style; he is also one of the most voluminous. His eminence is shown not only by the number of subjects treated and the success with which this has been done, but by the great extent of his preserved works. Very little of importance from his hand has failed to come down to us through the centuries. His complete writings, as we have them to-day, fill ten duodecimo volumes containing nearly five thousand pages. These works may be classified under the following heads: orations, rhetorical works, philosophical works, letters, poems.

Orations.

Of Cicero's orations we have fifty-seven preserved entire, or practically so, along with fragments of some twenty others. These cover a period of almost forty years, from the Defence of Quinctius, delivered in 81 B.C., to the Philippics, delivered in 43. Their subject-matter is most varied. Many, like the orations against Verres, the orations against Catiline, and the Philippics, are closely bound up with the political life of the day. Others are speeches of defence or accusation in civil or criminal suits. With the exception of the orations against Verres and the Second Philippic, these were all actually delivered and then revised for publication, though probably with unessential changes. Of the Verrine orations, only the first was delivered. The effect of this was so decisive that there was no occasion for further pressing the case ; yet Cicero published his extensive material as an indication of the overwhelming evidence against the criminal.

Oratory was Cicero's greatest province. Nature had endowed him with rare qualifications in this respect. He was easily impressible, had a vivid imagination and a strong emotional nature. Added to this, he possessed unusual talent for the presentation of his theme. He was never at a loss for words to give exact expression to his thought, and was clear and logical in the arrangement of his topics. His voice and bearing, too, were commanding and winning. To these natural gifts, he had added the advantages of years of discipline and study under the best masters, while even after his repeated oratorical triumphs he still continued his studies, ambitious to attain yet greater perfection and power as a public speaker. A defect in his oratory was his tendency to become verbose. This fault was one of which Cicero himself was conscious, and which, prompted by his teachers, he strove to correct, though he never succeeded in eradicating it. Like most orators, too, he is essentially an advocate, pledged to a cogent presentation of one side of the case at issue. His aim was to persuade, — either a legislative assembly, a jury court, the Senate, or some other body of his fellow-citizens. Hence we can seldom look to his utterances for a temperate and judicial statement of facts; he gives us the side which conviction or expediency suggests to him as the better, and defends this with all the resources of his oratorical art, often exaggerating, often suppressing, often evading, dealing largely in superlatives and brilliant antithesis, dazzling his auditors with wit and pathos, and effectively impressing them with evidences of his own sincerity and depth of conviction. Yet he was usually scrupulous as to the character of the cases he undertook, and it is to his lasting credit that he rarely, if ever, employed his great powers in a case that was thoroughly bad.

Rhetorical Works.

Cicero's own thorough discipline in the theory of rhetoric and oratory, combined with his wide practical experience as a public speaker, made him a specially competent authority to present these subjects to the attention of Roman readers. His most important works under this head are the *de Oratore*, the *Brutus*, and the *Orator*. The *de Oratore* is in three books, and treats in dialogue form of the education of an orator, the treatment of material, and oratorical delivery. The chief speakers are Crassus and Antonius, two famous orators of Cicero's boyhood, but the ideas, of course, are Cicero's own. Like most of his works in this field, the *de Oratore* was written in the full maturity of Cicero's powers, and ranks high not only for the soundness of the views presented, but also for its elegant and polished style. The *Brutus* is a history of Roman oratory, giving a sketch of the development of oratory itself and descriptions of individual orators down to Cicero; it even includes an interesting description of his own style. In his characteristic way, he says that he cannot speak of *himself*, but he will venture to say *of others* that he knew no one who had made such an exhaustive study of literature as he himself had made, no one who had dipped so deeply into philosophy or so thoroughly mastered the subtleties of Roman law, no one who was better posted in Roman history, who could more successfully sway the feelings of a jury, turning them gradually from sternness to jollity and laughter,—no one, in short, who could so move to anger or tears, or turn their feelings whithersoever he wished. From all we know, there is every reason to believe that this description of Cicero's style as an orator, though emanating from his own hand, is in all essential respects a true one.

Cicero's *Orator* is a discussion of the ideal orator. It contains an elaborate defence of his own style of eloquence, with a famous discussion on the essential qualifications of an artistic prose style,—rhythm, euphony, word order, *etc.*

Philosophical Works.

The philosophical works were almost all written in the last years of Cicero's life, during the leisure following Caesar's rise to power, *i.e.* in the years 46–44 B.C., just before the final struggle against Antony. In this brief period of three years, Cicero produced some fifteen works on philosophical subjects. As a consequence, it will be readily understood what a superficial character these must have. They consist mainly of the reproduction of Greek writings on the same subjects, often drawn from different sources and cleverly combined. Although somewhat of a student of Greek philosophy, Cicero had never pretended to master its details, and hence commits many errors in handling the topics which he undertakes to treat. He possessed no thorough knowl edge of Plato and Aristotle at first hand, but relied for his knowledge of these upon the later representatives of the Greek schools. Personally he was an adherent of no school, but an eclectic. He drew mostly from the so-called New Academy and from Stoicism.

The great merit of Cicero's activity in the field of philosophical writing was the popularizing of philosophical study among his countrymen. While not a deep or original thinker himself upon such questions, he succeeded in creating a healthy interest in them and deserves credit as the creator of a choice philosophical vocabulary, which greatly enriched and strengthened the Latin language.

Of the many philosophical writings of Cicero, the most important are the *de Republica* and the *de Legibus*, on political philosophy, the theory and constitution of the State; the *de Officiis*, a treatise on morals, written for his son Marcus, then a student at Athens; the *de Amicitia* and *de Senectute*, two charming essays on friendship and old age; the *Tusculan Disputations* and *de Finibus*, on various questions of speculative philosophy; the *de Natura Deorum* and *de Divinatione*, on the nature of the gods, and the question of their communication by signs with mortals.

In all of these the tone is serious and impressive, and the sentiments set forth not infrequently rise to the loftiness of those inculcated by Christian teaching.

The Letters.

Of these we have nearly nine hundred, inclusive of ninety addressed to Cicero by various correspondents. They are not only personal, but largely political in their contents, and furnish an almost inexhaustible mine of information for contemporary history. Their perusal does not always add to our respect for the writer. The revelations which they bring are often damaging to Cicero's character and have furnished his detractors with ample materials for accusation. Thus we are told in one letter that in the year 65 B.C. Cicero was intending to undertake the defence of Catiline, who was then under accusation on the charge of extortion while governor of Africa. Cicero in another letter declares his conviction of Catiline's guilt, and yet we find him not only meditating Catiline's defence, but even planning to make him his political ally in the approaching canvass for the consulship. In the Oration on Pompey's Appointment, Cicero in his concluding remarks calls the gods to witness that he has advocated the bill before the assembly simply from patriotic motives and for the highest good of the State. Yet in a letter to Atticus he frankly admits that his object was to secure the powerful support of Pompey for his own political advancement, and confesses his keen disappointment at Pompey's lack of gratitude.

The letters are distributed over a period of twenty-five years, from 68 to 43 B.C., the year of Cicero's death, and fall into four groups:

a) *Epistulae ad Familiares*, sixteen books of letters addressed to different friends, including one entire book of those addressed to his wife and children, and another to his faithful freedman Tiro.

b) *Epistulae ad Atticum*, sixteen books of letters addressed to Cicero's lifelong friend, T. Pomponius Atticus.

c) *Epistulae ad Q. Fratrem*, three books.

d) *Epistulae ad M. Brutum*, two short books addressed to the assassin of Caesar.

These letters were first published after Cicero's death, by his freedman Tiro, who had for years been Cicero's trusted amanuensis and who by nature and training was thoroughly competent to act as literary executor. They cover almost every conceivable phase of Cicero's activity and relations for a quarter of a century, and are of inestimable value as throwing light not only on Cicero's own character, but on the times in which he lived. *

Poems.

Cicero also essayed to be a poet, but with no success. He possessed the knack of writing verse, but lacked poetic inspiration. Of his efforts in this field, little has come down to us, though his works in verse were numerous. The best known was a poem on the suppression of the Catilinarian Conspiracy (*de Consulatu Meo*), in which he sings anew the praises of his own illustrious services. The poem was coldly received, and men even ridiculed certain lines, particularly the verse:

O fortunatam natam me consule Romam,

in which the unlucky assonance *fortunatam natam* and the vanity of the sentiment combined to provoke mirth and derision.

CICERO'S CHARACTER.

Blame and praise must be mingled in any just estimate of Cicero's character. In private life he was most amiable and virtuous. Though divorced from his wife Terentia late in life, he seems to have been a devoted husband, as he was also an affectionate father. To his slaves he was humane and considerate; to his friends loyal and true, as shown by his lifelong friendship with Atticus, and by his devotion to Pompey even after the latter had failed to aid him at the time of his banishment. So also in public life he possessed many sterling qualities. He was intensely patriotic and devoted to the maintenance of constitutional freedom. In an age when provincial governorships were regarded as an almost legitimate means of private gain, he gave to the impoverished Cilicians an administration marked by strict honesty, by sympathy, and practical help. At times also he exhibited admirable courage, as illustrated by his defence of Roscius, an act likely to be interpreted as a defiance of Sulla; by the prosecution of Verres, who was supported by the sympathy and resources of the entire aristocratic party ; and most of all perhaps by his vigorous and unselfish opposition to Antony in the closing months of his career.

On the other hand, he was markedly deficient in some of the qualities most essential to the large rôle he essayed to play in the public life of his day. He suffered from intense conservatism, from too tenacious an adherence to the existing order of things, and failed utterly to grasp the supreme political problem of his time. The old constitution had become unworkable, and Cicero not only showed none of the constructive ability of the statesman in providing something better, but he seems not to have recognized that anything better was needed. Another serious defect was his irresolute and vacillating disposition, as seen in his long hesitation at the outbreak of the Civil War and his final half-hearted adhesion to the senatorial party. Disappointing also is his excessive vanity over his own achievements. To these he perpetually recurs in the orations composed subsequent to the suppression of the Catilinarian Conspiracy, until the reader becomes weary and well-nigh nauseated by his endless heralding of his own praises. Equally disappointing is the moral weakness he exhibited when driven into exile. His own philosophical works breathe the loftiest moral spirit and abound in eloquent praises of patience, fortitude, and other heroic qualities. Yet when banished from Rome he reveals none of these virtues. Instead, as his letters show, he breaks out into miserable lamentation over his misfortunes.

It is wrong, therefore, in estimating Cicero's character either to allot him unstinted praise, as some have done, or to visit him with unmeasured condemnation, as has been done by others. If he suffered from certain defects, he as surely possessed many most admirable traits. If he was weak, vainglorious, and vacillating, let us remember, on the other hand, his sincere devotion to his country, his humanity, his justice, his high-mindedness, and the imperishable worth of his written works. These qualities have kept his memory fresh for ages past; it is no rash prophecy to predict that they will continue to keep it fresh for ages to come.

ROMAN PUBLIC ANTIQUITIES.

THE MAGISTRATES.

On Magistracy in General.

Besides the special functions inhering in the individual magistrates, there were certain fundamental prerogatives belonging to all alike:

1. The *jus edicendi,* or right of issuing written edicts or proclamations. These edicts, of course, were confined to the magistrate's own sphere, and were valid only for his term of office. They did not bind his successor.

2. The *jus contionem habendi,* or right of calling the people together and addressing them. The word *contio* was by origin the same word as *conventio,* and meant primarily 'a meeting,' 'an assembly.' Then it came to include also the address, or speech, delivered at such a meeting.

3. The *jus auspiciorum,* or right to take the auspices.

4. The right of collegiate intercession (*intercessio*). This was something quite different from the veto power of the tribunes. The veto power of the tribunes was general; the collegiate intercession of other magistrates was confined to the special board (*collegium*) to which each belonged. Every Roman magistrate (except the dictator) was a member of a

collegium. Usually the *collegium* was small. Thus in the case of the consuls, censors, and aediles, the *collegium* consisted of only two members. Yet either of these could intercede against (*i.e.* veto) the action of the other. Hence, joint action of all the members of a *collegium* became a necessity.

Classification of Magistrates. — Magistrates fall into various classes according to the principle of division. Thus we have:

1. *Magistratus majores* (consul, praetor, censor) and *magistratus minores* (aedile, quaestor, tribune).

2. *Magistratus cum imperio* and *magistratus sine imperio.* The former embraced the consul, praetor, and dictator. These were formally invested with the *imperium* or supreme authority, by virtue of which they were competent:

(*a*) To call out and command the troops;

(*b*) To consult the Senate;

(*c*) To restrict within limits the activity of the lower magistrates;

(*d*) To be attended by a body-guard of lictors carrying the fasces.

3. *Magistratus curules* and *non curules.* The curule magistrates included the consul, praetor, curule aedile, and censor. All others were non-curule. The curule magistrates sat on the curule chair or *sella curulis* (see illustration, p. 179) when performing their official duties. This was a square seat, without back or side rests, supported by four ivory legs. Curule magistrates also wore as their official dress the *toga praetexta,* a white toga with a purple border. The toga of the ordinary Roman citizen was without this border.

Sequence of Offices. — By the *Lex Villia Annalis* of 180 B.C., the sequence of the Roman magistracies was definitely laid down. This law prescribed that the praetorship must be held before the consulship, and the quaestorship before the praetorship. Between the quaestorship and the praetorship an aspirant to higher honors often held the tribunate of the plebs or curule aedileship or both. But these offices were entirely optional.

Besides the sequence of the magistracies, the intervals which must elapse between them were also prescribed by the *Lex Villia Annalis*. Originally there had been nothing to prevent the holding of magistracies in immediate succession, but after the Second Punic War this continuousness was forbidden by law. The object was probably to facilitate legal proceedings against magistrates who had been guilty of maladministration. In the lack of any interval between successive magistracies, it would have been possible for an official guilty of serious crimes to go unpunished for years, since Roman custom forbade the arraignment of any magistrate until the expiration of his term of office. Accordingly, by the *Lex Villia Annalis*, it was ordained that an interval of two years between successive magistracies should be required.

Besides determining the sequence of magistracies and the intervals which should elapse between them, the *Lex Villia Annalis* also prescribed the ages at which the different offices might be held. Sulla (81 B.C.) subsequently modified these ages, and from his time on the earliest age at which the consulship could legally be held was the forty-third year. This made it possible to hold the praetorship at forty and the quaestorship at thirty-seven. For those who pledged themselves to stand for the tribunate or aedileship after the quaestorship, an exception was sometimes made, whereby candidacy for the quaestorship was authorized at the age of thirty. Cicero availed himself of this privilege.

In great emergencies, the foregoing ordinances were naturally sometimes ignored. Thus, Scipio Africanus the Younger held the consulship (147 B.C.) without having held the praetorship, and in 133 B.C. was elected consul a second time, although a second tenure of the consulship was at this time forbidden. So also Marius at the crisis of the barbarian invasion was chosen consul for five years in succession (104–100 B.C.).

Prorogation of Magistracies. — Theoretically, the Roman constitution did not recognize the possibility of prolonging the period for which a magistrate had been elected. Yet practically such prolongation did frequently occur. Thus, for example, a consul might have taken the field and might happen to be in the midst of important military operations at the very expiration of his term. Ordinary prudence forbade jeopardizing the interests of the state by recalling him to Rome at such a juncture. It became customary, therefore, to prolong the term of service of a magistrate, whenever this seemed desirable, without prolonging the office itself. Thus, while no man could hold his consulship after the expiration of his annual term, he might continue any necessary public service as proconsul. The technical name of such prolongation was 'prorogation.'

The Separate Magistracies.

The Consulship. — Two consuls were regularly elected in July of each year. In Cicero's day they took office on the 1st of January.

The highest function enjoyed by the consul was the exercise of the military *imperium*. By virtue of this he levied troops without the necessity of any special authorization from the legislative assemblies. These troops he compelled to take the oath of personal allegiance to himself, and became their natural commander in the field. Originally the sphere of the consul's military command was the entire Roman dominion, but as time went on and the Roman world came to be divided up into provinces, each under the command of its proconsul or propraetor, the military sphere of the consuls was restricted to Italy and to such portions of the world as had not yet been incorporated into the provincial system. Hence, in Cicero's time it was unusual for the consul to take the field at all.

In times of public danger when insurrection or revolution threatened, it was the consul's duty to inform the Senate officially of the existing condition and to suggest the propriety of investing the consuls with discretionary power. The technical name of this act was *senatus consultum ultimae necessitatis* or *senatus consultum ultimum*, and it was couched in these words: *videant consules ne quid res publica detrimenti capiat*.

The consul also possessed the right to introduce bills for enactment by the *Comitia Tributa*, while by the *jus edicendi*, which he enjoyed in common with all magistrates (see p. xx), he could issue edicts that had the binding force of law for his term of office. He further presided over the *Comitia Centuriata* when it met to choose the *magistratus majores* (consuls, praetors, censors), and over the *Comitia Tributa* when it met to elect quaestors and aediles. The consul was also empowered to convene the Senate for the purpose of securing its advice on public matters, and was the regular presiding officer of that body for all sessions which he called.

Theoretically the two consuls were of equal power. To avoid friction, however, they exercised their authority in alternate monthly turns. The older of the two served first.

As already explained (p. xxiii), a proconsul was a consul, whose term of authority was prolonged after the expiration of his office. In the time of Cicero proconsuls were not employed except as provincial governors. In this capacity their ordinary term of service was for one year, but extraordinary commands for longer periods were sometimes voted. Thus Caesar, in 59 B.C., received a five-year command as proconsul of Gaul, while Pompey received a similar appointment in Spain.

Originally the consuls went to their provinces immediately after their year of office, but in 53 B.C. the custom was established of requiring an interval of five years between the consulship and the proconsulship.

The Praetorship. — The praetors of Cicero's time were exclusively judicial officers. Like the consuls, they were elected by the *Comitia Centuriata*. Of the eight praetors annually chosen in Cicero's day, one was the *praetor urbanus*, charged with the adjudication of civil suits between citizens; another was the *praetor inter peregrinos*, charged with the trial of cases in which one or both parties to the suit were foreigners resident at Rome. The other six praetors presided over standing courts established for the trial of special offences. These standing courts were technically designated *quaestiones perpetuae*. One was charged with the trial of cases of provincial extortion; others were concerned with cases of electoral bribery, acts of violence, etc. The verdict was rendered by a jury. The duties of the different praetors were determined by the Senate.

Like the ex-consuls, the ex-praetors often served in Cicero's day as provincial governors, with the title of *propraetor*.

The Censorship. — There were two censors, elected by the *Comitia Centuriata* at intervals of five years, but holding office for only eighteen months. They were originally appointed simply for the purpose of taking the census and assessing the property of citizens, but as time went on other duties came to be attached to their office. Thus they exercised the right of revising the list of persons of equestrian and senatorial rank. By virtue of this authority they could exclude the unworthy. Thus in 70 B.C. sixty-four senators were expelled from the Senate by the censors. From this control of the membership of the equestrian and senatorial orders, grew up the right of the general direction of public morals. This authority was enforced by the issuance of edicts against practices injurious to public morality, and by degrading individuals guilty of specially serious offences.

The censors also performed certain financial duties. Thus, they were charged with the farming of the provincial revenues, which were regularly put up at auction and sold to the highest bidder.

As agents of the Senate, the censors also let contracts for public works and were charged with the supervision of public buildings, such as temples, aqueducts, bridges, *etc.*

The Quaestorship. — From Sulla's time on, twenty quaestors were chosen annually by the *Comitia Tributa.* All were financial officers. Two, designated *quaestores urbani,* were charged with the management of the state treasury at Rome, which was in the Temple of Saturn (p. xxxiv). They also acted as the custodians of various public documents. Thus, they kept the census lists and the contracts made by the censors for the erection of buildings or the execution of other public improvements. They also kept the engrossed resolutions of the Senate, copies of laws, and lists of jurymen in the *quaestiones perpetuae* (p. xxiv).

Most of the quaestors were stationed in the provinces as assistants of proconsuls or propraetors. Usually a province had but one quaestor; Sicily had two, one stationed at Syracuse, the other at Lilybaeum. Cicero's year as quaestor was spent at the latter post.

All the quaestors entered upon their duties December 5.

The Tribunate. — There were ten tribunes, elected annually by the *Concilium Plebis.* Their functions were as follows :

1. They possessed the *jus auxili,* or right of defending individuals against the special acts of magistrates. This prerogative dated from the early republic, when the plebeians were subject to the arbitrary oppression of patrician

officials. Though still recognized as operative in Cicero's day, it is unlikely that it was often utilized.

2. The tribunes possessed the *jus intercedendi,* or veto power. By this a tribune could prevent the enactment of resolutions by the Senate, also the passage of laws or the election of magistrates by the assemblies. Theoretically, the veto was never directed against the Senate or the assembly itself, but against the magistrate who was presiding over the meeting.

3. The tribunes took the initiative in introducing bills before the *Concilium Plebis,* and conducted the elections for plebeian magistrates (tribunes and plebeian aediles), who were chosen by the same assembly.

4. They enjoyed the right of convening the Senate and of consulting it with regard to important measures.

The Aedileship. — There were four aediles, two plebeian and two curule. The plebeian aediles were chosen by the *Concilium Plebis;* the curule aediles by the *Comitia Tributa.* The duties of both classes were partly identical. Thus :

1. They were charged with the supervision of streets, the maintenance of public order, the control of the public water supply. For these purposes the city was divided into four districts, of which each aedile took charge of one.

2. They exercised supervision of the markets, and in particular were charged with maintaining at all times an adequate supply of grain in the city.

3. They supervised the public games. A certain sum was appropriated for this purpose by the state, but the natural desire to surpass the games of preceding years often prompted the aediles to exceed largely the state appropriation. Thus, vast sums were often lavished upon the games by aediles ambitious of subsequent preferment at the hands of the people, and heavy debts were often incurred, to be wiped out, if at all, only by heavy oppression of the poor provincials.

The Roman Assemblies.

There were four Roman assemblies, the *Comitia Curiata*, the *Comitia Centuriata*, the *Comitia Tributa*, and the *Concilium Plebis*.

1. Comitia Curiata. — This assembly was so designated because it was organized by *curiae*. It was confined practically to the regal period of Roman history, and in Cicero's day had long been virtually extinct. Almost its only function in his time was the enactment of the *Lex Curiata de Imperio*, whereby the newly elected consuls and praetors were formally invested with the *imperium* belonging to their office. The *Comitia* assembled for this purpose consisted simply of thirty *lictores*, who represented the thirty *curiae* of the regal period.

2. The Comitia Centuriata was so called because it was organized by centuries. In Cicero's day there were 373 of these. A majority elected. The assembly was convoked in ordinary times only by the consul or praetor. The place of meeting was regularly the Campus Martius.

The *Comitia Centuriata* possessed powers of three kinds: legislative, electoral, and judicial.

a) Legislative powers. In the earlier days of the republic, the *Comitia Centuriata* had been the chief legislative organ of the people, but in Cicero's day its legislative functions had long since been abandoned, and transferred to the *Comitia Tributa* and the *Concilium Plebis*.

b) Electoral functions. In its electoral capacity, the *Comitia Centuriata* chose consuls and praetors annually, while every five years it chose censors.

c) Judicial functions. The judicial functions of the *Comitia Centuriata* were confined to the consideration of appeals in capital cases.

3. **The Comitia Tributa.** — This was so called because it was organized by tribes, of which there were thirty-five. It met either in the Forum or the Campus Martius. The presiding official was usually a consul or praetor, but in judicial cases a curule aedile presided. Like the *Comitia Centuriata*, it exercised legislative, electoral, and judicial functions. In Cicero's time it was still an important legislative body, though there had long been a growing tendency for the *Concilium Plebis* (see below) to monopolize legislative business. The enactments of the *Comitia Tributa* were known as *leges*, whereas the enactments of the *Concilium Plebis* were designated as *plebiscita* (literally, 'resolutions of the people'). As an electoral body, the *Comitia Tributa* chose quaestors, curule aediles, *tribuni militum*, along with certain boards of petty officials. It also elected certain priests.

As a judicial body, the *Comitia Tributa* in Cicero's day exercised only very limited jurisdiction. Most of its functions had long since devolved upon the *quaestiones perpetuae*, or standing courts (p. xxv). Yet Cicero defended a case before it as late as 63 B.C. This was the trial of Rabirius for murder.

4. **The Concilium Plebis.** — The *Concilium Plebis* was the germ out of which the *Comitia Tributa* had developed. By origin it was an exclusively plebeian assembly. But by the admission of patricians, it gave rise at an early day to the *Comitia Tributa* (see above). The old *Concilium Plebis*, however, still continued to exist, organized, like the *Comitia Tributa*, on the tribal basis. In Cicero's day this had come to be the most important legislative body. Its enactments, though designated merely as *plebiscita* ('resolutions of the plebs'), had for centuries been recognized as possessing the same validity as the *leges* of the *Comitia Tributa*. The *Concilium Plebis* was usually convened by tribunes and met in the Forum or Campus Martius. In addition to

its legislative functions, it elected tribunes and plebeian aediles.

The Senate.

In Cicero's day all who had been elected to the office of quaestor became *ex officio* members of the Senate. Entrance to this body was, however, guarded by the censors, who possessed the privilege of excluding men of notoriously bad character (see p. xxv). As a rule, every senator was required to possess the minimum fortune prescribed for the equestrian order, *viz.* 400,000 sesterces (about $20,000). As a special badge of their rank, the senators wore a broad purple stripe (*latus clavus*) on the front of the tunic, a gold ring, and a special shoe of red leather, laced high. After Sulla's day the Senate consisted of 600 members.

The right of summoning the Senate was possessed by consuls, praetors, and tribunes, and these also presided over its meetings. The regular place for its deliberations was the *Curia Hostilia*, but any *templum* might be used for the purpose. Thus Cicero delivered his First Oration against Catiline in the Temple of Jupiter Stator, the Fourth Oration in the Temple of Concord. Only senators were admitted to the place of meetings, though others might listen to the proceedings from the entrance.

The presiding magistrate introduced the business of the meeting and called upon individual senators in turn to express their opinions. Those first called upon were the consuls-elect, then the ex-consuls in the order of seniority, afterwards the other senators in order of their official experience, praetors and ex-praetors first, then tribunes, aediles, and quaestors. Each senator gave his opinion briefly or at length, as he chose. The presiding magistrate had the right at any time in the course of debate to take the floor and express his own opinion. The action of the Senate was finally determined by a formal division, and was called a *senatus consultum*. To be valid, a *senatus consultum* must have the approval of the presiding magistrate, and must be passed before sunset.

Although primarily only an advisory body, the Senate had early come to possess virtual legislative authority, and to be the guiding force of the Roman state. Its permanent character and the ripe experience of its members gave it a power and authority which the annual magistrates could not hope to attain.

As special functions of the Senate may be mentioned:

1. The conduct of foreign affairs, such as the making of treaties, negotiations with other nations, the conferring of titles upon foreign personages.

2. The assignment of troops and military commands in time of war; also the awarding of the title *imperator* and the granting of a triumph.

3. The preliminary consideration of bills which any magistrate might contemplate bringing before the legislative assemblies.

4. The control of the revenues and disbursements of the state. The actual book-keeping for the state accounts was conducted by the quaestors and their subordinates, but the Senate exercised control over the appropriations.

5. The voting of a thanksgiving (*supplicatio*), and the consultation of the soothsayers or of the Sibylline books, in time of great public peril.

THE ROMAN FORUM AND ITS SURROUNDINGS IN CICERO'S DAY.

The Roman Forum occupied the depression lying between the hills on which the city was built. Its dimensions were not large, — about 500 by 160 feet, — but its importance at all periods of Roman history was very great. The Forum

Capitolium

Arx   Temple of Juno Moneta

Tabularium

Temple of Saturn   Temple of Concord   Basilica Opimia   Career   Basilica Porcia

Rostra   Comitium

Basilica Sempronia   Basilica Aemilia

Temple of Castor and Pollux   Regia   Fornix Fabianus

Temple of Vesta

Curia Hostilia

Private Houses

THE ROMAN FORUM IN CICERO'S TIME.

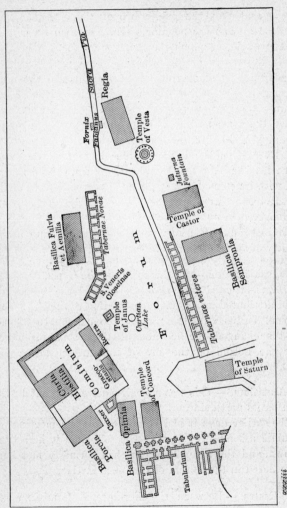

GROUND PLAN OF FORUM IN CICERO'S TIME.

Via Sacra

Fornix Fabianus

Regia

Temple of Vesta

Juturna Fountain

Basilica Fulvia et Aemilia

Tabernae Novae

Temple of Castor

S.Veneris Cloacinae

Temple of Janus

Curtian Lake

Forum

Basilica Sempronia

Tabernae veteres

Rostra

Graeco stasis

Curia Hostilia

Comitium

Carcer

Basilica Porcia

Basilica Optimia

Temple of Concord

Temple of Saturn

Tabularium

was the centre of the public life of the city in all its phases. In it met the popular assemblies. On its borders were the Curia, in which the Senate met for deliberation, and the Rostra from which the orators addressed the people. Through it, along the Sacred Way, passed the great triumphal processions of victorious generals. The Forum, too, was the centre of legal activity. Around it were grouped the great basilicas, or law courts, in which justice was administered. It was also the religious centre of the city. Here from the earliest times had stood the great sanctuaries of Rome, the Temple of Saturn, the Temple of Vesta with its eternal fire, symbolic of the perpetuity of the city. Here, too, were the official headquarters of the *pontifex maximus*, the chief dignitary of the Roman religion. It is these historic associations which make the Forum for us a locality of such supreme interest and importance.

The Curia Hostilia. — In Cicero's time the Curia, or senate house, was situated on the north side of the Comitium. Legend attributed its original construction to the third king of Rome, Tullus Hostilius; hence the name. In 29 B.C. Augustus changed the location of the Curia, placing it nearer the Forum on the site of the earlier Rostra (see below).

The Comitium. — This was a small square adjacent to the Forum on its north side.

In the earlier days it had been used for the meetings of the public assemblies. But by Cicero's time it had been outgrown, and the assemblies that had formerly met here now gathered in the Forum or Campus Martius.

The Rostra. — Between the Forum and Comitium lay the Rostra. This was simply a large platform for public speaking. It took its name from the ships' beaks (*rostra*) suspended as trophies along its front. These were said to have been captured at Antium in 338 B.C.   About 42 B.C. the Rostra was moved to the west end of the Forum and reërected in front of the Temple of Concord.

Carcer and Tullianum. — These are situated at the north-west corner of the Roman Forum and exist to-day. The Tullianum is below the Carcer and is an older structure. Legend associated its name with Servius Tullius, the sixth king of Rome, but there can be little doubt that the original meaning of Tullianum was 'well house,' from *tullus*, 'jet' or 'spring of water.'   From time immemorial there has been a spring on this site, and the Tullianum was presumably orig-inally nothing but a well house, designed to protect the purity of the water.   Later a prison, Carcer, was built over the Tullianum.   This prison probably consisted of a num-ber of apartments, of which only one exists to-day. See the cross section opposite p. 59. The upper chamber, or Carcer proper, was used for the detention of criminals. The lower chamber, or Tullianum, was used for executions. Sallust describes this place as damp and loathsome. It was here that the detected Catilinarian conspirators were strangled by vote of the Senate.

Temple of Concord. — This was situated at the extreme west end of the Forum. The original structure is said to have been erected in 367 B.C., after the passage of the Licin-ian Rogations, to commemorate the final establishment of concord between patricians and plebeians. The structure standing in Cicero's day dated from 121 B.C. Practically no remains of this temple exist to-day.

The Tabularium. — This stood back of the Temples of Saturn and Concord on the rising ground of the Capitoline Hill. The building seems to have served as a record office or repository of public documents; hence the name, — from *tabulae,* 'records,' 'accounts.' It was erected in 78 B.C. The

xxxvi

THE FORUM TO-DAY, LOOKING EAST.

THE FORUM TO-DAY, LOOKING WEST.

original structure is still standing, but extensive additions have been made to it in mediaeval and modern times.

The Temple of Saturn. — This stood at the extreme west end of the Forum, in front of the Tabularium and south of the Temple of Concord. The original temple is said to have dated from 497 B.C., but it was often rebuilt. A few picturesque columns of the last restoration, made under Diocletian, are still standing. This temple served as the *aerarium* or treasury of the Roman state.

The Temple of Castor and Pollux. — This was situated on the south side of the Forum. According to tradition it was founded in 482 B.C., fourteen years after the Battle of Lake Regillus, in commemoration of the assistance rendered to the Romans in this fight by Castor and Pollux. Three columns of the last restoration of this temple, erected in 6 A.D., under Augustus, are still standing.

The Temple of Vesta. — Adjacent to the Temple of Castor and Pollux was the Temple of Vesta. This contained the hearth on which the eternal fire of the goddess was maintained by the vestals. Only the foundation remains.

The Regia. — At the extreme east end of the Forum was the *Regia*. According to some this was the official residence of the *pontifex maximus*, according to others merely the official headquarters of the *pontifex* and his assistants. Some remains of this building have been brought to light in recent years.

Fornix Fabianus. — Near the *Regia* stood the *Fornix Fabianus*, a triumphal arch erected in honor of Q. Fabius Maximus to commemorate his victories over the Allobroges and Arverni in 121 B.C.

Basilica Aemilia. — This was a law court, built originally in 179 B.C., on the north side of the Forum. Some interesting remains of a reconstruction by Augustus about 14 B.C. have recently been brought to light. Other law courts were the *Basilica Sempronia*, the *Basilica Porcia*, and the *Basilica Opimia*.

Tabernae. — On the north and south borders of the Forum were rows óf shops. Those on the north side were called *Tabernae Novae ;* those on the south side, *Tabernae Veteres.*

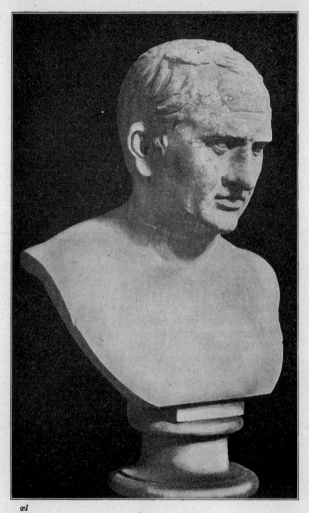

CICERO.

From a bust in the Vatican.

M. TULLI CICERONIS

ORATIO IN CATILINAM PRIMA

IN SENATU HABITA.

Catiline's effrontery.

I. 1. Quō ūsque tandem abūtēre, Catilīna, patientiā
nostrā? Quam diū etiam furor iste tuus nōs ēlūdet?
Quem ad fīnem sēsē effrēnāta jactābit audācia? Nihilne
tē nocturnum praesidium Palātī, nihil urbis vigiliae, nihil
timor populī, nihil concursus bonōrum omnium, nihil 5
hīc mūnītissimus habendī senātūs locus, nihil hōrum ōra
vultūsque mōvērunt? Patēre tua cōnsilia nōn sentīs?
Cōnstrictam jam hōrum omnium scientiā tenērī conjūrātiōnem tuam nōn vidēs? Quid proximā, quid superiōre
nocte ēgerīs, ubi fuerīs, quōs convocāverīs, quid cōnsilī 10
cēperīs, quem nostrum ignōrāre arbitrāris? **2.** Ō tempora, ō mōrēs! Senātus haec intellegit, cōnsul videt;
hīc tamen vīvit. Vīvit? Immō vērō etiam in senātum
venit, fit pūblicī cōnsilī particeps, notat et dēsignat oculīs ad caedem ūnum quemque nostrum. Nōs autem, fortēs 15
virī, satis facere reī pūblicae vidēmur, sī istīus furōrem
ac tēla vītēmus. Ad mortem tē, Catilīna, dūcī jussū cōnsulis jam prīdem oportēbat; in tē cōnferrī pestem, quam
tū in nōs māchināris.

The fate of previous revolutionists.

3. An vērō vir amplissimus, P. Scīpiō, pontifex maximus, Ti. Gracchum mediocriter labefactantem statum
reī pūblicae prīvātus interfēcit; Catilīnam orbem terrae
caede atque incendiīs vāstāre cupientem nōs cōnsulēs
5 perferēmus? Nam illa nimis antīqua praetereō, quod
C. Servīlius Ahāla Sp. Maelium novīs rēbus studentem
manū suā occīdit. Fuit, fuit ista quondam in hāc rē
pūblicā virtūs, ut virī fortēs ācriōribus suppliciīs cīvem
perniciōsum quam acerbissimum hostem coērcērent. Ha-
10 bēmus senātūs cōnsultum in tē, Catilīna, vehemēns et
grave; nōn deest reī pūblicae cōnsilium neque auctōritās
hūjus ōrdinis; nōs, nōs, dīcō apertē, cōnsulēs dēsumus.

II. 4. Dēcrēvit quondam senātus, ut L. Opīmius cōnsul vidēret, nē quid rēs pūblica dētrīmentī caperet; nox
15 nūlla intercessit; interfectus est propter quāsdam sēdi-
tiōnum suspīciōnēs C. Gracchus, clārissimō patre, avō,
majōribus; occīsus est cum līberīs M. Fulvius cōnsulāris.
Similī senātūs cōnsultō C. Mariō et L. Valeriō cōnsulibus
est permissa rēs pūblica; num ūnum diem posteā L. Sā-
20 turnīnum tribūnum plēbis et C. Servīlium praetōrem
mors ac reī pūblicae poena remorāta est?

Remissness of the present consuls.

At nōs vīcēsimum jam diem patimur hebēscere aciem
hōrum auctōritātis. Habēmus enim hūjusce modī senātūs cōnsultum, vērum inclūsum in tabulīs tamquam in
25 vāgīnā reconditum, quō ex senātūs cōnsultō cōnfestim tē
interfectum esse, Catilīna, convēnit. Vīvis, et vīvis nōn
ad dēpōnendam, sed ad cōnfīrmandam audāciam. Cupiō,
patrēs cōnscrīptī, mē esse clēmentem, cupiō in tantīs reī
pūblicae perīculīs mē nōn dissolūtum vidērī, sed jam mē

ipse inertiae nēquitiaeque condemnō. **5.** Castra sunt
in Italiā contrā populum Rōmānum in Etrūriae faucibus
collocāta; crēscit in diēs singulōs hostium numerus;
eōrum autem castrōrum imperātōrem ducemque hostium
intrā moenia atque adeō in senātū vidēmus intestīnam 5
aliquam cotīdiē perniciem reī pūblicae mōlientem. Sī
tē jam, Catilīna, comprehendī, sī interficī jusserō, crēdō,
erit verendum mihi, nē nōn potius hōc omnēs bonī sērius
ā mē quam quisquam crūdēlius factum esse dīcat.

Reasons for Cicero's forbearance.

Vērum ego hōc, quod jam prīdem factum esse oportuit, 10
certā dē causā nōndum addūcor ut faciam. Tum dēnique
interficiēre, cum jam nēmō tam improbus, tam perditus,
tam tuī similis invenīrī poterit, quī id nōn jūre factum
esse fateātur.

6. Quamdiū quisquam erit, quī tē dēfendere audeat, 15
vīvēs, et vīvēs ita ut vīvis, multīs meīs et fīrmīs praesidiīs obsessus, nē commovēre tē contrā rem pūblicam possīs.
Multōrum tē etiam oculī et aurēs nōn sentientem, sīcut
adhūc fēcērunt, speculābuntur atque cūstōdient.

The consul has full knowledge of Catiline's every movement.

III. Etenim quid est, Catilīna, quod jam amplius ex- 20
spectēs, sī neque nox tenebrīs obscūrāre coētūs nefāriōs
nec prīvāta domus parietibus continēre vōcēs conjūrātiōnis tuae potest, sī illūstrantur, sī ērumpunt omnia?
Mūtā jam istam mentem; mihi crēde, oblīvīscere caedis
atque incendiōrum. Tenēris undique; lūce sunt clāriōra 25
nōbīs tua cōnsilia omnia; quae jam mēcum licet recog-
nōscās. **7.** Meministīne mē ante diem XII Kalendās
Novembrīs dīcere in senātū fore in armīs certō diē, quī

diēs futūrus esset ante diem VI Kalendās Novembrīs,
C. Mānlium, audāciae satellitem atque administrum
tuae? Num mē fefellit, Catilīna, nōn modo rēs tanta,
tam atrōx tamque incrēdibilis, vērum, id quod multō
5 magis est admīrandum, diēs? Dīxī ego īdem in senātū
caedem tē optimātium contulisse in ante diem V Kalendās
Novembrīs, tum cum multī prīncipēs cīvitātis Rōmā nōn
tam suī cōnservandī quam tuōrum cōnsiliōrum reprimen-
dōrum causā profūgērunt. Num īnfitiārī potes tē illō
10 ipsō diē meīs praesidiīs, meā dīligentiā circumclūsum,
commovēre tē contrā rem pūblicam nōn potuisse, cum tū
discessū cēterōrum nostrā tamen, quī remānsissēmus,
caede tē contentum esse dīcēbās? **8.** Quid? Cum tē
Praeneste Kalendīs ipsīs Novembribus occupātūrum noc-
15 turnō impetū esse cōnfīderēs, sēnsistīne illam colōniam
meō jussū meīs praesidiīs, cūstōdiīs, vigiliīs esse mūnītam? Nihil agis, nihil mōlīris, nihil cōgitās, quod nōn ego
nōn modo audiam, sed etiam videam plānēque sentiam.

IV. Recognōsce tandem mēcum noctem illam superiō-
20 rem; jam intellegēs multō mē vigilāre ācrius ad salūtem
quam tē ad perniciem reī pūblicae. Dīcō tē priōre nocte
vēnisse inter falcāriōs (nōn agam obscūrē) in M. Laecae
domum; convēnisse eōdem complūrēs ejusdem āmentiae
scelerisque sociōs. Num negāre audēs? Quid tacēs?
25 Convincam, sī negās. Videō enim esse hīc in senātū
quōsdam, quī tēcum ūnā fuērunt. **9.** Ō dī immortālēs!
Ubinam gentium sumus? In quā urbe vīvimus? Quam
rem pūblicam habēmus? Hīc, hīc sunt in nostrō numerō,
patrēs cōnscrīptī, in hōc orbis terrae sānctissimō gravis-
30 simōque cōnsiliō, quī dē nostrō omnium interitū, quī dē
hūjus urbis atque adeō dē orbis terrārum exitiō cōgitent!
Hōs ego videō cōnsul et dē rē pūblicā sententiam rogō et,

quōs ferrō trucīdārī oportēbat, eōs nōndum vōce vulnerō !
Fuistī igitur apud Laecam illā nocte, Catilīna ; distribuistī
partēs Italiae; statuistī, quō quemque proficīscī placēret ;
dēlēgistī, quōs Rōmae relinquerēs, quōs tēcum ēdūcerēs ;
discrīpsistī urbis partēs ad incendia, cōnfīrmāstī tē ipsum 5
jam esse exitūrum ; dīxistī paulum tibi esse etiam nunc
morae, quod ego vīverem. Repertī sunt duo equitēs Rōmānī, quī tē istā cūrā līberārent et sēsē illā ipsā nocte
paulō ante lūcem mē in meō lectulō interfectūrōs pollicē-
rentur.   10. Haec ego omnia vixdum etiam coetū vestrō 10
dīmissō comperī ; domum meam majōribus praesidiīs
mūnīvī atque fīrmāvī, exclūsī eōs, quōs tū ad mē salūtā-
tum māne mīserās, cum illī ipsī vēnissent, quōs ego jam
multīs ac summīs virīs ad mē id temporis ventūrōs esse
praedīxeram.   15

Catiline is urged to leave Rome and unite with Manlius.

V. Quae cum ita sint, Catilīna, perge, quō coepistī ;
ēgredere aliquandō ex urbe ; patent portae ; proficīscere.
Nimium diū tē imperātōrem tua illa Mānliāna castra
dēsīderant. Ēdūc tēcum etiam omnēs tuōs ; sī minus,
quam plūrimōs ; pūrgā urbem. Magnō mē metū līberābis, 20
dum modo inter mē atque tē mūrus intersit. Nōbīscum
versārī jam diūtius nōn potes ; nōn feram, nōn patiar,
nōn sinam.   11. Magna dīs immortālibus habenda est
atque huic ipsī Jovī Statōrī, antīquissimō cūstōdī hūjus
urbis, grātia, quod hanc tam taetram, tam horribilem 25
tamque īnfēstam reī pūblicae pestem totiēns jam effūgi-
mus. Nōn est saepius in ūnō homine summa salūs perī-
clitanda reī pūblicae. Quamdiū mihi cōnsulī dēsignātō,
Catilīna, īnsidiātus es, nōn pūblicō mē praesidiō, sed
prīvātā dīligentiā dēfendī. Cum proximīs comitiīs cōn- 30

sulāribus mē cōnsulem in Campō et competītōrēs tuōs
interficere voluistī, compressī cōnātūs tuōs nefāriōs amīcōrum praesidiō et cōpiīs, nūllō tumultū pūblicē conci-
tātō; dēnique, quotiēnscumque mē petīstī, per mē tibi
5 obstitī, quamquam vidēbam perniciem meam cum magnā
calamitāte reī pūblicae esse conjūnctam.   12. Nunc jam
apertē rem pūblicam ūniversam petis, templa deōrum
immortālium, tēcta urbis, vītam omnium cīvium, Italiam
tōtam ad exitium et vāstitātem vocās.   Quārē, quoniam
10 id, quod est prīmum, et quod hūjus imperī disciplīnaeque
majōrum proprium est, facere nōndum audeō, faciam id,
quod est ad sevēritātem lēnius et ad commūnem salūtem
ūtilius.   Nam sī tē interficī jusserō, residēbit in rē pūblicā reliqua conjūrātōrum manus; sīn tū, quod tē jam
15 dūdum hortor, exieris, exhauriētur ex urbe tuōrum comitum magna et perniciōsa sentīna reī pūblicae.   13. Quid
est, Catilīna?   Num dubitās id mē imperante facere,
quod jam tuā sponte faciēbās?   Exīre ex urbe jubet cōnsul hostem.   Interrogās mē, num in exsilium; nōn jubeō,
20 sed, sī mē cōnsulis, suādeō.

*Catiline, by his career of crime, has incurred the hatred of all
citizens.*

VI.   Quid est enim, Catilīna, quod tē jam in hāc urbe
dēlectāre possit? in quā nēmō est extrā istam conjūrātiōnem perditōrum hominum, quī tē nōn metuat, nēmō,
quī nōn ōderit.   Quae nota domesticae turpitūdinis nōn
25 inūsta vītae tuae est?   Quod prīvātārum rērum dēdecus
nōn haeret in fāmā?   Quae libīdō ab oculīs, quod facinus
ā manibus umquam tuīs, quod flāgitium ā tōtō corpore
āfuit?   Cui tū adulēscentulō, quem corruptēlārum illece-
brīs irrētīssēs, nōn aut ad audāciam ferrum aut ad libī-

dinem facem praetulistī?   **14.** Quid vērō? Nūper cum
morte superiōris uxōris novīs nūptiīs domum vacuēfē-
cissēs, nōnne etiam aliō incrēdibilī scelere hōc scelus
cumulāstī? Quod ego praetermittō et facile patior silērī,
nē in hāc cīvitāte tantī facinoris immānitās aut exstitisse 5
aut nōn vindicāta esse videātur. Praetermittō ruīnās
fortūnārum tuārum, quās omnīs impendēre tibi proximīs
Īdibus sentiēs; ad illa veniō, quae nōn ad prīvātam ignōminiam vitiōrum tuōrum, nōn ad domesticam tuam difficultātem ac turpitūdinem, sed ad summam rem pūblicam 10
atque ad omnium nostrum vītam salūtemque pertinent.
15. Potestne tibi haec lūx, Catilīna, aut hūjus caelī
spīritus esse jūcundus, cum sciās esse hōrum nēminem,
quī nesciat tē prīdiē Kalendās Jānuāriās Lepidō et Tullō
cōnsulibus stetisse in Comitiō cum tēlō, manum cōnsulum 15
et prīncipum cīvitātis interficiendōrum causā parāvisse,
scelerī ac furōrī tuō nōn mentem aliquam aut timōrem
tuum, sed fortūnam populī Rōmānī obstitisse? Ac jam
illa omittō (neque enim sunt aut obscūra aut nōn multa
commissa posteā); quotiēns tū mē dēsignātum, quotiēns 20
cōnsulem interficere cōnātus es! quot ego tuās petītiōnēs
ita conjectās, ut vītārī posse nōn vidērentur, parvā quādam
dēclīnātiōne et, ut ajunt, corpore effūgī! Nihil assequeris
neque tamen cōnārī ac velle dēsistis.   **16.** Quotiēns tibi
jam extorta est ista sīca dē manibus, quotiēns excidit 25
cāsū aliquō et ēlāpsa est! quae quidem quibus abs tē
initiāta sacrīs ac dēvōta sit, nesciō, quod eam necesse
putās esse in cōnsulis corpore dēfīgere.

The verdict of Catiline's fellow-senators.

VII. Nunc vērō quae tua est ista vīta? Sīc enim jam
tēcum loquar, nōn ut odiō permōtus esse videar, quō 30

dēbeō, sed ut misericordiā, quae tibi nūlla dēbētur.
Vēnistī paulō ante in senātum. Quis tē ex hāc tantā
frequentiā totque tuīs amīcīs ac necessāriīs salūtāvit?
Sī hōc post hominum memoriam contigit nēminī, vōcis
5 exspectās contumēliam, cum sīs gravissimō jūdiciō taci-
turnitātis oppressus? Quid, quod adventū tuō ista sub-
sellia vacuēfacta sunt, quod omnēs cōnsulārēs, quī tibi
persaepe ad caedem cōnstitūtī fuērunt, simul atque assē-
distī, partem istam subselliōrum nūdam atque inānem
10 relīquērunt, quō tandem animō tibi ferendum putās?
17. Servī meherculē meī sī mē istō pāctō metuerent, ut
tē metuunt omnēs cīvēs tuī, domum meam relinquendam
putārem; tū tibi urbem nōn arbitrāris? Et, sī mē meīs
cīvibus injūriā suspectum tam graviter atque offēnsum
15 vidērem, carēre mē aspectū cīvium quam īnfēstīs omnium
oculīs cōnspicī māllem; tū cum cōnscientiā scelerum
tuōrum agnōscās odium omnium jūstum et jam diū tibi
dēbitum, dubitās, quōrum mentēs sēnsūsque vulnerās,
eōrum aspectum praesentiamque vītāre? Sī tē parentēs
20 timērent atque ōdissent tuī neque eōs ūllā ratiōne plācāre
possēs, ut opīnor, ab eōrum oculīs aliquō concēderēs.
Nunc tē patria, quae commūnis est parēns omnium nostrum, ōdit ac metuit et jam diū nihil tē jūdicat nisi dē
parricīdiō suō cōgitāre; hūjus tū neque auctōritātem
25 verēbere nec jūdicium sequēre nec vim pertimēscēs?
18. Quae tēcum, Catilīna, sīc agit et quōdam modō tacita
loquitur:

The voice of the country.

'Nūllum jam aliquot annīs facinus exstitit nisi per
tē, nūllum flāgitium sine tē; tibi ūnī multōrum cīvium
30 necēs, tibi vexātiō dīreptiōque sociōrum impūnīta fuit
ac lībera; tū nōn sōlum ad neglegendās lēgēs et

quaestiōnēs, vērum etiam ad ēvertendās perfringen-
dāsque valuistī. Superiōra illa, quamquam ferenda
nōn fuērunt, tamen, ut potuī, tulī; nunc vērō mē tōtam
esse in metū propter ūnum tē; quicquid increpuerit,
Catilīnam timērī; nūllum vidērī contrā mē cōnsilium 5
inīrī posse, quod ā tuō scelere abhorreat, nōn est
ferendum. Quam ob rem discēde atque hunc mihi
timōrem ēripe; sī est vērus, nē opprimar, sīn falsus,
ut tandem aliquandō timēre dēsinam.'

VIII. **19.** Haec sī tēcum, ita ut dīxī, patria loquātur, 10
nōnne impetrāre dēbeat, etiamsī vim adhibēre nōn
possit?

Catiline's proposal to put himself in custody.

Quid, quod tū tē ipse in cūstōdiam dedistī, quod
vītandae suspīciōnis causā ad M'. Lepidum tē habitāre
velle dīxistī? Ā quō nōn receptus etiam ad mē venīre 15
ausus es atque, ut domī meae tē asservārem, rogāstī.
Cum ā mē quoque id respōnsum tulissēs, mē nūllō modō
posse īsdem parietibus tūtō esse tēcum, quī magnō in
perīculō essem, quod īsdem moenibus continērēmur, ad
Q. Metellum praetōrem vēnistī. Ā quō repudiātus ad 20
sodālem tuum, virum optimum, M. Metellum, dēmi-
grāstī; quem tū vidēlicet et ad cūstōdiendum dīligentis-
simum et ad suspicandum sagācissimum et ad vindican-
dum fortissimum fore putāstī. Sed quam longē vidētur
ā carcere atque ā vinculīs abesse dēbēre, quī sē ipse 25
jam dignum cūstōdiā jūdicārit! **20.** Quae cum ita
sint, Catilīna, dubitās, sī ēmorī aequō animō nōn potes,
abīre in aliquās terrās et vītam istam multīs suppliciīs jūstīs dēbitīsque ēreptam fugae sōlitūdinīque
mandāre? 30

The judgment of the senate is obvious.

'Refer,' inquis, 'ad senātum'; id enim postulās et,
sī hīc ōrdō placēre dēcrēverit tē īre in exsilium, obtem-
perātūrum tē esse dīcis. Nōn referam, id quod abhorret
ā meīs mōribus, et tamen faciam, ut intellegās, quid hī dē
5 tē sentiant. Ēgredere ex urbe, Catilīna, līberā rem pūblicam metū; in exsilium, sī hanc vōcem exspectās, proficīscere. Quid est, Catilīna? Ecquid attendis, ecquid
animadvertis hōrum silentium? Patiuntur, tacent. Quid
exspectās auctōritātem loquentium, quōrum voluntātem
10 tacitōrum perspicis? **21.** At sī hōc idem huic adulēs-
centī optimō, P. Sēstiō, sī fortissimō virō, M. Mārcellō,
dīxissem, jam mihi cōnsulī hōc ipsō in templō jūre
optimō senātus vim et manūs intulisset. Dē tē autem,
Catilīna, cum quiēscunt, probant; cum patiuntur, dēcer-
15 nunt; cum tacent, clāmant; neque hī sōlum, quōrum tibi
auctōritās est vidēlicet cāra, vīta vīlissima, sed etiam illī
equitēs Rōmānī, honestissimī atque optimī virī, cēterīque
fortissimī cīvēs, quī circumstant senātum, quōrum tū et
frequentiam vidēre et studia perspicere et vōcēs paulō
20 ante exaudīre potuistī. Quōrum ego vix abs tē jam diū
manūs ac tēla contineō, eōsdem facile addūcam, ut tē
haec, quae vāstāre jam prīdem studēs, relinquentem
ūsque ad portās prōsequantur.

The uselessness of pleading with Catiline.

IX. 22. Quamquam quid loquor? Tē ut ūlla rēs
25 frangat, tū ut umquam tē corrigās, tū ut ūllam fugam
meditēre, tū ut ūllum exsilium cōgitēs? Utinam tibi
istam mentem dī immortālēs duint! Tametsī videō,
sī meā vōce perterritus īre in exsilium animum indūx-
eris, quanta tempestās invidiae nōbīs, sī minus in

praesēns tempus recentī memoriā scelerum tuōrum, at
in posteritātem impendeat. Sed est tantī, dum modo
ista sit prīvāta calamitās et ā reī pūblicae perīculīs
sējungātur. Sed tū ut vitiīs tuīs commoveāre, ut
lēgum poenās pertimēscās, ut temporibus reī pūblicae 5
cēdās, nōn est postulandum. Neque enim is es, Catilīna, ut tē aut pudor umquam ā turpitūdine aut metus
ā perīculō aut ratiō ā furōre revocārit. **23.** Quam ob
rem, ut saepe jam dīxī, proficīscere ac, sī mihi inimīcō, ut praedicās, tuō cōnflāre vīs invidiam, rēctā 10
perge in exsilium; vix feram sermōnēs hominum, sī id
fēceris; vix mōlem istīus invidiae, sī in exsilium jussū
cōnsulis ieris, sustinēbō. Sīn autem servīre meae
laudī et glōriae māvīs, ēgredere cum importūnā scele-
rātōrum manū, cōnfer tē ad Mānlium, concitā perditōs 15
cīvēs, sēcerne tē ā bonīs, īnfer patriae bellum, exsultā
impiō latrōciniō, ut ā mē nōn ējectus ad aliēnōs sed
invītātus ad tuōs īsse videāris. **24.** Quamquam quid
ego tē invītem, ā quō jam sciam esse praemissōs, quī
tibi ad Forum Aurēlium praestōlārentur armātī, cui 20
jam sciam pactam et cōnstitūtam cum Mānliō diem,
ā quō etiam aquilam illam argenteam, quam tibi ac
tuīs omnibus cōnfīdō perniciōsam ac fūnestam futūram,
cui domī tuae sacrārium cōnstitūtum fuit, sciam esse
praemissam? Tū ut illā carēre diūtius possīs, quam 25
venerārī ad caedem proficīscēns solēbās, ā cūjus altāribus
saepe istam impiam dexteram ad necem cīvium trāns-
tulistī?

X. 25. Ībis tandem aliquandō, quō tē jam prīdem
ista tua cupiditās effrēnāta ac furiōsa rapiēbat; neque 30
enim tibi haec rēs affert dolōrem, sed quandam incrēdibilem voluptātem.

Details of his depravity.

Ad hanc tē āmentiam nātūra peperit, voluntās exer-
cuit, fortūna servāvit. Numquam tū nōn modo ōtium,
sed nē bellum quidem nisi nefārium concupīstī. Nactus
es ex perditīs atque ab omnī nōn modo fortūnā, vērum
5 etiam spē dērelīctīs cōnflātam improbōrum manum.
26. Hīc tū quā laetitiā perfruēre, quibus gaudiīs exsul-
tābis, quantā in voluptāte bacchābere, cum in tantō
numerō tuōrum neque audiēs virum bonum quemquam
neque vidēbis! Ad hūjus vītae studium meditātī illī
10 sunt, quī feruntur, labōrēs tuī: jacēre humī nōn sōlum
ad obsidendum stuprum, vērum etiam ad facinus obeun-
dum, vigilāre nōn sōlum īnsidiantem somnō marītōrum,
vērum etiam bonīs ōtiōsōrum. Habēs, ubi ostentēs
tuam illam praeclāram patientiam famis, frīgoris, ino-
15 piae rērum omnium, quibus tē brevī tempore cōnfectum
esse sentiēs. **27.** Tantum prōfēcī tum, cum tē ā cōnsulātū reppulī, ut exsul potius temptāre quam cōnsul vexāre
rem pūblicam possēs, atque ut id, quod est ā tē scelerātē
susceptum, latrōcinium potius quam bellum nōminārētur.

*Cicero's excuse for sparing Catiline: he wishes all to be
convinced of the nature of the conspiracy.*

20 **XI.** Nunc, ut ā mē, patrēs cōnscrīptī, quandam prope
jūstam patriae querimōniam dētester ac dēprecer, perci-
pite, quaesō, dīligenter, quae dīcam, et ea penitus animīs
vestrīs mentibusque mandāte. Etenim, sī mēcum patria,
quae mihi vītā meā multō est cārior, sī cūncta Italia, sī
25 omnis rēs pūblica loquātur: 'M. Tullī, quid agis? Tūne
eum, quem esse hostem comperistī, quem ducem bellī
futūrum vidēs, quem exspectārī imperātōrem in castrīs
hostium sentīs, auctōrem sceleris, prīncipem conjūrātiōnis,

ēvocātōrem servōrum et cīvium perditōrum, exīre patiēre,
ut abs tē nōn ēmissus ex urbe, sed immissus in urbem
esse videātur?   Nōnne hunc in vincula dūcī, nōn ad
mortem rapī, nōn summō suppliciō mactārī imperābis?
28. Quid tandem tē impedit? Mōsne majōrum? At 5
persaepe etiam prīvātī in hāc rē pūblicā perniciōsōs cīvēs
morte multārunt. An lēgēs, quae dē cīvium Rōmānōrum
suppliciō rogātae sunt? At numquam in hāc urbe, quī
ā rē pūblicā dēfēcērunt, cīvium jūra tenuērunt. An
invidiam posteritātis timēs? Praeclāram vērō populō 10
Rōmānō refers grātiam, quī tē, hominem per tē cognitum,
nūllā commendātiōne majōrum, tam mātūrē ad summum
imperium per omnīs honōrum gradūs extulit, sī propter
invidiam aut alicūjus perīculī metum salūtem cīvium
tuōrum neglegis. **29.** Sed, sī quis est invidiae metus, 15
num est vehementius sevēritātis ac fortitūdinis invidia
quam inertiae ac nēquitiae pertimēscenda? An, cum
bellō vāstābitur Italia, vexābuntur urbēs, tēcta ārdēbunt,
tum tē nōn exīstimās invidiae incendiō cōnflagrātūrum?'
XII. Hīs ego sānctissimīs reī pūblicae vōcibus et 20
eōrum hominum, quī hōc idem sentiunt, mentibus pauca
respondēbō. Ego sī hōc optimum factū jūdicārem, patrēs
cōnscrīptī, Catilīnam morte multārī, ūnīus ūsūram
hōrae gladiātōrī istī ad vīvendum nōn dedissem. Etenim,
sī summī virī et clārissimī cīvēs Sāturnīnī et Gracchō- 25
rum et Flaccī et superiōrum complūrium sanguine nōn
modo sē nōn contāminārunt, sed etiam honestārunt, certē
verendum mihi nōn erat, nē quid hōc parricīdā cīvium
interfectō invidiae mihi in posteritātem redundāret.
Quodsī ea mihi maximē impendēret, tamen hōc animō 30
fuī semper, ut invidiam virtūte partam glōriam, nōn
invidiam putārem. **30.** Quamquam nōnnūllī sunt in

hōc ōrdine, quī aut ea, quae imminent, nōn videant aut
ea, quae vident, dissimulent ; quī spem Catilīnae mollibus
sententiīs aluērunt conjūrātiōnemque nāscentem nōn
crēdendō corrōborāvērunt; quōrum auctōritāte multī nōn
5 sōlum improbī, vērum etiam imperītī, sī in hunc animadvertissem, crūdēliter et rēgiē factum esse dīcerent. Nunc
intellegō, sī iste, quō intendit, in Mānliāna castra pervēnerit, nēminem tam stultum fore, quī nōn videat conjūrātiōnem esse factam, nēminem tam improbum, quī nōn
10 fateātur. Hōc autem ūnō interfectō, intellegō hanc reī
pūblicae pestem paulisper reprimī, nōn in perpetuum
comprimī posse. Quodsī sē ējēcerit sēcumque suōs
ēdūxerit et eōdem cēterōs undique collēctōs naufragōs
aggregārit, exstinguētur atque dēlēbitur nōn modo haec
15 tam adulta reī pūblicae pestis, vērum etiam stirps ac
sēmen malōrum omnium.

Importance of crushing not merely Catiline, but the entire
conspiracy.

XIII. **31.** Etenim jam diū, patrēs cōnscrīptī, in hīs
perīculīs conjūrātiōnis īnsidiīsque versāmur, sed nesciō
quō pactō omnium scelerum ac veteris furōris et audāciae
20 mātūritās in nostrī cōnsulātūs tempus ērūpit. Quodsī ex
tantō latrōciniō iste ūnus tollētur, vidēbimur fortasse ad
breve quoddam tempus cūrā et metū esse relevātī, perīculum autem residēbit et erit inclūsum penitus in vēnīs
atque in vīsceribus reī pūblicae. Ut saepe hominēs aegrī
25 morbō gravī, cum aestū febrīque jactantur, sī aquam
gelidam bibērunt, prīmō relevārī videntur, deinde multō
gravius vehementiusque afflīctantur, sīc hīc morbus, quī
est in rē pūblicā, relevātus istīus poenā vehementius
reliquīs vīvīs ingravēscet.   **32.** Quārē sēcēdant improbī,

sēcernant sē ā bonīs, ūnum in locum congregentur, mūrō
dēnique, quod saepe jam dīxī, sēcernantur ā nōbīs; dēsinant īnsidiārī domī suae cōnsulī, circumstāre tribūnal
praetōris urbānī, obsidēre cum gladiīs Cūriam, malleolōs
et facēs ad īnflammandam urbem comparāre; sit dēnique 5
īnscrīptum in fronte ūnīus cūjusque, quid dē rē pūblicā
sentiat. Polliceor hōc vōbīs, patrēs cōnscrīptī, tantam
in nōbīs cōnsulibus fore dīligentiam, tantam in vōbīs
auctōritātem, tantam in equitibus Rōmānīs virtūtem,
tantam in omnibus bonīs cōnsēnsiōnem, ut Catilīnae pro- 10
fectiōne omnia patefacta, illūstrāta, oppressa, vindicāta
esse videātis.

A curse on Catiline! May Jupiter protect his own people!

33. Hīsce ōminibus, Catilīna, cum summā reī pūblicae
salūte, cum tuā peste ac perniciē cumque eōrum exitiō,
quī sē tēcum omnī scelere parricīdiōque jūnxērunt, pro- 15
ficīscere ad impium bellum ac nefārium. Tū, Juppiter,
quī īsdem, quibus haec urbs, auspiciīs ā Rōmulō es cōnstitūtus, quem Statōrem hūjus urbis atque imperī vērē
nōmināmus, hunc et hūjus sociōs ā tuīs cēterīsque
templīs, ā tēctīs urbis ac moenibus, ā vītā fortūnīsque 20
cīvium arcēbis et hominēs bonōrum inimīcōs, hostīs
patriae, latrōnēs Italiae scelerum foedere inter sē ac
nefāriā societāte conjūnctōs, aeternīs suppliciīs vīvōs
mortuōsque mactābis.

M. TULLI CICERONIS

ORATIO IN CATILINAM SECUNDA

AD POPULUM.

Catiline is gone.

I. 1. Tandem aliquandō, Quirītēs, L. Catilīnam furentem
audāciā, scelus anhēlantem, pestem patriae nefāriē mōlientem, vōbīs atque huic urbī ferrō flammāque minitantem,
ex urbe vel ējēcimus vel ēmīsimus vel ipsum ēgredi-
5 entem verbīs prōsecūtī sumus. Abiit, excessit, ēvāsit,
ērūpit. Nūlla jam perniciēs ā mōnstrō illō atque prō-
digiō moenibus ipsīs intrā moenia comparābitur. Atque
hunc quidem ūnum hūjus bellī domesticī ducem sine
contrōversiā vīcimus. Nōn enim jam inter latera nostra
10 sīca illa versābitur, nōn in Campō, nōn in Forō, nōn
in Cūriā, nōn dēnique intrā domesticōs parietēs perti-
mēscēmus.

An open conflict now possible.

Locō ille mōtus est, cum est ex urbe dēpulsus. Palam
jam cum hoste nūllō impediente bellum jūstum gerēmus.
15 Sine dubiō perdidimus hominem magnificēque vīcimus,
cum illum ex occultīs īnsidiīs in apertum latrōcinium
conjēcimus. **2.** Quod vērō nōn cruentum mūcrōnem,

16

ut voluit, extulit, quod vīvīs nōbīs ēgressus est, quod eī
ferrum ē manibus extorsimus, quod incolumēs cīvēs, quod
stantem urbem relīquit, quantō tandem illum maerōre
esse afflīctum et prōflīgātum putātis! Jacet ille nunc
prōstrātus, Quirītēs, et sē perculsum atque abjectum esse 5
sentit et retorquet oculōs profectō saepe ad hanc urbem,
quam ē suīs faucibus ēreptam esse lūget; quae quidem
mihi laetārī vidētur, quod tantam pestem ēvomuerit
forāsque prōjēcerit.

Reasons for permitting Catiline's departure.

II. **3.** Ac sī quis est (tālis, quālēs esse omnēs opor- 10
tēbat), quī in hōc ipsō, in quō exsultat et triumphat ōrātiō
mea, mē vehementer accūset, quod tam capitālem hostem
nōn comprehenderim potius quam ēmīserim, nōn est ista
mea culpa, Quirītēs, sed temporum. · Interfectum esse
L. Catilīnam et gravissimō suppliciō affectum jam prīdem 15
oportēbat, idque ā mē et mōs majōrum et hūjus imperī
sevēritās et rēs pūblica postulābat. Sed quam multōs
fuisse putātis, quī, quae ego dēferrem, nōn crēderent,
quam multōs, quī etiam dēfenderent! Ac, sī illō sublātō
dēpellī ā vōbīs omne perīculum jūdicārem, jam prīdem 20
ego L. Catilīnam nōn modo invidiae meae, vērum etiam
vītae perīculō sustulissem. **4.** Sed cum vidērem, nē
vōbīs quidem omnibus rē etiam tum probātā, sī illum, ut
erat meritus, morte multāssem, fore ut ejus sociōs invidiā
oppressus persequī nōn possem, rem hūc dēdūxī, ut tum 25
palam pugnāre possētis, cum hostem apertē vidērētis.

Would he had taken with him all his supporters!

Quem quidem ego hostem, Quirītēs, quam vehementer
forīs esse timendum putem, licet hinc intellegātis, quod

etiam illud molestē ferō, quod ex urbe parum comitātus
exierit. Utinam ille omnīs sēcum suās cōpiās ēdūxisset!
Tongilium mihi ēdūxit, quem amāre in praetextā coe-
perat, Pūblicium et Minucium, quōrum aes aliēnum
5 contrāctum in popīnā nūllum reī pūblicae mōtum afferre
poterat; relīquit quōs virōs, quantō aere aliēnō, quam va-
lentīs, quam nōbilīs!   III. 5. Itaque ego illum exercitum prae Gallicānīs legiōnibus et hōc dēlēctū, quem in
agrō Pīcēnō et Gallicō Q. Metellus habuit, et hīs cōpiīs,
10 quae ā nōbīs cotīdiē comparantur, magnō opere contemnō,
collēctum ex senibus dēspērātīs, ex agrestī lūxuriā, ex
rūsticīs dēcoctōribus, ex eīs, quī vadimōnia dēserere quam
illum exercitum māluērunt; quibus ego nōn modo sī aciem
exercitūs nostrī, vērum etiam sī ēdictum praetōris osten-
15 derō, concident. Hōs, quōs videō volitāre in Forō, quōs
stāre ad Cūriam, quōs etiam in senātum venīre, quī nitent
unguentīs, quī fulgent purpurā, māllem sēcum suōs mīlitēs ēdūxisset; quī sī hīc permanent, mementōte nōn tam
exercitum illum esse nōbīs quam hōs, quī exercitum
20 dēseruērunt, pertimēscendōs.

The real danger is from these.

Atque hōc etiam sunt timendī magis, quod, quid
cōgitent, mē scīre sentiunt neque tamen permoventur.
6. Videō, cui sit Āpūlia attribūta, quis habeat Etrū-
riam, quis agrum Pīcēnum, quis Gallicum, quis sibi hās
25 urbānās īnsidiās caedis atque incendiōrum dēpoposcerit.
Omnia superiōris noctis cōnsilia ad mē perlāta esse sentiunt; patefēcī in senātū hesternō diē; Catilīna ipse perti-
muit, profūgit; hī quid exspectant? Nē illī vehementer
errant, sī illam meam prīstinam lēnitātem perpetuam spē·
30 rant futūram.

The advantages secured by Catiline's withdrawal.

IV. Quod exspectāvī, jam sum assecūtus, ut vōs omnēs
factam esse apertē conjūrātiōnem contrā rem pūblicam
vidērētis; nisi vērō sī quis est, quī Catilīnae similīs cum
Catilīnā sentīre nōn putet. Nōn est jam lēnitātī locus;
sevēritātem rēs ipsa flāgitat. Ūnum etiam nunc concē- 5
dam : exeant, proficīscantur; nē patiantur dēsīderiō suī
Catilīnam miserum tābēscere. Dēmōnstrābō iter : Aurēliā
Viā profectus est; sī accelerāre volent, ad vesperam cōn-
sequentur. 7. Ō fortūnātam rem pūblicam, sī quidem
hanc sentīnam urbis ējēcerit! Ūnō mehercule Catilīnā 10
exhaustō, levāta mihi et recreāta rēs pūblica vidētur.

*Catiline the leader in all crimes, the rallying point for all
abandoned men.*

Quid enim malī aut sceleris fingī aut cōgitārī potest,
quod nōn ille concēperit? Quis tōtā Italiā venēficus,
quis gladiātor, quis latrō, quis sīcārius, quis parricīda,
quis testāmentōrum subjector, quis circumscrīptor, quis 15
gāneō, quis nepōs, quis adulter, quae mulier īnfāmis,
quis corruptor juventūtis, quis corruptus, quis perditus
invenīrī potest, quī sē cum Catilīnā nōn familiārissimē
vīxisse fateātur? Quae caedēs per hōsce annōs sine
illō facta est, quod nefārium stuprum nōn per illum? 20
8. Jam vērō quae tanta umquam in ūllō homine juventūtis illecebra fuit, quanta in illō? quī aliōs ipse amābat
turpissimē, aliōrum amōrī flāgitiōsissimē serviēbat, aliīs
frūctum libīdinum, aliīs mortem parentum nōn modo
impellendō, vērum etiam adjuvandō pollicēbātur. Nunc 25
vērō quam subitō nōn sōlum ex urbe, vērum etiam ex
agrīs ingentem numerum perditōrum hominum collēgerat!
Nēmō nōn modo Rōmae, sed nē ūllō quidem in angulō

tōtīus Italiae oppressus aere aliēnō fuit, quem nōn ad hōc
incrēdibile sceleris foedus ascīverit.   V. 9. Atque ut
ejus dīversa studia in dissimilī ratiōne perspicere possītis,
nēmō est in lūdō gladiātōriō paulō ad facinus audācior,
5 quī sē nōn intimum Catilīnae esse fateātur, nēmō in
scaenā levior et nēquior, quī sē nōn ejusdem prope sodālem fuisse commemoret. Atque īdem tamen stuprōrum
et scelerum exercitātiōne assuēfactus frīgore et famē et
sitī et vigiliīs perferendīs fortis ab istīs praedicābātur,
10 cum industriae subsidia atque īnstrūmenta virtūtis in
libīdine audāciāque cōnsūmeret.   10. Hunc vērō sī secūtī erunt suī comitēs, sī ex urbe exierint dēspērātōrum
hominum flāgitiōsī gregēs, ō nōs beātōs, ō rem pūblicam
fortūnātam, ō praeclāram laudem cōnsulātūs meī!

His partisans have become intolerable.

15   Nōn enim jam sunt mediocrēs hominum libīdinēs, nōn
hūmānae ac tolerandae audāciae; nihil cōgitant nisi
caedem, nisi incendia, nisi rapīnās. Patrimōnia sua
prōfūdērunt, fortūnās suās obligāvērunt; rēs eōs jam
prīdem dēseruit, fidēs nūper dēficere coepit; eadem tamen
20 illa, quae erat in abundantiā, libīdō permanet. Quodsī in
vīnō et āleā cōmissātiōnēs sōlum et scorta quaererent,
essent illī quidem dēspērandī, sed tamen essent ferendī;
hōc vērō quis ferre possit, inertēs hominēs fortissimīs
virīs īnsidiārī, stultissimōs prūdentissimīs, ēbriōsōs
25 sōbriīs, dormientīs vigilantibus? Quī mihi accubantēs
in convīviīs, complexī mulierēs impudīcās, vīnō languidī,
cōnfertī cibō, sertīs redimītī, unguentīs oblitī, dēbilitātī
stuprīs, ēructant sermōnibus suīs caedem bonōrum atque
urbis incendia.   11. Quibus ego cōnfīdō impendēre
30 fātum aliquod, et poenam jam diū improbitātī, nēquitiae,

sceleri, libīdinī dēbitam aut īnstāre jam plānē aut certē
appropinquāre.   Quōs sī meus cōnsulātus, quoniam sānāre
nōn potest, sustulerit, nōn breve nesciŏ quod tempus, sed
multa saecula prōpāgārit reī pūblicae.

Let us meet the issue!

Nūlla est enim nātiō, quam pertimēscāmus, nūllus rēx, 5
quī bellum populō Rōmānō facere possit.   Omnia sunt
externa ūnīus virtūte terrā marīque pācāta; domesticum
bellum manet; intus īnsidiae sunt, intus inclūsum perīculum est; intus est hostis.   Cum lūxuriā nōbīs, cum
āmentiā, cum scelere certandum est.   Huic ego mē bellō 10
ducem profiteor, Quirītēs; suscipiō inimīcitiās hominum
perditōrum; quae sānārī poterunt, quācumque ratiōne
sānābō; quae resecanda erunt, nōn patiar ad perniciem
cīvitātis manēre.   Proinde aut exeant aut quiēscant, aut
sī et in urbe et in eādem mente permanent, ea, quae me- 15
rentur, exspectent.

Catiline not banished.   His departure was voluntary.

VI. **12.** At etiam sunt, quī dīcant, Quirītēs, ā mē
ējectum in exsilium esse Catilīnam.   Quod ego sī verbō
assequī possem, istōs ipsōs ēicerem, quī haec loquuntur.
Homō enim vidēlicet timidus aut etiam permodestus 20
vōcem cōnsulis ferre nōn potuit; simul atque īre in
exsilium jussus est, pāruit, īvit.   Hesternō diē, Quirītēs,
cum domī meae paene interfectus essem, senātum in
aedem Jovis Statōris convocāvī, rem omnem ad patrēs
cōnscrīptōs dētulī.   Quō cum Catilīna vēnisset, quis eum 25
senātor appellāvit, quis salūtāvit, quis dēnique ita aspexit
ut perditum cīvem ac nōn potius ut importūnissimum
hostem?   Quīn etiam prīncipēs ejus ōrdinis partem illam

subselliōrum, ad quam ille accesserat, nūdam atque inānem relīquērunt.   **13.** Hīc ego, vehemēns ille cōnsul,
quī verbō cīvīs in exsilium ēiciō, quaesīvī ā Catilīnā, in
nocturnō conventū apud M. Laecam fuisset necne.   Cum
5 ille homō audācissimus cōnscientiā convictus prīmō reti-
cuisset, patefēcī cētera; quid eā nocte ēgisset, quid in
proximam cōnstituisset, quem ad modum esset eī ratiō
tōtīus bellī discrīpta, ēdocuī.   Cum haesitāret, cum tenē-
rētur, quaesīvī, quid dubitāret proficīscī eō, quō jam
10 prīdem parāret, cum arma, cum secūrēs, cum fascēs, cum
tubās, cum signa mīlitāria, cum aquilam illam argenteam,
cui ille etiam sacrārium domī suae fēcerat, scīrem esse
praemissam.   **14.** In exsilium ēiciēbam, quem jam
ingressum esse in bellum vidēbam?   Etenim, crēdō,
15 Mānlius iste centuriō, quī in agrō Faesulānō castra
posuit, bellum populō Rōmānō suō nōmine indīxit, et
illa castra nunc nōn Catilīnam ducem exspectant, et
ille ējectus in exsilium sē Massiliam, ut ajunt, nōn in
haec castra cōnferet.

Difficulties of Cicero's position.

20   **VII.** Ō condiciōnem miseram nōn modo administrandae, vērum etiam cōnservandae reī pūblicae ! Nunc sī L.
Catilīna cōnsiliīs, labōribus, perīculīs meīs circumclūsus
ac dēbilitātus subitō pertimuerit, sententiam mūtāverit,
dēseruerit suōs, cōnsilium bellī faciendī abjēcerit et ex
25 hōc cursū sceleris ac bellī iter ad fugam atque in exsilium
converterit, nōn ille ā mē spoliātus armīs audāciae, nōn
obstupefactus ac perterritus meā dīligentiā, nōn dē spē
cōnātūque dēpulsus, sed indemnātus, innocēns in exsilium
ējectus ā cōnsule vī et minīs esse dīcētur; et erunt, quī
30 illum, sī hōc fēcerit, nōn improbum, sed miserum, mē nōn

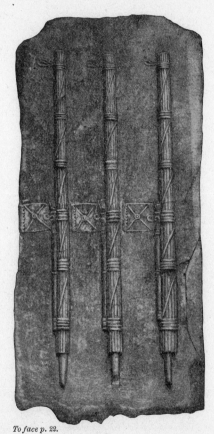

To face p. 22.

FASCES WITH AXES.

diligentissimum consulem, sed crudelissimum tyrannum
existimari velint!

The consul content, if only the state be safe.

15. Est mihi tantī, Quirītēs, hūjus invidiae falsae
atque inīquae tempestātem subīre, dum modo ā vōbīs
hūjus horribilis bellī ac nefāriī perīculum dēpellātur. 5
Dīcātur sānē ējectus esse ā mē, dum modo eat in exsilium. Sed, mihi crēdite, nōn est itūrus. Numquam
ego ab dīs immortālibus optābō, Quirītēs, invidiae meae
levandae causā, ut L. Catilīnam dūcere exercitum hostium
atque in armīs volitāre audiātis, sed trīduō tamen au- 10
diētis; multōque magis illud timeō, nē mihi sit invi-
diōsum aliquandō, quod illum ēmīserim potius quam quod
ējēcerim. Sed cum sint hominēs, quī illum, cum profectus sit, ējectum esse dīcant, īdem, sī interfectus esset,
quid dīcerent? **16.** Quamquam istī, quī Catilīnam 15
Massiliam īre dictitant, nōn tam hōc queruntur quam
verentur. Nēmō est istōrum tam misericors, quī illum
nōn ad Mānlium quam ad Massiliēnsēs īre mālit. Ille
autem, sī meherculē hōc, quod agit, numquam anteā
cōgitāsset, tamen latrōcinantem sē interficī māllet quam 20
exsulem vīvere. Nunc vērō, cum eī nihil adhūc praeter
ipsīus voluntātem cōgitātiōnemque acciderit, nisi quod
vīvīs nōbīs Rōmā profectus est, optēmus potius, ut eat in
exsilium, quam querāmur.

Classes of Catiline's supporters.

VIII. 17. Sed cūr tam diū dē ūnō hoste loquimur, et 25
dē eō hoste, quī jam fatētur sē esse hostem, et quem,
quia, quod semper voluī, mūrus interest, nōn timeō; dē
hīs, quī dissimulant, quī Rōmae remanent, quī nōbīscum

sunt, nihil dīcimus? Quōs quidem ego, sī ūllō modō
fierī possit, nōn tam ulcīscī studeō quam sānāre sibi
ipsōs, plācāre reī pūblicae; neque, id quārē fierī nōn
possit, sī mē audīre volent, intellegō. Expōnam enim
5 vōbīs, Quirītēs, ex quibus generibus hominum istae cōpiae
comparentur; deinde singulīs medicīnam cōnsilī atque
ōrātiōnis meae, sī quam poterō, afferam.

The first class: rich farmers with mortgaged estates.

18. Ūnum genus est eōrum, quī magnō in aere aliēnō
majōrēs etiam possessiōnēs habent, quārum amōre adductī
10 dissolvī nūllō modō possunt. Hōrum hominum speciēs
est honestissima (sunt enim locuplētēs), voluntās vērō et
causa impudentissima. Tū agrīs, tū aedificiīs, tū argentō,
tū familiā, tū rēbus omnibus ōrnātus et cōpiōsus sīs et
dubitēs dē possessiōne dētrahere, acquīrere ad fidem?
15 Quid enim exspectās? Bellum? Quid ergō? In vāstā-
tiōne omnium tuās possessiōnēs sacrōsānctās futūrās
putās? An tabulās novās? Errant, quī istās ā Catilīnā
exspectant; meō beneficiō tabulae novae prōferentur,
vērum auctiōnāriae; neque enim istī, quī possessiōnēs
20 habent, aliā ratiōne ūllā salvī esse possunt. Quod sī
mātūrius facere voluissent neque, id quod stultissimum
est, certāre cum ūsūrīs frūctibus praediōrum, et locu-
plētiōribus hīs et meliōribus cīvibus ūterēmur. Sed hōsce
hominēs minimē putō pertimēscendōs, quod aut dēdūcī
25 dē sententiā possunt aut, sī permanēbunt, magis mihi
videntur vōta factūrī contrā rem pūblicam quam arma
lātūrī.

The second class: other debtors.

IX. **19**. Alterum genus est eōrum, quī, quamquam
premuntur aere aliēnō, dominātiōnem tamen exspectant,

To face p. 25.

SULLA.

rērum potīrī volunt, honōrēs, quōs quiētā rē pūblicā
dēspērant, perturbātā sē cōnsequī posse arbitrantur.
Quibus hōc praecipiendum vidētur (ūnum scīlicet et
idem quod reliquīs omnibus), ut dēspērent sē id, quod
cōnantur, cōnsequī posse; prīmum omnium mē ipsum 5
vigilāre, adesse, prōvidēre reī pūblicae; deinde magnōs
animōs esse in bonīs virīs, magnam concordiam, magnās
praetereā mīlitum cōpiās; deōs dēnique immortālīs huic
invictō populō, clārissimō imperiō, pulcherrimae urbī
contrā tantam vim sceleris praesentīs auxilium esse 10
lātūrōs. Quodsī jam sint id, quod summō furōre cupiunt,
adeptī, num illī in cinere urbis et in sanguine cīvium, quae
mente cōnscelerātā ac nefāriā concupīvērunt, cōnsulēs sē
aut dictātōrēs aut etiam rēgēs spērant futūrōs? Nōn
vident id sē cupere, quod, sī adeptī sint, fugitīvō alicui 15
aut gladiātōrī concēdī sit necesse?

The third class: Sulla's veterans.

20. Tertium genus est aetāte jam affectum, sed tamen
exercitātiōne rōbustum; quō ex genere iste est Mānlius,
cui nunc Catilīna succēdit. Hī sunt hominēs ex eīs colō-
niīs, quās Sulla cōnstituit; quās ego ūniversās cīvium 20
esse optimōrum et fortissimōrum virōrum sentiō, sed
tamen eī sunt colōnī, quī sē in īnspērātīs ac repentīnīs
pecūniīs sūmptuōsius īnsolentiusque jactārunt. Hī dum
aedificant tamquam beātī, dum praediīs lēctīs, familiīs
magnīs, convīviīs apparātīs dēlectantur, in tantum aes 25
aliēnum incidērunt, ut, sī salvī esse velint, Sulla sit eīs
ab īnferīs excitandus; quī etiam nōnnūllōs agrestīs, hominēs tenuēs atque egentēs, in eandem illam spem rapīnā-
rum veterum impulērunt. Quōs ego utrōsque in eōdem
genere praedātōrum dīreptōrumque pōnō. Sed eōs hōc 30

moneō, dēsinant furere ac prōscrīptiōnēs et dictātūrās
cōgitāre. Tantus enim illōrum temporum dolor inūstus
est cīvitātī, ut jam ista nōn modo hominēs, sed nē pecu-
dēs quidem mihi passūrae esse videantur.

The fourth class: hopeless bankrupts.

5   X. **21.** Quārtum genus est sānē varium et mixtum et
turbulentum; quī jam prīdem premuntur, quī numquam
ēmergunt, quī partim inertiā, partim male gerendō ne-
gōtiō, partim etiam sūmptibus in vetere aere aliēnō
vacillant, quī vadimōniīs, jūdiciīs, prōscrīptiōne bonōrum
10 dēfatīgātī permultī et ex urbe et ex agrīs sē in illa castra
cōnferre dīcuntur.   Hōsce ego nōn tam mīlitēs ācrīs quam
īnfitiātōrēs lentōs esse arbitror.   Quī hominēs quam
prīmum, sī stāre nōn possunt, corruant, sed ita, ut nōn
modo cīvitās, sed nē vīcīnī quidem proximī sentiant.
15 Nam illud nōn intellegō, quam ob rem, sī vīvere honestē
nōn possunt, perīre turpiter velint, aut cūr minōre dolōre
peritūrōs sē cum multīs, quam sī sōlī pereant, arbitrentur.

The fifth class: downright criminals.

22. Quīntum genus est parricīdārum, sīcāriōrum, dēnique omnium facinorōsōrum.   Quōs ego ā Catilīnā nōn
20 revocō; nam neque ab eō dīvellī possunt, et pereant
sānē in latrōciniō, quoniam sunt ita multī, ut eōs Carcer
capere nōn possit.

The last class: Catiline's cronies.

Postrēmum autem genus est nōn sōlum numerō, vērum
etiam genere ipsō atque vītā, quod proprium Catilīnae
25 est, dē ejus dēlēctū, immō vērō dē complexū ejus ac sinū;

quōs pexō capillō nitidōs aut imberbīs aut bene barbātōs
vidētis, manicātīs et tālāribus tunicīs, vēlīs amictōs, nōn
togīs; quōrum omnis industria vītae et vigilandī labor in
antelūcānīs cēnīs exprōmitur. **23.** In hīs gregibus omnēs āleātōrēs, omnēs adulterī, omnēs impūrī impudīcīque 5
versantur. Hī puerī tam lepidī ac dēlicātī nōn sōlum
amāre et amārī, neque saltāre et cantāre, sed etiam sīcās
vibrāre et spargere venēna didicērunt. Quī nisi exeunt,
nisi pereunt, etiamsī Catilīna perierit, scītōte hōc in rē
pūblicā sēminārium Catilīnārum futūrum. Vērum tamen 10
quid sibi istī miserī volunt? Num suās sēcum muliercu-
lās sunt in castra ductūrī? Quem ad modum autem illīs
carēre poterunt, hīs praesertim jam noctibus? Quō autem
pactō illī Appennīnum atque illās pruīnās ac nivēs per-
ferent? Nisi idcircō sē facilius hiemem tolerātūrōs 15
putant, quod nūdī in convīviīs saltāre didicērunt.

The issue of the struggle not doubtful.

XI. 24. Ō bellum magnō opere pertimēscendum, cum
hanc sit habitūrus Catilīna scortōrum cohortem praetō-
riam! Īnstruite nunc, Quirītēs, contrā hās tam praeclā-
rās Catilīnae cōpiās vestra praesidia vestrōsque exercitūs. 20
Et prīmum gladiātōrī illī cōnfectō et sauciō cōnsulēs im-
perātōrēsque vestrōs oppōnite; deinde contrā illam nau-
fragōrum ējectam ac dēbilitātam manum flōrem tōtīus
Italiae ac rōbur ēdūcite. Jam vērō urbēs colōniārum ac
mūnicipiōrum respondēbunt Catilīnae tumulīs silvestri- 25
bus. Neque ego cēterās cōpiās ōrnāmenta, praesidia
vestra cum illīus latrōnis inopiā atque egestāte cōnferre
dēbeō. **25.** Sed sī omissīs hīs rēbus, quibus nōs sup-
peditāmur, eget ille, senātū, equitibus Rōmānīs, urbe,
aerāriō, vectīgālibus, cūnctā Italiā, prōvinciīs omnibus, 30

exterīs nātiōnibus, sī hīs rēbus omissīs causās ipsās,
quae inter sē cōnflīgunt, contendere velīmus, ex eō ipsō,
quam valdē illī jaceant, intellegere possumus. Ex hāc
enim parte pudor pugnat, illinc petulantia; hinc pudī-
5 citia, illinc stuprum; hinc fidēs, illinc fraudātiō; hinc
pietās, illinc scelus; hinc cōnstantia, illinc furor; hinc
honestās, illinc turpitūdō; hinc continentia, illinc libīdō;
dēnique aequitās, temperantia, fortitūdō, prūdentia, virtūtēs omnēs, certant cum inīquitāte, lūxuriā, ignāviā,
10 temeritāte, cum vitiīs omnibus; postrēmō cōpia cum
egestāte, bona ratiō cum perditā, mēns sāna cum āmentiā,
bona dēnique spēs cum omnium rērum dēspērātiōne cōn-
flīgit. In ejus modī certāmine ac proeliō nōnne, sī hominum studia dēficiant, dī ipsī immortālēs cōgant ab hīs
15 praeclārissimīs virtūtibus tot et tanta vitia superārī?

Continued vigilance necessary.

XII. **26.** Quae cum ita sint, Quirītēs, vōs, quem ad
modum jam anteā dīxī, vestra tēcta vigiliīs cūstōdiīsque
dēfendite; mihi, ut urbī sine vestrō mōtū ac sine ūllō
tumultū satis esset praesidī, cōnsultum atque prōvīsum
20 est. Colōnī omnēs mūnicipēsque vestrī certiōrēs ā mē
factī dē hāc nocturnā excursiōne Catilīnae facile urbēs
suās fīnēsque dēfendent; gladiātōrēs, quam sibi ille
manum certissimam fore putāvit (quamquam animō
meliōre sunt quam pars patriciōrum), potestāte tamen
25 nostrā continēbuntur. Q. Metellus, quem ego hōc
prōspiciēns in agrum Gallicum Pīcēnumque praemīsī,
aut opprimet hominem aut ejus omnīs mōtūs cōnātūs-
que prohibēbit. Reliquīs autem dē rēbus cōnstituendīs,
mātūrandīs, agendīs jam ad senātum referēmus, quem
30 vocārī vidētis.

Catiline's supporters in the city must expect no indulgence.

27. Nunc illōs, quī in urbe remānsērunt, atque adeō
quī contrā urbis salūtem omniumque vestrum in urbe
ā Catilīnā relīctī sunt, quamquam sunt hostēs, tamen,
quia sunt cīvēs, monitōs etiam atque etiam volō. Mea
lēnitās adhūc sī cui solūtior vīsa est, hōc exspectāvit 5
ut id, quod latēbat, ērumperet. Quod reliquum est,
jam nōn possum oblīvīscī meam hanc esse patriam,
mē hōrum esse cōnsulem, mihi aut cum hīs vīvendum
aut prō hīs esse moriendum. Nūllus est portīs cūstōs,
nūllus īnsidiātor viae; sī quī exīre volunt, cōnīvēre 10
possum; quī vērō sē in urbe commōverit, cūjus ego nōn
modo factum, sed inceptum ūllum cōnātumve contrā
patriam dēprehenderō, sentiet in hāc urbe esse cōnsulēs
vigilantīs, esse ēgregiōs magistrātūs, esse fortem senātum,
esse arma, esse carcerem, quem vindicem nefāriōrum ac 15
manifēstōrum scelerum majōrēs nostrī esse voluērunt.

*The consul promises, with the help of the gods, a speedy
and peaceful end of the present situation.*

XIII. **28.** Atque haec omnia sīc agentur, Quirītēs, ut
maximae rēs minimō mōtū, perīcula summa nūllō tumultū, bellum intestīnum ac domesticum post hominum
memoriam crūdēlissimum et maximum mē ūnō togātō 20
duce et imperātōre sēdētur. Quod ego sīc administrābō,
Quirītēs, ut, sī ūllō modō fierī poterit, nē improbus
quidem quisquam in hāc urbe poenam suī sceleris suf-
ferat. Sed sī vīs manifēstae audāciae, sī impendēns
patriae perīculum mē necessāriō dē hāc animī lēnitāte 25
dēdūxerit, illud profectō perficiam, quod in tantō et tam
īnsidiōsō bellō vix optandum vidētur, ut neque bonus
quisquam intereat paucōrumque poenā vōs omnēs salvī

esse possītis.   **29.** Quae quidem ego neque meā prūdentiā neque hūmānīs cōnsiliīs frētus polliceor vōbīs,
Quirītēs, sed multīs et nōn dubiīs deōrum immortālium
sīgnificātiōnibus, quibus ego ducibus in hanc spem sen-
5 tentiamque sum ingressus; quī jam nōn procul, ut quondam solēbant, ab externō hoste atque longinquō, sed hīc
praesentēs suō nūmine atque auxiliō sua templa atque
urbis tēcta dēfendunt.   Quōs vōs, Quirītēs, precārī, venerārī, implōrāre dēbētis, ut, quam urbem pulcherrimam
10 flōrentissimamque esse voluērunt, hanc, omnibus hostium
cōpiīs terrā marīque superātīs, ā perditissimōrum cīvium
nefāriō scelere dēfendant.

M. TULLI CICERONIS

ORATIO IN CATILINAM TERTIA

AD POPULUM.

Through the Consul's efforts the state is saved.

I. 1. Rem pūblicam, Quirītēs, vītamque omnium vestrum, bona, fortūnās, conjugēs līberōsque vestrōs atque
hōc domicilium clārissimī imperī, fortūnātissimam pul-
cherrimamque urbem, hodiernō diē deōrum immortālium
summō ergā vōs amōre, labōribus, cōnsiliīs, perīculīs 5
meīs ē flammā atque ferrō ac paene ex faucibus fātī
ēreptam et vōbīs cōnservātam ac restitūtam vidētis.
2. Et sī nōn minus nōbīs jūcundī atque illūstrēs sunt eī
diēs, quibus cōnservāmur, quam illī, quibus nāscimur
(quod salūtis certa laetitia est, nāscendī incerta con- 10
diciō, et quod sine sēnsū nāscimur, cum voluptāte
servāmur), profectō, quoniam illum, quī hanc urbem condidit, ad deōs immortālīs benevolentiā fāmāque sustulimus, esse apud vōs posterōsque vestrōs in honōre dēbēbit
is, quī eandem hanc urbem conditam amplificātamque 15
servāvit. Nam tōtī urbī, templīs, dēlūbrīs, tēctīs ac
moenibus subjectōs prope jam īgnīs circumdatōsque
restīnximus, īdemque gladiōs in rem pūblicam dēstrictōs
rettudimus mūcrōnēsque eōrum ā jugulīs vestrīs dē-
jēcimus. 20

How the conspirators were detected; arrest of the Allobrogian envoys.

3. Quae quoniam in senātū illūstrāta, patefacta, comperta sunt per mē, vōbīs jam expōnam breviter, Quirītēs, ut, et quanta et quam manifēsta et quā ratiōne invēstīgāta et comprehēnsa sint, vōs, quī et ignōrātis et exspectā-
5 tis, scīre possītis.

Prīncipiō, u✝ Catilīna paucīs ante diēbus ērūpit ex urbe, cum sceleris suī sociōs, hūjusce nefāriī bellī ācerrimōs ducēs Rōmae relīquisset, semper vigilāvī et prōvīdī, Quirītēs, quem ad modum in tantīs et tam absconditīs
10 īnsidiīs salvī esse possēmus. II. Nam tum, cum ex urbe Catilīnam ēiciēbam (nōn enim jam vereor hūjus verbī invidiam, cum illa magis sit timenda, quod vīvus exierit), — sed tum, cum illum exterminārī volēbam, aut reliquam conjūrātōrum manum simul exitūram aut eōs, quī resti-
15 tissent, īnfīrmōs sine illō ac dēbilēs fore putābam. **4.** Atque ego ut vīdī, quōs maximō furōre et scelere esse īnflammātōs sciēbam, eōs nōbīscum esse et Rōmae remānsisse, in eō omnēs diēs noctēsque cōnsūmpsī, ut, quid agerent, quid mōlīrentur, sentīrem ac vidērem, ut,
20 quoniam auribus vestrīs propter incrēdibilem magnitūdinem sceleris minōrem fidem faceret ōrātiō mea, rem ita comprehenderem, ut tum dēmum animīs salūtī vestrae prōvidērētis, cum oculīs maleficium ipsum vidērētis. Itaque, ut comperī lēgātōs Allobrogum bellī Trānsalpīnī
25 et tumultūs Gallicī excitandī causā ā P. Lentulō esse sollicitātōs, eōsque in Galliam ad suōs cīvīs eōdemque itinere cum litterīs mandātīsque ad Catilīnam esse missōs, comitemque eīs adjūnctum esse T. Volturcium, atque huic esse ad Catilīnam datās litterās, facultātem mihi
30 oblātam putāvī, ut, quod erat difficillimum, quodque ego semper optābam ab dīs immortālibus, ut tōta rēs nōn

THE MULVIAN BRIDGE.

To face p. 33.

sōlum ā mē, sed etiam ā senātū et ā vōbīs manifēstō dēpre-
henderētur. 5. Itaque hesternō diē L. Flaccum et C.
Pomptīnum praetōrēs, fortissimōs atque amantissimōs reī
pūblicae virōs, ad mē vocāvī; rem exposuī; quid fierī
placēret, ostendī. Illī autem, quī omnia dē rē pūblicā prae- 5
clāra atque ēgregia sentīrent, sine recūsātiōne ac sine ūllā
morā negōtium suscēpērunt et, cum advesperāsceret,
occultē ad Pontem Mulvium pervēnērunt atque ibi in
proximīs vīllīs ita bipartītō fuērunt, ut Tiberis inter eōs
et pōns interesset. Eōdem autem et ipsī sine cūjusquam 10
suspīciōne multōs fortīs virōs ēdūxerant, et ego ex prae-
fectūrā Reātīnā complūrēs dēlēctōs adulēscentēs, quōrum
operā ūtor assiduē in reī pūblicae praesidiō, cum gladiīs
mīseram. 6. Interim tertiā ferē vigiliā exāctā cum jam
Pontem Mulvium magnō comitātū lēgātī Allobrogum 15
ingredī inciperent ūnāque Volturcius, fit in eōs impetus;
ēdūcuntur et ab illīs gladiī et ā nostrīs. Rēs praetōribus
erat nōta sōlīs, ignōrābātur ā cēterīs. III. Tum inter-
ventū Pomptīnī atque Flaccī pugna, quae erat commissa,
sēdātur. Litterae, quaecumque erant in eō comitātū, 20
integrīs signīs, praetōribus trāduntur; ipsī comprehēnsī
ad mē, cum jam dīlūcēsceret, dēdūcuntur.

Cicero resolves to refer the captured despatches to the Senate.

Atque hōrum omnium scelerum improbissimum māchi-
nātōrem, Cimbrum Gabīnium, statim ad mē nihildum
suspicantem vocāvī; deinde item arcessītus est L. Stati- 25
lius et post eum C. Cethēgus; tardissimē autem Lentulus
vēnit, crēdō quod in litterīs dandīs praeter cōnsuētūdinem
proximā nocte vigilārat. 7. Cum summīs et clārissimīs
hūjus cīvitātis virīs, quī audītā rē frequentēs ad mē māne
convēnerant, litterās ā mē prius aperīrī quam ad senātum 30

dēferrī placēret, — nē, sī nihil esset inventum, temere ā
mē tantus tumultus injectus cīvitātī vidērētur, — negāvī
mē esse factūrum, ut dē perīculō pūblicō nōn ad cōnsilium
pūblicum rem integram dēferrem. Etenim, Quirītēs, sī
5 ea, quae erant ad mē dēlāta, reperta nōn essent, tamen
ego nōn arbitrābar in tantīs reī pūblicae perīculīs esse
mihi nimiam dīligentiam pertimēscendam. Senātum fre-
quentem celeriter, ut vīdistis, coēgī. 8. Atque intereā
statim admonitū Allobrogum C. Sulpicium praetōrem,
10 fortem virum, mīsī, quī ex aedibus Cethēgī, sī quid
tēlōrum esset, efferret; ex quibus ille maximum sīcārum
numerum et gladiōrum extulit.

Volturcius turns state's evidence.

IV. Intrōdūxī Volturcium sine Gallīs; fidem pūblicam
jussū senātūs dedī; hortātus sum, ut ea, quae scīret, sine
15 timōre indicāret. Tum ille dīxit, cum vix sē ex magnō
timōre recreāsset, ā P. Lentulō sē habēre ad Catilīnam
mandāta et litterās, ut servōrum praesidiō ūterētur, ut ad
urbem quam prīmum cum exercitū accēderet; id autem
eō cōnsiliō, ut, cum urbem ex omnibus partibus, quem
20 ad modum discrīptum distribūtumque erat, incendissent
caedemque īnfīnītam cīvium fēcissent, praestō esset
ille, quī et fugientīs exciperet et sē cum hīs urbānīs
ducibus conjungeret.

Testimony of the envoys.

9. Intrōductī autem Gallī jūs jūrandum sibi et litterās
25 ab Lentulō, Cethēgō, Statiliō ad suam gentem data esse
dīxērunt, atque ita sibi ab hīs et ā L. Cassiō esse prae-
scrīptum, ut equitātum in Italiam quam prīmum mitte-

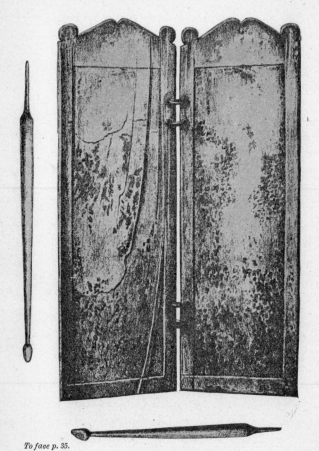

To face p. 35.

TABELLAE WITH STILUS.

rent; pedestrēs sibi cōpiās nōn dēfutūrās. Lentulum
autem sibi cōnfīrmāsse ex fātīs Sibyllīnīs haruspicumque
respōnsīs sē esse tertium illum Cornēlium, ad quem rēgnum hūjus urbis atque imperium pervenīre esset necesse;
Cinnam ante sē et Sullam fuisse. Eundemque dīxisse 5
fātālem hunc annum esse ad interitum hūjus urbis atque
imperī, quī esset annus decimus post Virginum absolū-
tiōnem, post Capitōlī autem incēnsiōnem vīcēsimus.
10. Hanc autem Cethēgō cum cēterīs contrōversiam
fuisse dīxērunt, quod Lentulō et aliīs Sāturnālibus cae- 10
dem fierī atque urbem incendī placēret, Cethēgō nimium
id longum vidērētur.

Examination of Cethegus, Statilius, Lentulus, and Gabinius.

V. Ac nē longum sit, Quirītēs, tabellās prōferrī jussi-
mus, quae ā quōque dīcēbantur datae. Prīmō ostendimus
Cethēgō; signum cognōvit. Nōs līnum incīdimus, lēgi- 15
mus. Erat scrīptum ipsīus manū Allobrogum senātuī et
populō sēsē, quae eōrum lēgātīs cōnfīrmāsset, factūrum
esse; ōrāre, ut item illī facerent, quae sibi eōrum lēgātī
recēpissent. Tum Cethēgus, quī paulō ante aliquid tamen
dē gladiīs ac sīcīs, quae apud ipsum erant dēprehēnsa, 20
respondisset dīxissetque sē semper bonōrum ferrāmen-
tōrum studiōsum fuisse, recitātīs litterīs dēbilitātus atque
abjectus cōnscientiā repente conticuit. Intrōductus est
Statilius; cognōvit et signum et manum suam. Recitātae
sunt tabellae in eandem ferē sententiam; cōnfessus est. 25
Tum ostendī tabellās Lentulō et quaesīvī, cognōsceretne
signum. Annuit. '*Est vērō*,' inquam, '*nōtum quidem
signum, imāgō avī tuī, clārissimī virī, quī amāvit ūnicē
patriam et cīvēs suōs; quae quidem tē ā tantō scelere etiam
mūta revocāre dēbuit*.' **11.** Leguntur eādem ratiōne ad 30

senātum Allobrogum populumque litterae. Sī quid dē
hīs rēbus dīcere vellet, fēcī potestātem. Atque ille prīmō
quidem negāvit; post autem aliquantō, tōtō jam indiciō
expositō atque ēditō, surrēxit; quaesīvit ā Gallīs, quid
5 sibi esset cum eīs, quam ob rem domum suam vēnissent,
itemque ā Volturciō. Quī cum illī breviter cōnstanterque
respondissent, per quem ad eum quotiēnsque vēnissent,
quaesīssentque ab eō, nihilne sēcum esset dē fātīs Sibyllīnīs locūtus, tum ille subitō scelere dēmēns, quanta cōn-
10 scientiae vīs esset, ostendit. Nam, cum id posset īnfitiārī,
repente praeter opīniōnem omnium cōnfessus est. Ita
eum nōn modo ingenium illud et dīcendī exercitātiō, quā
semper valuit, sed etiam propter vim sceleris manifēstī
atque dēprehēnsī impudentia, quā superābat omnīs, im-
15 probitāsque dēfēcit. **12.** Volturcius vērō subitō litterās
prōferrī atque aperīrī jubet, quās sibi ā Lentulō ad Catilīnam datās esse dīcēbat. Atque ibi vehementissimē
perturbātus Lentulus tamen et signum et manum suam
cognōvit. Erant autem sine nōmine, sed ita: ‘ *Quis sim,*
20 *sciēs ex eō quem ad tē mīsī. Cūrā, ut vir sīs, et cōgitā,*
quem in locum sīs prōgressus. Vidē, ecquid tibi jam sit
necesse, et cūrā, ut omnium tibi auxilia adjungās, etiam
īnfimōrum.’ Gabīnius deinde intrōductus cum prīmō impudenter respondēre coepisset, ad extrēmum nihil ex eīs,
25 quae Gallī īnsimulābant, negāvit. **13.** Ac mihi quidem,
Quirītēs, cum illa certissima vīsa sunt argūmenta atque
indicia sceleris, tabellae, signa, manūs, dēnique ūnīus
cūjusque cōnfessiō, tum multō certiōra illa, color, oculī,
vultūs, taciturnitās. Sīc enim obstupuerant, sīc terram
30 intuēbantur, sīc fūrtim nōnnumquam inter sēsē aspiciē-
bant, ut nōn jam ab aliīs indicārī, sed indicāre sē ipsī
vidērentur.

The senate votes thanks to Cicero.

VI. Indiciīs expositīs atque ēditīs, Quirītēs, senātum
cōnsuluī, dē summā rē pūblicā quid fierī placēret. Dictae
sunt ā prīncipibus ācerrimae ac fortissimae sententiae,
quās senātus sine ūllā varietāte est secūtus. Et quoniam nōndum est perscrīptum senātūs cōnsultum, ex 5
memoriā vōbīs, Quirītēs, quid senātus cēnsuerit, expōnam.
14. Prīmum mihi grātiae verbīs amplissimīs aguntur,
quod virtūte, cōnsiliō, prōvidentiā meā rēs pūblica maximīs perīculīs sit līberāta. Deinde L. Flaccus et C. Pomptīnus praetōrēs, quod eōrum operā fortī fidēlīque ūsus 10
essem, meritō ac jūre laudantur. Atque etiam virō
fortī, collēgae meō, laus impertītur, quod eōs, quī hūjus
conjūrātiōnis participēs fuissent, ā suīs et ā reī pūblicae cōnsiliīs remōvisset.

The conspirators are given into custody.

Atque ita cēnsuērunt, ut P. Lentulus, cum sē praetūrā 15
abdicāsset, in cūstōdiam trāderētur; itemque utī C. Cethēgus, L. Statilius, P. Gabīnius, quī omnēs praesentēs erant,
in cūstōdiam trāderentur; atque idem hōc dēcrētum est
in L. Cassium, quī sibi prōcūrātiōnem incendendae urbis
dēpoposcerat; in M. Cēpārium, cui ad sollicitandōs pās- 20
tōrēs Āpūliam attribūtam esse erat indicātum; in P. Fūrium, quī est ex eīs colōnīs, quōs Faesulās L. Sulla
dēdūxit; in Q. Annium Chīlōnem, quī ūnā cum hōc Fūriō
semper erat in hāc Allobrogum sollicitātiōne versātus; in
P. Umbrēnum, lībertīnum hominem, ā quō prīmum Gal- 25
lōs ad Gabīnium perductōs esse cōnstābat. Atque eā
lēnitāte senātus est ūsus, Quirītēs, ut ex tantā conjū-
rātiōne tantāque hāc multitūdine domesticōrum hostium novem hominum perditissimōrum poenā rē pūblicā

cōnservātā reliquōrum mentēs sānārī posse arbitrārētur.

A thanksgiving is decreed.

15. Atque etiam supplicātiō dīs immortālibus prō
singulārī eōrum meritō meō nōmine dēcrēta est, quod
5 mihi prīmum post hanc urbem conditam togātō contigit,
et hīs dēcrēta verbīs est, *quod urbem incendiīs, caede cīvīs,
Italiam bellō līberāssem.* Quae supplicātiō sī cum cēterīs
supplicātiōnibus cōnferātur, hōc interest, quod cēterae
bene gestā, haec ūna cōnservātā rē pūblicā cōnstitūta est.
10 Atque illud, quod faciendum prīmum fuit, factum atque
trānsāctum est. Nam P. Lentulus, quamquam patefactīs
indiciīs, cōnfessiōnibus suīs, jūdiciō senātūs nōn modo
praetōris jūs, vērum etiam cīvis āmīserat, tamen magis-
trātū sē abdicāvit, ut, quae religiō C. Mariō, clārissimō
15 virō, nōn fuerat, quō minus C. Glauciam, dē quō nihil
nōminātim erat dēcrētum, praetōrem occīderet, eā nōs
religiōne in prīvātō P. Lentulō pūniendō līberārēmur.

Cicero predicts the speedy collapse of Catiline's hopes.

VII. **16.** Nunc quoniam, Quirītēs, cōnscelerātissimī
perīculōsissimīque bellī nefāriōs ducēs captōs jam et com-
20 prehēnsōs tenētis, exīstimāre dēbētis omnīs Catilīnae
cōpiās, omnīs spēs atque opēs, hīs dēpulsīs urbis perīculīs, concidisse.

This result due to his expulsion from the city.

Quem quidem ego cum ex urbe pellēbam, hōc prōvidē-
bam animō, Quirītēs, remōtō Catilīnā nōn mihi esse P.
25 Lentulī somnum nec L. Cassī adipēs nec C. Cethēgī
furiōsam temeritātem pertimēscendam. Ille erat ūnus
timendus ex istīs omnibus, sed tam diū, dum urbis moeni-

bus continēbātur. Omnia nōrat, omnium aditūs tenēbat;
appellāre, temptāre, sollicitāre poterat, audēbat. Erat eī
cōnsilium ad facinus aptum, cōnsiliō autem neque manus
neque lingua deerat. Jam ad certās rēs cōnficiendās
certōs hominēs dēlēctōs ac discrīptōs habēbat. Neque 5
vērō, cum aliquid mandārat, cōnfectum putābat; nihil
erat, quod nōn ipse obīret, occurreret, vigilāret, labōrāret;
frīgus, sitim, famem ferre poterat.   **17.** Hunc ego hominem tam ācrem, tam audācem, tam parātum, tam calli-
dum, tam in scelere vigilantem, tam in perditīs rēbus 10
dīligentem nisi ex domesticīs īnsidiīs in castrēnse latrōcinium compulissem (dīcam id quod sentiō, Quirītēs),
nōn facile hanc tantam mōlem malī ā cervīcibus vestrīs
dēpulissem. Nōn ille nōbīs Sāturnālia cōnstituisset neque tantō ante exitī ac fātī diem reī pūblicae dēnūntiā- 15
visset neque commīsisset, ut signum, ut litterae suae,
testēs manifēstī sceleris, dēprehenderentur. Quae nunc
illō absente sīc gesta sunt, ut nūllum in prīvātā domō
fūrtum umquam sit tam palam inventum, quam haec
tanta in rē pūblicā conjūrātiō manifēstō inventa atque 20
dēprehēnsa est. Quodsī Catilīna in urbe ad hanc diem
remānsisset (quamquam, quoad fuit, omnibus ejus cōnsiliīs occurrī atque obstitī), tamen, ut levissimē dīcam,
dīmicandum nōbīs cum illō fuisset, neque nōs umquam,
dum ille in urbe hostis esset, tantīs perīculīs rem pūbli- 25
cam tantā pāce, tantō ōtiō, tantō silentiō līberāssēmus.

Portents indicative of divine favor.

VIII.   18. Quamquam haec omnia, Quirītēs, ita sunt
ā mē administrāta, ut deōrum immortālium nūtū atque
cōnsiliō et gesta et prōvīsa esse videantur. Idque cum
conjectūrā cōnsequī possumus (quod vix vidētur hūmānī 30

cōnsilī tantārum rērum gubernātiō esse potuisse), tum
vērō ita praesentēs hīs temporibus opem et auxilium
nōbīs tulērunt, ut eōs paene oculīs vidēre possēmus.
Nam ut illa omittam, vīsās nocturnō tempore ab occidente
5 facēs ārdōremque caelī, ut fulminum jactūs, ut terrae
mōtūs relinquam, ut omittam cētera, quae tam multa
nōbīs cōnsulibus facta sunt, ut haec, quae nunc fīunt,
canere dī immortālēs vidērentur, hōc certē, quod sum
dictūrus, neque praetermittendum neque relinquendum
10 est.   19. Nam profectō memoriā tenētis, Cottā et Tor-
quātō cōnsulibus, complūrēs in Capitōliō rēs dē caelō esse
percussās, cum et simulācra deōrum dēpulsa sunt et
statuae veterum hominum dējectae et lēgum aera lique-
facta et tāctus etiam ille, quī hanc urbem condidit,
15 Rōmulus, quem inaurātum in Capitōliō parvum atque
lactantem ūberibus lupīnīs inhiantem fuisse meministis.
Quō quidem tempore cum haruspicēs ex tōtā Etrūriā
convēnissent, caedēs atque incendia et lēgum interitum
et bellum cīvīle ac domesticum et tōtīus urbis atque im-
20 perī occāsum appropinquāre dīxērunt, nisi dī immortālēs
omnī ratiōne plācātī suō nūmine prope fāta ipsa flexissent.   20. Itaque illōrum respōnsīs tum et lūdī per
decem diēs factī sunt, neque rēs ūlla, quae ad plācandōs
deōs pertinēret, praetermissa est. Īdemque jussērunt
25 simulācrum Jovis facere majus et in excelsō collocāre et
contrā, atque anteā fuerat, ad orientem convertere; ac sē
spērāre dīxērunt, sī illud signum, quod vidētis, sōlis
ortum et Forum Cūriamque cōnspiceret, fore ut ea cōnsilia, quae clam essent inita contrā salūtem urbis atque
30 imperī, illūstrārentur, ut ā senātū populōque Rōmānō
perspicī possent. Atque illud signum collocandum cōnsulēs illī locāvērunt; sed tanta fuit operis tarditās, ut

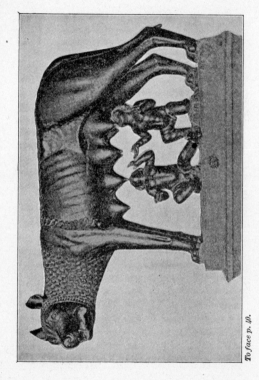

To face p. 40.

BRONZE STATUE OF THE WOLF WITH ROMULUS AND REMUS.

neque superiōribus cōnsulibus neque nōbīs ante hodiernum diem collocārētur.

The gods are with us, — Jupiter above all.

IX. 21. Hīc quis potest esse, Quirītēs, tam āversus ā vērō, tam praeceps, tam mente captus, quī neget haec omnia, quae vidēmus, praecipuēque hanc urbem deōrum 5 immortālium nūtū ac potestāte administrārī? Etenim, cum esset ita respōnsum, caedēs, incendia, interitum reī pūblicae comparārī, et ea per cīvēs, quae tum propter magnitūdinem scelerum nōnnūllīs incrēdibilia vidēbantur, ea nōn modo cōgitāta ā nefāriīs cīvibus, vērum etiam 10 suscepta esse sēnsistis. Illud vērō nōnne ita praesēns est, ut nūtū Jovis Optimī Maximī factum esse videātur, ut, cum hodiernō diē māne per Forum meō jussū et conjūrātī et eōrum indicēs in aedem Concordiae dūcerentur, eō ipsō tempore signum statuerētur? Quō collocātō atque 15 ad vōs senātumque conversō, omnia, quae erant contrā salūtem omnium cōgitāta, illūstrāta et patefacta vīdistis. 22. Quō etiam majōre sunt istī odiō supplicíōque dignī, quī nōn sōlum vestrīs domiciliīs atque tēctīs, sed etiam deōrum templīs atque dēlūbrīs sunt fūnestōs ac nefāriōs 20 īgnēs īnferre cōnātī. Quibus ego sī mē restitisse dīcam, nimium mihi sūmam et nōn sim ferendus; ille, ille Juppiter restitit; ille Capitōlium, ille haec templa, ille cūnctam urbem, ille vōs omnīs salvōs esse voluit. Dīs ego immortālibus ducibus, hanc mentem, Quirītēs, voluntātem- 25 que suscēpī atque ad haec tanta indicia pervēnī. Jam vērō ab Lentulō cēterīsque domesticīs hostibus tam dēmenter tantae rēs crēditae et ignōtīs et barbarīs commissaeque litterae numquam essent profectō, nisi ab dīs immortālibus huic tantae audāciae cōnsilium esset ērep- 30

tum.   Quid vērō?   Ut hominēs Gallī ex cīvitāte male
pācātā, quae gēns ūna restat, quae bellum populō Rōmānō
facere et posse et nōn nōlle videātur, spem imperī ac
rērum maximārum ultrō sibi ā patriciīs hominibus oblā-
5 tam neglegerent vestramque salūtem suīs opibus antepō-
nerent, id nōn dīvīnitus esse factum putātis, praesertim
quī nōs nōn pugnandō, sed tacendō superāre potuerint?

*Previous civil dissensions marked by bloodshed.   The present
troubles settled by peaceful means.*

X.   23. Quam ob rem, Quirītēs, quoniam ad omnia
pulvīnāria supplicātiō dēcrēta est, celebrātōte illōs diēs
10 cum conjugibus ac līberīs vestrīs.   Nam multī saepe
honōrēs dīs immortālibus jūstī habitī sunt ac dēbitī, sed
profectō jūstiōrēs numquam.   Ēreptī enim estis ex crū-
dēlissimō ac miserrimō interitū; sine caede, sine sanguine, sine exercitū, sine dīmicātiōne, togātī, mē ūnō togātō
15 duce et imperātōre, vīcistis.   **24.** Etenim recordāminī,
Quirītēs, omnīs cīvīlēs dissēnsiōnēs, nōn sōlum eās, quās
audīstis, sed eās, quās vōsmet ipsī meministis atque
vīdistis.   L. Sulla P. Sulpicium oppressit; C. Marium,
cūstōdem hūjus urbis, multōsque fortīs virōs partim
20 ējēcit ex cīvitāte, partim interēmit.   Cn. Octāvius cōnsul
armīs expulit ex urbe collēgam; omnis hīc locus acervīs
corporum et cīvium sanguine redundāvit.   Superāvit
posteā Cinna cum Mariō; tum vērō clārissimīs virīs
interfectīs lūmina cīvitātis exstīncta sunt.   Ultus est
25 hūjus victōriae crūdēlitātem posteā Sulla; nē dīcī quidem opus est, quantā dēminūtiōne cīvium et quantā calamitāte reī pūblicae.   Dissēnsit M. Lepidus ā clārissimō
et fortissimō virō, Q. Catulō; attulit nōn tam ipsīus interitus reī pūblicae lūctum quam cēterōrum.   **25.** Atque

illae tamen omnēs dissēnsiōnēs erant ejus modī, quae nōn
ad dēlendam, sed ad commūtandam rem pūblicam perti-
nērent. Nōn illī nūllam esse rem pūblicam, sed in eā,
quae esset, sē esse prīncipēs, neque hanc urbem cōnfla-
grāre, sed sē in hāc urbe flōrēre voluērunt. Atque illae 5
tamen omnēs dissēnsiōnēs, quārum nūlla exitium reī pūblicae quaesīvit, ejus modī fuērunt, ut nōn reconciliātiōne
concordiae, sed interneciōne cīvium dījūdicātae sint. In
hōc autem ūnō post hominum memoriam maximō crūdē-
lissimōque bellō, quāle bellum nūlla umquam barbaria 10
cum suā gente gessit, quō in bellō lēx haec fuit ā Lentulō,
Catilīnā, Cethēgō, Cassiō cōnstitūta, ut omnēs, quī salvā
urbe salvī esse possent, in hostium numerō dūcerentur,
ita mē gessī, Quirītēs, ut salvī omnēs cōnservārēminī, et,
cum hostēs vestrī tantum cīvium superfutūrum putāssent, 15
quantum īnfīnītae caedī restitisset, tantum autem urbis,
quantum flamma obīre nōn potuisset, et urbem et cīvīs
integrōs incolumēsque servāvī.

*In return for his services, Cicero asks only the gratitude of his
fellow-citizens.*

XI. **26**. Quibus prō tantīs rēbus, Quirītēs, nūllum
ego ā vōbīs praemium virtūtis, nūllum īnsigne honōris, 20
nūllum monumentum laudis postulō praeterquam hūjus
diēī memoriam sempiternam. In animīs ego vestrīs
omnēs triumphōs meōs, omnia ōrnāmenta honōris, monumenta glōriae, laudis īnsignia condī et collocārī volō.
Nihil mē mūtum potest dēlectāre, nihil tacitum, nihil 25
dēnique ejus modī, quod etiam minus dignī assequī possint. Memoriā vestrā, Quirītēs, nostrae rēs alentur, sermōnibus crēscent, litterārum monumentīs inveterāscent
et corrōborābuntur; eandemque diem intellegō, quam

spērō aeternam fore, prōpāgātam esse et ad salūtem urbis
et ad memoriam cōnsulātūs meī, ūnōque tempore in hāc
rē pūblicā duōs cīvīs exstitisse, quōrum alter fīnīs vestrī
imperī nōn terrae, sed caelī regiōnibus termināret, alter
5 ejusdem imperī domicilium sēdēsque servāret.

And protection from harm.

XII. **27.** Sed quoniam eārum rērum, quās ego gessī,
nōn eadem est fortūna atque condiciō quae illōrum, quī
externa bella gessērunt, quod mihi cum eīs vīvendum est,
quōs vīcī ac subēgī, illī hostēs aut interfectōs aut oppres-
10 sōs relīquērunt, vestrum est, Quirītēs, sī cēterīs facta sua
rēctē prōsunt, mihi mea nē quandō obsint, prōvidēre.
Mentēs enim hominum audācissimōrum scelerātae ac
nefāriae nē vōbīs nocēre possent, ego prōvīdī; nē mihi
noceant, vestrum est prōvidēre. Quamquam, Quirītēs,
15 mihi quidem ipsī nihil ab istīs jam nocērī potest. Magnum enim est in bonīs praesidium, quod mihi in perpetuum comparātum est, magna in rē pūblicā dignitās,
quae mē semper tacita dēfendet, magna vīs cōnscientiae,
quam quī neglegunt, cum mē violāre volent, sē ipsī indi-
20 cābunt. **28.** Est enim in nōbīs is animus, Quirītēs, ut
nōn modo nūllīus audāciae cēdāmus, sed etiam omnīs improbōs ultrō semper lacessāmus. Quodsī omnis impetus
domesticōrum hostium dēpulsus ā vōbīs sē in mē ūnum
converterit, vōbīs erit videndum, Quirītēs, quā condiciōne
25 posthāc eōs esse velītis, quī sē prō salūte vestrā obtule-
rint invidiae perīculīsque omnibus; mihi quidem ipsī
quid est quod jam ad vītae frūctum possit acquīrī,
cum praesertim neque in honōre vestrō neque in glōriā
virtūtis quicquam videam altius, quō mihi libeat as-
30 cendere?

He promises to remain worthy of their confidence.

29. Illud perficiam profectō, Quirītēs, ut ea, quae gessī
in cōnsulātū, prīvātus tuear atque ōrnem, ut, sī qua est
invidia in cōnservandā rē pūblicā suscepta, laedat invidōs,
mihi valeat ad glōriam. Dēnique ita mē in rē pūblicā
trāctābō, ut meminerim semper, quae gesserim, cūremque, 5
ut ea virtūte, nōn cāsū gesta esse videantur. Vōs, Quirītēs, quoniam jam est nox, venerātī Jovem illum, cūstōdem
hūjus urbis ac vestrum, in vestra tēcta discēdite et ea,
quamquam jam ést perīculum dēpulsum, tamen aequē ac
priōre nocte cūstōdiīs vigiliīsque dēfendite. Id nē vōbīs 10
diūtius faciendum sit, atque ut in perpetuā pāce esse possītis, prōvidēbō.

M. TULLI CICERONIS

IN CATILINAM ORATIO QUARTA

HABITA IN SENATU.

Cicero deprecates anxiety for his safety.

I. 1. Videō, patrēs cōnscrīptī, in mē omnium vestrum
ōra atque oculōs esse conversōs, videō vōs nōn sōlum dē vestrō ac reī pūblicae, vērum etiam, sī id dēpulsum sit, dē meō
perīculō esse sollicitōs. Est mihi jūcunda in malīs et grāta
5 in dolōre vestra ergā mē voluntās, sed eam, per deōs immortālēs, dēpōnite atque oblītī salūtis meae dē vōbīs ac
dē vestrīs līberīs cōgitāte. Mihi sī haec condiciō cōnsulātūs data est, ut omnīs acerbitātēs, omnīs dolōrēs cruci-
ātūsque perferrem, feram nōn sōlum fortiter, vērum etiam
10 libenter, dum modo meīs labōribus vōbīs populōque Rōmānō dignitās salūsque pariātur. **2.** Ego sum ille cōnsul, patrēs cōnscrīptī, cui nōn Forum, in quō omnis
aequitās continētur, nōn Campus cōnsulāribus auspiciīs
cōnsecrātus, nōn Cūria, summum auxilium omnium gen-
15 tium, nōn domus, commūne perfugium, nōn lectus ad
quiētem datus, nōn dēnique haec sēdēs honōris umquam
vacua mortis perīculō atque īnsidiīs fuit. Ego multa
tacuī, multa pertulī, multa concessī, multa meō quōdam

dolōre in vestrō timōre sānāvī. Nunc sī hunc exitum
cōnsulātūs meī dī immortālēs esse voluērunt, ut vōs populumque Rōmānum ex caede miserrimā, conjugēs līberōsque vestrōs virginēsque Vestālēs ex acerbissimā vexātiōne,
templa atque dēlūbra, hanc pulcherrimam patriam om- 5
nium nostrum ex foedissimā flammā, tōtam Italiam ex
bellō et vāstitāte ēriperem, quaecumque mihi ūnī prōpō-
nētur fortūna, subeātur. Etenim, sī P. Lentulus suum
nōmen inductus ā vātibus fātāle ad perniciem reī pūblicae
fore putāvit, cūr ego nōn laeter meum cōnsulātum ad 10
salūtem populī Rōmānī prope fātālem exstitisse?

*He exhorts the senators to think only of themselves, their
families, and their country.*

II. 3. Quārē, patrēs cōnscrīptī, cōnsulite vōbīs, prōspi-
cite patriae, cōnservāte vōs, conjugēs, līberōs fortūnāsque
vestrās, populī Rōmānī nōmen salūtemque dēfendite;
mihi parcere ac dē mē cōgitāre dēsinite. Nam prīmum 15
dēbeō spērāre omnīs deōs, quī huic urbī praesident, prō
eō mihi, ac mereor, relātūrōs esse grātiam; deinde, sī quid
obtigerit, aequō animō parātōque moriar. Nam neque
turpis mors fortī virō potest accidere neque immātūra
cōnsulārī nec misera sapientī. Nec tamen ego sum ille 20
ferreus, quī frātris cārissimī atque amantissimī praesentis
maerōre nōn movear hōrumque omnium lacrimīs, ā quibus
mē circumsessum vidētis. Neque meam mentem nōn
domum saepe revocat exanimāta uxor et abjecta metū
fīlia et parvulus fīlius, quem mihi vidētur amplectī rēs 25
pūblica tamquam obsidem cōnsulātūs meī, neque ille, quī
exspectāns hūjus exitum diēī stat in cōnspectū meō,
gener. Moveor hīs rēbus omnibus, sed in eam partem,
utī salvī sint vōbīscum omnēs, etiamsī mē vīs aliqua op-

presserit, potius quam et illī et nōs ūnā reī pūblicae peste
pereāmus.   **4.** Quārē, patrēs cōnscrīptī, incumbite ad
salūtem reī pūblicae, circumspicite omnēs procellās, quae
impendent, nisi prōvidētis.   Nōn Ti. Gracchus, quod
5 iterum tribūnus plēbis fierī voluit, nōn C. Gracchus,
quod agrāriōs concitāre cōnātus est, nōn L. Sāturnīnus,
quod C. Memmium occīdit, in discrīmen aliquod atque in
vestrae sevēritātis jūdicium addūcitur; tenentur eī, quī
ad urbis incendium, ad vestram omnium caedem, ad Cati-
10 līnam accipiendum Rōmae restitērunt; tenentur litterae,
signa, manūs, dēnique ūnīus cūjusque cōnfessiō; sollici-
tantur Allobrogēs, servitia excitantur, Catilīna arcessitur;
id est initum cōnsilium, ut interfectīs omnibus nēmō nē
ad dēplōrandum quidem populī Rōmānī nōmen atque ad
15 lāmentandam tantī imperī calamitātem relinquātur.
III.   **5.** Haec omnia indicēs dētulērunt, reī cōnfessī
sunt, vōs multīs jam jūdiciīs jūdicāvistis, prīmum quod
mihi grātiās ēgistis singulāribus verbīs et meā virtūte
atque dīligentiā perditōrum hominum conjūrātiōnem
20 patefactam esse dēcrēvistis, deinde quod P. Lentulum sē
abdicāre praetūrā coēgistis, tum quod eum et cēterōs, dē
quibus jūdicāstis, in cūstōdiam dandōs cēnsuistis, maximēque quod meō nōmine supplicātiōnem dēcrēvistis, quī
honōs togātō habitus ante mē est nēminī; postrēmō
25 hesternō diē praemia lēgātīs Allobrogum Titōque Volturciō dedistis amplissima.   Quae sunt omnia ejus modī, ut
eī, quī in cūstōdiam nōminātim datī sunt, sine ūllā dubitā-
tiōne ā vōbīs damnātī esse videantur.

What penalty shall be inflicted on the conspirators?

6. Sed ego īnstituī referre ad vōs, patrēs cōnscrīptī,
30 tamquam integrum, et dē factō quid jūdicētis, et dē poenā

To face p. 49.

GAIUS JULIUS CAESAR.

From the bust in the Palazzo dei Conservatori at Rome.

quid cēnseātis. Illa praedīcam, quae sunt cōnsulis. Ego
magnum in rē pūblicā versārī furōrem et nova quaedam
miscērī et concitārī mala jam prīdem vidēbam, sed hanc
tantam, tam exitiōsam habērī conjūrātiōnem ā cīvibus
numquam putāvī. Nunc quicquid est, quōcumque vestrae 5
mentēs inclīnant atque sententiae, statuendum vōbīs ante
noctem est. Quantum facinus ad vōs dēlātum sit, vidētis. Huic sī paucōs putātis affīnēs esse, vehementer
errātis. Lātius opīniōne dissēminātum est hōc malum;
mānāvit nōn sōlum per Italiam, vērum etiam trānscendit 10
Alpēs et obscūrē serpēns multās jam prōvinciās occupā-
vit. Id opprimī sustentandō aut prōlātandō nūllō pactō
potest; quācumque ratiōne placet, celeriter vōbīs vindi-
candum est.

The two alternatives: Death and life imprisonment.

IV. 7. Videō duās adhūc esse sententiās, ūnam D. 15
Sīlānī, quī cēnset eōs, quī haec dēlēre cōnātī sunt, morte
esse multandōs, alteram C. Caesaris, quī mortis poenam
removet, cēterōrum suppliciōrum omnīs acerbitātēs amplectitur. Uterque et prō suā dignitāte et prō rērum
magnitūdine in summā sevēritāte versātur. Alter eōs, 20
quī nōs omnīs vītā prīvāre cōnātī sunt, quī dēlēre imperium, quī populī Rōmānī nōmen exstinguere, pūnctum
temporis fruī vītā et hōc commūnī spīritū nōn putat
oportēre atque hōc genus poenae saepe in improbōs cīvīs
in hāc rē pūblicā esse ūsūrpātum recordātur. 25

Objections to Caesar's proposition.

Alter intellegit mortem ab dīs immortālibus nōn esse
suppliciī causā cōnstitūtam, sed aut necessitātem nātūrae
aut labōrum ac miseriārum quiētem esse. Itaque eam

sapientēs numquam invītī, fortēs saepe etiam libenter
oppetīvērunt. Vincula vērō et ea sempiterna, certē ad
singulārem poenam nefāriī sceleris inventa sunt. Mūnicipiīs dispertīrī jubet. Habēre vidētur ista rēs inī-
5 quitātem, sī imperāre velīs, difficultātem, sī rogāre.
Dēcernātur tamen, sī placet. 8. Ego enim suscipiam
et, ut spērō, reperiam, quī id, quod salūtis omnium causā
statueritis, nōn putent esse suae dignitātis recūsāre.
Adjungit gravem poenam mūnicipiīs, sī quis eōrum
10 vincula rūperit; horribilēs cūstōdiās circumdat et dignās
scelere hominum perditōrum; sancit, nē quis eōrum
poenam, quōs condemnat, aut per senātum aut per populum levāre possit; ēripit etiam spem, quae sōla hominēs
in miseriīs cōnsōlārī solet. Bona praetereā pūblicārī
15 jubet, vītam sōlam relinquit nefāriīs hominibus; quam
sī ēripuisset, multōs ūnā dolōrēs animī atque corporis
et omnīs scelerum poenās adēmisset. Itaque, ut aliqua
in vītā formīdō improbīs esset posita, apud īnferōs ejus
modī quaedam illī antīquī supplicia impiīs cōnstitūta
20 esse voluērunt, quod vidēlicet intellegēbant, hīs remōtīs,
nōn esse mortem ipsam pertimēscendam.

Caesar's plan the simpler for Cicero.

V. 9. Nunc, patrēs cōnscrīptī, ego meā videō quid
intersit. Sī eritis secūtī sententiam C. Caesaris, quoniam
hanc is in rē pūblicā viam, quae populāris habētur, secū-
25 tus est, fortasse minus erunt, hōc auctōre et cognitōre hūjusce sententiae, mihi populārēs impetūs pertimēscendī;
sīn illam alteram, nesciō an amplius mihi negōtī contra-
hātur. Sed tamen meōrum perīculōrum ratiōnēs ūtilitās
reī pūblicae vincat. Habēmus enim ā Caesare, sīcut ipsīus
30 dignitās et majōrum ejus amplitūdō postulābat, senten-

tiam tamquam obsidem perpetuae in rem pūblicam voluntātis.   Intellēctum est, quid interesset inter levitātem
cōntiōnātōrum et animum vērē populārem salūtī populī
cōnsulentem.

Significant absence of certain senators.

10. Videō dē istīs, quī sē populārēs habērī volunt, 5
abesse nōn nēminem, nē dē capite vidēlicet cīvium Rōmānōrum sententiam ferat.   At is et nudiūs tertius in
cūstōdiam cīvēs Rōmānōs dedit et supplicātiōnem mihi
dēcrēvit et indicēs hesternō diē maximīs praemiīs affēcit.
Jam hōc nēminī dubium est, quī reō cūstōdiam, quaesī- 10
tōrī grātulātiōnem, indicī praemium dēcrērit, quid dē
tōtā rē et causā jūdicārit.   At vērō C. Caesar intellegit
lēgem Semprōniam esse dē cīvibus Rōmānīs cōnstitūtam ;
quī autem reī pūblicae sit hostis, eum cīvem esse nūllō
modō posse; dēnique ipsum lātōrem Semprōniae lēgis 15
injussū populī poenās reī pūblicae dēpendisse.   Īdem
ipsum Lentulum, largītōrem et prōdigum, nōn putat, cum
dē perniciē populī Rōmānī, exitiō hūjus urbis tam acerbē,
tam crūdēliter cōgitārit, etiam appellārī posse populārem.
Itaque homō mītissimus atque lēnissimus nōn dubitat 20
P. Lentulum aeternīs tenebrīs vinculīsque mandāre et
sancit in posterum, nē quis hūjus suppliciō levandō sē
jactāre et in perniciē populī Rōmānī posthāc populāris
esse possit.   Adjungit etiam pūblicātiōnem bonōrum, ut
omnīs animī cruciātūs et corporis etiam egestās ac mendī- 25
citās cōnsequātur.

No penalty can be too severe.

VI.   **11.** Quam ob rem, sīve hōc statueritis, dederitis
mihi comitem ad cōntiōnem populō cārum atque jūcundum,

sīve Sīlānī sententiam sequī mālueritis, facile mē atque
vōs ā crūdēlitātis vituperātiōne populō Rōmānō pūrgābō
atque obtinēbō eam multō lēniōrem fuisse. Quamquam,
patrēs cōnscrīptī, quae potest esse in tantī sceleris im-
5 mānitāte pūniendā crūdēlitās?   Ego enim dē meō sēnsū
jūdicō.   Nam ita mihi salvā rē pūblicā vōbīscum perfruī
liceat, ut ego — quod in hāc causā vehementior sum —
nōn atrōcitāte animī moveor (quis enim est mē mītior?),
sed singulārī quādam hūmānitāte et misericordiā. Videor
10 enim mihi vidēre hanc urbem, lūcem orbis terrārum atque
arcem omnium gentium, subitō ūnō incendiō concidentem;
cernō animō sepultā in patriā miserōs atque īnsepultōs
acervōs cīvium; versātur mihi ante oculōs aspectus Cethēgī
et furor in vestrā caede bacchantis.   **12.** Cum vērō mihi
15 prōposuī rēgnantem Lentulum, sīcut ipse sē ex fātīs spē-
rāsse cōnfessus est, purpurātum esse huic Gabīnium, cum
exercitū vēnisse Catilīnam, tum lāmentātiōnem mātrum
familiās, tum fugam virginum atque puerōrum ac vexā-
tiōnem virginum Vestālium perhorrēscō et, quia mihi
20 vehementer haec videntur misera atque miseranda, idcircō
in eōs, quī ea perficere voluērunt, mē sevērum vehe-
mentemque praebeō.   Etenim quaerō, sī quis pater familiās, līberīs suīs ā servō interfectīs, uxōre occīsā, incēnsā
domō, supplicium dē servō nōn quam acerbissimum
25 sūmpserit, utrum is clēmēns ac misericors an inhūmā-
nissimus et crūdēlissimus esse videātur.   Mihi vērō importūnus ac ferreus, quī nōn dolōre et cruciātū nocentis
suum dolōrem cruciātumque lēnierit.   Sīc nōs in hīs hominibus, quī nōs, quī conjugēs, quī līberōs nostrōs trucī-
30 dāre voluērunt, quī singulās ūnīus cūjusque nostrum
domōs et hōc ūniversum reī pūblicae domicilium dēlēre
cōnātī sunt, quī id ēgērunt, ut gentem Allobrogum in

vēstīgiīs hūjus urbis atque in cinere dēflagrātī imperī
collocārent, sī vehementissimī fuerimus, misericordēs
habēbimur; sīn remissiōrēs esse voluerimus, summae
nōbīs crūdēlitātis in patriae cīviumque perniciē fāma
subeunda est. **13.** Nisi vērō cuipiam L. Caesar, vir 5
fortissimus et amantissimus reī pūblicae, crūdēlior nudiūs
tertius vīsus est, cum sorōris suae, fēminae lēctissimae,
virum praesentem et audientem vītā prīvandum esse
dīxit, cum avum suum jussū cōnsulis interfectum fīli-
umque ejus impūberem lēgātum ā patre missum in carcere 10
necātum esse dīxit. Quōrum quod simile factum? Quod
initum dēlendae reī pūblicae cōnsilium? Largītiōnis
voluntās tum in rē pūblicā versāta est et partium quaedam contentiō. Atque illō tempore hūjus avus Lentulī,
vir clārissimus, armātus Gracchum est persecūtus. Ille 15
etiam grave tum vulnus accēpit, nē quid dē summā rē
pūblicā dēminuerētur; hīc ad ēvertenda reī pūblicae
fundāmenta Gallōs arcessit, servitia concitat, Catilīnam
vocat, attribuit nōs trucīdandōs Cethēgō et cēterōs cīvīs
interficiendōs Gabīniō, urbem īnflammandam Cassiō, tōtam 20
Italiam vāstandam dīripiendamque Catilīnae. Vereāminī,
cēnseō, nē in hōc scelere tam immānī ac nefandō nimis
aliquid sevērē statuisse videāminī; multō magis est
verendum, nē remissiōne poenae crūdēlēs in patriam
quam nē sevēritāte animadversiōnis nimis vehementēs in 25
acerbissimōs hostīs fuisse videāmur.

All classes united in defence of the state.

VII. 14. Sed ea quae exaudiō, patrēs cōnscrīptī,
dissimulāre nōn possum. Jaciuntur enim vōcēs, quae
perveniunt ad aurīs meās, eōrum, quī verērī videntur,
ut habeam satis praesidī ad ea, quae vōs statueritis 30

hodiernō diē, trānsigenda. Omnia et prōvīsa et parāta
et cōnstitūta sunt, patrēs cōnscrīptī, cum meā summā
cūrā atque dīligentiā, tum etiam multō majōre populī
Rōmānī ad summum imperium retinendum et ad com-
5 mūnēs fortūnās cōnservandās voluntāte. Omnēs adsunt
omnium ōrdinum hominēs, omnium dēnique aetātum;
plēnum est Forum, plēna templa circum Forum, plēnī
omnēs aditūs hūjus templī ac locī. Causa est enim post
urbem conditam haec inventa sōla, in quā omnēs sentī-
10 rent ūnum atque idem praeter eōs, quī, cum sibi vidērent
esse pereundum, cum omnibus potius quam sōlī perīre
voluērunt. **15.** Hōsce ego hominēs excipiō et sēcernō
libenter neque in improbōrum cīvium, sed in acerbis-
simōrum hostium numerō habendōs putō. Cēterī vērō
15 (dī immortālēs!) quā frequentiā, quō studiō, quā virtūte
ad commūnem salūtem dignitātemque cōnsentiunt! Quid
ego hīc equitēs Rōmānōs commemorem? quī vōbīs ita
summam ōrdinis cōnsilīque concēdunt, ut vōbīscum dē
amōre reī pūblicae certent; quōs ex multōrum annōrum
20 dissēnsiōne hūjus ōrdinis ad societātem concordiamque
revocātōs hodiernus diēs vōbīscum atque haec causa conjungit. Quam sī conjūnctiōnem in cōnsulātū cōnfīrmā-
tam meō perpetuam in rē pūblicā tenuerimus, cōnfīrmō
vōbīs nūllum posthāc malum cīvīle ac domesticum ad
25 ūllam reī pūblicae partem esse ventūrum. Parī studiō
dēfendendae reī pūblicae convēnisse videō tribūnōs aerā-
riōs, fortissimōs virōs; scrībās item ūniversōs, quōs cum
cāsū hīc diēs ad aerārium frequentāsset, videō ab exspectātiōne sortis ad salūtem commūnem esse conversōs.
30 **16.** Omnis ingenuōrum adest multitūdō, etiam tenuis-
simōrum. Quis est enim, cui nōn haec templa, aspectus urbis, possessiō lībertātis, lūx dēnique haec ipsa

et commūne patriae solum cum sit cārum, tum vērō
dulce atque jūcundum?

Loyalty of the slaves and freedmen.

VIII. Operae pretium est, patrēs cōnscrīptī, lībertī-
nōrum hominum studia cognōscere, quī suā virtūte fortūnam hūjus cīvitātis cōnsecūtī vērē hanc suam esse patriam 5
jūdicant, quam quīdam hīc nātī, et summō nātī locō,
nōn patriam suam, sed urbem hostium esse jūdicā-
vērunt.   Sed quid ego hōsce hominēs ōrdinēsque commemorō, quōs prīvātae fortūnae, quōs commūnis rēs
pūblica, quōs dēnique lībertās, ea quae dulcissima est, 10
ad salūtem patriae dēfendendam excitāvit? Servus est
nēmō, quī modo tolerābilī condiciōne sit servitūtis, quī
nōn audāciam cīvium perhorrēscat, quī nōn haec stāre
cupiat, quī nōn, quantum audet et quantum potest,
cōnferat ad commūnem salūtem, voluntātis.   **17.** Quārē 15
sī quem vestrum forte commovet hōc, quod audītum
est, lēnōnem quendam Lentulī concursāre circum ta-
bernās, pretiō spērāre sollicitārī posse animōs egentium
atque imperītōrum, est id quidem coeptum atque temptā-
tum, sed nūllī sunt inventī tam aut fortūnā miserī aut 20
voluntāte perditī, quī nōn illum ipsum sellae atque operis
et quaestūs cotīdiānī locum, quī nōn cubīle ac lectulum
suum, quī dēnique nōn cursum hunc ōtiōsum vītae suae
salvum esse velint. Multō vērō maxima pars eōrum,
quī in tabernīs sunt, immō vērō (id enim potius est 25
dīcendum) genus hōc ūniversum amantissimum est ōtī.
Etenim omne īnstrūmentum, omnis opera atque quaestus
frequentiā cīvium sustentātur, alitur ōtiō; quōrum sī
quaestus occlūsīs tabernīs minuī solet, quid tandem
incēnsīs futūrum fuit?   30

Responsibility resting on the Senate.

18. Quae cum ita sint, patrēs cōnscrīptī, vōbīs populī
Rōmānī praesidia nōn dēsunt; vōs nē populō Rōmānō
deesse videāminī, prōvidēte.   IX. Habētis cōnsulem ex
plūrimīs perīculīs et īnsidiīs atque ex mediā morte nōn
5 ad vītam suam, sed ad salūtem vestram reservātum.
Omnēs ōrdinēs ad cōnservandam rem pūblicam mente,
voluntāte, studiō, virtūte, vōce cōnsentiunt.   Obsessa
facibus et tēlīs impiae conjūrātiōnis vōbīs supplex manūs
tendit patria commūnis, vōbīs sē, vōbīs vītam omnium
10 cīvium, vōbīs Arcem et Capitōlium, vōbīs ārās Penātium,
vōbīs illum īgnem Vestae sempiternum, vōbīs omnium
deōrum templa atque dēlūbra, vōbīs mūrōs atque urbis
tēcta commendat.   Praetereā dē vestrā vītā, dē conjugum
vestrārum atque līberōrum animā, dē fortūnīs omnium,
15 dē sēdibus, dē focīs vestrīs hodiernō diē vōbīs jūdican-
dum est.   **19.** Habētis ducem memorem vestrī, oblītum
suī, quae nōn semper facultās datur; habētis omnīs
ōrdinēs, omnīs hominēs, ūniversum populum Rōmānum,
id quod in cīvīlī causā hodiernō diē prīmum vidēmus,
20 ūnum atque idem sentientem.   Cōgitāte, quantīs labōribus fundātum imperium, quantā virtūte stabilītam lībertātem, quantā deōrum benignitāte auctās exaggerātāsque
fortūnās ūna nox paene dēlērit.   Id nē umquam posthāc
nōn modo cōnficī, sed nē cōgitārī quidem possit ā cīvibus,
25 hodiernō diē prōvidendum est.   Atque haec, nōn ut vōs,
quī mihi studiō paene praecurritis, excitārem, locūtus
sum, sed ut mea vōx, quae dēbet esse in rē pūblicā prīnceps, officiō fūncta cōnsulārī vidērētur.

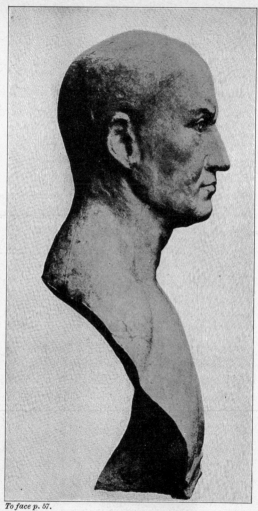

To face p. 57.

SCIPIO AFRICANUS, THE ELDER.

*No fear for the future can make Cicero regret his conduct toward
the conspirators. His claims to glory.*

X. **20.** Nunc, antequam ad sententiam redeō, dē mē
pauca dīcam. Ego, quanta manus est conjūrātōrum
(quam vidētis esse permagnam), tantam mē inimīcōrum
multitūdinem suscēpisse videō; sed eam esse jūdicō
turpem et īnfīrmam et abjectam. Quodsī aliquandō 5
alicūjus furōre et scelere concitāta manus ista plūs
valuerit quam vestra ac reī pūblicae dignitās, mē tamen
meōrum factōrum atque cōnsiliōrum numquam, patrēs
cōnscrīptī, paenitēbit. Etenim mors, quam illī fortasse
minitantur, omnibus est parāta; vītae tantam laudem, 10
quantā vōs mē vestrīs dēcrētīs honestāstis, nēmō est
assecūtus. Cēterīs enim bene gestā, mihi ūnī cōnservātā
rē pūblicā, grātulātiōnem dēcrēvistis. **21.** Sit Scīpiō
clārus ille, cūjus cōnsiliō atque virtūte Hannibal in
Āfricam redīre atque Italiā dēcēdere coāctus est; ōrnētur 15
alter eximiā laude Āfricānus, quī duās urbēs huic imperiō īnfēstissimās, Carthāginem Numantiamque, dēlēvit;
habeātur vir ēgregius Paulus ille, cūjus currum rēx
potentissimus quondam et nōbilissimus Persēs hones-
tāvit; sit aeternā glōriā Marius, quī bis Italiam ob- 20
sidiōne et metū servitūtis līberāvit; antepōnātur omnibus
Pompejus, cūjus rēs gestae atque virtūtēs īsdem, quibus
sōlis cursus, regiōnibus ac terminīs continentur; erit profectō inter hōrum laudēs aliquid locī nostrae glōriae, nisi
forte majus est patefacere nōbīs prōvinciās, quō exīre 25
possīmus, quam cūrāre, ut etiam illī, quī absunt, habeant,
quō victōrēs revertantur. **22.** Quamquam est ūnō locō
condiciō melior externae victōriae quam domesticae, quod
hostēs aliēnigenae aut oppressī serviunt aut receptī in
amīcitiam beneficiō sē obligātōs putant; quī autem ex 30

numerō cīvium dēmentiā aliquā dēprāvātī hostēs patriae
semel esse coepērunt, eōs, cum ā perniciē reī pūblicae
reppulerīs, nec vī coërcēre nec beneficiō plācāre possīs.
Quārē mihi cum perditīs cīvibus aeternum bellum sus-
5 ceptum esse videō. Id ego vestrō bonōrumque omnium
auxiliō memoriāque tantōrum perīculōrum, quae nōn
modo in hōc populō, quī servātus est, sed in omnium
gentium sermōnibus ac mentibus semper haerēbit, ā mē
atque ā meīs facile prōpulsārī posse cōnfīdō. Neque
10 ūlla profectō tanta vīs reperiētur, quae conjūnctiōnem
vestram equitumque Rōmānōrum et tantam cōnspīrā-
tiōnem bonōrum omnium cōnfringere et labefactāre
possit.

*The affectionate remembrance of his services is all he asks as
a reward.*

XI. **23.** Quae cum ita sint, prō imperiō, prō exercitū,
15 prō prōvinciā, quam neglēxī, prō triumphō cēterīsque
laudis īnsignibus, quae sunt ā mē propter urbis vestrae-
que salūtis cūstōdiam repudiāta, prō clientēlīs hospitiīsque
prōvinciālibus, quae tamen urbānīs opibus nōn minōre
labōre tueor quam comparō, prō hīs igitur omnibus rēbus,
20 prō meīs in vōs singulāribus studiīs prōque hāc, quam
perspicitis, ad cōnservandam rem pūblicam dīligentiā
nihil ā vōbīs nisi hūjus temporis tōtīusque meī cōnsulātūs
memoriam postulō; quae dum erit in vestrīs fīxa mentibus, tūtissimō mē mūrō saeptum esse arbitrābor. Quodsī
25 meam spem vīs improbōrum fefellerit atque superāverit,
commendō vōbīs parvum meum fīlium, cui profectō satis
erit praesidī nōn sōlum ad salūtem, vērum etiam ad
dignitātem, sī ejus, quī haec omnia suō sōlīus perīculō
cōnservārit, illum fīlium esse memineritis. **24.** Quā-

propter dē summā salūte vestrā populīque Rōmānī, dē
vestrīs conjugibus ac līberīs, dē ārīs ac focīs, dē fānīs
atque templīs, dē tōtīus urbis tēctīs ac sēdibus, dē imperiō ac lībertāte, dē salūte Italiae, dē ūniversā rē pūblicā
dēcernite dīligenter, ut īnstituistis, ac fortiter.   Habētis 5
eum cōnsulem, quī et pārēre vestrīs dēcrētīs nōn dubitet
et ea, quae statueritis, quoad vīvet, dēfendere et per sē
ipsum praestāre possit.

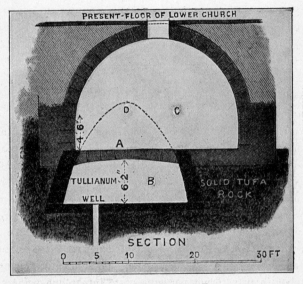

CROSS SECTION OF CARCER AND TULLIANUM.

A. Location of aperture through which criminals were thrust
   from the Carcer into the Tullianum.
B. Tullianum.
C. Carcer.
D. The dotted line indicates the original shape of the lower
   chamber before the Carcer was constructed.
   The conspirators were put to death in the lower chamber.

M. TULLI CICERONIS

DE IMPERIO CN. POMPEI AD QUIRITES ORATIO.

*Cicero comments on this, his first appearance before the popular
assembly.*

I. 1. Quamquam mihi semper frequēns cōnspectus
vester multō jūcundissimus, hīc autem locus ad agendum
amplissimus, ad dīcendum ōrnātissimus est vīsus, Quirītēs, tamen hōc aditū laudis, quī semper optimō cuique
5 maximē patuit, nōn mea mē voluntās adhūc, sed vītae
meae ratiōnēs ab ineunte aetāte susceptae prohibuērunt.
Nam cum anteā per aetātem nōndum hūjus auctōritātem
locī attingere audērem statueremque nihil hūc nisi perfectum ingeniō, ēlabōrātum industriā afferrī oportēre,
10 omne meum tempus amīcōrum temporibus trānsmittendum putāvī. 2. Ita neque hīc locus vacuus umquam
fuit ab eīs, quī vestram causam dēfenderent, et meus
labor in prīvātōrum perīculīs castē integrēque versātus
ex vestrō jūdiciō frūctum est amplissimum cōnsecūtus.
15 Nam cum propter dīlātiōnem comitiōrum ter praetor
prīmus centuriīs cūnctīs renūntiātus sum, facile intellēxī,
Quirītēs, et quid dē mē jūdicārētis et quid aliīs praescrī-
berētis. Nunc cum et auctōritātis in mē tantum sit,
quantum vōs honōribus mandandīs esse voluistis, et ad

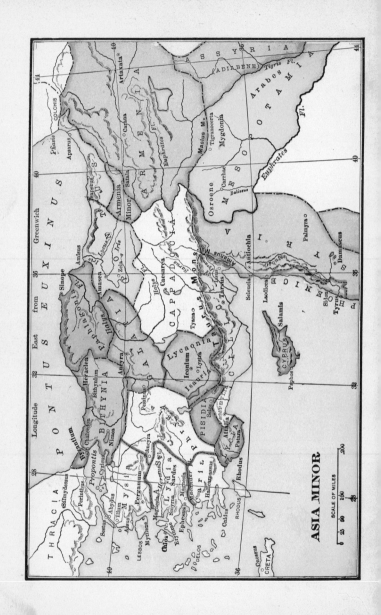

ASIA MINOR.

SCALE OF MILES

0   25   50   100   200

agendum facultātis tantum, quantum hominī vigilantī
ex forēnsī ūsū prope cotīdiāna dīcendī exercitātiō potuit
afferre, certē et, sī quid auctōritātis in mē est, apud
eōs ūtar, quī eam mihi dedērunt, et, sī quid in dīcendō
cōnsequī possum, eīs ostendam potissimum, quī eī quo- 5
que reī frūctum suō jūdiciō tribuendum esse dūxērunt.
3. Atque illud in prīmīs mihi laetandum jūre esse videō,
quod in hāc īnsolitā mihi ex hōc locō ratiōne dīcendī
causa tālis oblāta est, in quā ōrātiō deesse nēminī possit.
Dīcendum est enim dē Cn. Pompeī singulārī eximiāque 10
virtūte; hūjus autem ōrātiōnis difficilius est exitum quam
prīncipium invenīre. Ita mihi nōn tam cōpia quam
modus in dīcendō quaerendus est.

The crisis in the East.

II. 4. Atque ut inde ōrātiō mea proficīscātur, unde
haec omnis causa dūcitur, bellum grave et perīculōsum 15
vestrīs vectīgālibus ac sociīs ā duōbus potentissimīs
rēgibus īnfertur, Mithridāte et Tigrāne, quōrum alter
relīctus, alter lacessītus occāsiōnem sibi ad occupandam
Asiam oblātam esse arbitrātur. Equitibus Rōmānīs,
honestissimīs virīs, afferuntur ex Asiā cotīdiē litterae, 20
quōrum magnae rēs aguntur in vestrīs vectīgālibus
exercendīs occupātae; quī ad mē prō necessitūdine, quae
mihi est cum illō ōrdine, causam reī pūblicae perīculaque
rērum suārum dētulērunt; **5.** Bīthȳniae, quae nunc
vestra prōvincia est, vīcōs exūstōs esse complūrēs, rēg- 25
num Ariobarzānis, quod fīnitimum est vestrīs vectīgālibus, tōtum esse in hostium potestāte; L. Lūcullum
magnīs rēbus gestīs ab eō bellō discēdere; huic quī
successerit, nōn satis esse parātum ad tantum bellum
administrandum; ūnum ab omnibus sociīs et cīvibus ad 30

id bellum imperātōrem dēposcī atque expetī, eundem
hunc ūnum ab hostibus metuī, prabtereā nēminem.

The nature of the war. Roman honor threatened.

6. Causa quae sit, vidētis; nunc, quid agendum sit,
cōnsīderāte. Prīmum mihi vidētur dē genere bellī, deinde
5 dē magnitūdine, tum dē imperātōre dēligendō esse
dīcendum. Genus est enim bellī ejus modī, quod
maximē vestrōs animōs excitāre atque īnflammāre ad
persequendī studium dēbeat; in quō agitur populī Rōmānī glōria, quae vōbīs ā majōribus, cum magna in
10 omnibus rēbus, tum summa in rē mīlitārī trādita est;
agitur salūs sociōrum atque amīcōrum, prō quā multa
majōrēs vestrī magna et gravia bella gessērunt; aguntur certissima populī Rōmānī vectīgālia et maxima,
quibus āmissīs et pācis ōrnāmenta et subsidia bellī
15 requīrētis; aguntur bona multōrum cīvium, quibus est ā
vōbīs et ipsōrum et reī pūblicae causā cōnsulendum.

*Growing insolence of Mithridates. His preparations for a fresh
struggle.*

III. 7. Et quoniam semper appetentēs glōriae praeter
cēterās gentēs atque avidī laudis fuistis, dēlenda est
vōbīs illa macula Mithridāticō bellō superiōre concepta,
20 quae penitus jam īnsēdit ac nimis inveterāvit in populī
Rōmānī nōmine, quod is, quī ūnō diē tōtā in Asiā tot in
cīvitātibus ūnō nūntiō atque ūnā significātiōne litterārum cīvēs Rōmānōs omnēs necandōs trucīdandōsque
dēnotāvit, nōn modo adhūc poenam nūllam suō dignam
25 scelere suscēpit, sed ab illō tempore annum jam tertium
et vīcēsimum rēgnat, et ita rēgnat, ut sē nōn Pontī
neque Cappadociae latebrīs occultāre velit, sed ēmergere

ex patriō rēgnō atque in vestrīs vectīgālibus, hōc est
in Asiae lūce, versārī.   8. Etenim adhūc ita nostrī cum
illō rēge contendērunt imperātōrēs, ut ab illō īnsignia
victōriae, nōn victōriam reportārent. Triumphāvit L.
Sulla, triumphāvit L. Mūrēna dē Mithridāte, duo fortis- 5
simī virī et summī imperātōrēs, sed ita triumphārunt,
ut ille pulsus superātusque rēgnāret. Vērum tamen
illīs imperātōribus laus est tribuenda, quod ēgērunt,
venia danda, quod relīquērunt, proptereā quod ab eō
bellō Sullam in Italiam rēs pūblica, Mūrēnam Sulla 10
revocāvit.

IV. 9. Mithridātēs autem omne reliquum tempus nōn
ad oblīviōnem veteris bellī, sed ad comparātiōnem novī
contulit; quī posteā, cum maximās aedificāsset ōrnāsset-
que classēs exercitūsque permagnōs, quibuscumque ex 15
gentibus potuisset, comparāsset et sē Bosporānīs, fīniti-
mīs suīs, bellum īnferre simulāret, ūsque in Hispāniam
lēgātōs ac litterās mīsit ad eōs ducēs, quibuscum tum
bellum gerēbāmus, ut, cum duōbus in locīs disjūnctissimīs
maximēque dīversīs ūnō cōnsiliō ā bīnīs hostium cōpiīs 20
bellum terrā marīque gererētur, vōs ancipitī contentiōne
districtī dē imperiō dīmicārētis. 10. Sed tamen alterius
partis perīculum, Sertōriānae atque Hispāniēnsis, quae
multō plūs fīrmāmentī ac rōboris habēbat, Cn. Pompeī
dīvīnō cōnsiliō ac singulārī virtūte dēpulsum est; in alterā 25
parte ita rēs ā L. Lūcullō, summō virō, est administrāta,
ut initia illa rērum gestārum magna atque praeclāra nōn
fēlīcitātī ejus, sed virtūtī, haec autem extrēma, quae nūper accidērunt, nōn culpae, sed fortūnae tribuenda esse
videantur. Sed dē Lūcullō dīcam aliō locō, et ita dīcam, 30
Quirītēs, ut neque vēra laus eī dētrācta ōrātiōne meā
neque falsa afficta esse videātur.   11. Dē vestrī imperī

dignitāte atque glōriā, quoniam is est exōrsus ōrātiōnis
meae, vidēte quem vōbīs animum suscipiendum putētis.

Some ancient precedents.

V.   Majōrēs nostrī saepe, mercātōribus aut nāviculāriīs
nostrīs injūriōsius trāctātīs, bella gessērunt; vōs, tot mīli-
5 bus cīvium Rōmānōrum ūnō nūntiō atque ūnō tempore
necātīs, quō tandem animō esse dēbētis?   Lēgātī quod
erant appellātī superbius, Corinthum patrēs vestrī, tōtīus
Graeciae lūmen, exstīnctum esse voluērunt; vōs eum rēgem inultum esse patiēminī, quī lēgātum populī Rōmānī
10 cōnsulārem vinculīs ac verberibus atque omnī suppliciō
excruciātum necāvit?   Illī lībertātem imminūtam cīvium
Rōmānōrum nōn tulērunt; vōs ēreptam vītam neglegētis?
Jūs lēgātiōnis verbō violātum illī persecūtī sunt; vōs lēgātum omnī suppliciō interfectum relīnquētis?   **12.** Vi-
15 dēte, nē, ut illīs pulcherrimum fuit tantam vōbīs imperī
glōriam trādere, sīc vōbīs turpissimum sit id, quod accē-
pistis, tuērī et cōnservāre nōn posse.

Roman provincials in danger.   They call for Pompey.

Quid?   Quod salūs sociōrum summum in perīculum
ac discrīmen vocātur, quō tandem animō ferre dēbētis?
20 Rēgnō est expulsus Ariobarzānēs rēx, socius populī Rōmānī atque amīcus; imminent duo rēgēs tōtī Asiae nōn
sōlum vōbīs inimīcissimī, sed etiam vestrīs sociīs atque
amīcīs; cīvitātēs autem omnēs cūnctā Asiā atque Graeciā
vestrum auxilium exspectāre propter perīculī magnitū-
25 dinem cōguntur; imperātōrem ā vōbīs certum dēposcere,
cum praesertim vōs alium mīserītis, neque audent neque
sē id facere sine summō perīculō posse arbitrantur.
13. Vident et sentiunt hōc idem, quod vōs, ūnum virum

To face p. 65.

POMPEY.

From the statue in the Spada Palace, at Rome.

esse, in quō summa sint omnia, et eum propter esse, quō
etiam carent aegrius; cūjus adventū ipsō atque nōmine,
tametsī ille ad maritimum bellum vēnerit, tamen impetūs
hostium repressōs esse intellegunt ac retardātōs. Hī vōs,
quoniam līberē loquī nōn licet, tacitē rogant, ut sē quoque 5
sīcut cēterārum prōvinciārum sociōs dignōs exīstimētis,
quōrum salūtem tālī virō commendētis, atque hōc etiam
magis, quod cēterōs in prōvinciam ejus modī hominēs cum
imperiō mittimus, ut, etiamsī ab hoste dēfendant, tamen
ipsōrum adventūs in urbēs sociōrum nōn multum ab hos- 10
tīlī expugnātiōne differant. Hunc audiēbant anteā, nunc
praesentem vident, tantā temperantiā, tantā mānsuētūdine,
tantā hūmānitāte, ut eī beātissimī esse videantur, apud
quōs ille diūtissimē commorātur.

Large financial interests at stake.

VI. **14**. Quārē, sī propter sociōs, nūllā ipsī injūriā 15
lacessītī, majōrēs nostrī cum Antiochō, cum Philippō, cum
Aetōlīs, cum Poenīs bella gessērunt, quantō vōs studiō
convenit injūriīs prōvocātōs sociōrum salūtem ūnā cum
imperī vestrī dignitāte dēfendere, praesertim cum dē
maximīs vestrīs vectīgālibus agātur? Nam cēterārum 20
prōvinciārum vectīgālia, Quirītēs, tanta sunt, ut eīs ad
ipsās prōvinciās tūtandās vix contentī esse possīmus. Asia
vērō tam opīma est ac fertilis, ut et ūbertāte agrōrum et
varietāte frūctuum et magnitūdine pāstiōnis et multitūdine eārum rērum, quae exportentur, facile omnibus terrīs 25
antecellat. Itaque haec vōbīs prōvincia, Quirītēs, sī et
bellī ūtilitātem et pācis dignitātem retinēre vultis, nōn
modo ā calamitāte, sed etiam ā metū calamitātis est dē-
fendenda. **15**. Nam in cēterīs rēbus cum venit calamitās, tum dētrīmentum accipitur; at in vectīgālibus nōn 30

sōlum adventus malī, sed etiam metus ipse affert calamitātem. Nam cum hostium cōpiae nōn longē absunt,
etiamsī irruptiō nūlla facta est, tamen pecuāria relinqui-
tur, agrī cultūra dēseritur, mercātōrum nāvigātiō conqui-
5 ēscit. Ita neque ex portū neque ex decumīs neque ex
scrīptūrā vectīgal cōnservārī potest; quārē saepe tōtīus
annī frūctus ūnō rūmōre perīculī atque ūnō bellī terrōre
āmittitur.   16. Quō tandem animō esse exīstimātis aut
eōs, quī vectīgālia nōbīs pēnsitant, aut eōs, quī exercent
10 atque exigunt, cum duo rēgēs cum maximīs cōpiīs
propter adsint, cum ūna excursiō equitātūs perbrevī tempore tōtīus annī vectīgal auferre possit, cum pūblicānī
familiās maximās, quās in saltibus habent, quās in agrīs,
quās in portubus atque cūstōdiīs, magnō perīculō sē
15 habēre arbitrentur ?   Putātisne vōs illīs rēbus fruī posse,
nisi eōs, quī vōbīs frūctuī sunt, cōnservāritis nōn sōlum,
ut ante dīxī, calamitāte, sed etiam calamitātis formīdine
līberātōs ?

Interests of the tax collectors.

VII. 17. Ac nē illud quidem vōbīs neglegendum est,
20 quod mihi ego extrēmum prōposueram, cum essem dē
bellī genere dictūrus, quod ad multōrum bona cīvium Rōmānōrum pertinet; quōrum vōbīs prō vestrā sapientiā,
Quirītēs, habenda est ratiō dīligenter. Nam et pūblicānī,
hominēs honestissimī atque ōrnātissimī, suās ratiōnēs et
25 cōpiās in illam prōvinciam contulērunt, quōrum ipsōrum
per sē rēs et fortūnae vōbīs cūrae esse dēbent. Etenim,
sī vectīgālia nervōs esse reī pūblicae semper dūximus,
eum certē ōrdinem, quī exercet illa, fīrmāmentum cēterōrum ōrdinum rēctē esse dīcēmus.   18. Deinde ex cēterīs
30 ōrdinibus hominēs gnāvī atque industriī partim ipsī in
Asiā negōtiantur, quibus vōs absentibus cōnsulere dēbētis,

partim eōrum in eā prōvinciā pecūniās magnās collocātās
habent. Est igitur hūmānitātis vestrae magnum numerum eōrum cīvium calamitāte prohibēre, sapientiae vidēre
multōrum cīvium calamitātem ā rē pūblicā sējūnctam
esse nōn posse. Etenim prīmum illud parvī rēfert, nōs 5
pūblicānīs omissīs vectīgālia posteā victōriā recuperāre;
neque enim īsdem redimendī facultās erit propter calamitātem neque aliīs voluntās propter timōrem. 19. Deinde,
quod nōs eadem Asia atque īdem iste Mithridātēs initiō
bellī Asiāticī docuit, id quidem certē calamitāte doctī 10
memoriā retinēre dēbēmus. Nam tum, cum in Asiā rēs
magnās permultī āmīserant, scīmus Rōmae, solūtiōne
impedītā, fidem concidisse. Nōn enim possunt ūnā in
cīvitāte multī rem ac fortūnās āmittere, ut nōn plūrēs
sēcum in eandem trahant calamitātem. Ā quō perīculō 15
prohibēte rem pūblicam et mihi crēdite, id quod ipsī
vidētis, haec fidēs atque haec ratiō pecūniārum, quae
Rōmae, quae in Forō versātur, implicāta est cum illīs
pecūniīs Asiāticīs et cohaeret; ruere illa nōn possunt, ut
haec nōn eōdem labefacta mōtū concidant. Quārē vidēte, 20
num dubitandum vōbīs sit omnī studiō ad id bellum incumbere, in quō glōria nōminis vestrī, salūs sociōrum,
vectīgālia maxima, fortūnae plūrimōrum cīvium con-
jūnctae cum rē pūblicā dēfendantur.

The extent of the war. Achievements of Lucullus.

VIII. 20. Quoniam dē genere bellī dīxī, nunc dē 25
magnitūdine pauca dīcam. Potest enim hōc dīcī, bellī
genus esse ita necessārium, ut sit gerendum, nōn esse ita
magnum, ut sit pertimēscendum. In quō maximē la-
bōrandum est, nē forte ea vōbīs, quae dīligentissimē
prōvidenda sunt, contemnenda esse videantur. Atque 30

ut omnēs intellegant mē L. Lūcullō tantum impertīre
laudis, quantum fortī virō et sapientī hominī et magnō
imperātōrī dēbeātur, dīcō ejus adventū maximās Mi-
thridātī cōpiās omnibus rēbus ōrnātās atque īnstrūctās
5 fuisse, urbemque Asiae clārissimam nōbīsque amīcissimam Cȳzicēnōrum obsessam esse ab ipsō rēge maximā multitūdine et oppugnātam vehementissimē; quam
L. Lūcullus virtūte, assiduitāte, cōnsiliō summīs obsi-
diōnis perīculīs līberāvit; 21. ab eōdem imperātōre
10 classem magnam et ōrnātam, quae ducibus Sertōriānīs ad
Italiam studiō īnflammāta raperētur, superātam esse
atque dēpressam; magnās hostium praetereā cōpiās
multīs proeliīs esse dēlētās patefactumque nostrīs legiōnibus esse Pontum, quī anteā populō Rōmānō ex omnī
15 aditū clausus fuisset; Sinōpēn atque Amīsum, quibus in
oppidīs erant domicilia rēgis, omnibus rēbus ōrnātās ac
refertās cēterāsque urbēs Pontī et Cappadociae permultās
ūnō aditū adventūque esse captās; rēgem spoliātum
rēgnō patriō atque avītō ad aliōs sē rēgēs atque ad
20 aliās gentēs supplicem contulisse; atque haec omnia
salvīs populī Rōmānī sociīs atque integrīs vectīgālibus
esse gesta. Satis opīnor haec esse laudis, atque ita,
Quirītēs, ut hōc vōs intellegātis, ā nūllō istōrum, quī
huic obtrectant lēgī atque causae, L. Lūcullum similiter
25 ex hōc locō esse laudātum.

Mithridates's escape. Roman reverses.

IX. 22. Requīrētur fortasse nunc, quem ad modum,
cum haec ita sint, reliquum possit magnum esse bellum.
Cognōscite, Quirītēs; nōn enim hōc sine causā quaerī
vidētur. Prīmum ex suō rēgnō sīc Mithridātēs profūgit,
30 ut ex eōdem Pontō Mēdēa illa quondam profūgisse

dīcitur, quam praedicant in fugā frātris suī membra
in eīs locīs, quā sē parēns persequerētur, dissipāvisse,
ut eōrum collēctiō dispersa maerorque patrius celeritātem persequendī retardāret. Sīc Mithridātēs fugiēns
maximam vim aurī atque argentī pulcherrimārumque 5
rērum omnium, quās et ā majōribus accēperat et ipse
bellō superiōre ex tōtā Asiā dīreptās in suum rēgnum
congesserat, in Pontō omnem relīquit. Haec dum nostrī
colligunt omnia dīligentius, rēx ipse ē manibus effūgit.
Ita illum in persequendī studiō maeror, hōs laetitia tar- 10
dāvit.   **23**. Hunc in illō timōre et fugā Tigrānēs, rēx
Armenius, excēpit diffīdentemque rēbus suīs cōnfīrmāvit
et afflīctum ērēxit perditumque recreāvit. Cūjus in
rēgnum posteāquam L. Lūcullus cum exercitū vēnit,
plūrēs etiam gentēs contrā imperātōrem nostrum con- 15
citātae sunt. Erat enim metus injectus eīs nātiōnibus,
quās numquam populus Rōmānus neque lacessendās
bellō neque temptandās putāvit; erat etiam alia gravis
atque vehemēns opīniō, quae animōs gentium barbarārum
pervāserat, fānī locuplētissimī et religiōsissimī dīripiendī 20
causā in eās ōrās nostrum esse exercitum adductum. Ita
nātiōnēs multae atque magnae novō quōdam terrōre ac
metū concitābantur. Noster autem exercitus tametsī
urbem ex Tigrānis rēgnō cēperat et proeliīs ūsus erat
secundīs, tamen nimiā longinquitāte locōrum ac dēsīderiō 25
suōrum commovēbātur.   **24**. Hīc jam plūra nōn dīcam ;
fuit enim illud extrēmum, ut ex eīs locīs ā mīlitibus
nostrīs reditus magis mātūrus quam prōcessiō longior
quaererētur. Mithridātēs autem et suam manum jam
cōnfīrmārat et eōrum, quī sē ex ipsīus rēgnō collēgerant, 30
et magnīs adventīciīs auxiliīs multōrum rēgum et nātiōnum juvābātur. Nam hōc ferē sīc fierī solēre ac-

cēpimus, ut rēgum afflīctae fortūnae facile multōrum
opēs alliciant ad misericordiam, maximēque eōrum, quī
aut rēgēs sunt aut vīvunt in rēgnō, ut eīs nōmen rēgāle
magnum et sānctum esse videātur.   **25.** Itaque tantum
5 victus efficere potuit, quantum incolumis numquam est
ausus optāre.   Nam, cum sē in rēgnum suum recēpisset,
nōn fuit eō contentus, quod eī praeter spem acciderat, ut
illam, posteāquam pulsus erat, terram umquam attingeret,
sed in exercitum nostrum clārum atque victōrem impetum
10 fēcit.   Sinite hōc locō, Quirītēs, sīcut poētae solent, quī
rēs Rōmānās scrībunt, praeterīre mē nostram calamitātem,
quae tanta fuit, ut eam ad aurēs imperātōris nōn ex
proeliō nūntius, sed ex sermōne rūmor afferret.   **26.** Hīc
in illō ipsō malō gravissimāque bellī offēnsiōne L. Lūcul-
15 lus, quī tamen aliquā ex parte eīs incommodīs medērī
fortasse potuisset, vestrō jussū coāctus, quod imperī diū-
turnitātī modum statuendum vetere exemplō putāvistis,
partem mīlitum, quī jam stīpendiīs cōnfectī erant, dīmī-
sit, partem M'. Glabriōnī trādidit.   Multa praetereō cōn-
20 sultō; sed ea vōs conjectūrā perspicite, quantum illud
bellum factum putētis, quod conjungant rēgēs potentis-
simī, renovent agitātae nātiōnēs, suscipiant integrae gentēs, novus imperātor noster accipiat vetere exercitū pulsō.

Choice of a commander.   Pompey the ideal man.

X. 27. Satis mihi multa verba fēcisse videor, quārē
25 esset hōc bellum genere ipsō necessārium, magnitūdine
perīculōsum; restat, ut dē imperātōre ad id bellum dēligendō ac tantīs rēbus praeficiendō dīcendum esse videātur.
Utinam, Quirītēs, virōrum fortium atque innocentium
cōpiam tantam habērētis, ut haec vōbīs dēlīberātiō dif-
30 ficilis esset, quemnam potissimum tantīs rēbus ac tantō

bellō praeficiendum putārētis! Nunc vērō cum sit ūnus
Cn. Pompejus, quī nōn modo eōrum hominum, quī nunc
sunt, glōriam, sed etiam antīquitātis memoriam virtūte
superārit, quae rēs est, quae cūjusquam animum in hāc
causā dubium facere possit? **28.** Ego enim sīc exīstimō, 5
in summō imperātōre quattuor hās rēs inesse oportēre,
scientiam reī mīlitāris, virtūtem, auctōritātem, fēlīcitātem.

His military skill and experience.

Quis igitur hōc homine scientior umquam aut fuit aut
esse dēbuit? quī ē lūdō atque pueritiae disciplīnīs, bellō
maximō atque ācerrimīs hostibus, ad patris exercitum 10
atque in mīlitiae disciplīnam profectus est, quī extrēmā
pueritiā mīles in exercitū fuit summī imperātōris, ineunte
adulēscentiā maximī ipse exercitūs imperātor, quī saepius cum hoste cōnflīxit, quam quisquam cum inimīcō
concertāvit, plūra bella gessit quam cēterī lēgērunt, plūrēs 15
prōvinciās cōnfēcit quam aliī concupīvērunt, cūjus adulēscentia ad scientiam reī mīlitāris nōn aliēnīs praeceptīs,
sed suīs imperiīs, nōn offēnsiōnibus bellī, sed victōriīs,
nōn stīpendiīs, sed triumphīs est ērudīta. Quod dēnique
genus esse bellī potest, in quō illum nōn exercuerit for- 20
tūna reī pūblicae? Cīvīle, Āfricānum, Trānsalpīnum,
Hispāniēnse mixtum ex cīvitātibus atque ex bellicōsis-
simīs nātiōnibus, servīle, nāvāle bellum, varia et dīversa
genera et bellōrum et hostium, nōn sōlum gesta ab hōc
ūnō, sed etiam cōnfecta, nūllam rem esse dēclārant in ūsū 25
positam mīlitārī, quae hūjus virī scientiam fugere possit.

His energy.

XI. 29. Jam vērō virtūtī Cn. Pompeī quae potest
ōrātiō pār invenīrī? Quid est, quod quisquam aut illō

dignum aut vōbīs novum aut cuiquam inaudītum possit
afferre? Neque enim illae sunt sōlae virtūtēs imperā-
tōriae, quae vulgō exīstimantur, labor in negōtiīs, fortitūdō
in perīculīs, industria in agendō, celeritās in cōnficiendō,
5 cōnsilium in prōvidendō, quae tanta sunt in hōc ūnō,
quanta in omnibus reliquīs imperātōribus, quōs aut vīdimus aut audīvimus, nōn fuērunt.   **30.** Testis est Italia,
quam ille ipse victor L. Sulla hūjus virtūte et sub-
sidiō cōnfessus est līberātam; testis est Sicilia, quam
10 multīs undique cīnctam perīculīs nōn terrōre bellī, sed
cōnsilī celeritāte explicāvit; testis est Āfrica, quae magnīs oppressa hostium cōpiīs eōrum ipsōrum sanguine
redundāvit; testis est Gallia, per quam legiōnibus nostrīs iter in Hispāniam Gallōrum interneciōne patefac-
15 tum est; testis est Hispānia, quae saepissimē plūrimōs
hostēs ab hōc superātōs prōstrātōsque cōnspexit; testis
est iterum et saepius Italia, quae cum servīlī bellō
taetrō perīculōsōque premerētur, ab hōc auxilium absente expetīvit, quod bellum exspectātiōne ejus atte-
20 nuātum atque imminūtum est, adventū sublātum ac
sepultum.

His conduct of the war against the pirates.

31. Testēs nunc vērō jam omnēs sunt ōrae atque omnēs
exterae gentēs ac nātiōnēs, dēnique maria omnia cum ūni-
versa, tum in singulīs ōrīs omnēs sinūs atque portūs. Quis
25 enim tōtō marī locus per hōs annōs aut tam firmum habuit
praesidium, ut tūtus esset, aut tam fuit abditus, ut latēret?
Quis nāvigāvit, quī nōn sē aut mortis aut servitūtis perīculō committeret, cum aut hieme aut refertō praedōnum
marī nāvigāret? Hōc tantum bellum, tam turpe, tam
30 vetus, tam lātē dīvīsum atque dispersum quis umquam

arbitrārētur aut ab omnibus imperātōribus ūnō annō
aut omnibus annīs ab ūnō imperātōre cōnficī posse?
32. Quam prōvinciam tenuistis ā praedōnibus līberam
per hōsce annōs? Quod vectīgal vōbīs tūtum fuit?
Quem socium dēfendistis? Cui praesidiō classibus ves- 5
trīs fuistis? Quam multās exīstimātis īnsulās esse dēser-
tās, quam multās aut metū relīctās aut ā praedōnibus
captās urbēs esse sociōrum?

XII. Sed quid ego longinqua commemorō? Fuit hōc
quondam, fuit proprium populī Rōmānī, longē ā domō 10
bellāre et prōpugnāculīs imperī sociōrum fortūnās, nōn
sua tēcta dēfendere. Sociīs ego nostrīs mare per hōs
annōs clausum fuisse dīcam, cum exercitūs vestrī numquam ā Brundisiō nisi hieme summā trānsmīserint? Quī
ad vōs ab exterīs nātiōnibus venīrent, captōs querar, cum 15
lēgātī populī Rōmānī redēmptī sint? Mercātōribus tūtum
mare nōn fuisse dīcam, cum duodecim secūrēs in praedōnum potestātem pervēnerint? **33.** Cnidum aut Colo-
phōnem aut Samum, nōbilissimās urbēs, innumerābilēsque
aliās captās esse commemorem, cum vestrōs portūs atque 20
eōs portūs, quibus vītam ac spīritum dūcitis, in praedōnum
fuisse potestāte sciātis? An vērō ignōrātis portum Cā-
jētae celeberrimum ac plēnissimum nāvium īnspectante
praetōre ā praedōnibus esse dīreptum, ex Mīsēnō autem
ejus ipsīus līberōs, quī cum praedōnibus anteā ibi 25
bellum gesserat, ā praedōnibus esse sublātōs? Nam
quid ego Ōstiēnse incommodum atque illam lābem
atque ignōminiam reī pūblicae querar, cum prope īn-
spectantibus vōbīs classis ea, cui cōnsul populī Rōmānī
praepositus esset, ā praedōnibus capta atque oppressa est? 30
Prō dī immortālēs! Tantamne ūnīus hominis incrēdibilis
ac dīvīna virtūs tam brevī tempore lūcem afferre reī pūb-

licae potuit, ut vōs, quī modo ante ōstium Tiberīnum
classem hostium vidēbātis, eī nunc nūllam intrā Ōceanī
ōstium praedōnum nāvem esse audiātis ?   34. Atque
haec quā celeritāte gesta sint, quamquam vidētis, tamen
5 ā mē in dīcendō praetereunda nōn sunt. Quis enim umquam aut obeundī negōtī aut cōnsequendī quaestūs studiō
tam brevī tempore tot loca adīre, tantōs cursūs cōnficere
potuit, quam celeriter, Cn. Pompejō duce, tantī bellī impetus nāvigāvit ?   Quī, nōndum tempestīvō ad nāvigan-
10 dum marī, Siciliam adiit, Āfricam explōrāvit, in Sardiniam
cum classe vēnit atque haec tria frūmentāria subsidia reī
pūblicae fīrmissimīs praesidiīs classibusque mūnīvit.
35. Inde cum sē in Italiam recēpisset, duābus Hispāniīs
et Galliā Trānsalpīnā praesidiīs ac nāvibus cōnfīrmātā,
15 missīs item in ōram Īllyricī maris et in Achāiam omnemque Graeciam nāvibus, Italiae duo maria maximīs classibus fīrmissimīsque praesidiīs adōrnāvit ; ipse autem ut
Brundisiō profectus est, ūndēquīnquāgēsimō diē tōtam
ad imperium populī Rōmānī Ciliciam adjūnxit ; omnēs,
20 quī ubīque praedōnēs fuērunt, partim captī interfectīque
sunt, partim ūnīus hūjus sē imperiō ac potestātī dēdidērunt. Īdem Crētēnsibus, cum ad eum ūsque in Pamphȳ-
liam lēgātōs dēprecātōrēsque mīsissent, spem dēditiōnis
nōn adēmit obsidēsque imperāvit. Ita tantum bellum,
25 tam diūturnum, tam longē lātēque dispersum, quō bellō
omnēs gentēs ac nātiōnēs premēbantur, Cn. Pompejus
extrēmā hieme apparāvit, ineunte vēre suscepit, mediā
aestāte cōnfēcit.

His other qualities. — Contrast with other commanders.

XIII. 36. Est haec dīvīna atque incrēdibilis virtūs
30 imperātōris. Quid ?   Cēterae, quās paulō ante commemo-

rāre coeperam, quantae atque quam multae sunt! Nōn
enim bellandī virtūs sōlum in summō ac perfectō imperātōre quaerenda est, sed multae sunt artēs eximiae hūjus
administrae comitēsque virtūtis.   Ac prīmum quantā
innocentiā dēbent esse imperātōrēs, quantā deinde in 5
omnibus rēbus temperantiā, quantā fidē, quantā facilitāte, quantō ingeniō, quantā hūmānitāte! Quae breviter
quālia sint in Cn. Pompejō, cōnsīderēmus.   Summa enim
omnia sunt, Quirītēs, sed ea magis ex aliōrum contentiōne quam ipsa per sēsē cognōscī atque intellegī possunt. 10
37. Quem enim imperātōrem possumus ūllō in numerō
putāre, cūjus in exercitū centuriātūs vēneant atque vēni-
erint?   Quid hunc hominem magnum aut amplum dē rē
pūblicā cōgitāre, quī pecūniam ex aerāriō dēprōmptam
ad bellum administrandum aut propter cupiditātem prō- 15
vinciae magistrātibus dīvīserit aut propter avāritiam
Rōmae in quaestū relīquerit?   Vestra admurmurātiō
facit, Quirītēs, ut agnōscere videāminī, quī haec fēcerint;
ego autem nōminō nēminem; quārē īrāscī mihi nēmō
poterit, nisi quī ante dē sē voluerit cōnfitērī.   Itaque 20
propter hanc avāritiam imperātōrum quantās calamitātēs, quōcumque ventum sit, nostrī exercitūs ferant,
quis ignōrat?   **38.** Itinera quae per hōsce annōs in
Italiā per agrōs atque oppida cīvium Rōmānōrum nostrī
imperātōrēs fēcerint, recordāminī; tum facilius statuētis, 25
quid apud exterās nātiōnēs fierī exīstimētis.   Utrum
plūrēs arbitrāminī per hōsce annōs mīlitum vestrōrum
armīs hostium urbēs an hībernīs sociōrum cīvitātēs esse
dēlētās?   Neque enim potest exercitum is continēre
imperātor, quī sē ipse nōn continet, neque sevērus 30
esse in jūdicandō, quī aliōs in sē sevērōs esse jūdicēs nōn
vult.

His incorruptibility and self-restraint.

39. Hīc mīrāmur hunc hominem tantum excellere
cēterīs, cūjus legiōnēs sīc in Asiam pervēnerint, ut nōn
modo manus tantī exercitūs, sed nē vēstīgium quïdem
cuiquam pācātō nocuisse dīcātur ?   Jam vērō quem ad
5 modum mīlitēs hībernent, cotīdiē sermōnēs ac litterae
perferuntur; nōn modo ut sūmptum faciat in mīlitem,
nēminī vīs affertur, sed nē cupientī quidem cuiquam per-
mittitur.   Hiemis enim, nōn avāritiae perfugium majōrēs
nostrī in sociōrum atque amīcōrum tēctīs esse voluērunt.
10 XIV. **40.** Age vērō, cēterīs in rēbus quā sit temperantiā,
cōnsīderāte.   Unde illam tantam celeritātem et tam incrēdibilem cursum inventum putātis ? Nōn enim illum
eximia vīs rēmigum aut ars inaudīta quaedam guber-
nandī aut ventī aliquī novī tam celeriter in ultimās
15 terrās pertulērunt, sed eae rēs, quae cēterōs remorārī
solent, nōn retardārunt; nōn avāritia ab īnstitūtō cursū
ad praedam aliquam dēvocāvit, nōn libīdō ad voluptātem,
nōn amoenitās ad dēlectātiōnem, nōn nōbilitās urbis ad
cognitiōnem, nōn dēnique labor ipse ad quiētem; postrēmō
20 signa et tabulās cēteraque ōrnāmenta Graecōrum oppidōrum, quae cēterī tollenda esse arbitrantur, ea sibi ille nē
vīsenda quidem exīstimāvit.   **41.** Itaque omnēs nunc
in eīs locīs Cn. Pompejum sīcut aliquem nōn ex hāc urbe
missum, sed dē caelō dēlāpsum intuentur; nunc dēnique
25 incipiunt crēdere fuisse hominēs Rōmānōs hāc quondam
continentiā, quod jam nātiōnibus exterīs incrēdibile ac
falsō memoriae prōditum vidēbātur; nunc imperī vestrī
splendor illīs gentibus lūcem afferre coepit; nunc intellegunt nōn sine causā majōrēs suōs tum, cum eā temperantiā
30 magistrātūs habēbāmus, servīre populō Rōmānō quam
imperāre aliīs māluisse.   Jam vērō ita facilēs aditūs ad

eum prīvātōrum, ita līberae querimōniae dē aliōrum injūriīs esse dīcuntur, ut is, quī dignitāte prīncipibus excellit,
facilitāte īnfimīs pār esse videātur.

His discretion, dignity, and honor.

42. Jam quantum cōnsiliō, quantum dīcendī gravitāte
et cōpiā valeat (in quō ipsō inest quaedam dignitās impe- 5
rātōria), vōs, Quirītēs, hōc ipsō ex locō saepe cognōvistis.
Fidem vērō ejus quantam inter sociōs exīstimārī putātis,
quam hostēs omnēs omnium generum sānctissimam jūdi-
cārint? Hūmānitāte jam tantā est, ut difficile dictū sit,
utrum hostēs magis virtūtem ejus pugnantēs timuerint 10
an mānsuētūdinem victī dīlēxerint. Et quisquam dubitābit, quīn huic hōc tantum bellum trānsmittendum sit, quī
ad omnia nostrae memoriae bella cōnficienda dīvīnō quōdam cōnsiliō nātus esse videātur?

His popularity.

XV. **43.** Et quoniam auctōritās quoque in bellīs 15
administrandīs multum atque in imperiō mīlitārī valet,
certē nēminī dubium est, quīn eā rē īdem ille imperātor
plūrimum possit. Vehementer autem pertinēre ad bella
administranda, quid hostēs, quid sociī dē imperātōribus
nostrīs exīstiment, quis ignōrat, cum sciāmus hominēs, in 20
tantīs rēbus ut aut contemnant aut metuant aut ōderint
aut ament, opīniōne nōn minus et fāmā quam aliquā
ratiōne certā commovērī? Quod igitur nōmen umquam
in orbe terrārum clārius fuit? Cūjus rēs gestae parēs?
Dē quō homine vōs, id quod maximē facit auctōritātem, 25
tanta et tam praeclāra jūdicia fēcistis? **44.** An vērō
ūllam ūsquam esse ōram tam dēsertam putātis, quō

nōn illīus diēī fāma pervāserit, cum ūniversus populus
Rōmānus refertō Forō complētīsque omnibus templīs, ex
quibus hīc locus cōnspicī potest, ūnum sibi ad commūne
omnium gentium bellum Cn. Pompejum imperātōrem
5 dēpoposcit? Itaque, ut plūra nōn dīcam neque aliōrum
exemplīs cōnfīrmem, quantum auctōritās valeat in bellō,
ab eōdem Cn. Pompejō omnium rērum ēgregiārum exempla
sūmantur; quī quō diē ā vōbīs maritimō bellō praepositus
est imperātor, tanta repente vīlitās annōnae ex summā
10 inopiā et cāritāte reī frūmentāriae cōnsecūta est ūnīus
hominis spē ac nōmine, quantam vix ex summā ūbertāte
agrōrum diūturna pāx efficere potuisset.   **45.** Jam ac-
ceptā in Pontō calamitāte ex eō proeliō, dē quō vōs paulō
ante invītus admonuī, cum sociī pertimuissent, hostium
15 opēs animīque crēvissent, satis fīrmum praesidium prōvincia nōn habēret, āmīsissētis Asiam, Quirītēs, nisi ad
ipsum discrīmen ejus temporis dīvīnitus Cn. Pompejum
ad eās regiōnēs fortūna populī Rōmānī attulisset.   Hūjus
adventus et Mithridātem īnsolitā īnflammātum victōriā
20 continuit et Tigrānem magnīs cōpiīs minitantem Asiae
retardāvit.   Et quisquam dubitābit, quid virtūte perfec-
tūrus sit, quī tantum auctōritāte perfēcerit, aut quam
facile imperiō atque exercitū sociōs et vectīgālia cōn-
servātūrus sit, quī ipsō nōmine ac rūmōre dēfenderit?
25 XVI.   **46.** Age vērō illa rēs quantam dēclārat ejusdem
hominis apud hostēs populī Rōmānī auctōritātem, quod
ex locīs tam longinquīs tamque dīversīs tam brevī tempore omnēs huic sē ūnī dēdidērunt!   Quod Crētēnsium
lēgātī, cum in eōrum īnsulā noster imperātor exercitusque
30 esset, ad Cn. Pompejum in ultimās prope terrās vēnērunt
eīque sē omnēs Crētēnsium cīvitātēs dēdere velle dīxērunt!
Quid?   Īdem iste Mithridātēs nōnne ad eundem Cn.

Pompejum lēgātum ūsque in Hispāniam mīsit? Eum,
quem Pompejus lēgātum semper jūdicāvit, eī, quibus
erat molestum ad eum potissimum esse missum, speculā-
tōrem quam lēgātum jūdicārī māluērunt.   Potestis igitur
jam cōnstituere, Quirītēs, hanc auctōritātem multīs 5
posteā rēbus gestīs magnīsque vestrīs jūdiciīs ampli-
ficātam quantum apud illōs rēgēs, quantum apud exterās
nātiōnēs valitūram esse exīstimētis.

Pompey's lucky star.

47. Reliquum est, ut dē fēlīcitāte, quam praestāre dē
sē ipsō nēmō potest, meminisse et commemorāre dē alterō 10
possumus, sīcut aequum est hominēs dē potestāte deōrum,
timidē et pauca dīcāmus.   Ego enim sīc exīstimō, Māximō,
Mārcellō, Scīpiōnī, Mariō et cēterīs magnīs imperātōribus
nōn sōlum propter virtūtem, sed etiam propter fortūnam
saepius imperia mandāta atque exercitūs esse commissōs. 15
Fuit enim profectō quibusdam summīs virīs quaedam ad
amplitūdinem et ad glōriam et ad rēs magnās bene geren-
dās dīvīnitus adjūncta fortūna.   Dē hūjus autem hominis
fēlīcitāte, dē quō nunc agimus, hāc ūtar moderātiōne
dīcendī, nōn ut in illīus potestāte fortūnam positam esse 20
dīcam, sed ut praeterita meminisse, reliqua spērāre videāmur, nē aut invīsa dīs immortālibus ōrātiō nostra aut
ingrāta esse videātur.   **48.** Itaque nōn sum praedicātū-
rus, quantās ille rēs domī mīlitiae, terrā marīque quan-
tāque fēlīcitāte gesserit; ut ejus semper voluntātibus nōn 25
modo cīvēs assēnserint, sociī obtemperārint, hostēs oboe-
dierint, sed etiam ventī tempestātēsque obsecundārint;
hōc brevissimē dīcam, nēminem umquam tam impudentem
fuisse, quī ab dīs immortālibus tot et tantās rēs tacitus
audēret optāre, quot et quantās dī immortālēs ad Cn. 30

Pompejum dētulērunt. Quod ut illī proprium ac perpetuum sit, Quirītēs, cum commūnis salūtis atque imperī,
tum ipsīus hominis causā, sīcutī facitis, velle et optāre
dēbētis.

All considerations dictate Pompey's appointment.

5 **49.** Quārē cum et bellum sit ita necessārium, ut ne-
glegī nōn possit, ita magnum, ut accūrātissimē sit administrandum, et cum eī imperātōrem praeficere possītis, in
quō sit eximia bellī scientia, singulāris virtūs, clārissima
auctōritās, ēgregia fortūna, dubitātis, Quirītēs, quīn hōc
10 tantum bonī, quod vōbīs ab dīs immortālibus oblātum et
datum est, in rem pūblicam cōnservandam atque amplifi-
candam cōnferātis? XVII. **50.** Quodsī Rōmae Cn.
Pompejus prīvātus esset hōc tempore, tamen ad tantum
bellum is erat dēligendus atque mittendus; nunc cum ad
15 cēterās summās ūtilitātēs haec quoque opportūnitās ad-
jungātur, ut in eīs ipsīs locīs adsit, ut habeat exercitum,
ut ab eīs, quī habent, accipere statim possit, quid exspec-
tāmus? Aut cūr nōn, ducibus dīs immortālibus, eīdem,
cui cētera summā cum salūte reī pūblicae commissa sunt,
20 hōc quoque bellum rēgium committāmus?

Consideration of objections urged by Hortensius.

51. At enim vir clārissimus, amantissimus reī pūblicae,
vestrīs beneficiīs amplissimīs affectus, Q. Catulus, itemque
summīs ōrnāmentīs honōris, fortūnae, virtūtis, ingenī
praeditus, Q. Hortēnsius, ab hāc ratiōne dissentiunt.
25 Quōrum ego auctōritātem apud vōs multīs locīs plūrimum
valuisse et valēre oportēre cōnfiteor; sed in hāc causā,
tametsī cognōscētis auctōritātēs contrāriās virōrum fortissimōrum et clārissimōrum, tamen, omissīs auctōritātibus,
ipsā rē ac ratiōne exquīrere possumus vēritātem, atque

hōc facilius, quod ea omnia, quae ā mē adhūc dicta sunt,
īdem istī vēra esse concēdunt, et necessārium bellum esse
et magnum et in ūnō Cn. Pompejō summa esse omnia.
52. Quid igitur ait Hortēnsius? Sī ūnī omnia tribuenda
sint, dignissimum esse Pompejum, sed ad ūnum tamen 5
omnia dēferrī nōn oportēre.

*Hortensius's apprehensions in a similar case have already been
proved groundless.*

Obsolēvit jam ista ōrātiō rē multō magis quam verbīs
refūtāta. Nam tū īdem, Q. Hortēnsī, multa prō tuā
summā cōpiā ac singulārī facultāte dīcendī et in senātū
contrā virum fortem, A. Gabīnium, graviter ōrnātēque 10
dīxistī, cum is dē ūnō imperātōre contrā praedōnēs cōn-
stituendō lēgem prōmulgāsset, et ex hōc ipsō locō per-
multa item contrā eam lēgem verba fēcistī. **53.** Quid?
Tum, per deōs immortālēs, sī plūs apud populum Rōmānum auctōritās tua quam ipsīus populī Rōmānī salūs et 15
vēra causa valuisset, hodiē hanc glōriam atque hōc orbis
terrae imperium tenērēmus? An tibi tum imperium hōc
esse vidēbātur, cum populī Rōmānī lēgātī, quaestōrēs
praetōrēsque capiēbantur, cum ex omnibus prōvinciīs
commeātū et prīvātō et pūblicō prohibēbāmur, cum ita 20
clausa nōbīs erant maria omnia, ut neque prīvātam rem
trānsmarīnam neque pūblicam jam obīre possēmus?

XVIII. **54.** Quae cīvitās anteā umquam fuit,—nōn
dīcō Athēniēnsium, quae satis lātē quondam mare tenuisse
dīcitur, nōn Carthāginiēnsium, quī permultum classe ac 25
maritimīs rēbus valuērunt, nōn Rhodiōrum, quōrum ūsque
ad nostram memoriam disciplīna nāvālis et glōria remān-
sit,—quae cīvitās, inquam, anteā tam tenuis, quae tam
parva īnsula fuit, quae nōn portūs suōs et agrōs et ali-

quam partem regiōnis atque ōrae maritimae per sē ipsa
dēfenderet?   At herculē aliquot annōs continuōs ante
lēgem Gabīniam ille populus Rōmānus, cūjus ūsque ad
nostram memoriam nōmen invictum in nāvālibus pugnīs
5 permānserit, magnā ac multō maximā parte nōn modo
ūtilitātis, sed dignitātis atque imperī caruit; 55. nōs,
quōrum majōrēs Antiochum rēgem classe Persemque
superārunt omnibusque nāvālibus pugnīs Carthāginiēnsīs,
hominēs in maritimīs rēbus exercitātissimōs parātissi-
10 mōsque, vīcērunt, eī nūllō in locō jam praedōnibus parēs
esse poterāmus; nōs, quī anteā nōn modo Italiam tūtam
habēbāmus, sed omnēs sociōs in ultimīs ōrīs auctōritāte
nostrī imperī salvōs praestāre poterāmus, tum, cum īnsula
Dēlos tam procul ā nōbīs in Aegaeō marī posita, quō
15 omnēs undique cum mercibus atque oneribus commeābant,
referta dīvitiīs, parva, sine mūrō nihil timēbat, īdem nōn
modo prōvinciīs atque ōrīs Italiae maritimīs ac portubus
nostrīs, sed etiam Appiā jam Viā carēbāmus; et eīs temporibus nōn pudēbat magistrātūs populī Rōmānī in hunc
20 ipsum locum ēscendere, cum eum nōbīs majōrēs nostrī
exuviīs nauticīs et classium spoliīs ōrnātum relīquissent!
XIX.   56. Bonō tē animō tum, Q. Hortēnsī, populus Rōmānus et cēterōs, quī erant in eādem sententiā, dīcere
exīstimāvit ea, quae sentiēbātis; sed tamen in salūte
25 commūnī īdem populus Rōmānus dolōrī suō māluit quam
auctōritātī vestrae obtemperāre.   Itaque ūna lēx, ūnus
vir, ūnus annus nōn modo nōs illā miseriā ac turpitūdine
līberāvit, sed etiam effēcit, ut aliquandō vērē vidērēmur
omnibus gentibus ac nātiōnibus terrā marīque imperāre.
30 57. Quō mihi etiam indignius vidētur obtrectātum esse
adhūc (Gabīniō dīcam anne Pompejō an utrīque, id quod
est vērius?), nē lēgārētur A. Gabīnius Cn. Pompejō ex-

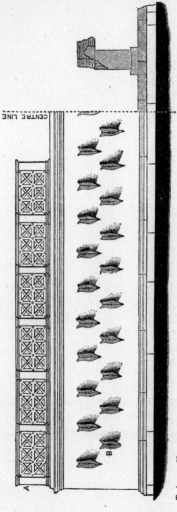

FRONT VIEW OF HALF THE ROSTRA.

A. Railing.
B. Beaks (*Rostra*) suspended as trophies.

To face p. 82.

petentī ac postulantī. Utrum ille, quī postulat ad tantum
bellum lēgātum, quem velit, idōneus nōn est, quī impetret,
cum cēterī ad expīlandōs sociōs dīripiendāsque prōvinciās,
quōs voluērunt, lēgātōs ēdūxerint, an ipse, cūjus lēge
salūs ac dignitās populō Rōmānō atque omnibus gentibus 5
cōnstitūta est, expers esse dēbet glōriae ejus imperātōris
atque ejus exercitūs, quī cōnsiliō ipsīus ac perīculō est
cōnstitūtus ?   **58.** An C. Falcidius, Q. Metellus, Q. Caelius Latīniēnsis, Cn. Lentulus, quōs omnēs honōris causā
nōminō, cum tribūnī plēbī fuissent, annō proximō lēgātī 10
esse potuērunt ? In ūnō Gabīniō sunt tam dīligentēs, quī
in hōc bellō, quod lēge Gabīniā geritur, in hōc imperātōre
atque exercitū, quem per vōs ipse cōnstituit, etiam prae-
cipuō jūre esse dēbēret ?   Dē quō lēgandō cōnsulēs spērō
ad senātum relātūrōs. Quī sī dubitābunt aut gravābuntur, 15
ego mē profiteor relātūrum; neque mē impediet cūjusquam inimīcum ēdictum, quō minus vōbīs frētus vestrum
jūs beneficiumque dēfendam, neque praeter intercessiōnem
quicquam audiam, dē quā, ut arbitror, istī ipsī, quī minantur, etiam atque etiam, quid liceat, cōnsīderābunt.   Meā 20
quidem sententiā, Quirītēs, ūnus A. Gabīnius bellī mari-
timī rērumque gestārum Cn. Pompejō socius ascrībitur,
proptereā quod alter ūnī illud bellum suscipiendum vestrīs
suffrāgiīs dētulit, alter dēlātum susceptumque cōnfēcit.

Catulus's objections : alleged violation of precedent.

XX. **59.** Reliquum est, ut dē Q. Catulī auctōritāte et 25
sententiā dīcendum esse videātur.   Quī cum ex vōbīs
quaereret, sī in ūnō Cn. Pompejō omnia pōnerētis, sī
quid eō factum esset, in quō spem essētis habitūrī, cēpit
magnum suae virtūtis frūctum ac dignitātis, cum omnēs
ūnā prope vōce in eō ipsō vōs spem habitūrōs esse dīxistis. 30

Etenim tālis est vir, ut nūlla rēs tanta sit ac tam difficilis,
quam ille nōn et cōnsiliō regere et integritāte tuērī et
virtūte cōnficere possit. Sed in hōc ipsō ab eō vehementissimē dissentiō, quod, quō minus certa est hominum ac
5 minus diūturna vīta, hōc magis rēs pūblica, dum per deōs
immortālēs licet, fruī dēbet summī virī vītā atque virtūte.
60. At enim, 'nē quid novī fīat contrā exempla atque īn-
stitūta majōrum.' Nōn dīcam hōc locō majōrēs nostrōs
semper in pāce cōnsuētūdinī, in bellō ūtilitātī pāruisse,
10 semper ad novōs cāsūs temporum novōrum cônsiliōrum
ratiōnēs accommodāsse; nōn dīcam duo bella maxima,
Pūnicum atque Hispāniēnse, ab ūnō imperātōre esse cōnfecta duāsque urbēs potentissimās, quae huic imperiō
maximē minitābantur, Karthāginem atque Numantiam,
15 ab eōdem Scīpiōne esse dēlētās; nōn commemorābō
nūper ita vōbīs patribusque vestrīs esse vīsum, ut in ūnō
C. Mariō spēs imperī pōnerētur, ut īdem cum Jugurthā,
īdem cum Cimbrīs, īdem cum Teutonīs bellum adminis-
trāret. **61.** In ipsō Cn. Pompejō, in quō novī cōnstituī
20 nihil vult Q. Catulus, quam multa sint nova summā
Q. Catulī voluntāte cōnstitūta, recordāminī.

XXI. Quid tam novum quam adulēscentulum prīvātum
exercitum difficilī reī pūblicae tempore cōnficere? Cōnfēcit. Huic praeesse? Praefuit. Rem optimē ductū suō
25 gerere? Gessit. Quid tam praeter cōnsuētūdinem quam
hominī peradulēscentī, cūjus aetās ā senātōriō gradū longē
abesset, imperium atque exercitum darī, Siciliam permittī
atque Āfricam bellumque in eā prōvinciā administrandum? Fuit in hīs prōvinciīs singulārī innocentiā,
30 gravitāte, virtūte; bellum in Āfricā maximum cōnfēcit,
victōrem exercitum dēportāvit. Quid vērō tam inaudītum quam equitem Rōmānum triumphāre? At eam

quoque rem populus Rōmānus nōn modo vīdit, sed
omnium etiam studiō vīsendam et concelebrandam putāvit.   62. Quid tam inūsitātum, quam ut, cum duo cōnsulēs clārissimī fortissimīque essent, eques Rōmānus ad
bellum maximum formīdolōsissimumque prō cōnsule 5
mitterētur? Missus est. Quō quidem tempore cum
esset nōn nēmō in senātū, quī dīceret nōn oportēre mittī
hominem prīvātum prō cōnsule, L. Philippus dīxisse
dīcitur nōn sē illum suā sententiā prō cōnsule, sed prō
cōnsulibus mittere. Tanta in eō reī pūblicae bene geren- 10
dae spēs cōnstituēbātur, ut duōrum cōnsulum mūnus
ūnīus adulēscentis virtūtī committerētur. Quid tam
singulāre, quam ut ex senātūs cōnsultō lēgibus solūtus
cōnsul ante fieret, quam ūllum alium magistrātum per
lēgēs capere licuisset? Quid tam incrēdibile, quam ut 15
iterum eques Rōmānus ex senātūs cōnsultō triumphāret?
Quae in omnibus hominibus nova post hominum memoriam cōnstitūta sunt, ea tam multa nōn sunt quam haec,
quae in hōc ūnō homine vidēmus.   63. Atque haec tot
exempla tanta ac tam nova profecta sunt in eundem 20
hominem ā Q. Catulī atque ā cēterōrum ejusdem dignitātis amplissimōrum hominum auctōritāte.

Pompey's career proves him the man for the emergency.

XXII. Quārē videant, nē sit perinīquum et nōn ferendum illōrum auctōritātem dē Cn. Pompeī dignitāte ā
vōbīs comprobātam semper esse, vestrum ab illīs dē 25
eōdem homine jūdicium populīque Rōmānī auctōritātem
improbārī, praesertim cum jam suō jūre populus Rōmānus in hōc homine suam auctōritātem vel contrā omnēs,
quī dissentiunt, possit dēfendere, proptereā quod, īsdem
istīs reclāmantibus, vōs ūnum illum ex omnibus dēlēgistis, 30

quem bellō praedōnum praepōnerētis. **64.** Hōc sī vōs
temere fēcistis et reī pūblicae parum cōnsuluistis, rēctē
istī studia vestra suīs cōnsiliīs regere cōnantur; sīn
autem vōs plūs tum in rē pūblicā vīdistis, vōs, eīs repug-
5 nantibus, per vōsmet ipsōs dignitātem huic imperiō,
salūtem orbī terrārum attulistis, aliquandō istī prīncipēs
et sibi et cēterīs populī Rōmānī ūniversī auctōritātī
pārendum esse fateantur. Atque in hōc bellō Asiāticō
et rēgiō nōn sōlum mīlitāris illa virtūs, quae est in Cn.
10 Pompejō singulāris, sed aliae quoque virtūtēs animī
magnae et multae requīruntur. Difficile est in Asiā,
Ciliciā, Syriā rēgnīsque interiōrum nātiōnum ita versārī
nostrum imperātōrem, ut nihil aliud nisi dē hoste ac dē
laude cōgitet. Deinde, etiamsī quī sunt pudōre ac tem-
15 perantiā moderātiōrēs, tamen eōs esse tālēs propter
multitūdinem cupidōrum hominum nēmō arbitrātur.
65. Difficile est dictū, Quirītēs, quantō in odiō sīmus
apud exterās nātiōnēs propter eōrum, quōs ad eās per
hōs annōs cum imperiō mīsimus, libīdinēs et injūriās.
20 Quod enim fānum putātis in illīs terrīs nostrīs magistrātibus religiōsum, quam cīvitātem sānctam, quam
domum satis clausam ac mūnītam fuisse? Urbēs jam
locuplētēs et cōpiōsae requīruntur, quibus causa bellī
propter dīripiendī cupiditātem īnferātur. **66.** Liben-
25 ter haec cōram cum Q. Catulō et Q. Hortēnsiō, summīs
et clārissimīs virīs, disputārem; nōvērunt enim sociōrum
vulnera, vident eōrum calamitātēs, querimōniās audiunt.
Prō sociīs vōs contrā hostēs exercitum mittere putātis an
hostium simulātiōne contrā sociōs atque amīcōs? Quae
30 cīvitās est in Asiā, quae nōn modo imperātōris aut
lēgātī, sed ūnīus tribūnī mīlitum animōs ac spīritūs
capere possit?

No one lacking Pompey's qualities is fit for this command.

XXIII. Quārē, etiamsī quem habētis, quī, collātīs
signīs, exercitūs rēgiōs superāre posse videātur, tamen,
nisi erit īdem, quī sē ā pecūniīs sociōrum, quī ab eōrum
conjugibus ac līberīs, quī ab ōrnāmentīs fānōrum atque
oppidōrum, quī ab aurō gazāque rēgiā manūs, oculōs, 5
animum cohibēre possit, nōn erit idōneus, quī ad bellum
Asiāticum rēgiumque mittātur. **67.** Ecquam putātis
cīvitātem pācātam fuisse, quae locuplēs sit? Ecquam esse
locuplētem, quae istīs pācāta esse videātur? Ōra maritima, Quirītēs, Cn. Pompejum nōn sōlum propter reī mīli- 10
tāris glōriam, sed etiam propter animī continentiam
requīsīvit. Vidēbat enim imperātōrēs locuplētārī quotannīs pecūniā pūblicā praeter paucōs, neque eōs quicquam
aliud assequī classium nōmine, nisi ut dētrīmentīs acci-
piendīs majōre afficī turpitūdine vidērēmur. Nunc quā 15
cupiditāte hominēs in prōvinciās et quibus jactūrīs, quibus
condiciōnibus proficīscantur, ignōrant vidēlicet istī, quī
ad ūnum dēferenda omnia esse nōn arbitrantur. Quasi
vērō Cn. Pompejum nōn cum suīs virtūtibus, tum etiam
aliēnīs vitiīs magnum esse videāmus. **68.** Quārē nōlīte 20
dubitāre, quīn huic ūnī crēdātis omnia, quī inter tot
annōs ūnus inventus sit, quem sociī in urbēs suās cum
exercitū vēnisse gaudeant.

Quodsī auctōritātibus hanc causam, Quirītēs, cōnfīrmandam putātis, est vōbīs auctor vir bellōrum omnium 25
maximārumque rērum perītissimus, P. Servīlius, cūjus
tantae rēs gestae terrā marīque exstitērunt, ut, cum dē
bellō dēlīberētis, auctor vōbīs gravior esse nēmō dēbeat;
est C. Cūriō, summīs vestrīs beneficiīs maximīsque rēbus
gestīs, summō ingeniō et prūdentiā praeditus; est Cn. Len- 30
tulus, in quō omnēs prō amplissimīs vestrīs honōribus

summum cōnsilium, summam gravitātem esse cognōvistis;
est C. Cassius, integritāte, virtūte, cōnstantiā singulārī.
Quārē vidēte num hōrum auctōritātibus illōrum ōrātiōnī,
quī dissentiunt, respondēre posse videāmur.

Manilius urged to press his bill to passage. — *Cicero proclaims
the purity of his own motives.*

5   XXIV. **69**. Quae cum ita sint, C. Mānīlī, prīmum istam
tuam et lēgem et voluntātem et sententiam laudō vehe-
mentissimēque comprobō; deinde tē hortor, ut, auctōre
populō Rōmānō, maneās in sententiā nēve cūjusquam vim
aut minās pertimēscās. Prīmum in tē satis esse animī
10   perseverantiaeque arbitror; deinde, cum tantam multitūdinem cum tantō studiō adesse videāmus, quantam iterum
nunc in eōdem homine praeficiendō vidēmus, quid est,
quod aut dē rē aut dē perficiendī facultāte dubitēmus?
Ego autem, quicquid est in mē studī, cōnsilī, labōris, in-
15   genī, quicquid hōc beneficiō populī Rōmānī atque hāc
potestāte praetōriā, quicquid auctōritāte, fidē, cōnstantiā
possum, id omne ad hanc rem cōnficiendam tibi et
populō Rōmānō polliceor ac dēferō testorque omnēs deōs,
70. et eōs maximē, quī huic locō templōque praesident,
20   quī omnium mentēs eōrum, quī ad rem pūblicam adeunt,
maximē perspiciunt, mē hōc neque rogātū facere cūjusquam, neque quō Cn. Pompeī grātiam mihi per hanc
causam conciliārī putem, neque quō mihi ex cūjusquam
amplitūdine aut praesidia perīculīs aut adjūmenta honōri-
25   bus quaeram, proptereā quod perīcula facile, ut hominem
praestāre oportet, innocentiā tēctī repellēmus, honōrem
autem neque ab ūnō neque ex hōc locō, sed eādem illā
nostrā labōriōsissimā ratiōne vītae, sī vestra voluntās
feret, cōnsequēmur.   **71**. Quam ob rem, quicquid in hāc

causā mihi susceptum est, Quirītēs, id ego omne mē reī
pūblicae causā suscēpisse cōnfīrmō, tantumque abest, ut
aliquam mihi bonam grātiam quaesīsse videar, ut multās
mē etiam simultātēs partim obscūrās, partim apertās
intellegam mihi nōn necessāriās, vōbīs nōn inūtilēs susce- 5
pisse. Sed ego mē hōc honōre praeditum, tantīs vestrīs
beneficiīs affectum statuī, Quirītēs, vestram voluntātem
et reī pūblicae dignitātem et salūtem prōvinciārum atque
sociōrum meīs omnibus commodīs et ratiōnibus praeferre
oportēre.

M. TULLI CICERONIS

PRO A. LICINIO ARCHIA POETA ORATIO.

Cicero's obligations to Archias.

I. 1. Sī quid est in mē ingenī, jūdicēs (quod sentiō
quam sit exiguum), aut sī qua exercitātiō dīcendī, in quā
mē nōn īnfitior mediocriter esse versātum, aut sī hūjusce
reī ratiō aliqua ab optimārum artium studiīs ac disciplīnā
5 profecta, ā quā ego nūllum cōnfiteor aetātis meae tempus
abhorruisse, eārum rērum omnium vel in prīmīs hīc A.
Licinius frūctum ā mē repetere prope suō jūre dēbet.
Nam, quoad longissimē potest mēns mea respicere spatium praeteritī temporis et pueritiae memoriam recordārī
10 ultimam, inde ūsque repetēns hunc videō mihi prīncipem
et ad suscipiendam et ad ingrediendam ratiōnem hōrum
studiōrum exstitisse. Quodsī haec vōx, hūjus hortātū
praeceptīsque cōnfōrmāta, nōnnūllīs aliquandō salūtī fuit,
ā quō id accēpimus, quō cēterīs opitulārī et aliōs servāre
15 possēmus, huic profectō ipsī, quantum est situm in nōbīs,
et opem et salūtem ferre dēbēmus.

The bond between poetry and oratory.

2. Ac nē quis ā nōbīs hōc ita dīcī forte mīrētur, quod
alia quaedam in hōc facultās sit ingenī neque haec dī-

cendī ratiō aut disciplīna, nē nōs quidem huic ūnī studiō
penitus umquam dēditī fuimus.   Etenim omnēs artēs,
quae ad hūmānitātem pertinent, habent quoddam commūne vinculum et quasi cognātiōne quādam inter sē continentur.   II. 3. Sed nē cui vestrum mīrum esse vide- 5
ātur mē in quaestiōne lēgitimā et in jūdiciō pūblicō, cum
rēs agātur apud praetōrem populī Rōmānī, lēctissimum
virum, et apud sevērissimōs jūdicēs, tantō conventū hominum ac frequentiā, hōc ūtī genere dīcendī, quod nōn
modo ā cōnsuētūdine jūdiciōrum, vērum etiam ā forēnsī 10
sermōne abhorreat, quaesō ā vōbīs, ut in hāc causā mihi
dētis hanc veniam, accommodātam huic reō, vōbīs, quem
ad modum spērō, nōn molestam, ut mē prō summō poētā
atque ērudītissimō homine dīcentem, hōc concursū hominum litterātissimōrum, hāc vestrā hūmānitāte, hōc dē- 15
nique praetōre exercente jūdicium, patiāminī dē studiīs
hūmānitātis ac litterārum paulō loquī līberius et in ejus
modī persōnā, quae propter ōtium ac studium minimē in
jūdiciīs perīculīsque trāctāta est, ūtī prope novō quōdam
et inūsitātō genere dīcendī.   4. Quod sī mihi ā vōbīs 20
tribuī concēdīque sentiam, perficiam profectō, ut hunc A.
Licinium nōn modo nōn sēgregandum, cum sit cīvis, ā
numerō cīvium, vērum etiam, sī nōn esset, putētis ascī-
scendum fuisse.

Archias's early career in Southern Italy and Rome.

III. Nam, ut prīmum ex puerīs excessit Archiās atque 25
ab eīs artibus, quibus aetās puerīlis ad hūmānitātem īn-
fōrmārī solet, sē ad scrībendī studium contulit, prīmum
Antiochēae (nam ibi nātus est locō nōbilī), celebrī quondam urbe et cōpiōsā atque ērudītissimīs hominibus līberā-
lissimīsque studiīs affluentī, celeriter antecellere omnibus 30

ingenī glōriā coepit. Post in cēterīs Asiae partibus
cūnctāque Graeciā sīc ejus adventūs celebrābantur, ut
fāmam ingenī exspectātiō hominis, exspectātiōnem ipsīus
adventus admīrātiōque superāret. 5. Erat Italia tum
5 plēna Graecārum artium ac disciplīnārum, studiaque
haec et in Latiō vehementius tum colēbantur quam nunc
īsdem in oppidīs et hīc Rōmae propter tranquillitātem
reī pūblicae nōn neglegēbantur. Itaque hunc et Tarentīnī et Rēgīnī et Neāpolitānī cīvitāte cēterīsque praemiīs
10 dōnāruṅt, et omnēs, quī aliquid dē ingeniīs poterant jūdi-
cāre, cognitiōne atque hospitiō dignum exīstimārunt.
Hāc tantā celebritāte fāmae cum esset jam absentibus
nōtus, Rōmam vēnit Mariō cōnsule et Catulō. Nactus
est prīmum cōnsulēs eōs, quōrum alter rēs ad scrībendum
15 maximās, alter cum rēs gestās, tum etiam studium atque
aurēs adhibēre posset. Statim Lūcullī, cum praetextātus
etiam tum Archiās esset, eum domum suam recēpērunt.
Et erat hōc nōn sōlum ingenī ac litterārum, vērum etiam
nātūrae atque virtūtis, ut domus, quae hūjus adulēscen-
20 tiae prīma fāvit, eadem esset familiārissima senectūtī.
6. Erat temporibus illīs jūcundus Q. Metellō illī Numi-
dicō et ejus Piō fīliō, audiēbātur ā M. Aemiliō, vīvēbat
cum Q. Catulō et patre et fīliō, ā L. Crassō colēbātur ;
Lūcullōs vērō et Drūsum et Octāviōs et Catōnem et tōtam
25 Hortēnsiōrum domum dēvinctam cōnsuētūdine cum tenē-
ret, afficiēbātur summō honōre, quod eum nōn sōlum colē-
bant, quī aliquid percipere atque audīre studēbant, vērum
etiam sī quī forte simulābant.

He becomes a citizen of Heraclea.

IV. Interim satis longō intervāllō, cum esset cum M.
30 Lūcullō in·Siciliam profectus et cum ex eā prōvinciā cum

eōdem Lūcullō dēcēderet, vēnit Hēraclēam. Quae cum esset cīvitās aequissimō jūre ac foedere, ascrībī sē in eam cīvitātem voluit idque, cum ipse per sē dignus putārētur, tum auctōritāte et grātiā Lūcullī ab Hēraclēēnsibus impetrāvit. **7.** Data est cīvitās Silvānī lēge et Carbōnis: 5 *Sī quī foederātīs cīvitātibus ascrīptī fuissent, sī tum, cum lēx ferēbātur, in Italiā domicilium habuissent et sī sexāgintā diēbus apud praetōrem essent professī.* Cum hīc domicilium Rōmae multōs jam annōs habēret, professus est apud praetōrem, Q. Metellum, familiārissimum suum. 10

Grattius's arguments refuted.

8. Sī nihil aliud nisi dē cīvitāte ac lēge dīcimus, nihil dīcō amplius; causa dicta est. Quid enim hōrum īnfīrmārī, Grattī, potest? Hēraclēaene esse eum ascrīptum negābis? Adest vir summā auctōritāte et religiōne et fidē, M. Lūcullus; quī sē nōn opīnārī, sed scīre, nōn 15 audīvisse, sed vīdisse, nōn interfuisse, sed ēgisse dīcit. Adsunt Hēraclēēnsēs lēgātī, nōbilissimī hominēs; hūjus jūdicī causā cum mandātīs et cum pūblicō testimōniō vēnērunt; quī hunc ascrīptum Hēraclēēnsem dīcunt. Hīc tū tabulās dēsīderās Hēraclēēnsium pūblicās, quās Italicō 20 bellō incēnsō tabulāriō interīsse scīmus omnēs. Est rīdiculum ad ea, quae habēmus, nihil dīcere, quaerere, quae habēre nōn possumus, et dē hominum memoriā tacēre, litterārum memoriam flāgitāre, et, cum habeās amplissimī virī religiōnem, integerrimī mūnicipī jūs jūrandum fidem- 25 que, ea, quae dēprāvārī nūllō modō possunt, repudiāre, tabulās, quās īdem dīcis solēre corrumpī, dēsīderāre. **9.** An domicilium Rōmae nōn habuit is, quī tot annīs ante cīvitātem datam sēdem omnium rērum ac fortūnārum suārum Rōmae collocāvit? An nōn est professus? Immō 30

vērō eīs tabulīs professus, quae sōlae ex illā professiōne
collēgiōque praetōrum obtinent pūblicārum tabulārum auctōritātem.   V. Nam, cum Appī tabulae neglegentius
asservātae dīcerentur, Gabīnī, quamdiū incolumis fuit,
5 levitās, post damnātiōnem calamitās omnem tabulārum
fidem resignāsset, Metellus, homō sānctissimus modestissi-
musque omnium, tantā dīligentiā fuit, ut ad L. Lentulum
praetōrem et ad jūdicēs vēnerit et ūnīus nōminis litūrā sē
commōtum esse dīxerit.   Hīs igitur in tabulīs nūllam litū-
10 ram in nōmine A. Licinī vidētis.   10. Quae cum ita sint,
quid est, quod dē ejus cīvitāte dubitētis, praesertim cum
aliīs quoque in cīvitātibus fuerit ascrīptus?   Etenim, cum
mediocribus multīs et aut nūllā aut humilī aliquā arte
praeditīs grātuītō cīvitātem in Graeciā hominēs impertiē-
15 bant, Rēgīnōs crēdō aut Locrēnsēs aut Neāpolitānōs aut
Tarentīnōs, quod scaenicīs artificibus largīrī solēbant, id
huic summā ingenī praeditō glōriā nōluisse!   Quid?
Cēterī nōn modo post cīvitātem datam, sed etiam post
lēgem Pāpiam aliquō modō in eōrum mūnicipiōrum tabu-
20 lās irrēpsērunt?   Hīc, quī nē ūtitur quidem illīs, in quibus
est scrīptus, quod semper sē Hēraclēēnsem esse voluit,
reiciētur?   11. Cēnsūs nostrōs requīris. Scīlicet; est
enim obscūrum proximīs cēnsōribus hunc cum clārissimō
imperātōre, L. Lūcullō, apud exercitum fuisse; superiōri-
25 bus cum eōdem quaestōre fuisse in Asiā; prīmīs, Jūliō et
Crassō, nūllam populī partem esse cēnsam. Sed, quoniam
cēnsus nōn jūs cīvitātis cōnfīrmat ac tantum modo indicat
eum, quī sit cēnsus, ita sē jam tum gessisse prō cīve, eīs
temporibus, quibus tū crīmināris nē ipsīus quidem jūdiciō
30 in cīvium Rōmānōrum jūre esse versātum, et testāmentum
saepe fēcit nostrīs lēgibus et adiit hērēditātēs cīvium
Rōmānōrum et in beneficiīs ad aerārium dēlātus est ā

L. Lūcullō, prō cōnsule. VI. Quaere argūmenta, sī quae
potes; numquam enim hīc neque suō neque amīcōrum
jūdiciō revincētur.

Why Archias is so esteemed.

12. Quaerēs ā nōbīs, Grattī, cūr tantō opere hōc homine
dēlectēmur. Quia suppeditat nōbīs, ubi et animus ex hōc 5
forēnsī strepitū reficiātur et aurēs convīciō dēfessae con-
quiēscant. An tū exīstimās aut suppetere nōbīs posse,
quod cotīdiē dīcāmus in tantā varietāte rērum, nisi animōs nostrōs doctrīnā excolāmus, aut ferre animōs tantam
posse contentiōnem, nisi eōs doctrīnā eādem relaxēmus? 10
Ego vērō fateor mē hīs studiīs esse dēditum. Cēterōs
pudeat, sī quī ita sē litterīs abdidērunt, ut nihil possint
ex eīs neque ad commūnem afferre frūctum neque in
aspectum lūcemque prōferre; mē autem quid pudeat, quī
tot annōs ita vīvō, jūdicēs, ut ā nūllīus umquam mē tem- 15
pore aut commodō aut ōtium meum abstrāxerit aut voluptās āvocārit aut dēnique somnus retardārit? 13. Quārē
quis tandem mē reprehendat, aut quis mihi jūre suscēn-
seat, sī, quantum cēterīs ad suās rēs obeundās, quantum
ad fēstōs diēs lūdōrum celebrandōs, quantum ad aliās vo- 20
luptātēs et ad ipsam requiem animī et corporis concēditur
temporum, quantum aliī tribuunt tempestīvīs convīviīs,
quantum dēnique alveolō, quantum pilae, tantum mihi
egomet ad haec studia recolenda sūmpserō? Atque hōc
eō mihi concēdendum est magis, quod ex hīs studiīs haec 25
quoque crēscit ōrātiō et facultās, quae, quantacumque in
mē est, numquam amīcōrum perīculīs dēfuit. Quae sī
cui levior vidētur, illa quidem certē, quae summa sunt,
ex quō fonte hauriam, sentiō. 14. Nam, nisi multōrum praeceptīs multīsque litterīs mihi ab adulēscentiā 30

suāsissem nihil esse in vītā magnō opere expetendum
nisi laudem atque honestātem, in eā autem perse-
quendā omnēs cruciātūs corporis, omnia perīcula mortis
atque exsilī parvī esse dūcenda, numquam mē prō
5 salūte vestrā in tot ac tantās dīmicātiōnēs atque in
hōs prōflīgātōrum hominum cotīdiānōs impetūs objē-
cissem. Sed plēnī omnēs sunt librī, plēnae sapien-
tium vōcēs, plēna exemplōrum vetustās; quae jacērent
in tenebrīs omnia, nisi litterārum lūmen accēderet.
10 Quam multās nōbīs imāginēs nōn sōlum ad intuendum,
vērum etiam ad imitandum fortissimōrum virōrum ex-
pressās scrīptōrēs et Graecī et Latīnī relīquērunt! Quās
ego mihi semper in administrandā rē pūblicā prōpōnēns,
animum et mentem meam ipsā cōgitātiōne hominum ex-
15 cellentium cōnfōrmābam.

What literature has done for many others.

VII. 15. Quaeret quispiam: 'Quid? Illī ipsī summī
virī, quōrum virtūtēs litterīs prōditae sunt, istāne doctrīnā,
quam tū effers laudibus, ērudītī fuērunt?' Difficile est
hōc dē omnibus cōnfīrmāre, sed tamen est certum, quid
20 respondeam. Ego multōs hominēs excellentī animō ac
virtūte fuisse sine doctrīnā et nātūrae ipsīus habitū prope
dīvīnō per sē ipsōs et moderātōs et gravēs exstitisse
fateor; etiam illud adjungō, saepius ad laudem atque
virtūtem nātūram sine doctrīnā quam sine nātūrā valu-
25 isse doctrīnam. Atque īdem ego hōc contendō, cum
ad nātūram eximiam et illūstrem accesserit ratiō quaedam cōnfōrmātiōque doctrīnae, tum illud nesciō quid
praeclārum ac singulāre solēre exsistere. 16. Ex hōc
esse hunc numerō, quem patrēs nostrī vīdērunt, dīvīnum
30 hominem, Āfricānum, ex hōc C. Laelium, L. Fūrium,

moderātissimōs hominēs et continentissimōs, ex hōc
fortissimum virum et illīs temporibus doctissimum, M.
Catōnem illum senem;)(quī profectō sī nihil ad percipiendam colendamque virtūtem litterīs adjuvārentur, numquam sē ad eārum studium contulissent. ɣ Quodsī nōn 5
hīc tantus frūctus ostenderētur, et sī ex hīs studiīs
dēlectātiō sōla peterētur, tamen, ut opīnor, hanc animī
remissiōnem hūmānissimam ac līberālissimam jūdicārētis. Nam cēterae neque temporum sunt neque aetātum omnium neque locōrum; at haec studia adulēscen- 10
tiam alunt, senectūtem oblectant, secundās rēs ōrnant,
adversīs perfugium ac sōlācium praebent, dēlectant domī,
nōn impediunt forīs, pernoctant nōbīscum, peregrīnantur,
rūsticantur.

Honor is due to poets, and has always been accorded them.

17. Quodsī ipsī haec neque attingere neque sēnsū 15
nostrō gustāre possēmus, tamen ea mīrārī dēbērēmus,
etiam cum in aliīs vidērēmus. VIII. Quis nostrum
tam animō agrestī ac dūrō fuit, ut Rōscī morte nūper
nōn commovērētur? Quī cum esset senex mortuus, tamen
propter excellentem artem ac venustātem vidēbātur omnīnō 20
morī nōn dēbuisse. Ergō ille corporis mōtū tantum amō-
rem sibi conciliārat ā nōbīs omnibus; nōs animōrum incrēdibilēs mōtūs celeritātemque ingeniōrum neglegēmus?
18. Quotiēns ego hunc Archiam vīdī, jūdicēs (ūtar enim
vestrā benignitāte, quoniam mē in hōc novō genere dīcendī 25
tam dīligenter attenditis), quotiēns ego hunc vīdī, cum lit-
teram scrīpsisset nūllam, magnum numerum optimōrum
versuum dē eīs ipsīs rēbus, quae tum agerentur, dīcere ex
tempore!)(Quotiēns revocātum eandem rem dīcere, commū-
tātīs verbīs atque sententiīs! Quae vērō accūrātē cōgitātē- 30

que scrīpsisset, ea sīc vīdī probārī, ut ad veterum scrīptō-
rum laudem pervenīret. Hunc ego nōn dīligam, nōn
admīrer, nōn omnī ratiōne dēfendendum putem? Atque
sīc ā summīs hominibus ērudītissimīsque accēpimus, cēte-
5 rārum rērum studia ex doctrīnā et praeceptīs et arte
cōnstāre, poētam nātūrā ipsā valēre et mentis vīribus exci-
tārī et quasi dīvīnō quōdam spīritū īnflārī. Quārē suō
jūre noster ille Ennius 'sānctōs' appellat poētās, quod
quasi deōrum aliquō dōnō atque mūnere commendātī
10 nōbīs esse videantur. 19. Sit igitur, jūdicēs, sānctum
apud vōs, hūmānissimōs hominēs, hōc poētae nōmen,
quod nūlla umquam barbaria violāvit. Saxa et sōlitū-
dinēs vōcī respondent, bēstiae saepe immānēs cantū
flectuntur atque cōnsistunt; nōs īnstitūtī rēbus optimīs
15 nōn poētārum vōce moveāmur? Homērum Colophōniī
cīvem esse dīcunt suum, Chiī suum vindicant, Salamīniī
repetunt, Smyrnaeī vērō suum esse cōnfīrmant itaque
etiam dēlūbrum ejus in oppidō dēdicāvērunt; permultī
aliī praetereā pugnant inter sē atque contendunt.

Archias's talents have celebrated Roman achievements.

20 IX. Ergō illī aliēnum, quia poēta fuit, post mortem
etiam expetunt; nōs hunc vīvum, quī et voluntāte et
lēgibus noster est, repudiābimus, praesertim cum omne
ōlim studium atque omne ingenium contulerit Archiās
ad populī Rōmānī glōriam laudemque celebrandam?
25 Nam et Cimbricās rēs adulēscēns attigit et ipsī illī C.
Mariō, quī dūrior ad haec studia vidēbātur, jūcundus fuit.
20. Neque enim quisquam est tam āversus ā Mūsīs, quī
nōn mandārī versibus aeternum suōrum labōrum facile
praecōnium patiātur. Themistoclem illum, summum
30 Athēnīs virum, dīxisse ajunt, cum ex eō quaererētur,

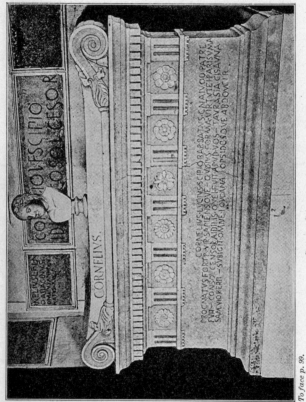

To face p. 99.

SCIPIO SARCOPHAGUS.

quod acroāma aut cūjus vōcem libentissimē audīret: ejus,
ā quō sua virtūs optimē praedicārētur. Itaque ille Marius
item eximiē L. Plōtium dīlēxit, cūjus ingeniō putābat ea,
quae gesserat, posse celebrārī. **21.** Mithridāticum vērō
bellum, magnum atque difficile et in multā varietāte terrā 5
marīque versātum, tōtum ab hōc expressum est; quī librī
nōn modo L. Lūcullum, fortissimum et clārissimum virum,
vĕrum etiam populī Rōmānī nōmen illūstrant. Populus
enim Rōmānus aperuit, Lūcullō imperante, Pontum et
rēgiīs quondam opibus et ipsā nātūrā et regiōne vāllātum; 10
populī Rōmānī exercitus, eōdem duce, nōn maximā manū
innumerābilīs Armeniōrum cōpiās fūdit; populī Rōmānī
laus est urbem amīcissimam Cȳzicēnōrum ejusdem cōnsiliō
ex omnī impetū rēgiō atque tōtīus bellī ōre ac faucibus ēreptam esse atque servātam; nostra semper ferētur et prae- 15
dicābitur, L. Lūcullō dīmicante, cum, interfectīs ducibus,
dēpressa hostium classis est, incrēdibilis apud Tenedum
pugna illa nāvālis; nostra sunt tropaea, nostra monumenta, nostrī triumphī. Quae quōrum ingeniīs efferun-
tur, ab eīs populī Rōmānī fāma celebrātur. **22.** Cārus 20
fuit Āfricānō superiōrī noster Ennius, itaque etiam in
sepulcrō Scīpiōnum putātur is esse cōnstitūtus ex marmore; cūjus laudibus certē nōn sōlum ipse, quī laudā-
tur, sed etiam populī Rōmānī nōmen ōrnātur. In caelum
hūjus proavus Catō tollitur; magnus honōs populī Rō- 25
mānī rēbus adjungitur. Omnēs dēnique illī Māximī,
Mārcellī, Fulviī nōn sine commūnī omnium nostrum
laude decorantur. X. Ergō illum, quī haec fēcerat,
Rudīnum hominem majōrēs nostrī in cīvitātem recēpērunt; nōs hunc Hēraclēēnsem multīs cīvitātibus expetī- 30
tum, in hāc autem lēgibus cōnstitūtum dē nostrā cīvitāte
ēiciēmus? **23.** Nam sī quis minōrem glōriae frūctum

putat ex Graecīs versibus percipī quam ex Latīnīs, vehementer errat, proptereā quod Graeca leguntur in omnibus
ferē gentibus, Latīna suīs fīnibus exiguīs sānē continentur.

Quārē, sī rēs eae, quās gessimus, orbis terrae regiōnibus
5 dēfīniuntur, cupere dēbēmus, quō manuum nostrārum tēla
pervēnerint, eōdem glōriam fāmamque penetrāre, quod
cum ipsīs populīs, dē quōrum rēbus scrībitur, haec ampla
sunt, tum eīs certē, quī dē vītā glōriae causā dīmicant,
hōc maximum et perīculōrum incitāmentum est et labōrum.

The greatest men aspire to be immortalized in verse.

10 **24.** Quam multōs scrīptōrēs rērum suārum magnus
ille Alexander sēcum habuisse dīcitur! Atque is tamen,
cum in Sīgēō ad Achillis tumulum astitisset: ' *Ō fortū-
nāte*', inquit, ' *adulēscēns, quī tuae virtūtis Homērum prae-
cōnem invēnerīs!* ' Et vērē. Nam, nisi Īlias illa exsti-
15 tisset, īdem tumulus, quī corpus ejus contēxerat, nōmen
etiam obruisset. Quid? Noster hīc Magnus, quī cum
virtūte fortūnam adaequāvit, nōnne Theophanem Mytilē-
naeum, scrīptōrem rērum suārum, in cōntiōne mīlitum
cīvitāte dōnāvit, et nostrī illī fortēs virī, sed rūsticī ac
20 mīlitēs, dulcēdine quādam glōriae commōtī, quasi participēs ejusdem laudis, magnō illud clāmōre approbāvērunt?
25. Itaque, crēdō, sī cīvis Rōmānus Archiās lēgibus nōn
esset, ut ab aliquō imperātōre cīvitāte dōnārētur, perficere
nōn potuit. Sulla cum Hispānōs et Gallōs dōnāret, crēdō,
25 hunc petentem repudiāsset; quem nōs in cōntiōne vīdimus, cum eī libellum malus poēta dē populō subjēcisset,
quod epigramma in eum fēcisset tantum modo alternīs
versibus longiusculīs, statim ex eīs rēbus, quās tum vēndē-
bat, jubēre eī praemium tribuī, sed eā condiciōne, nē quid
30 posteā scrīberet. Quī sēdulitātem malī poētae dūxerit

aliquō tamen praemiō dignam, hūjus ingenium et virtūtem in scrībendō et cōpiam nōn expetīsset? **26.** Quid?
Ā Q. Metellō Piō, familiārissimō suō, quī cīvitāte multōs
dōnāvit, neque per sē neque per Lūcullōs impetrāvisset?
Quī praesertim ūsque eō dē suīs rēbus scrībī cuperet, ut 5
etiam Cordubae nātīs poētīs pingue quiddam sonantibus
atque peregrīnum tamen aurēs suās dēderet.

All of us are eager for glory.

XI. Neque enim est hōc dissimulandum, quod obscūrārī
nōn potest, sed prae nōbīs ferendum: Trahimur omnēs
studiō laudis, et optimus quisque maximē glōriā dūcitur. 10
Ipsī illī philosophī etiam in eīs libellīs, quōs dē contemnendā glōriā scrībunt, nōmen suum īnscrībunt; in eō
ipsō, in quō praedicātiōnem nōbilitātemque dēspiciunt,
praedicārī dē sē ac nōminārī volunt. **27.** Decimus
quidem Brūtus, summus vir et imperātor, Accī, amīcissimī 15
suī, carminibus templōrum ac monumentōrum aditūs ex-
ōrnāvit suōrum. Jam vērō ille, quī cum Aetōlīs, Enniō
comite, bellāvit, Fulvius nōn dubitāvit Mārtis manubiās
Mūsīs cōnsecrāre. Quārē, in quā urbe imperātōrēs prope
armātī poētārum nōmen et Mūsārum dēlūbra coluērunt, 20
in eā nōn dēbent togātī jūdicēs ā Mūsārum honōre et ā
poētārum salūte abhorrēre.

Archias contemplates a history of Cicero's consulship.

28. Atque ut id libentius faciātis, jam mē vōbīs, jūdicēs, indicābō et dē meō quōdam amōre glōriae, nimis
ācrī fortasse, vērum tamen honestō, vōbīs cōnfitēbor. 25
Nam, quās rēs nōs in cōnsulātū nostrō vōbīscum simul
prō salūte hūjus urbis atque imperī et prō vītā cīvium
prōque ūniversā rē pūblicā gessimus, attigit hīc versibus

atque incohāvit.   Quibus audītīs, quod mihi magna rēs
et jūcunda vīsa est, hunc ad perficiendum adhortātus
sum.

Hope of immortal fame the only incentive for bearing life's
troubles.

Nūllam enim virtūs aliam mercēdem labōrum perī-
5 culōrumque dēsīderat praeter hanc laudis et glōriae; quā
quidem dētrāctā, jūdicēs, quid est, quod in hōc tam exi-
guō vītae curriculō et tam brevī tantīs nōs in labōribus
exerceāmus?   **29.** Certē, sī nihil animus praesentīret
in posterum, et sī, quibus regiōnibus vītae spatium cir-
10 cumscrīptum est, eīsdem omnēs cōgitātiōnēs termināret
suās, nec tantīs sē labōribus frangeret neque tot cūrīs
vigiliīsque angerētur nec totiēns dē ipsā vītā dīmicāret.
Nunc īnsidet quaedam in optimō quōque virtūs, quae
noctēs ac diēs animum glōriae stimulīs concitat atque
15 admonet nōn cum vītae tempore esse dīmittendam com-
memorātiōnem nōminis nostrī, sed cum omnī posteritāte
adaequandam.   XII.   **30.** An vērō tam parvī animī
videāmur esse omnēs, quī in rē pūblicā atque in hīs vītae
perīculīs labōribusque versāmur, ut, cum ūsque ad extrē-
20 mum spatium nūllum tranquillum atque ōtiōsum spīritum
dūxerīmus, nōbīscum simul moritūra omnia arbitrēmur?
An statuās et imāginēs, nōn animōrum simulācra, sed
corporum, studiōsē multī summī hominēs relīquērunt;
cōnsiliōrum relinquere ac virtūtum nostrārum effigiem
25 nōnne multō mālle dēbēmus, summīs ingeniīs expressam
et polītam?   Ego vērō omnia, quae gerēbam, jam tum in
gerendō spargere mē ac dissēmināre arbitrābar in orbis
terrae memoriam sempiternam.   Haec vērō sīve ā meō
sēnsū post mortem āfutūra est, sīve, ut sapientissimī homi-

nēs putāvērunt, ad aliquam animī meī partem pertinēbit,
nunc quidem certē cōgitātiōne quādam spēque dēlector.

*Pronounce for Archias, judges! His case is good, and he him-
self deserves your favor.*

31. Quārē cōnservāte, jūdicēs, hominem pudōre eō,
quem amīcōrum vidētis comprobārī cum dignitāte tum
etiam vetustāte, ingeniō autem tantō, quantum id con- 5
venit exīstimārī, quod summōrum hominum ingeniīs ex-
petītum esse videātis, causā vērō ejus modī, quae
beneficiō lēgis, auctōritāte mūnicipī, testimōniō Lūcullī,
tabulīs Metellī comprobētur. Quae cum ita sint, petimus
ā vōbīs, jūdicēs, sī qua nōn modo hūmāna, vērum etiam 10
dīvīna in tantīs ingeniīs commendātiō dēbet esse, ut eum,
quī vōs, quī vestrōs imperātōrēs, quī populī Rōmānī rēs
gestās semper ōrnāvit, quī etiam hīs recentibus nostrīs
vestrīsque domesticīs perīculīs aeternum sē testimōnium
laudis datūrum esse profitētur estque ex eō numerō, quī 15
semper apud omnēs sānctī sunt habitī itaque dictī, sīc in
vestram accipiātis fidem, ut hūmānitāte vestrā levātus
potius quam acerbitāte violātus esse videātur.

32. Quae dē causā prō meā cōnsuētūdine breviter simpliciterque dīxī, jūdicēs, ea cōnfīdō probāta esse omnibus ; 20
quae ā forēnsī aliēna jūdiciālīque cōnsuētūdine et dē
hominis ingeniō et commūniter dē ipsō studiō locūtus
sum, ea, jūdicēs, ā vōbīs spērō esse in bonam partem
accepta ; ab eō, quī jūdicium exercet, certō sciō.

M. TULLI CICERONIS

PRO M. MARCELLO ORATIO.

Caesar's magnanimity induces Cicero to speak.

I. 1. Diūturnī silentī, patrēs cōnscrīptī, quō eram hīs
temporibus ūsus nōn timōre aliquō, sed partim dolōre,
partim verēcundiā, fīnem hodiernus diēs attulit īdemque
initium, quae vellem quaeque sentīrem, meō prīstinō
5 mōre dīcendī. Tantam enim mānsuētūdinem, tam in-
ūsitātam inaudītamque clēmentiam, tantum in summā
potestāte rērum omnium modum, tam dēnique incrēdibilem sapientiam ac paene dīvīnam tacitus praeterīre
nūllō modō possum. **2.** M. enim Mārcellō vōbīs, patrēs
10 cōnscrīptī, reīque pūblicae redditō, nōn illīus sōlum, sed
etiam meam vōcem et auctōritātem et vōbīs et reī pūblicae
cōnservātam ac restitūtam putō. Dolēbam enim, patrēs
cōnscrīptī, et vehementer angēbar virum tālem, cum in
eādem causā in quā ego fuisset, nōn in eādem esse fortūnā
15 nec mihi persuādēre poteram nec fās esse dūcēbam versārī
mē in nostrō vetere curriculō, illō aemulō atque imitātōre
studiōrum ac labōrum meōrum quasi quōdam sociō ā mē
et comite distrāctō. Ergō et mihi meae prīstinae vītae
cōnsuētūdinem, C. Caesar, interclūsam aperuistī et hīs
20 omnibus ad bene dē omnī rē pūblicā spērandum quasi

104

signum aliquod sustulistī. **3.** Intellēctum est enim
mihi quidem in multīs et maximē in mē ipsō, sed paulō
ante omnibus, cum M. Mārcellum senātuī reīque pūblicae
concessistī, commemorātīs praesertim offēnsiōnibus, tē
auctōritātem hūjus ōrdinis dignitātemque reī pūblicae 5
tuīs vel dolōribus vel suspīciōnibus anteferre. Ille
quidem frūctum omnis ante āctae vītae hodiernō diē
maximum cēpit cum summō cōnsēnsū senātūs, tum
jūdiciō tuō gravissimō et maximō. Ex quō profectō
intellegis, quanta in datō beneficiō sit laus, cum in 10
acceptō sit tanta glōria. Est vērō fortūnātus ille, cūjus
ex salūte nōn minor paene ad omnēs, quam ad ipsum
ventūra sit, laetitia pervēnerit; **4.** quod quidem eī
meritō atque optimō jūre contigit. Quis enim est illō
aut nōbilitāte aut probitāte aut optimārum artium studiō 15
aut innocentiā aut ūllō laudis genere praestantior ?

*This generous act transcends the glory of Caesar's military
achievements.*

II. Nūllīus tantum flūmen est ingenī, nūllīus dīcendī
aut scrībendī tanta vīs, tanta cōpia, quae, nōn dīcam
exōrnāre, sed ēnārrāre, C. Caesar, rēs tuās gestās possit.
Tamen affīrmō, et hōc pāce dīcam tuā, nūllam in hīs 20
esse laudem ampliōrem quam eam, quam hodiernō diē
cōnsecūtus es. **5.** Soleō saepe ante oculōs pōnere idque
libenter crēbrīs ūsūrpāre sermōnibus, omnīs nostrōrum
imperātōrum, omnīs exterārum gentium potentissimō-
rumque populōrum, omnīs clārissimōrum rēgum rēs 25
gestās cum tuīs nec contentiōnum magnitūdine nec
numerō proeliōrum nec varietāte regiōnum nec celeritāte cōnficiendī nec dissimilitūdine bellōrum posse
cōnferrī, nec vērō disjūnctissimās terrās citius passibus

cūjusquam potuisse peragrārī, quam tuīs, nōn dīcam
cursibus, sed victōriīs lūstrātae sunt. 6. Quae quidem
ego nisi ita magna esse fatear, ut ea vix cūjusquam mēns
aut cōgitātiō capere possit, āmēns sim; sed tamen sunt
5 alia majōra. Nam bellicās laudēs solent quīdam ex-
tenuāre verbīs eāsque dētrahere ducibus, commūnicāre
cum multīs, nē propriae sint imperātōrum. Et certē in
armīs mīlitum virtūs, locōrum opportūnitās, auxilia sociōrum, classēs, commeātūs multum juvant, maximam vērō
10 partem quasi suō jūre Fortūna sibi vindicat et, quicquid
prōsperē gestum est, id paene omne dūcit suum. 7. At
vērō hūjus glōriae, C. Caesar, quam es paulō ante adeptus,
socium habēs nēminem; tōtum hōc, quantumcumque est,
quod certē maximum est, tōtum est, inquam, tuum.
15 Nihil sibi ex istā laude centuriō, nihil praefectus, nihil
cohors, nihil turma dēcerpit; quīn etiam illa ipsa rērum
hūmānārum domina, Fortūna, in istīus societātem glōriae
sē nōn offert, tibi cēdit, tuam esse tōtam et propriam
fatētur. Numquam enim temeritās cum sapientiā com-
20 miscētur, neque ad cōnsilium cāsus admittitur.

To conquer oneself greater than taking cities.

III. 8. Domuistī gentēs immānitāte barbarās, multitūdine innumerābilēs, locīs īnfīnītās, omnī cōpiārum genere
abundantēs; sed tamen ea vīcistī, quae et nātūram et
condiciōnem, ut vincī possent, habēbant. Nūlla est enim
25 tanta vīs, quae nōn ferrō et vīribus dēbilitārī frangīque
possit. Animum vincere, īrācundiam cohibēre, victōriae
temperāre, adversārium nōbilitāte, ingeniō, virtūte prae-
stantem nōn modo extollere jacentem, sed etiam amplifi-
cāre ejus prīstinam dignitātem, haec quī facit, nōn ego
30 eum cum summīs virīs comparō, sed simillimum deō

jūdicō.   **9.** Itaque, C. Caesar, bellicae tuae laudēs cele-
brābuntur illae quidem nōn sōlum nostrīs, sed paene
omnium gentium litterīs atque linguīs, nec ūlla umquam
aetās dē tuīs laudibus conticēscet; sed tamen ejus modī
rēs nesciŏ quō modō, etiam cum leguntur, obstrepī clāmōre 5
mīlitum videntur et tubārum sonō.   At vērō cum aliquid
clēmenter, mānsuētē, jūstē, moderātē, sapienter factum,
in īrācundiā praesertim, quae est inimīca cōnsiliō, et in
victōriā, quae nātūrā īnsolēns et superba est, audīmus
aut legimus, quō studiō incendimur, nōn modo in gestīs 10
rēbus, sed etiam in fīctīs, ut eōs saepe, quōs numquam
vīdimus, dīligāmus !   **10.** Tē vērō, quem praesentem
intuēmur, cūjus mentem sēnsūsque et ōs cernimus, ut,
quicquid bellī fortūna reliquum reī pūblicae fēcerit, id
esse salvum velīs, quibus laudibus efferēmus, quibus stu- 15
diīs prōsequēmur, quā benevolentiā complectēmur !   Parietēs mēdius fidius, ut mihi vidētur, hūjus Cūriae tibi
grātiās agere gestiunt, quod brevī tempore futūra sit illa
auctōritās in hīs majōrum suōrum et suīs sēdibus.   IV.
Equidem cum C. Mārcellī, virī optimī et commemorābilī 20
pietāte praeditī, lacrimās modo vōbīscum vidērem, omnium
Mārcellōrum meum pectus memoria offūdit, quibus tū
etiam mortuīs, M. Mārcellō cōnservātō, dignitātem suam
reddidistī nōbilissimamque familiam jam ad paucōs re-
dāctam paene ab interitū vindicāstī.   **11.** Hunc tū igitur 25
diem tuīs maximīs et innumerābilibus grātulātiōnibus
jūre antepōnēs.   Haec enim rēs ūnīus est propria C.
Caesaris ; cēterae duce tē gestae magnae illae quidem,
sed tamen multō magnōque comitātū.   Hūjus autem reī
tū īdem es et dux et comes; quae quidem tanta est, ut 30
tropaeīs et monumentīs tuīs allātūra fīnem sit aetās (nihil
est enim opere et manū factum, quod nōn aliquandō cōn-

ficiat et cōnsūmat vetustās); **12.** at haec tua jūstitia et
lēnitās animī flōrēscit cotīdiē magis, ita ut, quantum tuīs
operibus diūturnitās dētrahet, tantum afferat laudibus.
Et cēterōs quidem omnēs victōrēs bellōrum cīvīlium jam
5 ante aequitāte et misericordiā vīcerās; hodiernō vērō diē
tē ipsum vīcistī. Vereor, ut hōc, quod dīcam, perinde
intellegī possit audītum, atque ipse cōgitāns sentiō: Ipsam victōriam vīcisse vidēris, cum ea, quae illa erat
adepta, victīs remīsistī. Nam cum ipsīus victōriae con-
10 diciōne omnēs victī occidissēmus, clēmentiae tuae jūdiciō
cōnservātī sumus. Rēctē igitur ūnus invictus, ā quō etiam
ipsīus victōriae condiciō vīsque dēvicta est.

The pardon of Marcellus has a wide significance.

✓ **V. 13.** Atque hōc C. Caesaris jūdicium, patrēs cōnscrīptī, quam lātē pateat, attendite. Omnēs enim, quī ad
15 illa arma fātō sumus nesciō quō reī pūblicae miserō fūnes-
tōque compulsī, etsī aliquā culpā tenēmur errōris hūmānī,
scelere certē līberātī sumus. Nam, cum M. Mārcellum,
dēprecantibus vōbīs, reī pūblicae cōnservāvit, mē et mihi
et item reī pūblicae, nūllō dēprecante, reliquōs amplissimōs
20 virōs et sibi ipsōs et patriae reddidit, quōrum et frequentiam et dignitātem hōc ipsō in cōnsessū vidētis, nōn ille
hostēs indūxit in Cūriam, sed jūdicāvit ā plērīsque ignōrā-
tiōne potius et falsō atque inānī metū quam cupiditāte
aut crūdēlitāte bellum esse susceptum. **14.** Quō quidem
25 in bellō semper dē pāce audiendum putāvī semperque
doluī nōn modo pācem, sed etiam ōrātiōnem cīvium pācem
flāgitantium repudiārī. Neque enim ego illa nec ūlla
umquam secūtus sum arma cīvīlia, semperque mea cōnsilia pācis et togae socia, nōn bellī atque armōrum fuērunt.
30 Hominem sum secūtus prīvātō officiō, nōn pūblicō, tan-

tumque apud mē grātī animī fidēlis memoria valuit, ut
(nūllā nōn modo cupiditāte, sed nē spē quidem) prūdēns
et sciēns tamquam ad interitum ruerem voluntārium.
15. Quod quidem meum cōnsilium minimē obscūrum
fuit. Nam et in hōc ōrdine, integrā rē, multa dē pāce dīxī 5
et in ipsō bellō eadem etiam cum capitis meī perīculō sēnsī.
Ex quō nēmō jam erit tam injūstus exīstimātor rērum,
quī dubitet, quae Caesaris dē bellō voluntās fuerit, cum
pācis auctōrēs cōnservandōs statim cēnsuerit, cēterīs
fuerit īrātior. Atque id minus mīrum fortasse tum, cum 10
esset incertus exitus et anceps fortūna bellī; quī vērō
victor pācis auctōrēs dīligit, is profectō dēclārat sē
māluisse nōn dīmicāre quam vincere. ✓VI. **16.** Atque
hūjus quidem reī M. Mārcellō sum testis. Nostrī enim
sēnsūs ut in pāce semper, sīc tum etiam in bellō con- 15
gruēbant. Quotiēns ego eum et quantō cum dolōre vīdī
cum īnsolentiam certōrum hominum, tum etiam ipsīus
victōriae ferōcitātem extimēscentem! Quō grātior tua
līberālitās, C. Caesar, nōbīs, quī illa vīdimus, dēbet esse.
Nōn enim jam causae sunt inter sē, sed victōriae com- 20
parandae.

Caesar's victory has ended with his campaigns.

17. Vīdimus tuam victōriam proeliōrum exitū termi-
nātam, gladium vāgīnā vacuum in urbe nōn vīdimus.
Quōs āmīsimus cīvēs, eōs Mārtis vīs perculit, nōn īra
victōriae, ut dubitāre dēbeat nēmō, quīn multōs, sī fierī 25
posset, C. Caesar ab īnferīs excitāret, quoniam ex eādem
aciē cōnservat, quōs potest. Alterius vērō partis nihil
amplius dīcam quam, id quod omnēs verēbāmur, nimis
īrācundam futūram fuisse victōriam. **18.** Quīdam enim
nōn modo armātīs, sed interdum etiam ōtiōsīs minābantur 30

nec, quid quisque sēnsisset, sed ubi fuisset, cōgitandum
esse dīcēbant, ut mihi quidem videantur dī immortālēs,
etiamsī poenās ā populō Rōmānō ob aliquod dēlīctum
expetīvērunt, quī cīvīle bellum tantum et tam lūctuōsum
5 excitāvērunt, vel plācātī jam vel satiātī aliquandō omnem
spem salūtis ad clēmentiam victōris et sapientiam contulisse.

19. Quārē gaudē tuō istō tam excellentī bonō et fruere
cum fortūnā et glōriā, tum etiam nātūrā et mōribus tuīs,
10 ex quō quidem maximus est frūctus jūcunditāsque sapientī. Cētera cum tua recordābere, etsī persaepe virtūtī,
tamen plērumque fēlīcitātī tuae grātulābere; dē nōbīs,
quōs in rē pūblicā tēcum simul esse voluistī, quotiēns
cōgitābis, totiēns dē maximīs tuīs beneficiīs, totiēns dē
15 incrēdibilī līberālitāte, totiēns dē singulārī sapientiā
tuā cōgitābis; quae nōn modo summa bona, sed nīmīrum audēbō vel sōla dīcere. ✓Tantus est enim splendor
in laude vērā, tanta in magnitūdine animī et cōnsilī
dignitās, ut haec ā Virtūte dōnāta, cētera ā Fortūnā
20 commodāta esse videantur. **20.** Nōlī igitur in cōn-
servandīs bonīs virīs dēfatīgārī, nōn cupiditāte praesertim aliquā aut prāvitāte lāpsīs, sed opīniōne officī stultā
fortasse, certē nōn improbā, et speciē quādam reī pūblicae. Nōn enim tua ūlla culpa est, sī tē aliquī timuērunt;
25 contrāque summa laus, quod minimē timendum fuisse
sēnsērunt.

Solicitude of all for Caesar's safety.

VII. 21. Nunc veniō ad gravissimam querellam et
atrōcissimam suspīciōnem tuam, quae nōn tibi ipsī magis
quam cum omnibus cīvibus, tum maximē nōbīs, quī ā tē
30 cōnservātī sumus, prōvidenda est; quam etsī spērō

falsam esse, tamen numquam extenuābō. Tua enim
cautiō nostra cautiō est, ut, sī in alterutrō peccandum
sit, mālim vidērī nimis timidus quam parum prūdēns.
Sed quisnam est iste tam dēmēns? Dē tuīsne (tametsī
quī magis sunt tuī, quam quibus tū salūtem īnspērantibus 5
reddidistī)? An ex hōc numerō, quī ūnā tēcum fuērunt?
Nōn est crēdibilis tantus in ūllō furor, ut, quō duce omnia
summa sit adeptus, hūjus vītam nōn antepōnat suae.
An, sī nihil tuī cōgitant sceleris, cavendum est, nē quid
inimīcī? Quī? Omnēs enim, quī fuērunt, aut suā per- 10
tināciā vītam āmīsērunt aut tuā misericordiā retinuērunt,
ut aut nūllī supersint dē inimīcīs aut, quī fuērunt, sint
amīcissimī. **22.** Sed tamen cum in animīs hominum
tantae latebrae sint et tantī recessūs, augeāmus sānē suspīciōnem tuam; simul enim augēbimus dīligentiam. 15
Nam quis est omnium tam ignārus rērum, tam rudis in
rē pūblicā, tam nihil umquam nec dē suā nec dē commūnī
salūte cōgitāns, quī nōn intellegat tuā salūte continērī
suam et ex ūnīus tuā vītā pendēre omnium? Equidem
dē tē diēs noctēsque, ut dēbeō, cōgitāns cāsūs dumtaxat 20
hūmānōs et incertōs ēventūs valētūdinis et nātūrae commūnis fragilitātem, extimēscō, doleōque, cum rēs pūblica
immortālis esse dēbeat, eam in ūnīus mortālis animā
cōnsistere. **23.** Sī vērō ad hūmānōs cāsūs incertōsque
mōtūs valētūdinis sceleris etiam accēdit īnsidiārumque 25
cōnsēnsiō, quem deum, sī cupiat, posse opitulārī reī
pūblicae crēdāmus?

His is the task of restoring order in the state.

VIII. Omnia sunt excitanda tibi, C. Caesar, ūnī, quae
jacēre sentīs, bellī ipsīus impetū, quod necesse fuit, perculsa atque prōstrāta; cōnstituenda jūdicia, revocanda 30

fidēs, comprimendae libīdinēs, prōpāganda subolēs; omnia,
quae dīlāpsa jam diffluxērunt, sevērīs lēgibus vincienda
sunt.   **24**. Nōn fuit recūsandum in tantō cīvīlī bellō,
tantō animōrum ārdōre et armōrum, quīn quassāta rēs
5 pūblica, quīcumque bellī ēventus fuisset, multa perderet et
ōrnāmenta dignitātis et praesidia stabilitātis suae, multa-
que uterque dux faceret armātus, quae īdem togātus fierī
prohibuisset.   Quae quidem tibi nunc omnia bellī vulnera
sānanda sunt, quibus praeter tē medērī nēmō potest.

Let him, therefore, not regard his life's work as ended.

10   **25**. Itaque illam tuam praeclārissimam et sapientissi-
mam vōcem invītus audīvī: 'Satis diū vel nātūrae vīxī
vel glōriae.'   Satis, sī ita vīs, fortasse nātūrae, addō
ctiam, sī placct, glōriae, at, quod maximum est, patriae
certē parum.   Quārē omitte istam, quaesō, doctōrum
15 hominum in contemnendā morte prūdentiam; nōlī nostrō
perīculō esse sapiēns.   Saepe enim venit ad aurēs meās,
tē idem istud nimis crēbrō dīcere, tibi satis tē vīxisse.
Crēdō; sed tum id audīrem, sī tibi sōlī vīverēs aut sī tibi
etiam sōlī nātus essēs.   Omnium salūtem cīvium cūnctam-
20 que rem pūblicam rēs tuae gestae complexae sunt;
tantum abes ā perfectiōne maximōrum operum, ut fundāmenta nōndum, quae cōgitās, jēcerīs.   Hīc tū modum
vītae tuae nōn salūte reī pūblicae, sed aequitāte animī
dēfīniēs?   Quid, sī istud nē glōriae quidem satis est?
25 cūjus tē esse avidissimum, quamvīs sīs sapiēns, nōn
negābis.   **26**. 'Parumne igitur', inquiēs, 'magna relin-
quēmus?'   Immō vērō aliīs quamvīs multīs satis, tibi ūnī
parum.   Quicquid est enim, quamvīs amplum sit, id est
parum tum, cum est aliquid amplius.   Quodsī rērum tuā-
30 rum immortālium, C. Caesar, hīc exitus futūrus fuit, ut,

dēvictīs adversāriīs, rem pūblicam in eō statū relinquerēs,
in quō nunc est, vidē, quaesō, nē tua dīvīna virtūs admīrā-
tiōnis plūs sit habitūra quam glōriae, sīquidem glōria est
illūstris ac pervagāta magnōrum vel in suōs cīvēs vel in
patriam vel in omne genus hominum fāma meritōrum.   5

But let him win undying fame by founding Rome anew.

IX. 27. Haec igitur tibi reliqua pars est, hīc restat
āctus, in hōc ēlabōrandum est, ut rem pūblicam cōnstituās,
eāque tū in prīmīs summā tranquillitāte et ōtiō perfruāre;
tum tē, sī volēs, cum et patriae, quod dēbēs, solveris et nātūram ipsam explēveris satietāte vīvendī, satis diū vīxisse 10
dīcitō.   Quid enim est omnīnō hōc ipsum 'diū,' in quō est
aliquid extrēmum?   Quod cum vēnit, omnis voluptās praeterita pro nihilō est, quia posteā nūlla est futūra.   Quamquam iste tuus animus numquam hīs angustiīs, quās nātūra
nōbīs ad vīvendum dedit, contentus fuit; semper immor- 15
tālitātis amōre flagrāvit.   28. Nec vērō haec tua vīta
dūcenda est, quae corpore et spīritū continētur; illa, inquam, illa vīta est tua, quae vigēbit memoriā saeculōrum
omnium, quam posteritās alet, quam ipsa aeternitās semper tuēbitur.   Huic tū īnserviās, huic tē ostentēs oportet, 20
quae quidem, quae mīrētur, jam prīdem multa habet;
nunc etiam, quae laudet, exspectat.   Obstupēscent posterī certē imperia, prōvinciās, Rhēnum, Ōceanum, Nīlum,
pugnās innumerābilēs, incrēdibilēs victōriās, monumenta,
mūnera, triumphōs audientēs et legentēs tuōs.   29. Sed 25
nisi haec urbs stabilīta tuīs cōnsiliīs et īnstitūtīs erit, vagā-
bitur modo tuum nōmen longē atque lātē, sēdem stabilem
et domicilium certum nōn habēbit.   Erit inter eōs etiam,
quī nāscentur, sīcut inter nōs fuit, magna dissēnsiō, cum
aliī laudibus ad caelum rēs tuās gestās efferent, aliī for- 30

tasse aliquid requīrent, idque vel maximum, nisi bellī
cīvīlis incendium salūte patriae restīnxeris, ut illud fātī
fuisse videātur, hōc cōnsilī. Servī igitur eīs etiam jūdi-
cibus, quī multīs post saeculīs dē tē jūdicābunt, et quidem
5 haud sciō an incorruptius quam nōs; nam et sine amōre
et sine cupiditāte et rūrsus sine odiō et sine invidiā jūdicābunt.   **30.** Id autem etiamsī tum ad tē, ut quīdam
putant, non pertinēbit, nunc certē pertinet esse tē tālem,
ut tuās laudēs obscūrātūra nūlla umquam sit oblīviō.

*The civil war is over. — Let us banish resentment and unite
in protecting Caesar in his reforms.*

10 X. Dīversae voluntātēs cīvium fuērunt distrāctaeque
sententiae. Nōn enim cōnsiliīs sōlum et studiīs, sed
armīs etiam et castrīs dissidēbāmus ; erat enim obscūritās
quaedam, erat certāmen inter clārissimōs ducēs ; multī
dubitābant, quid optimum esset, multī, quid sibi expedī-
15 ret, multī, quid decēret, nōnnūllī etiam, quid licēret.
31. Perfūncta rēs pūblica est hōc miserō fātālīque bellō ;
vīcit is, quī nōn fortūnā īnflammāret odium suum, sed
bonitāte lēnīret, nec quī omnēs, quibus īrātus esset,
eōsdem exsiliō aut morte dignōs jūdicāret. Arma ab
20 aliīs posita, ab aliīs ērepta sunt. Ingrātus est injūstus-
que cīvis, quī armōrum perīculō līberātus animum tamen
retinet armātum, ut etiam ille melior sit, quī in causā
animam prōfūdit. Quae enim pertinācia quibusdam, eadem aliīs cōnstantia vidērī potest.   **32.** Sed jam omnis
25 frācta dissēnsiō est armīs, exstīncta aequitāte victōris ;
restat, ut omnēs ūnum velint, quī modo habent aliquid
nōn sōlum sapientiae, sed etiam sānitātis. Nisi tē, C.
Caesar, salvō et in istā sententiā, quā cum anteā, tum
hodiē vel maximē ūsus es, manente, salvī esse nōn pos-

sumus. Quārē omnēs tē, quī haec salva esse volumus, et
hortāmur et obsecrāmus, ut vītae tuae et salūtī cōnsulās,
omnēsque tibi (ut prō aliīs etiam loquar, quod dē mē ipse
sentiō), quoniam subesse aliquid putās, quod cavendum
sit, nōn modo excubiās et cūstōdiās, sed etiam laterum 5
nostrōrum oppositūs et corporum pollicēmur.

*Cicero concludes with thanks to Caesar in behalf of Marcellus
and his fellow senators.*

XI. **33.** Sed ut, unde est ōrsa, in eōdem terminētur
ōrātiō, maximās tibi omnēs grātiās agimus, C. Caesar, majōrēs etiam habēmus. Nam omnēs idem sentiunt, quod
ex omnium precibus et lacrimīs sentīre potuistī. Sed 10
quia nōn est omnibus stantibus necesse dīcere, ā mē certē
dīcī volunt, cui necesse est quōdam modō; et, quod fierī
decet, M. Mārcellō ā tē huic ōrdinī populōque Rōmānō et
reī pūblicae redditō, fierī id intellegō. Nam laetārī omnēs nōn dē ūnīus sōlum, sed dē commūnī salūte sentiō. 15
34. Quod autem summae benevolentiae est, quae mea
ergā illum omnibus semper nōta fuit, ut vix C. Mārcellō,
optimō et amantissimō frātrī, praeter eum quidem cē-
derem nēminī, cum id sollicitūdine, cūrā, labōre tamdiū
praestiterim, quamdiū est dē illīus salūte dubitātum, certē 20
hōc tempore magnīs cūrīs, molestiīs, dolōribus līberātus
praestāre dēbeō. Itaque, C. Caesar, sīc tibi grātiās agō,
ut, omnibus mē rēbus ā tē nōn cōnservātō sōlum, sed etiam
ōrnātō, tamen ad tua in mē ūnum innumerābilia merita,
quod fierī jam posse nōn arbitrābar, maximus hōc tuō 25
factō cumulus accesserit.

NOTES.

B. = Bennett's *Latin Grammar*; A. = Allen and Greenough's *New Latin Grammar*; G. = Gildersleeve's; H. = Harkness' *Complete Latin Grammar*.

FIRST ORATION AGAINST CATILINE.

Lucius Sergius Catilina,[1] descended from an ancient patrician family, was born about 108 B.C. He first appears in the public life of Rome in connection with the horrors of the Sullan proscriptions (82 B.C.), when at the head of a band of Gallic mercenaries he is said to have taken the lives of many Roman knights, among them his own brother-in-law.

Vice and crime seem to have stained his whole career. Yet he possessed unusual gifts of body and mind. His personality was fascinating, and he early gained a following of devoted adherents. In the year 68 B.C. he filled the praetorship, and after his year of office took Africa as his province. This post, however, he left in the middle of the year 66, in order to return to Rome and stand as a candidate for the consulship for the year following. Being accused by envoys from Africa of maladministration in that province, he withdrew from his candidacy and united with other reckless characters in the movement usually known as the First Catilinarian Conspiracy. This belongs to the last months of 66 B.C. At the elections held that year, Autronius Paetus and Cornelius Sulla had originally been chosen consuls, but their election had been declared void, as having been secured by bribery, and the rival candidates, Torquatus and Cotta, were ultimately chosen instead. The plan of Catiline and his associates was to murder the new consuls the day before their inauguration, January 1, 65 B.C. But the plot leaked out and was postponed till the 5th of February, when it was frustrated by Catiline's giving the signal for the assassination before his accomplices were prepared to act.

Abandoning for the present these schemes of violence, Catiline was preparing to present himself anew as candidate for the consulship in 65 B.C., but was again brought to trial by his political enemies on the

---

[1] The traditional accounts of Catiline and of the Conspiracy are here given. They contain many inconsistencies. Catiline's character, though undoubtedly bad, has probably been blackened by history. The true significance of the Conspiracy, too, has presumably been not a little distorted.

charge of extortion while governor of Africa. These charges were probably brought solely for the purpose of preventing Catiline's candidacy ; at all events they had that effect, for though he was finally acquitted, it was not till after the consular elections of 65 B.C. were over.

Undaunted by these failures, he decided again to seek the consulship, and presented himself as a candidate at the elections of 64 B.C. This time he formed a political alliance with C. Antonius. Both men were identified with the growing democracy of the day championed by Caesar and Crassus, and hoped by powerful backing and mutual assistance to win the election. The aristocratic party, represented by the Senate, in alarm at the prospect of Catiline's success, nominated Cicero as a rival candidate. Their action seems to have been only half-hearted. For Cicero had hitherto been identified chiefly with the popular party, and in 66 B.C., in the face of strong senatorial opposition, had successfully advocated the appointment of Pompey to the command of the Mithridatic War. At the polls, however, Cicero was elected, along with Antonius. Catiline was defeated by only the narrowest margin.

While renewing his candidacy yet again in the year 63 B.C., Catiline at the same time began the systematic organization of the famous Conspiracy, rallying to his support the elements of discontent throughout Italy and planning for simultaneous uprisings at various points, in the event of another defeat at the polls. Despite all his efforts to secure an election, Silanus and Murena were chosen consuls in the fall of 63. Catiline had probably foreseen this outcome, for on the day before the election, C. Manlius, one of his chief adherents, had raised the standard of revolt at Faesulae in Etruria. The news of this uprising and of other details of Catiline's treasonable projects moved Cicero at length on November 8th to summon a meeting of the Senate in the Temple of Jupiter Stator. When Catiline appeared at this gathering, Cicero arraigned him in the bitter speech known as the *First Oration against Catiline.*

PAGE 1, LINE 1. **quo usque tandem**: *how long, pray! Tandem* is frequently thus used to emphasize interrogative and exclamatory expressions. **abutere**: as shown by the quantity of the penult, this form is future. **patientia**: for the ablative, see B. 218, 1 ; A. 410 ; G. 407 ; H. 477, I.

2. **etiam**: *still.* **iste tuus**: *iste* alone means 'that of yours'; hence *tuus* is not strictly necessary here.

3. quem ad finem: *to what lengths?* In prepositional phrases where the substantive is limited by a pronoun or adjective, the preposition, as here, often stands in the second place.   **audacia:** Catiline's effrontery was shown particularly in his presuming to appear in the presence of the very men against whose lives he was plotting. **nihilne . . . nihil . . . nihil . . . nihil . . . nihil . . . nihil:** note the emphasis produced by the repetition. The figure is called Anáphora; *nihilne* is a stronger *nonne*, just as *nihil* alone is a stronger *non*. For the way in which *nihil* (originally an Accusative of Result Produced) acquires adverbial force, see B. 176, 3, *a*; A. 390, *c*. and N. 2; G. 333, R. 2; H. 416, 2.

4. nocturnum praesidium Palati: *the night guard of the Palatine.* This was a special guard recently established for the purpose of forestalling any attempt to assassinate the chief magistrates and senators, many of whom resided on the Palatine. As the Palatine was the most abrupt and secure of the seven hills of Rome, there was the further danger that it might be seized by the conspirators as a stronghold. **urbis vigiliae:** night watches posted at various points throughout the city.

5. concursus bonorum omnium: *the rallying of all good citizens;* namely, to the defence of the government. Probably many of these had actually gathered around the temple in which the present meeting of the Senate was held. Note the emphatic position of *omnium; omnis* regularly precedes its substantive.

6. hic munitissimus . . . locus: namely, the Temple of Jupiter Stator on the Palatine. The regular meeting-place of the Senate was the Curia or senate-house, situated on the northern edge of the Comitium, adjoining the Forum (see view, facing p. vii), but the Senate might be convened in any *templum.* In the present instance the Temple of Jupiter Stator was chosen for the meeting, since it was in a specially secure location and was near Cicero's own residence.   **horum ora vultusque:** *the faces and looks of these (senators).* Cicero refers to the contempt and indignation pictured in the faces of the senators; *ora* and *vultus* are synonyms. Cicero is particularly fond of such pairs of synonyms, even where a single word would have been adequate to convey the idea.

7. moverunt: *i.e.* 'have all these things made no impression on your mind? Have you still the effrontery to appear in the company of these senators?'   **patere, constrictam:** note the emphasis of the position.   **non:** in questions, *non* is stronger than *nonne*, and is used particularly in impassioned utterance.

8. constrictam teneri : *is held fast bound;* *constrictam* is in predicate relation to *conjurationem.*

9. proxima : understand *nocte;* *viz.* the night of November 7. **superiore nocte :** November 6.

10. egeris, fueris, *etc. :* Subjunctives of Indirect Question ; objects of *ignorare.*   **quid consili:** *what plan;* literally, *what of plan;* Genitive of the Whole.

11. quem nostrum : as Genitive of the Whole, *nostrum* (not *nostri*) must be used.   **o tempora, o mores :** *i.e.* 'alas that we have fallen on such times and such ways !' Accusative of Exclamation.

12. haec : namely, the fact of Catiline's conspiracy.   **consul :** namely, Cicero.

13. hic : Catiline.   **immo vero :** *nay more, nay rather;* *immo* or *immo vero* is used to correct a previous statement, sometimes denying it outright, sometimes, as here, restating it in a stronger form.   **etiam :** *actually.*

14. publici consili : for the genitive, see B. 204, 1 ; A. 349, *a*; G. 374; H. 451, 2.   **notat et designat oculis :** Cicero conceives Catiline as glancing about among the senators and silently marking them for assassination. Note the repetition of synonyms, as above, line 6.

15. fortes viri : ironical and sarcastic.

16. satis facere : *do our duty to;* literally, *do enough.*   **videmur :** *think;* literally, *seem, i.e.* to ourselves.   **si vitemus :** a subordinate clause in indirect discourse.   **istius :** *of that scoundrel;* *iste* is very often thus used to denote contempt.

17. ad mortem : note the emphasis of the position.   **te duci oportebat :** *you ought to have been led.* Where we say in English 'ought to have,' the Latin regularly uses the *present* tense of the infinitive combined with a *past* tense of the verb meaning 'ought.'   **jussu consulis :** except when commanding troops in the field, the consuls did not ordinarily possess the right of summary execution of citizens. But in times of public peril the Senate had the authority to invest the consuls with such power. This was done by issuing a formal injunction to the effect that the consuls should protect the state from harm (*consules videant ne quid detrimenti res publica capiat*), the so-called *consultum ultimum,* or 'extreme precaution.' This was the equivalent of a modern proclamation of martial law. Such action had been taken by the Senate in the present crisis, on the 21st of October, nearly three weeks before the date of the present oration.

18. in te, *etc. :* *on you ought to have been brought.*

PAGE **2**. 1. **an vir amplissimus** : *did not a most distinguished man?* Ordinarily *an* is used to introduce the second member of a *double* question ; but the first member is sometimes lacking, so that *an* begins the sentence ; its force must then be determined by the context. Here *an* is equivalent to *nonne;* B. 162, 4, *a*; A. 335, *b*; G. 457, 1; H. 380, 3.   **P. Scipio** : Publius Cornelius Scipio Nasica, consul in 138 B.C.   **pontifex maximus** : the *pontifex maximus* was the highest official representative of the Roman state religion, and occupied special official headquarters, the *regia* (see view, facing p. vii), located in the Roman Forum. Scipio was not *pontifex maximus* at the time here mentioned, but was subsequently elected to that office.

2. **Ti. Gracchum** : the famous popular agitator. He first became prominent at the time of his election to the tribunate for the year 133 B.C. Actuated by patriotic motives and a sincere desire to ameliorate the condition of the lower classes, he secured the enactment of an agrarian law which was of the highest benefit to the poorer citizens. He was, however, guilty of irregular procedure in the passage of this bill, and when, at the close of his year as tribune, he undertook in the face of law to stand again for the same office, he was attacked by a number of aristocrats headed by Scipio and was beaten to death. Thus one act of lawlessness provoked another.   **mediocriter labefactantem statum** : *i.e.* as compared with Catiline. Gracchus's offence was unconstitutional, but did not strike at the very existence of the state, as did the schemes of Catiline.

3. **privatus** : *i.e.* he held no office as magistrate, as did Cicero at the present juncture. Cicero means : " If Scipio, invested with no magisterial authority, felt justified in slaying Gracchus, how much more should I, the consul, feel justified in taking the extremest measures against Catiline ? "

As a matter of fact, Scipio's high-handed conduct met with severe condemnation even in his own day, and he was virtually forced to withdraw from Rome to avoid the storm of unpopularity his deed had provoked. From the standpoint of reason, therefore, Cicero's reference to Scipio's action has no argumentative weight. It is rather one of those oratorical appeals to prejudice of which Cicero was often guilty. The very name of Gracchus was always enough to rouse aristocratic feeling, particularly at a time when party spirit ran as high as in the present crisis.

5. **illa nimis antiqua praetereo, quod**, *etc.* : *I pass over as too ancient the fact that, etc.; illa*, explained by the appositional *quod*-clause, need not be translated ; *antiqua* is in predicate relation to *illa.*

Note that Cicero, while professedly 'passing over' the incident referred to, really impresses it effectively on the minds of his audience.
This rhetorical figure, very frequent in Cicero's speeches, is called
praeteritio ('passing over').

6. C. Servilius Ahala Sp. Maelium: the events here alluded to
belong to the early period of the Republic. In a time of famine
(440 B.C.), Maelius, a wealthy plebeian, furnished grain to the poor
either gratuitously or at a merely nominal price. This led to the
accusation that he was aiming at regal power. Cincinnatus was appointed dictator, and Ahala master of the horse (*magister equitum*).
When Maelius failed to answer the summons to appear in court, Ahala
sought him out and slew him. Maelius was probably innocent of the
crime alleged, though Cicero doubtless thought him guilty.   **novis
rebus**: *a revolution*, namely, the overthrow of the Republic (then
only seventy years old) and a restoration of kingly rule. The dative
depends upon *studentem*.

7. fuit, fuit: Anaphora.   **ista**: *such*.   **quondam**: *once; viz.*
in the good old days.

10. senatus consultum: the *consultum ultimum* already referred to.
in te: *against you*.   **vehemens et grave**: *severe and weighty*.

11. non deest, *etc.* : *the state does not lack the advice or authorization of this body; rei publicae* is dative, dependent upon *deest; consilium* implies that the Senate had debated the matter ; *auctoritas* that
it had acted.

12. hujus ordinis: namely, the Senate.

13. decrevit quondam senatus: namely, in 121 B.C., when the attempt was made by the aristocrats to repeal certain laws passed in the
interest of the popular party.   **ut videret, ne caperet**: Substantive
Clauses Developed from the Volitive ('let the consul see,' 'let not the
state incur'); B. 295, 4, 5 ; A. 563, *d, e* ; G. 546 ; H. 565, 5 ; 566, 2 ;
ut videret is the object of *decrevit; ne caperet* of *videret*.

14. nox nulla intercessit: *i.e.* not a single night intervened between
the decree of the Senate and action by the consul. Note the emphasis
indicated by the position of *nulla, — not a single; nullus* regularly
precedes its substantive.

15. interfectus est C. Gracchus: C. Gracchus, brother of Tiberius
Gracchus, had, along with his partisans, vigorously protested against
the attempted repeal by the aristocrats of certain laws whose passage
Gaius had secured. It was feared that in the heat of party passion
Gaius and his followers would resort to open violence. Hence the
Senate invested the consuls with dictatorial power, and in the fric-

tion that followed Gracchus and 3000 of his adherents were slain. **propter quasdam seditionum suspiciones :** *i.e.* merely on suspicion of intended violence, as opposed to the certainty of Catiline's purposes ; *quasdam* indicates that the suspicions were vague and uncertain.

16. **clarissimo patre, avo, majoribus :** Ablatives of Quality. Gracchus's father, Tiberius Sempronius Gracchus, had had a distinguished career as statesman and general. Gracchus's grandfather on his mother's side was thé elder Scipio Africanus.

17. **M. Fulvius consularis :** M. Fulvius Flaccus was one of Gracchus's chief adherents ; *consularis* is the regular designation for all who had filled the office of consul.

18. **C. Mario et L. Valerio consulibus:** this was in 100 B.C., when Marius was consul for the sixth time. Marius had taken office as a political ally of Saturninus and Glaucia, but owing to the violent and illegal methods of these two men he subsequently abandoned them and became active in the movement which resulted in their summary death. *Mario* and *Valerio* are datives.

19. **est permissa res publica :** the *care of the state was committed;* another way of saying that, by a *senatus consultum ultimum,* the consuls were charged with absolute power. In *est permissa* (for *permissa est*) the regular order is inverted. This is not uncommon. **unum diem :** the emphatic member of the sentence, and therefore put immediately after the interrogative, which regularly stands first.

20. **tribunum plebis, praetorem :** the tribunes had the privilege of introducing bills in the popular legislative assembly, the *Concilium Plebis;* Introd. p. xxix. The praetors were the chief judicial officers of the government ; Introd. p. xxv. **C. Servilium :** usually known as Glaucia, his full name being Gaius Servilius Glaucia.

21. **mors ac rei publicae poena:** not two coördinate ideas ; *ac* is merely explanatory ; *rei publicae* is a Subjective Genitive, *i.e.* the penalty which the state imposed for such acts. **remorata est :** *did . . . fail to overtake;* literally, *delay, keep waiting.*

22. **nos :** the consuls. **vicesimum jam diem :** *already for the twentieth day.* This is slightly inexact. Only eighteen days had elapsed since the passage of the *senatus consultum.* **hebescere aciem :** the *senatus consultum* is conceived of as a sword whose edge is growing dull.

23. **horum :** referring to the senators. The word was doubtless accompanied by a gesture. **hujusce modi :** *i.e.* a decree investing the consuls with absolute power. On *hujusce,* as a more emphatic *hujus,* see B. 87, footnote 2 ; A. 146, N. 1 ; G. 104, 1, N. 1 ; H. 178, 2.

24. inclusum in tabulis : *locked up in the records* of the Senate. Cicero means that the decree is not put into operation. To apply it to the punishment of Catiline and his fellow-conspirators would have been to bring it out from the records. **tamquam in vagina reconditum :** *i.e.* like a sword hidden in its scabbard. Cicero continues the figure begun above in *hebescere aciem.*

25. quo ex consulto : *in accordance with which decree.* **confestim . . . convēnit :** *you ought to have been put to death forthwith ;* literally, *it was fitting for you to have been put to death, etc.* The only peculiarity in the sentence is the use of the perfect infinitive for the present ; B. 270, 2, *a* ; A. 486, *b* ; G. 280, 2 ; H. 620, 1.

27. ad deponendam audaciam : for the gerundive construction as a means of expressing purpose, see B. 339, 2 ; A. 506 ; G. 432 ; H. 628.

28. patres conscripti : this designation of the senators is ordinarily rendered *conscript fathers,* but at the outset probably *patres* and *conscripti* were applied to two classes of senators. The designation seems to go back to the early republic (509 B.C.), when new senators were enrolled. These were called *conscripti* (from *conscribo,* 'enroll'). The older senators were called *patres.* Previously a senator had addressed his colleagues as *patres.* From now on it was customary to address them as *patres, conscripti,* ' fathers (and) newly enrolled ones.' But by Cicero's day it is probable that the origin of the formula had been long forgotten. **(cupio) me esse clementem, cupio me non dissolutum videri :** *cupio* regularly takes the simple infinitive without subject accusative, to denote another action of the same person, but *esse* and passive or deponent verbs often take the infinitive with subject accusative as here ; B. 331, IV, *a* ; G. 532, R. 2 ; *cupio me non dissolutum videri* is not a repetition of the idea in *cupio me esse clementem.* Cicero means that on the one hand he desires to be considerate (*clementem*), on the other he wishes not to neglect his duty.

29. me ipse condemno : note that *ipse* when emphasizing the reflexive, instead of agreeing with it, more commonly agrees with the subject ; B. 249, 2 ; A. 298, *f* ; G. 311, 2 ; H. 509, 1.

PAGE **3. 1. inertiae nequitiaeque :** for the genitive, see B. 208, 2 ; A. 352 ; G. 378 ; H. 456. **sunt collocata :** for the order, see note on *est permissa,* p. 2, line 19.

2. in Etruriae faucibus : at Faesulae (the modern Fiesole), near the present city of Florence.

3. in dies singulos : this phrase (sometimes shortened to *in dies*) is regularly used where there is an idea of increase or decrease ; *cotidie* is used of daily repetition of the same act without change.

4. eorum castrorum imperatorem, *etc. : viz.* Catiline, who was directing the actions of the revolutionists.

7. comprehendi: like *interfici*, infinitive dependent upon *jussero.* **credo:** ironical and implying just the opposite of the statement that follows.

8. erit verendum mihi, *etc. : I shall have to fear, I suppose, that all right minded men will fail to declare that this was done too late, rather than that any one should say it was done too cruelly.* Cicero means that he *is sure* all right minded men will say the act was done too late and that no one will say it was too cruel. For *ne non* after verbs of *fearing*, see B. 296, 2, *a* ; A. 564 ; G. 550, 2 ; H. 567, 2. **hoc:** Catiline's arrest and execution. **omnes boni:** as verb supply *dicant* from *dicat* in line 9. **serius, crudelius:** the comparative of adjectives and adverbs is often best translated by *too.*

10. hoc: object of *faciam.* **factum esse oportuit:** for the tense of *factum*, see the note on *interfectum esse convenit*, p. 2, line 25. On *oportuit*, see the note on *oportebat*, p. 1, line 17.

11. tum denique: *i.e.* then and not before.

12. interficiere cum, *etc. :* explaining the *certa causa* just alluded to. Cicero declares his intention of postponing Catiline's execution until all men, even the lowest and most abandoned, shall acknowledge its justice. **tam, tam, tam:** Anaphora ; *cf.* p. 1, line 3 f., *nihil, nihil, nihil.*

13. tui: B. 204, 3 ; A. 385, *c*, 2 ; G. 359, N. 4 ; H. 435, 4, N. **qui non fateatur:** *as not to admit ;* literally, *who does not admit.* Relative Clause of Result ; B. 284, 2 ; A. 537, 2 ; G. 631, 1 ; H. 591, 2.

15. qui audeat: Clause of Characteristic ; B. 283, 2 ; A. 535, *a* ; G. 631, 2 ; H. 591, 1.

16. multis meis et firmis: *my many strong.* For the use of *et*, see B. 241, 3. **praesidiis:** Ablative of Means, not of Agent ; hence the absence of *a.*

18. non sentientem: *even though you do not notice it.* Participles often have this adversative force ; B. 337, 2, *e* ; A. 496 ; G. 667 ; H. 638, 2.

20. quod exspectes: either a Relative Clause of Purpose, — *for you to wait for*, — or a Clause of Characteristic, — *which you wait for.*

22. privata domus: the house of Laeca referred to in the next chapter.

23. illustrantur, erumpunt: the first of these words is contrasted

with *obscurare*, the second with *continere*.   **omnia**: note the emphasis of this word, brought out by placing it at the end of the clause.

24. mihi crede: *i.e.* take my advice.   **caedis atque incendiorum**:
when referring to things, *memini*, *reminiscor*, and *obliviscor* take
either the genitive or accusative, without difference of meaning.

25. teneris: *i.e.* you are held fast.

26. quae . . . recognoscas: *which you may now review with me;*
recognoscas is a Substantive Clause Developed from the Volitive, used
as the subject of *licet;* B. 295, 6, 8 ; A. 565 and N. 1 ; G. 553, R. 1 ;
H. 564, II, 1.

27. meministine: *do you not remember ?* For -*ne* with the force of
nonne, see B. 162, 2, *c* ; A. 332, *c* ; G. 454, N. 5.   **ante diem XII
Kalendas Novembris**: October 21 ; B. 371, 372 ; A. 631 ; G. p. 491 ;
H. 754–756 ; *Novembris* is not genitive of a noun, but is an adjective
agreeing with *Kalendas*.

28. dicere: we should naturally have expected the perfect infinitive
here, but after *memini* the Latin often uses the present, where the reference is to some event in one's personal experience.   **in senatu**:
this was the occasion on which the consuls were invested with absolute power.   **fore**: the subject is *Manlium*, p. 4, line 2.

PAGE **4**. **1. futurus esset**: subordinate clause in indirect discourse.
To denote future time in the subjunctive, periphrastic forms are generally used, as here.   **ante diem VI**, *etc.* : October 27.

3. num me fefellit, *etc.* : *I was not mistaken, was I, either in the
fact . . . or . . . the day ?* Literally, *there did not escape me, did
there, not only the fact, etc. ?*

5. dixi ego idem: *I also said;* literally, *I the same;* a common
idiom.

6. optimatium: the aristocratic party.   **in ante diem**, *etc.* : the
expression *ante diem V Kalendas Novembres* is used as an indeclina-
ble noun in the accusative, governed by *in;* B. 371, 6 ; A. 424, *g* ; G.
p. 491 ; H. 754, III, 3.

7. tum cum: *a time when;* *tum* is in apposition with the preceding
date.

8. sui conservandi causa: *for the purpose of saving themselves;*
gerundive construction. Inasmuch as *sui* is plural, we should have
expected *conservandorum;* but with the genitive plural of the personal
pronouns (*nostri, vestri, sui*), the Latin regularly uses the singular
of the gerundive ; B. 339, 5 ; *cf.* A. 504, *c* ; G. 428, R. 1, R. 2 ; H.
626, 3.

9. profugerunt: for the indicative in date clauses introduced by *cum*, see B. 288, *A*; A. 545; G. 580; cf. H. 600, ɪ.

11. cum dicebas: see preceding note.

12. discessu: Ablative of Time.   **nostra caede**: *the murder of us;* the possessive pronoun is here equivalent to an objective genitive. **tamen**: *i.e.* despite the departure of the rest.   **qui**: the antecedent is implied in *nostra*, which is here equivalent to *nostri*, ' of us.'

13. quid: as often, a mere transitional particle.

14. Praeneste: a town situated on a hill-top, about twenty miles southeast of Rome. Its strong fortifications made it a place of great strategic importance.

15. sensistine: see note on *meministine*, p. 3, line 27.   **illam coloniam**: Sulla had planted a military colony at Praeneste some twenty years before the date of this oration. This did not mark the beginning of the town ; it was as old as Rome itself.

16. meo jussu, *etc.:* ᴀᴛ *my order*, ʙʏ *my forces, etc.*

17. agis, moliris, cogitas: notice the gradual climax, each succeeding word involving more than the one before it.   **non**: the force of the negative extends to *videam* and *sentiam* as well as *audiam*.

19. tandem: with the same force as at the beginning of this oration. **noctem illam superiorem**: *that night before last, viz.* the night of November 6.

21. quam te : had the verb been supplied, we should have had *tu vigilas*. By omission of *vigilas, tu* becomes attracted to the case of *me*.   **priore** = *superiore*.

22. inter falcarios : *i.e.* into the scythe-makers' quarter.

23. eodem : the adverb. Note that *convenire* regularly takes the construction of verbs of motion ; hence *eodem* (literally, *to the same place*); *in templum* (not *in templo*), *etc.*

25. si negas : the future tense would have been more exact here.

26. tecum una : *along with you.*

27. ubinam gentium : *where in the world ?* For the genitive, see B. 201, 3; A. 346, *a*, 4; G. 372, ɴ. 3; H. 443.

29. hoc consilio : the Senate.

30. qui : its antecedent is the omitted subject of *sunt*, — *are those, who, etc.*   **nostro omnium** : *of all of us; omnium* is in apposition with the genitive idea implied in the possessive *nostro*.   **de hujus urbis** : understand *exitio.*

31. cogitent : subjunctive in a Clause of Characteristic; B. 283, 2 ; A. 535, *a*; G. 631, 2 ; H. 591, 1.

32. hos ego video et . . . rogo : *i.e.* I look into their faces and ask them to vote on public questions.   **sententiam rogo :** it was customary, in the deliberations of the Senate, for the presiding magistrate to call upon individual senators for their opinions.

PAGE **5. 1. quos . . . oportebat:** *though they deserved to be executed by the sword.* Relative clauses in the indicative often have adversative force.   **eos . . . vulnero :** *i.e.* I refrain as yet from attacking them even in words.

2. fuisti igitur : *you were, now; igitur* is merely resumptive of the description interrupted at p. 4, line 24. This illustrates a very frequent use of the word.   **distribuisti partes Italiae :** *i.e.* assigned each conspirator a special territory in which to foment sedition and execute the plans of Catiline.

3. quemque : *viz.* of the conspirators.   **placeret :** indirect question.

4. quos relinqueres, quos educeres : best taken as Relative Clauses of Purpose, — (*picked out*) *men to leave at Rome, men to take with you.*

5. confirmasti = *confirmavisti.*

6. dixisti paulum tibi, *etc.:* *you said the fact that I was alive constituted still a slight cause of delay to you; morae* is Genitive of the Whole with *paulum; viverem* is in the subjunctive, because a subordinate clause in indirect discourse. The clause *quod viverem* is the subject of *esse, paulum* being a predicate noun.

7. duo equites : L. Vargunteius and C. Cornelius.

8. qui liberarent et pollicerentur : Relative Clauses of Purpose, — *to relieve you . . . and to promise.*

9. in meo lectulo : *on my couch; viz.* while receiving the morning visits of friends, as explained below in the note on *salutatum.*

10. vixdum . . . dimisso : *i.e.* almost before your meeting broke up.

11. comperi : Cicero's agents gave him information of all the proceedings of the conspirators.

12. exclusi : *refused to admit.*   **salutatum :** the supine ; B. 340, 1 ; A. 509 ; G. 435 ; H. 633 ; as object understand *me.* It was customary for men of prominence in Roman public life to hold each morning a formal reception, at which their supporters called to pay their respects.

13. cum venissent : a Causal Clause, giving the reason for Cicero's refusal to admit the callers.

14. multis ac summis : *many eminent ;* see the note on *multis et firmis,* p. 3, line 16.   **id temporis :** *at that time ; temporis* is Genitive of the Whole limiting *id; id* is in the accusative, but the origin of the construction is obscure.

16. quae cum ita sint: *since these things are so;* literally, *since which things are so.*

18. diu desiderant: *has been yearning;* for this use of the present, see B. 259, 4; A. 466; G. 230; H. 533. **tua illa Manliana castra**: *that Manlian camp of yours, viz.* the camp at Faesulae in charge of Catiline's lieutenant Manlius.

19. educ: for the form, see B. 116, 3; A. 182; G. 130, 5; H. 241. **si minus**: *i.e. si minus omnes,* 'if not all.'

21. dum modo intersit: a Clause of Proviso; B. 310, ii; A. 528; G. 573; H. 587. **murus**: *i.e.* wall of the city.

22. non feram, non patiar, non sinam: for the sake of emphasis, the orator expresses the idea by three synonymous verbs.

24. atque: *atque,* as here, often adds no new idea, but merely gives a special illustration of a general idea, — *to the immortal gods (in general) and (particularly) to,* etc. **huic ipsi Jovi Statori**: the god in whose temple the meeting of the Senate was now being held. Doubtless Cicero accompanied his words by a gesture toward the statue of the god. Jupiter Stator was Jupiter the Stayer, *i.e.* the god who stopped or stayed the tide of battle, when the Sabines in the reign of Romulus had almost defeated the Romans. The temple was erected later on the site of the battle.

27. saepius: *too often.* **in uno homine**: *because of* (literally, *in*) *one man.* The reference is to Catiline.

28. consuli designato: *consul elect.* The consular election regularly took place in July, nearly six months before the consuls took office. After election and until they began their official duties (January 1), they were technically known as *consules designati.* Cicero is therefore referring to the events of the preceding year.

30. proximis comitiis: *viz.* for the current year, 63 B.C. Owing to the troubled state of political affairs, the election had been deferred to the end of October.

PAGE **6. 1. Campo**: the Campus Martius, a large area of level ground to the north of the Capitoline Hill. The *comitia centuriata,* the assembly which elected the consuls, regularly met here. **competitores tuos**: Catiline's rival candidates were Decimus Silanus, Lucius Murena, and Servius Sulpicius. Silanus and Murena were elected.

3. nullo tumultu publice concitato: *without causing any public disturbance; publice* is, of course, the adverb. At the time of the election (October 28) the consuls had already been invested with extraordinary authority. Hence Cicero might have issued a public call to arms; but he forbore to do so, and, as he asserts, used only the private help of friends.

6. conjunctam: *linked;* the participle used as a predicate adjective. **nunc jam:** *now actually.*

8. vitam: in English we use the plural.

10. id quod est primum: *i.e.* what first occurs to all, *viz.* the summary execution of Catiline. **hujus imperi proprium:** *in accordance with my* (literally, *this*) *authority.* Cicero refers to the extraordinary powers with which the consuls had been invested by the *senatus consultum.*

12. ad: *as regards.*

13. si jussero, sin exieris: simple future conditions.

14. sin: for the use of *sin*, see B. 306, 3; G. 592; H. 575, 5. **quod te jam dudum hortor:** *what I have long been urging you;* the antecedent of *quod* is the idea of departing involved in *exieris; hortor* takes two accusatives, one of the Person Affected, the other of Result Produced; B. 178, 1, *d; cf.* A. 390, *c;* G. 341, N. 2; H. 412.

15. exhaurietur . . . sentina: Catiline's followers are compared to the bilge water of a ship. The orator means that if Catiline departs, his followers will be drawn after him. **tuorum comitum . . . sentina:** *the political refuse consisting of your followers; comitum* is an Appositional Genitive.

18. quod faciebas: *what you were proposing to do, viz.* to leave the city and assume command of the revolutionists. For this force of the imperfect tense, see B. 260, 3; A. 471, *c;* G. 233; H. 530.

21. quod possit, qui metuat, qui oderit: Clauses of Characteristic.

24. nota inusta est: the figure is drawn from the brands burnt into the hides of animals.

25. privatarum rerum: in *private matters; domesticae turpitudinis* refers to family scandals; *privatarum rerum* to his private life outside the family.

28. quem irretisses: Clause of Characteristic.

29. audaciam: *i.e.* for some daring crime. **aut ad libidinem facem praetulisti:** *or act as leader in rousing his lustful passion?* To 'carry the torch before one' (as slaves carried them before their masters at night) became a figurative expression in the sense of 'act as leader.' Yet with *ferrum, praetulisti* is to be taken literally, — *offer.* This use of the same verb with different meanings in the same sentence is called Zeugma.

Page **7**. 2. **novis nuptiis** : *for a new marriage;* Dative of Purpose. **domum vacuefecisses**: the form of the expression implies that Catiline had murdered his first wife. Catiline was doubtless depraved enough to commit such a crime, but there is no evidence to support the charge.

3. **alio incredibili scelere**: referring to Catiline's alleged murder of his son. He was credited with having committed this crime to please his second wife, Orestilla.

5. **tanti facinoris immanitas**: *a crime of such enormity;* literally, *the enormity of so great a crime.*

6. **ruinas fortunarum**, etc. : *the total ruin of your fortunes, which,* etc. Grammatically *omnis* limits *quas,* but logically it belongs with *ruinas.*

7. **proximis Idibus**: *viz.* of November. The Ides and Kalends were regular dates for the settlement of accounts. Cicero means that Catiline will soon find himself unable to pay the heavy sums he has borrowed on the strength of the anticipated success of his revolutionary schemes, and so will become bankrupt.

10. **summam rem publicam** : *the highest welfare of the state.*

13. **cum scias**: *since you know.*   **horum**: the senators.

14. **pridie Kalendas Januarias**: December 31.   **Lepido et Tullo consulibus**: this was in 66 B.C. Catiline had planned to kill the consuls-elect, Cotta and Torquatus, on the last day of the year and so prevent their installation in office on January 1.

15. **Comitio**: an open space adjoining the Forum used for the meetings of the popular assembly ; see plan facing p. xxxv.   **manum . . . paravisse**: Catiline's first conspiracy is here referred to. See introduction to this oration, p. 117.

17. **sceleri ac furori**: with *obstitisse.*   **mentem**: *purpose, i.e.* change of purpose.

19. **illa**: *the following,* a fairly common force of *ille.*   **neque enim**: *nor indeed;* enim did not originally mean ' for,' but ' indeed,' and this meaning often survives in the phrase *neque enim.*   **non multa**: *few;* Litotes.

20. **commissa postea**: *your subsequent misdeeds.*   **quotiens tu me interficere**, *etc.:* explanatory of *illa.*   **designatum . . . consulem**: *when consul elect . . . when consul.*

21. **petitiones, declinatione, corpore** : all technical expressions connected with the gladiator's art. By *declinatione* and *corpore* the orator wishes to emphasize the fact that he has parried Catiline's assaults without recourse to violence.

24. conari ac velle: as object understand *assequi*. **tibi de manibus**: *from your hands;* literally, *to you from the hands; tibi* is Dative of Reference ; B. 188, 1 ; A. 377 ; G. 350, 1 ; H. 425, 4, N.

26. quae quidem, *etc.*: *I know not by what rites it* (literally, *which*) *has been consecrated and dedicated, that you deem it necessary, etc.* Cicero suggests that Catiline, in accordance with a custom existing in antiquity, had vowed to offer up the poniard to some god after he had plunged it in the heart of the consul.

27. quod putas: really the reason for Cicero's remark, *quae quidem, etc.*

30. quo debeo: understand in thought *permotus esse.*

Page 8.   **1. quae nulla,** *etc.*: *none of which;* literally, *which none.*

4. hoc: *i.e.* this ignoring of a senator by his colleagues.   **post**: *within.*   **vocis exspectas**: the absence of an introductory interrogative word is especially characteristic of impassioned questions.

6. quid, quod, *etc.*: *what! with what feelings do you think you ought to bear the fact that, etc.* The *quod*-clauses are the subject of *ferendum* (*esse*).   **ista**: *those where you are.*

7. tibi: *by you;* Dative of Agent. This construction is most frequent with the gerundive, but sometimes occurs with the compound tenses of the passive, as here.

11. servi: emphatic, and hence placed at the beginning of the sentence.   **isto pacto ut**: *in that way in which* (literally, *as*).

12. omnes cives tui: *i.e.* all but Catiline's fellow-conspirators.

13. urbem: supply in thought *relinquendam esse.*   **non arbitraris**: *non* for *nonne* is specially characteristic of impassioned questions.

14. suspectum tam graviter: *an object of such grave suspicion.*

15. carere: *to dispense with.*   **me**: on the employment of *me* here, see B. 331, IV, *a*; G. 532, R. 2.   **civium**: *of my fellow-citizens;* Objective Genitive.

17. justum: *as just;* predicate accusative.

18. quorum mentes sensusque vulneras: Catiline is not merely an object of suspicion ; he causes positive pain by his presence in the city. Much more, therefore, ought he to withdraw.

20. neque posses: *and you could not.*

21. ut opinor: modifying *concederes.*   **aliquo**: the adverb.

22. nunc, *etc.*: *i.e.* precisely this is now the case, for your country is your parent, and she *does* fear and hate you.

23. jam diu judicat: for the idiomatic use of *jam diu* with the present, *cf. jam dudum hortor,* p. 6, line 14.   **nihil te cogitare,** *etc.*:

that you have no thought (think nothing) except concerning her destruction.

26. agit : *pleads.*

28. aliquot annis : *for several years;* literally, *in the course of several years;* Ablative of Time within Which.

29. tibi uni : *in the case of you only;* Dative of Reference.   **multorum civium neces** : Catiline had been active at the time of the Sullan proscriptions, 82 B.C.

30. vexatio direptioque sociorum : in 67 B.C. Catiline as propraetor had governed the province of Africa.   Cicero implies that he had been guilty of flagrant misrule in this position ; but see introduction to this oration, p. 117 f.   Note that *socii* is the regular word for '*provincials.*' **impunita fuit** : the singular because *vexatio direptioque* constitutes one idea.

PAGE **9.   1. quaestiones** : standing courts having jurisdiction over various special fields of the criminal law.   Thus one *quaestio* had jurisdiction in cases of extortion, another in cases of assault, *etc.*

2. superiora illa : *those former misdeeds.*

3. ut potui : *i.e.* as best I could.   **nunc vero,** *etc.* : *but now for me to be utterly in terror . . . for Catiline to be feared at the least noise . . . is intolerable.*   The infinitives *esse, timeri, videri* are the subjects of *est ferendum.*   The antecedent of *quicquid* is understood ; we may supply *propter id,* modifying *timeri,* — literally, *to be feared on account of (that) whatever has rattled.*   The orator implies that at present people live in such dread of Catiline that at the least unusual noise they start, saying, ' That's Catiline ! '

4. increpuerit : Subjunctive by Attraction ; B. 324, 1 ; A. 593 ; G. 663, 1 ; H. 652.

6. posse : dependent on *videri.*   **quod abhorreat** : *which is not connected with;* literally, *which shrinks from;* Clause of Characteristic.

7. mihi : Dative of Separation ; B. 188, 2, *d* ; A. 381 ; G. 347, 5 ; H. 427.

8. ne opprimar : dependent upon *eripe.*

11. nonne impetrare debeat : *would she not have a right to secure her request ?*

13. quid, quod, *etc.* : *what of the fact that you voluntarily (ipse) offered to put yourself in custody ?*   Catiline had recently been arraigned for his turbulent conduct, by a young patrician, L. Aemilius Paulus.   To give the impression that he was prepared to meet his

accusers, he thereupon offered to put himself in the custody of some
citizen, who would thus be responsible for his appearance in court.
This was called *custodia libera*. It was freedom on parole.

14. ad M'. Lepidum: *at the house of Manius Lepidus*, who had
been consul three years before. Lepidus naturally refused to harbor
Catiline. The use of *ad* in this sense is unusual; *apud* is the regular
word.

17. id responsum: explained by what follows.

18. isdem parietibus: *in* or *within the same house walls;* Ablative
of Place Where without the preposition; B. 228, 1, *b*; A. 429, 2;
G. 385, N. 1; H. 485, 2. **tuto**: the adverb. **qui essem**: *since I
was;* a Clause of Characteristic with accessory causal force; B. 283,
3; A. 535, *e*; G. 626; R.; H. 592.

19. moenibus: *city walls*, as opposed to *parietibus;* Ablative of
Means.

20. Q. Metellum: praetor in 63 B.C., and consul three years later.

21. ad sodalem tuum: *to a crony of yours.* **virum optimum**:
ironical; M. Metellus is unknown, but evidently he was not highly
esteemed.

22. videlicet: here, as often, with ironical force. The orator means
that Catiline's proposal to put himself in the custody of Marcus Metellus was a farce.

24. sed quam longe, *etc.*: *but how far from jail does he seem to deserve to be, etc.* Confinement in jail or prison was customary among
the Romans only for the purpose of detaining prisoners awaiting trial.
Cicero's point is that Catiline ought to be awaiting trial in jail, since he
had adjudged himself worthy of custody.

25. qui judicarit: Clause of Characteristic.

26. custodia: for the Ablative, see B. 226, 2; A. 418, *b*; G. 397,
N. 2; H. 481.

27. si emori . . . non potes: *if you cannot die with resignation, i.e.*
unless you are prepared to die. Cicero implies that if Catiline remains
in Rome, his condemnation and death are certain.

PAGE **10**. **1. refer ad senatum**: *bring the matter before the Senate;*
refero is the regular term for bringing a matter before the Senate for
action.

2. placere decreverit: *shall decree that it is their pleasure;* as indirect object of *placere*, understand in thought *sibi* referring to *ordo;*
placere is impersonal, its subject being *te ire*.

3. id quod abhorret a meis moribus: *a thing which is at variance* *with my principles.* The Senate had no power to banish a citizen. Hence Cicero probably means that it is not his practice to introduce unconstitutional measures.

4. faciam ut intellegas: *I will make you understand;* B. 297, 1; A. 568; G. 553, 1; H. 571, 3.

6. hanc vocem: *this command, viz. in exsilium proficiscere.* **proficiscere**: after this word, the orator must be supposed to pause a moment, as though waiting for some word of protest from the Senate.

8. patiuntur: *i.e.* they make no protests. **quid exspectas**, *etc. : why do you await the uttered command of those whose wish you perceive by their silence?* Literally, *the command of those speaking, the wish of whom silent you perceive.*

10. hoc idem: *viz. in exsilium proficiscere.*

11. P. Sestio: quaestor at this time. He was defended by Cicero in 56 B.C. in an oration (*pro Sestio*) that has come down to us. **fortissimo**: *most honorable.* **M. Marcello**: consul twelve years later, 51 B.C. Cicero in 46 B.C. delivered in his behalf an oration of thanks to Caesar, by whom Marcellus, despite his opposition in the Civil War, had just been pardoned.

12. hoc ipso in templo: *i.e.* even in this sacred spot. **jure optimo**: *with perfect justice.*

13. vim et manus: *violent hands;* Hendiadys. **de te autem**: *as regards you, on the other hand ; de te* is emphatic and therefore put first.

14. cum quiescunt, probant, *etc. :* instances of *cum* explicative (B. 290, 1; G. 582); *i.e.* 'their quiet is approval; their toleration of my words is a decree ; their silence is a shout (of condemnation).'

16. auctoritas est cara: referring to Catiline's proposal to abide by the decision of the Senate (above, line 2). **vita vilissima**: as shown by the fact that he was plotting for their murder.

17. equites: the middle order at Rome, below the Senate and above the common citizens. The equestrian property qualification was 400,000 sesterces, about $20,000. As a class, the equites were capitalists, being engaged in farming the taxes of the provinces and in other large financial enterprises.

19. voces paulo ante: apparently they had given some demonstration of their interests and sympathies by shouting.

20. quorum: its antecedent is *eosdem* in the following line. **abs te**: *abs* is another form of *ab.* In Cicero's day it was antiquated except before *te.*

21. adducam ut te prosequantur: *will induce to escort you.* Persons going into exile were regularly escorted to the city gates by friends. Cicero assures Catiline that he need have no fear that such an escort will be lacking in his case. Men will accompany him for the satisfaction of seeing the city rid of his presence.

22. haec: object of *relinquentem*. The reference is to the buildings and homes of the city.

24. quamquam: *and yet*. **te ut ulla res frangat**, *etc.: anything ever crush you! You ever reform! You ever meditate flight, etc.!* 'Repudiating questions,' a variety of the Deliberative Subjunctive. In this idiom *ut* is an adverb and is untranslatable. By the form of the question, Cicero implies that Catiline will do none of the things suggested.

27. duint: an archaic form equivalent to *dent*, but from a different root; B. 127, 2; A. 183, 2; G. 130, 4; H. 244, 3. Optative Subjunctive; B. 279; A. 441; G. 260; H. 558. **tametsi**: *and yet;* used like *quamquam* in line 24.

28. ire: the infinitive is object of the idea contained in *animum induxeris*. **animum induxeris**: *you resolve*.

29. nobis: indirect object of *impendeat*. **si minus**: *if not*.

Page **11**. **1. recenti memoria**: *on account of the fresh memory*. **at**: *yet, at least*.

2. tanti: *worth the while;* predicate Genitive of Quality; B. 203, 3; A. 417; G. 380; H. 448, 1. **dum modo sit et sejungatur**: a Clause of Proviso; B. 310, ii; A. 528; G. 573; H. 587.

3. privata calamitas: Cicero means that he is willing to suffer himself, provided the state escape.

4. ut commoveare, ut pertimescas, ut cedas: Substantive Clauses Developed from the Volitive, subjects of *est postulandum*.

5. temporibus cedas: *yield to the needs, i.e.* consult the needs.

6. non est postulandum: *i.e.* it is not to be expected from a man of Catiline's character. **neque enim is es ut . . . revocarit**: *for you are not such a man, that shame ever checked you, etc. ; ut revocarit* is a Clause of Result.

9. mihi: *against* (literally, *to) me;* with *conflare*. **inimico, ut praedicas**: *inimicus* is a personal, as opposed to a public enemy; *praedicas* is from *praedico*. Catiline had declared that Cicero was actuated by motives of personal enmity.

10. recta: the adverb ; *straightway;* originally *rectā viā*.

11. vix feram sermones, *etc. :* Cicero means that Catiline's revenge is easy. He has only to go into exile. That will bring down upon the orator a storm of odium that he can scarcely endure.

14. egredere cum importuna manu: *i.e.* show the criminal character of your projects. This, of course, would vindicate Cicero's course.

17. non: to be joined closely in thought with *ejectus;* B. 282, 1, *c;* A. 531, 1, N. 2 ; G. 545, 2 ; H. 568, 5.

18. quid invitem: *why should I urge ?* Deliberative Subjunctive ; B. 277 ; A. 444 ; G. 265 ; H. 559, 4.

19. a quo sciam: (*a man*) *by whom I know;* Clause of Characteristic. **qui tibi praestolarentur:** *to await you;* Relative Clause of Purpose.

20. ad Forum Aurelium : *near Forum Aurelium,* a hamlet in Etruria, on the Via Aurelia. On *ad* with the accusative of town names, see B. 182, 3 ; A. 428, *d.* **cui:** *by whom;* Dative of Agency with *pactam et constitutam* (*esse*).

21. pactam . . . diem : *i.e.* a day had been agreed upon for an uprising. The date was October 27. Manlius and his followers had appeared in arms at Faesulae on this day.

22. aquilam illam argenteam: subject of *esse praemissam.* The eagle was the standard of the Roman legion. The silver eagle here referred to is said by Sallust (*Catiline,* 59) to have been one that had belonged to the army of Marius in the campaign against the Cimbrians (101 B.C.).

24. cui: *for which.* **sacrarium constitutum fuit:** the spot in the Roman camp where the standards were kept was held sacred. Catiline is represented as reposing such faith in the good genius of this particular standard that he erected a shrine for it in his own home. It had brought good fortune to Marius, and Catiline is represented as believing it would do the same for him.

25. tu ut illa, *etc. : you able to do without it !* Another 'repudiating question ' ; see note on p. 10, line 24.

26. altaribus: *altar.* The word in classical Latin is found only in the plural.

29. jam pridem rapiebat: for the force of *jam pridem* with the imperfect, see B. 260, 4 ; A. 471, *b* ; G. 234 ; H. 535, 1.

31. haec res: rebellion against your country.

PAGE **12.** **2. numquam non modo :** *not only never.*

4. perditis atque derelictis : *men abandoned and deserted.* **ab omni fortuna :** limiting *derelictis;* Ablative of Agent; B. 216, 1 ; A. 405, N. 3 ; G. 401, 2, R. 1 ; H. 468, 1.

6. hic : *i.e.* with this band of desperate men. **laetitia :** for the ablative, see B. 218, 1 ; A. 410 ; G. 407 ; H. 477, I.

8. **quemquam**: here used adjectively; *ullus* would have been the regular word.

9. **hujus vitae**: *of this kind of life, viz.* that of an outlaw. **meditati sunt**: *were practised.* Though deponent, *meditor* is here used passively.

10. **qui feruntur**: *which are mentioned (as yours).* **jacere, vigilare**: these infinitives are in apposition with *labores*, and are best translated by English verbal nouns, — *lying on the ground, staying awake.*

11. **ad obsidendum stuprum**: *for compassing some intrigue.*

12. **insidiantem somno maritorum**: *plotting against the slumbers of husbands*, *i.e.* seeking some opportunity to seduce their wives; *insidiantem* agrees with the implied subject (*te*) of *vigilare*.

13. **bonis otiosorum**: *the property of peaceful citizens.* Cicero means that Catiline practised assault and robbery. **habes ubi ostentes,** *etc.*: *you have a field for exhibiting your endurance, etc.*; *ubi ostentes* is a Relative Clause of Purpose. The antecedent of *ubi* is some such word as *locum*, to be supplied in thought as the object of *habes*.

15. **quibus**: its antecedent is *famis, frigoris, inopiae.*

16. **tantum**: *this much;* explained by the following *ut*-clauses. **tum cum reppuli**: B. 288, 1, *a*; A. 545; G. 580; H. 600, 1. Catiline had been a candidate for the consulship at the election held only a few days before the delivery of this oration. Cicero had opposed and thwarted Catiline's election.

17. **ut posses**: a Substantive Clause of Result, in apposition with *tantum*. **exsul ... consul**: *as exile ... as consul;* the sarcastic pun of the Latin is not easily reproduced in English. **temptare**: *to assail*, from without. **vexare**: *to ravage*, from within.

19. **quam bellum**: had Catiline been elected consul, he would naturally have been invested with the regular consular *imperium.* Any attack he then made upon the state might have been dignified with the name of war, as opposed to brigandage (*latrocinium*).

20. **ut detester ac deprecer**: *that I may avert by protest and plea.*

21. **querimoniam**: explained by what follows, line 25 to p. 13, line 19.

25. **M. Tulli**: for the form of the vocative, see B. 25, 1; A. 49, *c*; H. 83, 5.

PAGE **13**. 1. **evocatorem servorum**: Catiline's programme was said to include the use of slaves in murdering and plundering the citizens.

2. ut non emissus . . . sed immissus, *etc.: that he may seem not banished from the city but let free against the city.* In permitting Catiline to depart, Cicero was virtually letting him loose to execute his treasonable designs against the city.

3. duci, rapi, mactari imperabis: the usual construction after *impero* is a substantive clause in the subjunctive, but the infinitive sometimes stands instead ; B. 295, 5, N.; A. 563, N.; G. 546, N. 3.

6. persaepe: an exaggeration. Cicero is thinking of the cases of Gracchus and others cited at the opening of this oration. Such cases were quite exceptional.

7. an leges, *etc.:* various laws had been passed safeguarding the rights of citizens in capital cases. Thus the *leges Valeriae* forbade the scourging or execution of a citizen without appeal to the people, while the later *lex Porcia* made exile an alternative of death, at the option of the condemned.

8. rogatae sunt: *rogo,* literally 'ask,' applied primarily to the act of the magistrate who *asked* the legislative assembly their pleasure as to the enactment of measures proposed.   Hence it came to mean 'passed,' 'enacted.'   **at numquam . . . tenuerunt:** this principle was not sound in law. Its application to the cases of the detected Catilinarian conspirators was later one of the prime causes for Cicero's banishment. See Introd. p. ix f.

10. praeclaram refers gratiam: *fine gratitude you are showing* (ironical); *i.e.* to fear odium is ungrateful in the case of a man who had been honored by the people as Cicero had been.

11. hominem per te cognitum, *etc.: i.e.* a man known *only* through yourself. Cicero was what was technically called a *novus homo, i.e.* a man who had no ancestors that had filled any curule magistracy (consulship, praetorship, curule aedileship).

12. nulla commendatione: Ablative of Quality.   **tam mature:** legal enactments fixed the age at which men might fill the various magistracies.   Thus for the quaestorship the candidate must have attained his thirty-first year, for the curule aedileship the thirty-seventh, for the praetorship the fortieth, and for the consulship the forty-third.   Cicero filled all these offices at the earliest age compatible with law.   He prided himself on being the first *novus homo* to do this. **summum imperium:** the consulship.

13. per omnis honorum gradus: *i.e.* through all the magistracies ; *honor* here means ' office,' a common signification of the word. The reference is only to the lower magistracies, which are conceived of as steps (*gradus*) to the consulship.

21. mentibus: *sentiments*.

22. hoc: explained by the following infinitive, *multari*. **optimum factu**: *best to do;* B. 340, 2; A. 510; G. 436; H. 635.

24. gladiatori isti: *gladiator* is used as a term of contempt.

25. summi viri: referring to magistrates, such as L. Opimius and C. Marius; see p. 2, lines 13, 18. **clarissimi cives**: private citizens, *e.g.* P. Scipio Nasica; see p. 2, line 1. **Saturnini et Gracchorum et Flacci et superiorum**: note the emphasis produced by the Polysyndeton (repetition of the conjunction). On Saturninus, the Gracchi, and Flaccus, see notes to p. 2, lines 18, 2, 15, 17.

26. superiorum complurium: *of very many men of earlier days, i.e.* earlier than the time of Saturninus and those mentioned. But Cicero exaggerates when he says *complurium*. Instances of the kind were extremely rare.

27. honestarunt: as object understand *se* from the preceding clause. Cicero's statement that such acts redounded to the honor of their authors is hardly true.

28. verendum mihi non erat: *I had no occasion to fear;* literally, *it was not to be feared by me.* **hoc . . . interfecto**: *by putting to death this assassin.*

30. quodsi ea impenderet, fui: a peculiar form of conditional sentence. Cicero begins with a contrary-to-fact condition, but completes the sentence by an indicative, instead of the subjunctive, which we should naturally expect.

31. ut putarem: a Clause of Result, explanatory of *hoc* (*such*). **invidiam virtute partam**: *odium incurred by duty; partam* is from *pario*. **gloriam**: *as glory;* predicate accusative.

PAGE **14**. **1. qui non videant aut dissimulent**, *etc.;* **qui aluerunt**, *etc.* : *videant* and *dissimulent* are Subjunctives of Characteristic ; *qui aluerunt*, on the other hand, is not felt to be closely connected with *nonnulli*, but begins a new thought. Hence the indicative.

2. mollibus sententiis: *by irresolute purposes.* Many from timidity were unwilling to take a resolute stand and to bring matters to a decisive issue.

3. non credendo: *by not believing,* viz. in the existence of any conspiracy.

5. si in hunc animadvertissem: *i.e.* if I had put him to death.

6. regie: *tyrannically.* As a derivation of *rex* this word naturally suggests the hated tyranny of the kings. Since the days of the Tarquins, the word *rex* had been abhorrent to Roman ears. **dicerent**:

would be saying; *dicerent* refers to present time ; *animadvertissem* to past. **nunc** : *i.e.* now that I have spared Catiline's life.

7. si pervenerit : subjunctive ; a subordinate clause in indirect discourse. **iste** : Catiline. **quo intendit** : the antecedent of *quo* is *castra.*

9. improbum : *shameless.*

13. eodem : the adverb.

17. jam diu : it was three years since the formation of Catiline's first conspiracy.

18. nescio quo pacto : *somehow or other;* *nescio quis* is a compound indefinite pronoun ; B. 253, 6 ; A. 575, *d* ; G. 467, N.; H. 512, 7.

20. in tempus : *(has burst) upon the time.*

21. latrocinio : here, *band of ruffians.*

25. aestu febrique : *the heat of fever;* Hendiadys.

28. relevatus : *though relieved.*

29. reliquis vivis : *if the rest remain alive;* Ablative Absolute.

PAGE **15. 1. unum in locum** : the Latin says *into;* the English idiom requires *in.*

2. quod : the antecedent is the clause *muro . . . secernantur.* **secernantur** : the passive here has reflexive force, — *let them separate themselves;* B. 256, 1 ; A. 156, *a* ; G. 218 ; H. 517.

3. insidiari domi suae consuli : · referring to the attempt to assassinate Cicero on the morning of the preceding day ; p. 5, line 8. **circumstare tribunal praetoris urbani** : *viz.* in the attempt to intimidate the court. The tribunal of the praetor was the seat from which he dispensed justice ; *praetor urbanus* is distinguished from the *praetor inter peregrinos.* The former tried cases involving Roman citizens only ; the latter, cases involving foreigners residing at Rome. The tribunal of the city praetor was probably in or adjoining the Forum.

4. cum gladiis : *i.e.* with swords in their hands. **Curiam** : the senate-house, situated on the northern edge of the Comitium. See plan facing p. xxxv.

5. sit inscriptum : *let it be written;* *inscriptum* is the participle used predicatively. The subject of *sit* is the indirect question *quid sentiat.*

6. unius cujusque : *of each and every one.*

7. hoc : explained by what follows.

10. omnibus bonis : the common citizens as opposed to the senators (*vobis*) and the knights (*equitibus*). The orator's enumeration thus includes all classes of citizens. **ut videatis** : *that you will see.*

When the main clause refers to future time, a dependent result clause shares the future character.

11. patefacta . . . vindicata: the gradual climax is heightened by the Asyndeton.

13. hisce ominibus: *with exactly these prospects, i.e.* such as I have just stated. The enclitic *-ce* added to the forms of *hic* gives emphasis; *ominibus* (like *pernicie, exitio*) is an Ablative of Attendant Circumstance ; B. 221 ; H. 473, 3. **cum summa rei publicae salute,** *etc. : to the greatest advantage of the state, to the ruin, etc.*

15. omni scelere parricidioque: *in all wickedness and murder.*

16. Juppiter: the orator addresses the statue of the god in whose temple the Senate was assembled.

17. qui es constitutus: *i.e.* whose temple was founded. **isdem quibus:** *the same as.* The statement is inexact. The temple was vowed at the time of the war with the Sabines, but was not erected till 294 B.C. **haec urbs:** *sc. constituta est.*

18. Statorem : in a somewhat different sense from that originally attaching to the word (see note on p. 5, line 24). *Stator* here means 'support,' 'protector.'

19. hunc arcebis et mactabis: the future is here, as not infrequently in the lofty style, used as an imperative ; B. 261, 3 ; A. 449, *b ;* G. 243 ; H. 560, 4, N.

SECOND ORATION AGAINST CATILINE.

At the close of Cicero's First Oration, Catiline arose in the Senate and attempted to make reply to the charges made by Cicero. But the Senate refused him a hearing, drowning his words with cries of "traitor," "murderer." He thereupon left the temple and withdrew the same night from the city, professing that he was going into exile at Marseilles. His real goal was the camp of Manlius at Faesulae. The next day Cicero delivered his Second Oration to the assembled citizens.

PAGE **16.** **1. tandem aliquando:** *at length, at last.* **Quirites:** the most honorable appellation of citizens.

3. ferro flammaque: in the English formula we invert the order of these words, — *fire and sword.*

4. vel, vel, vel: *vel* here merely indicates indifference as to the appropriate designation, — ' we may say either that we drove him out, or let him go, or that he went voluntarily, and we escorted him to the gates with our good wishes.' Cicero feels so jubilant over the fact of Catiline's departure, that he is willing to characterize it in any terms that may be preferred by members of his audience. **ipsum:** *of his own accord.*

5. **abiit, excessit, evasit, erupit:** a famous climax, made stronger by the Asyndeton; compare Caesar's memorable report of his victory over Pharnaces, — *Veni, vidi, vici.*

6. **nulla jam:** *no more will any.*

7. **moenibus:** *against our walls* (dative).

10. **sica illa:** *i.e.* that familiar dagger of which so many stood in dread; *ille*, when it follows its substantive, often means 'that well-known.'   **non, non, non, non:** Anaphora (emphatic repetition of the same word).   **in Campo:** the Campus Martius, where the elections were held.   Catiline had attempted violence here more than once. **in Foro:** the Forum was the centre of the public life of Rome. Around it were many temples, while in or near it was probably the tribunal of the praetor.

11. **intra domesticos parietes:** *within the walls of our houses.* Cicero is doubtless thinking of the attempt on his own life at his residence only two days before.

13. **loco ille motus est:** *he lost his vantage;* literally, *was moved from his place.*   The expression is apparently a technical one, drawn from the gladiatorial profession; *loco* is Ablative of Separation; B. 214, 2; A. 401; G. 390, 2, N. 2; H. 463.

14. **nullo impediente:** *without the interference of anybody;* nemo lacks the ablative (*nemine*), *nullo* being regularly used instead. **bellum justum:** *regular war*, as opposed to the struggle against conspirators in their own midst.   At first sight Cicero's attitude seems to contradict his utterances in the First Oration (p. 12, line 18 f.), where he declares that the operations of Catiline's army will be brigandage, not war.   But here he simply means that the struggle will now be war in its *openness*, as contrasted with the insidiousness of a conspiracy.

17. **cruentum:** a predicate adjective, — *that he did not carry out his sword reeking with blood.*

PAGE **17.** 1. **vivis nobis:** *leaving us (me) alive;* literally, *we living;* Ablative Absolute.   **ei:** Dative of Reference; B. 188, 1; A. 376, 377; G. 350, 1; H. 425, 4 and N.; *cf.* the similar passage, *quotiens tibi jam extorta est sica de manibus,* p. 7, line 24.

3. tandem: *pray;* frequently thus used to reënforce interrogative words.

6. retorquet oculos, e faucibus ereptam: the figure is that of a beast of prey.

8. quod evomuerit, projecerit: not the speaker's reason, but the reason attributed by him to the city; hence the subjunctive; B. 286, 1; A. 540; G. 541; H. 588, II.

10. talis quales esse omnes oportebat: *such as all ought to have been; i.e.* all ought naturally to have desired the arrest of Catiline, though this was not really the wisest policy. On the use of the imperfect tense in *oportebat,* see the note on p. 1, line 17.

11. qui accuset: Clause of Characteristic.   **in hoc ipso,** etc.: *in this very particular, viz.* the departure of Catiline.

13. ista: attracted from the neuter to the gender of the predicate noun; B. 246, 5; A. 296, *a*; G. 211, R. 5; H. 396, 2.

14. interfectum esse: for the perfect instead of the present infinitive, see B. 270, 2, *a*; A, 486, *b*; G. 280, R. 2.

15. et . . . affectum: the punishment naturally precedes the killing. Such an inversion of the natural order is called Hýsteron Próteron.

16. hujus imperi: *i.e.* the power with which the consul had been invested by the *senatus consultum ultimum.*

17. res publica: *i.e.* the common weal.   **postulabat:** agreeing with the nearest subject.   **quam multos,** etc.: Cicero gives the reasons for not arresting and executing Catiline, — the skepticism of some as to the very existence of any conspiracy, and the sympathy of others with Catiline himself.

19. defenderent: sc. *eum.*   **si judicarem:** *if I had thought;* an instance of the imperfect used for the pluperfect; B. 304, 2; A. 517, *a*; G. 597, R. 1; H. 579, 1.   **illo sublato:** *by getting rid of him; i.e.* by executing him; Ablative Absolute denoting means.

22. ne vobis quidem . . . probata: *inasmuch as the matter had not been made clear to all of you even then; re* refers to the existence of the conspiracy; *vobis* refers to the people in general, to whom Cicero was now speaking.

23. si illum multassem: the subjunctive is due entirely to the indirect discourse; *multassem* here represents a future perfect indicative of direct statement (*si illum multavero*); B. 319, *a*; A. 484, *c*; G. 654; H. 644, 2.

24. fore . . . ut non possem: *that I, overwhelmed with odium, would be unable, etc.;* literally, *it would happen (be) that I . . . would* *not be able, etc. ; fore* is the object of *viderem ; ut possem* is a Substantive Clause of Result used as the subject of *fore.*

25. rem huc deduxi, *etc. : I brought matters to this issue, viz. that you should be able, etc. ; huc* is explained by the clause *ut possetis.* Cicero had made open war possible by driving Catiline from the city, thus virtually compelling him to assume command of the insurgents.

26. cum videretis: the subjunctive is due to attraction.

27. quem quidem ego hostem, *etc. : and as regards this enemy, how seriously I think he ought to be dreaded at a distance, you may know from this circumstance, viz. that, etc. ; quem hostem,* the subject of *esse timendum,* is emphatic and hence placed at the beginning of the sentence. Further emphasis is lent to *quem* by *quidem ; ego,* too, is emphatic, as shown by the fact that the pronoun is expressed. **quam putem :** indirect question, object of *intellegatis.*

28. licet intellegatis : *you may know ;* Substantive Clause Developed from the Volitive ; B. 295, 6. For the absence of *ut,* see B. 295, 8 ; A. 565 and N. 1 ; G. 546, R. 2 ; H. 562, 1. **hinc :** *from this circumstance* (literally, *hence*) ; explained by *quod fero.* **quod etiam illud moleste fero, quod :** *that I am actually vexed because ; moleste ferre* (literally, *bear ill*) often has the force of 'be vexed at,' 'resent'; *illud,* literally *that,* refers to the following clause, *quod exierit.*

PAGE **18.** **1. parum comitatus :** *with too small an escort ;* literally, *too little attended ; i.e.* Cicero wishes he had taken more of his accomplices with him. Note the use of *comitatus* as passive.

3. Tongilium, Publicium, Minucium : all nonentities, of whom nothing further is known. **mihi :** this Ethical Dative may be translated by *I note.* **in praetexta :** = *in his boyhood.*

4. quorum aes alienum, *etc. : i.e.* these men's debts were so insignificant, that their departure was unnecessary. Even had they stayed, no one would have felt the least concern.

6. reliquit : emphatic and so placed at the beginning of the sentence. Cicero wishes to call attention to the men left behind as opposed to those Catiline took with him. **quanto aere alieno :** *in how great debt ;* but the ablative is really one of Quality. **quam valentis, quam nobilis :** ironical. The orator really means *how worthless, how low !*

7. itaque : there seems to be a gap in the argument here. After *quam nobilis,* understand in thought some such idea as "And yet we know Catiline's whole army is composed of just such fellows." **illum exercitum :** *i.e.* Catiline's army.

8. Gallicanis legionibus: the regular Roman forces stationed in Cisalpine Gaul.   **hoc delectu,** *etc.: i.e.* the levy recently made for the protection of the government.

9. agro Piceno et Gallico : Picenum was situated on the Adriatic Sea, east of Umbria. The *ager Gallicus* adjoined Picenum on the north. The name *ager Gallicus* dates from the time when this district had belonged to the Senonian Gauls. In Cicero's day it had long been a Roman possession, but the old name still clung to it. **Q. Metellus:** the praetor. He is referred to in the preceding oration, p. 9, line 20, and had recently levied troops for the purpose of withstanding the conspirators, should they take the field.   **habuit:** *made; delectum habere* is the regular expression for 'make a levy.'   **copiis:** also dependent upon *prae.*

11. senibus desperatis: *i.e.* old men who have failed in life, and in their despair are ready for any enterprise.   **agresti luxuria:** *country debauchees,* literally *country luxury;* abstract for concrete. The implication is that these men have squandered their fortunes in riotous living on their country estates. Extravagant self-indulgence was severely condemned by public opinion at Rome.

12. rusticis decoctoribus: this class hardly differs from the preceding, except in name.   **vadimonia deserere quam illum exercitum:** *to forfeit their bail rather than fail to join that army, i.e.* the class here referred to consisted of men under indictment, who had been released on bail. Rather than fail Catiline, they preferred to forfeit the bail guaranteed by their bondsmen. Note the peculiar force of *deserere* in connection with *exercitum.*

14. edictum praetoris: the edict of the praetor was the formal proclamation which he issued when he entered upon his office. In it he stated the principles which he intended should govern his acts as presiding official of the Roman courts. These principles doubtless covered the procedure to be followed against men who jumped bail. Hence Cicero's statement, ' If I show them the praetor's edict, they will collapse with terror.'

15. hos . . . eduxisset: the orator returns to the thought expressed in line 2 ; *hos* is emphatic.   **volitare . . . , stare . . . , venire:** Cicero is not alluding to different classes of persons, but to different acts of the same class, — young nobles, apparently, who sympathized with Catiline.

16. nitent unguentis: *i.e.* they anoint their heads with costly perfumes, thus posing as representatives of fashion.

17. purpura: the reference is to the purple stripe worn on the tunics of knights and senators. Great elegance was often affected in this detail. **mallem eduxisset**: *I should prefer that he had led out;* *mallem* is Potential Subjunctive; B. 280, 2, *a*; A. 447, 1; G. 257, 2; H. 556; *eduxisset* is a Substantive Clause Developed from the Optative: B. 296, 1, *a*; *cf.* A. 565 and N. 1; G. 546, R. 2; H. 565, 2. **suos milites**: *as his soldiers;* predicate accusative.

18. permanent: in strictness we should have expected *permanebunt,* as the reference is to future time, and the Latin usually employs the future tense in such cases, though English ordinarily employs the present.

19. nobis: Dative of Agency.

20. deseruerunt: *failed to join;* as above, line 12. **pertimescendos**: the subject of *esse pertimescendos* is *exercitum,* but the gerundive is made to agree with *hos* as being nearer.

21. hoc: Ablative of Cause.

23. cui: *i.e.* to which one of the conspirators.

25. urbanas: grammatically in agreement with *insidias,* but logically to be taken with *caedis* and *incendiorum,* — *schemes of murder and conflagration in the city.*

26. superioris noctis: *i.e.* the former of the two nights specially mentioned in the first oration, *viz.* the night of November 6.

28. hi: *i.e.* his partisans in the city. **ne**: the intensive particle, — *I assure you.*

PAGE **19.** **1. quod exspectavi**: the antecedent of *quod* is *id* understood, the object of *sum assecutus.* **ut videretis**: *viz. that you should see;* a substantive clause, in apposition with the omitted object of *sum assecutus.*

3. nisi vero: *nisi vero* regularly implies that the suggestion is absurd (B. 306, 5). Thus here it is implied that it is ridiculous to assume that men like Catiline do not entertain his sentiments. **si quis**: *si* is redundant after *nisi.* Translate, *any one.* **Catilinae similis**: *men like Catiline;* the adjective, though used as a substantive, takes its usual construction. **cum Catilina sentire**: *i.e.* entertain the same revolutionary purposes.

4. non jam: *no longer.*

5. severitatem: note the emphasis—*sternness is what the situation demands.*

6. desiderio sui: *with longing for them; sui* (plural) is here the *indirect* reflexive, referring not to the subject of *tabescere,* but to that of the main verb, *patiantur.*

7. miserum: the adjective here has adverbial force. **Aurelia Via**: Ablative of the Way by which. The Aurelian Way ran northwest from Rome along the coast of the Mediterranean. This was a somewhat indirect route to the camp of Manlius at Faesulae; but Catiline pretended to be going to Marseilles.

8. ad vesperam: *along toward evening.*

10. hanc sentinam: the reference is to Catiline's supporters in the city. **Catilina exhausto**, *etc.*: the figure is drawn from a ship conceived of as free of bilge water (*sentina*). The state is the ship; the bilge water consists of Catiline and his followers. Cicero's prayer is that this entire *sentina* may be pumped out and got rid of; yet the removal (literally *the pumping out, exhausto*) of Catiline alone gives the ship of state new buoyancy (*levata*) and fresh life (*recreata*). *Catilina exhausto* is an Ablative Absolute denoting cause.

13. quis: as an interrogative adjective, *quis* means *what*; *qui*, *what kind of*. **tota Italia**: for the absence of the preposition, see B. 228, 1, *b*; A. 429, 2; G. 388; H. 485, 2.

19. hosce: for the form, see B. 87, footnote 2; A. 146, N. 1; G. 104, 1, N. 1; H. 178, 3.

21. jam vero: *furthermore, again.*

22. alios; aliorum: *some; of others.*

24. fructum, mortem: objects of *pollicebatur.*

25. impellendo, adjuvando: gerunds; Ablative of Attendant Circumstance. In English we may best bring out the sense by rendering: *not only urging them on, but actually helping them.*

27. collegerat: *viz.* before his departure.

PAGE **20**. **1. fuit**: as shown by the sequence of tenses (*asciverit*), *fuit* is here a present perfect, — *there has been.*

2. ut possitis: this clause does not denote the purpose of the statement itself, but of the speaker in making it. Its force may be brought out by supplying (before *nemo est*) some such expression as *I will state;* B. 282, 4; A. 532; G. 545, R. 3; H. 568, 4.

3. diversa studia in dissimili ratione: *his different interests in opposite lines.* Cicero is emphasizing Catiline's great versatility. This he illustrates by examples drawn from two opposite classes of men: (1) aggressive and dangerous gladiators; (2) inert and worthless actors. With both classes Catiline was on terms of intimacy. Yet the two classes were totally unlike, a fact which shows the diversity of his interests (*diversa studia*).

4. ludo gladiatorio: regular training schools for gladiators were maintained at Rome.   **paulo audacior**: *i.e.* a little bolder than his fellows.

5. **nemo in scaena**: the social position of actors at Rome was very low.   Freeborn Romans were forbidden to appear on the stage.

6. **levior et nequior**: the comparative has the same force as in *audacior*.

7. **stuprorum et scelerum exercitatione**, *etc.* : (*because*) *accustomed by the practice of debauchery and crime to bearing cold and hunger, etc.; frigore, fame, etc.* are Ablatives of Association, — literally, *familiarized with cold, etc.;* B. *Appendix*, 337. The clause as a whole gives the reason for the statement *fortis praedicabatur*.

9. **perferendis**: agreeing not merely with *vigiliis*, but with *frigore, fame, etc.* as well.   **fortis praedicabatur**: *fortitudo* ('sturdiness') was one of the most fundamental and admirable traits of Roman character.   Cicero therefore naturally objects to its application to Catiline by his followers.   Catiline's endurance for bad purposes did not, to Cicero's mind, entitle him to be called *fortis*.   **ab istis**: with contemptuous force, as frequently.

10. **industriae subsidia atque instrumenta virtutis**: *means of industry and instruments of virtue.*   The allusion is to Catiline's physical and intellectual powers.   He might have made these powers 'the means of industry and instruments of virtue,' but he used them up in debauchery and crime (*libidine audaciaque*).

11. **hunc si**, *etc.:* the orator here takes up the thought dropped at p. 19, line 11.

12. **sui comites**: *suus* sometimes occurs, as here, in the meaning *his own*, referring not to the subject but to an oblique case ; B. 244, 4 ; A. 301, *b* ; G. 309, 2 ; H. 503, 2.

15. **mediocres**: *within bounds.*   **hominum**: *viz.* Catiline's followers.

16. **audaciae**: *deeds of crime; audacia* usually signifies criminal boldness.   The plural of abstract nouns is often used, as here, to denote instances of a quality.   **nisi, nisi, nisi**: Anaphora.

18. **res, fides**: *money, credit.*

19. **nuper** : *viz.* since the collapse of Catiline's hopes of winning the consulship.   Up to that time, his adherents had been able to command credit.

20. **quae erat**: *which they had.*   **in abundantia**: *in their time of plenty.*

22. **quidem**: *to be sure.*

23. **hoc**: explained by the following *insidiari, etc.*   **quis possit**:

who would be able ? Potential Subjunctive. The question is, of course, purely rhetorical, *i.e.* it serves in place of an emphatic *nemo potest.* **inertes homines,** *etc.* : *that indolent fellows should lie in wait for most sturdy men.* There is an intentional contrast between *homines* and *viris.*

25. qui: referring loosely to the several classes of persons just enumerated. **mihi**: Ethical Dative, and here, as frequently, incapable of satisfactory translation. **accubantes**: the Romans regularly reclined at low couches when they ate.

26. complexi: *embracing.* The perfect participle of deponents occasionally has the force of the present.

27. obliti: from *oblino.*

28. sermonibus suis : *in their talk.*

30. poenam : subject of *instare* and *appropinquare.*

PAGE **21.** **3. sustulerit** : the future perfect, where the future might have been used, and where in English we use the present. The Latin is more exact in indicating relations of time. **non** : *i.e.* not merely. **nescio quod** : *some;* a compound indefinite pronoun (literally, *I know not what*).

4. propagarit : *i.e. propagaverit; it will succeed in having added;* literally, *will have added.*

6. omnia externa : *all foreign (hostilities).*

7. unius : *viz.* Pompey, who had just completed the subjugation of Mithridates in the East. **terra marique** : *terra* refers to the campaign against Mithridates, which had been waged on land; *mari* to Pompey's earlier successes (67 B.C.) against the pirates who infested the eastern Mediterranean. For the ablatives, see B. 228, 1, *c; cf.* A. 427, *a* ; G. 385, N. I ; H. 485, 2.

8. intus, intus, intus : notice the emphasis of the Anaphora, — *'tis within that the plots are, etc.*

10. huic bello : *huic* is emphatic, — *this is the war for which,* viz. a war with luxury, folly, and vice.

12. quae : its antecedent is *ea* to be supplied in thought as object of *sanabo.* **quacumque ratione** : *in whatever way (I can).*

13. resecanda erunt : *shall need to be cut away, i.e.* from the diseased organism of the state ; a figure drawn from surgery.

15. permanent : inasmuch as this refers to future time, we should naturally expect the future tense here. But the Latin present (as regularly the English) sometimes refers to future time.

17. etiam : *actually.* **sunt** : *there are (some).*

18. ejectum in exsilium : in Cicero's First Oration, Catiline had been bidden to depart, and had left Rome almost immediately afterwards ; hence the allegation that Cicero had driven him into exile. **quod si,** *etc.* : *if I could accomplish this, viz.* sending men into exile. **verbo :** *i.e.* by telling them to go.

20. homo : referring to Catiline. Note the contempt involved in the choice of the word, — *homo,* not *vir.* **videlicet :** *videlicet* (literally, *one may see;* then, *of course, I suppose*) here, as frequently, has ironical force.

21. vocem : *i.e.* the reproof or censure.

23. paene interfectus essem : referring to the unsuccessful attempt of emissaries of Catiline to assassinate Cicero at his residence.

25. quo cum, *etc.* : *when Catiline had come thither.*

26. ita . . . ut : *as* ; literally *so . . . as;* but to our English sense the *so* is redundant.

28. quin etiam : *why actually.* **principes ejus ordinis :** *i.e.* the leading men of the Senate. These were especially the ex-consuls.

PAGE **22. 2. hic :** *at this juncture, hereupon.* **vehemens ille consul,** *etc.* : a sarcastic allusion to the criticisms of Cicero's opponents.

4. fuisset necne : *whether he had been . . . or not;* a double indirect question. The particle of the first member (*in nocturno, etc.*) is omitted ; B. 300, 4 and *a* ; A. 335, N. ; G. 459 ; H. 650, 1, 2.

5. homo audacissimus : (*though*) *a most brazen fellow.*

7. quem ad modum : *in what way.* **ei :** *by him;* Dative of Agency ; B. 189, 2 ; A. 375 ; G. 354 ; H. 431, 2.

8. teneretur : *was embarrassed.*

9. jam pridem pararet : *had long been preparing.* The subjunctive is due to the indirect discourse.

10. secures, fasces : a Roman army was commanded only by such magistrates (consul, praetor, dictator) as were entitled to use the axes and *fasces* as symbols of authority. Catiline held no magistracy, but evidently felt the traditional emblems of power to be necessary to his enterprise.

11. aquilam illam : see First Oration, p. 11, line 22.

13. in exsilium eiciebam : Conative Imperfect ; B. 260, 3 ; A. 471, *c* ; G. 233 ; H. 530. Note that this question lacks any introductory interrogative word. This indicates surprise or indignation ; B. 162, 2, *d.*

14. credo : ironical, as often.

16. suo nomine : *on his own responsibility;* really, of course, at Catiline's bidding.

20. o condicionem miseram, *etc. : Oh, thankless task !* Cicero voices his despair over the difficulties of his position. Not only is the task of managing the ordinary affairs of state (*administrandae rei publicae*) a thankless one ; but even the task of saving the state is no less so, since his efforts in this line meet with criticism from many quarters.

21. nunc si : *if at the present moment.* Cicero here begins a justification of the statement contained in the previous sentence.

23. mutaverit : this and the succeeding future-perfects are all parts of the protasis.

26. non, non, non : note the emphasis of the Anaphora.   **ille :** the subject of *dicetur.*

27. spe conatuque : *viz.* of overthrowing the republic.

29. et erunt qui velint : *and there will be people who will wish.*

30. improbum : predicate, with *existimari.*

PAGE **23.   3. est mihi tanti :** *it is worth while for me ; tanti* is a predicate Genitive of Quality ; B. 203, 3 ; A. 417 ; G. 380, 1, R. ; H. 448.   The subject of *est* is *subire.*

4. dum modo depellatur : Subjunctive of Proviso ; B. 310, II ; A. 528 ; G. 573 ; H. 587.

6. sane : *if you wish.*

7. non est iturus : *he does not intend to go.*

9. ut audiatis : Substantive Clause Developed from the Optative, object of *optabo ;* B. 296, 1 ; *cf.* A. 563 ; G. 546 ; H. 565.

10. triduo : note that the Latin regularly says *triduum,* not *tres dies ;* so also *biduum* and *quadriduum* (not *duo dies* and *quattuor dies*).

11. illud : *illud* is frequently used referring forward to an infinitive or clause, as here to the clause *ne sit.* In such cases it may be translated *this.*

12. quod emiserim potius quam quod ejecerim : *because I let him go rather than because I drove him out.* Cicero means that he fears he may be condemned for not having arrested and executed Catiline. For the subjunctive, see B. 286, 1 ; A. 540 ; G. 541, 542 ; H. 588, II.

13. profectus sit : *i.e.* has departed voluntarily.

14. idem : nominative plural, subject of *dicerent.*

15. quamquam : corrective, — *and yet.*

16. dictitant : notice the force of the frequentative, — *keep saying.*

17. nemo est istorum tam misericors, *etc. :* if Catiline's friends were really merciful, they would wish him to go into exile. Instead of that, they really hope he is going to Manlius, not to Marseilles.

19. hoc quod agit : *viz.* the present conspiracy.

20. tamen . . . vivere : *i.e.* the notion that he would under any circumstances go into exile is absurd. **se interfici mallet :** *volo, nolo, malo* ordinarily take a simple object infinitive to denote another action of the same subject, but passive infinitives and *esse* often have the subject accusative.

23. vivis nobis : *leaving me alive;* Ablative Absolute; Cicero is referring to the attempt upon his own life ; *nobis* for *me* illustrates the so-called editorial *we.* The general thought of the sentence is this : Since Catiline has succeeded in his plans thus far, let us hope he will also succeed in his plan of going into exile (since he pretends to be doing that); at all events, let us not complain that he is going.

27. quod volui : the antecedent of *quod* is the idea contained in *murus interest.* **interest :** *i.e.* is between him and me. **de his,** *etc. :* *cur* (from line 25) is to be understood with this sentence.

28. qui dissimulant : *i.e.* who conceal their real sentiments of sympathy with Catiline.

Page **24.** **1. si possit :** for the indicative in the apodosis, see B. 303, *b.*

2. sibi ipsos : *for their own sakes;* literally, *themselves for themselves; ipse* has a tendency to ally itself with the subject or object rather than with the reflexive.

4. me audire : *i.e.* listen to me, take my advice.

5. istae copiae : *viz.* the partisans of Catiline at Rome.

6. comparentur : *are composed.* **singulis :** *i.e.* to each of the several classes.

7. si quam : *i.e. si quam medicinam afferre potero ; quam* is the indefinite pronoun.

8. est eorum : *consists of those.* **magno in aere alieno :** (*although*) *in great debt.*

10. dissolvi : *tear themselves away, viz.* from their possessions, *i.e.* use a part to pay their debts; *dissolvi* has middle force; B. 256, 1 ; A. 156, *a* ; G. 218 ; H. 517.

11. sunt enim locupletes : *i.e.* they are well to do, and have the respectable appearance of persons of that class.

12. tu : the orator in imagination addresses some individual representative of the class just mentioned. **tu ornatus sis et dubites :** *are you to be supplied . . . and are you to hesitate ?* A so-called ' repudiating question,' a variety of the Deliberative Subjunctive ; B.

277 ; *cf.* A. 444 ; G. 466 ; H. 559, 4.   **argento, familia** : *silver plate, slaves.*

14. detrahere, acquirere : note the antithesis.   **acquirere ad fidem** : (*and*) *to add to your credit, i.e.* by paying your debts.   Note the Asyndeton.

15. quid enim exspectas, *etc. : i.e.* ' what do you expect which will relieve you from ultimate payment of your obligations ? War ? That is the very thing to sweep your entire property out of existence.'

16. omnium : *of all things.* Neuter plural adjectives used substantively are confined mainly to the nominative and accusative cases. Such forms as *omnium, omnibus* would ordinarily lead to ambiguity. Hence to say, *of all things, etc.,* the Latin ordinarily has *omnium rerum, omnibus rebus. Omnium* and *omnibus* usually mean *of all* (*persons*), *etc.*

17. tabulas novas : literally, *new accounts; i.e.* a cancellation or reduction of debts, such as had been legally brought about at various times in Roman history. For example, in the year 86 B.C. all debts were scaled down three fourths.   **errant, qui . . . exspectant** : we are told by Sallust that Catiline had promised *novae tabulae.*

18. meo beneficio : *thanks to me.*   **tabulae novae,** *etc.* : *tabulae novae* in another sense, — the advertising placards of the auctioneer, who will sell the property of delinquent debtors to satisfy their creditors.

19. isti qui possessiones habent : *i.e.* the class Cicero is referring to.

20. salvi : *i.e.* financially solvent.   **quod si,** *etc. : quod* is here the relative, — *if they had wished to do this, viz.* dispose of part of their property to pay their debts.

21. neque : *and not;* introducing *certare,* which, like *facere,* is also object of *voluissent.*   **id quod** : *id* is an appositive of *certare.*

22. certare cum usuris fructibus praediorum : these men owned landed property and were vainly striving to pay the interest on borrowed money by means of the income from their farms. Cicero picturesquely represents their efforts as a fight against interest (*certare cum usuris*). The class of men referred to is one often found in the history of all nations, — landed proprietors who, through no fault of their own, but simply as a result of economic changes, suddenly find themselves unable to make farming pay. Cicero blames these men for postponing so long a settlement with their creditors ; but they had probably been living in hopes of better times, while a forced sale would have meant certain ruin.   **locupletioribus his et melioribus civibus uteremur** : *we should be finding in these men richer and better citizens;*

literally, *we should be using these as richer and better citizens; his*
depends directly upon *uteremur; civibus* is a predicate ablative (not
an appositive).

24. minime : *i.e.* least of all, among the six classes to be enumerated.

25. permanebunt : *i.e. in eadem sententia.* **magis vota facturi,**
etc. : i.e. more likely to sympathize with the conspiracy than fight
for it.

28. alterum genus : *the second class.* **qui quamquam premuntur,** *etc. :* this class differs from the first in that its members, while
loaded down with debt, apparently lack resources with which to
pay.

Page **25. 1. rerum potiri :** the genitive *rerum* is the regular idiom
with *potiri.* Otherwise, *potiri* ordinarily takes the ablative ; B. 212, 2 ;
A. 357, *a* ; G. 407, N. 2, *d* ; H. 458, 3. **honores :** *the offices;* object
of *consequi.* The different Roman magistracies are regularly designated as *honores.* **quos desperant :** *which they despair of; desperare*
takes either the accusative or the ablative with *de.*

2. perturbata : understand *re publica.*

3. quibus : indirect object of *praecipiendum.* **hoc :** explained
by the following appositional infinitives, *vigilare, adesse, etc.* **unum
scilicet et idem quod :** *one and the same thing, in fact, as.*

4. reliquis omnibus : indirect object of *praecipiendum est* to be
supplied in thought. **ut desperent se posse :** *in order that they may
abandon hope of being able.*

5. primum omnium : another illustration of the genitive plural
neuter of *omnis* used substantively.

7. animos : *courage.*

10. praesentis : *in person;* accusative plural agreeing with *deos.*

11. quodsi jam : *but even if.* **sint adepti :** the perfect in conditional sentences of the second type has the same force as the present.
id quod cupiunt : *viz.* a condition of turmoil and bloodshed.

12. quae : its antecedent is *cinere* and *sanguine.*

14. non : *non* for *nonne* occurs particularly in impassioned questions.

15. fugitivo . . . concedi : *i.e.* if these men should succeed in their
purposes, it would be only temporarily ; the strong arm of some low-
born man would soon force them to surrender their power.

16. sit necesse : *it would be necessary.* The conditional sentence
si adepti sint, sit necesse is of the second type ('should' . . . 'would').

17. **aetate jam affectum**: these men had been soldiers of Sulla, twenty years or more before the present time.

18. **quo ex genere est**: *to which class belongs.*

19. **ex eis coloniis quas Sulla constituit**: Sulla had settled some 120,000 of his veterans in colonies, assigning each soldier a certain amount of land as a reward for his military services.

20. **universas**: *on the whole.*

22. **ei sunt coloni**: *there are those (i.e. some) colonists.* **se jacta-runt**: *i.e.* have made display. **insperatis ac repentinis pecuniis**: *i.e.* the estates they had received from Sulla.

23. **sumptuosius insolentiusque**: the comparatives have the force of *somewhat, rather, too.*

24. **tamquam beati**: the means of these men were really relatively modest. Yet they acted as though wealthy. **familiis**: *retinues of slaves.*

25. **delectantur**: with middle force.

26. **salvi**: *solvent.* **eis**: Dative of Agency. **Sulla sit excitan-dus**: *i.e.* to come to their rescue. Sulla had now been dead for fifteen years.

28. **rapinarum veterum**: *i.e.* the pillage and confiscations of Sulla's day.

29. **quos utrosque**: *both of whom, i.e.* both of the two subdivisions of the *tertium genus, viz.* (1) Sulla's veterans ; (2) the needy peasants whom they had filled with hopes of plunder. For the plural of *uterque* (a rare usage), see B. 355, 2, *a*, 2.

30. **hoc**: explained by the following *desinant.*

PAGE **26**. 1. **desinant**: Substantive Clause Developed from the Volitive, in apposition with *hoc.* For the absence of *ut*, see B. 295, 8 ; A. 565, *a* ; G. 546, R. 2 ; H. 565, 4.

3. **civitati**: indirect object of *inustus est.* **ista**: *i.e.* a repetition of such terrors. **non modo**: for *non modo non*, as often when combined with *ne . . . quidem*, if the common idea is placed with the second member ; B. 343, 2, *a* ; A. 217, *e* ; G. 482, R. 1 ; H. 656, 3.

6. **qui**: its antecedent is implied in *genus.* **premuntur**: *viz.* by debt.

7. **male gerendo negotio**: *from bad management of their business.*

9. **vadimoniis, judiciis, proscriptione bonorum**: the three stages in an action for debt : the giving of bail, judgment, and execution (sale of property).

10. **permulti**: with adverbial force, — *in great numbers.*

12. lentos: *i.e.* slow to pay.   **quam primum :** *as soon as possible.*

13. si stare non possunt, corruant: *i.e.* if they cannot pay their debts, let them take the consequences. For this variety of a 'Simple' conditional sentence, see B. 302, 4 ; A. 515, *a* ; G. 595 ; H. 580, 1 ; *corruant* is Jussive Subjunctive.   **non modo :** used (as above, line 3) for *non modo non.*

15. illud : where by the English idiom we should expect *hoc.* The word is explained by the following indirect questions.

16. minore dolore : Ablative of Attendant Circumstance.

17. pereant : the subjunctive is due entirely to the indirect discourse.

19. quos non revoco : Conative Present ; B. 259, 2 ; A. 467 ; G. 227, N. 2 ; H. 530. Cicero has expressed a desire to effect the reformation of the members of the other classes. But the fifth class is beyond hope.

20. neque : correlative with *et* before *pereant.*

21. sane : *for aught I care.*   **Carcer :** situated at the northwest corner of the Forum, over the Tullianum or Dungeon (see view, facing p. vii). The Tullianum was used for executions (by strangulation), the Carcer for detention. Imprisonment as a punishment for capital offences was not customary at Rome.

23. postremum genus, *etc.: the last class is such not only in order, but also in its very character, etc. ; i.e.* the class is the last and its members are the lowest in character.

24. proprium Catilinae : *Catilinae* is genitive.

25. de ejus delectu: *i.e.* his chosen companions.   **immo vero :** *in fact.*   **de complexu ejus ac sinu:** *i.e.* his bosom friends.

PAGE **27. 1. pexo capillo :** *i.e.* with carefully dressed hair, a mark of foppery. The Ablative (like *tunicis* in line 2) is one of Quality. **nitidos :** with reference to the perfumed unguents with which the hair was dressed.   **aut imberbis aut bene barbatos :** *i.e.* either without any natural growth of hair (hence 'lacking manhood') or else with full beards, at variance with the Roman custom of this era. In Cicero's day men ordinarily wore no beards at all, except in times of mourning, when the full beard was permitted to grow.

2. manicatis et talaribus tunicis : the tunic was a loose garment worn over the shirt and underneath the toga. Ordinarily it had very short sleeves (reaching only part way to the elbow), and fell only to the knees. Those who wore long-sleeved tunics reaching to the ankles stamped themselves as effeminate.   **velis non togis :** *i.e.* their togas (the outer garment) are so full and flowing that they are sails rather than togas. Only fops wore the toga in the style here referred to.

3. vigilandi labor, *etc.*: one might, of course, keep awake for a worthy purpose, but these men keep late hours only when engaged in all-night revels.

4. gregibus: Cicero regards these people as scarcely above the level of animals, and hence speaks of them collectively as 'herds.'

7. saltare et cantare: practices considered unworthy of a true Roman.

8. spargere venena: *viz.* in the food or wine of some enemy.   **qui nisi exeunt, nisi pereunt:** an excellent illustration of the use of the relative at the beginning of the sentence, where English employs the demonstrative (*unless these*). We have also a fresh instance of the (rather infrequent) use of the present, where the future is more exact.

9. scitote: the present imperative forms, *sci, scite,* are not found in classical Latin ; the future forms are used instead.   **hoc:** for *hos,* by attraction ; B. 246, 5 ; A. 296, *a* ; G. 211, R. 5 ; H. 396, 2.

11. quid sibi volunt: *i.e.* what are they thinking of ? They can't do without their mistresses, and yet they can't think of taking them along into camp. The implication is that these men would better reconsider their intention and remain at home.

13. his praesertim noctibus : it was now November according to the current calendar ; but the Roman calendar at this time had fallen behind the actual seasons, and the real date was nearly three months later.

15. nisi idcirco, *etc.*: a sarcastic remark ; *idcirco* is explained by the *quod*-clause.

17. o bellum magno opere pertimescendum : ironical.

18. cohortem praetoriam : *praetor* originally meant general, and *praetorius* 'of the general,' 'the general's.' Hence *cohors praetoria,* 'the general's body-guard.'

21. confecto et saucio: Catiline's expulsion from Rome has left him, figuratively speaking, wounded and exhausted ; *cf.* the opening sentences of this speech.   **imperatores:** not different from the consuls. When the consuls took the field in command of the troops they became *imperatores.*

24. jam: *straightway.*   **coloniarum ac municipiorum :** these differed only in their origin. *Coloniae* were originally settlements of Roman citizens ; *municipia* were original Italian communities. In Cicero's day, both enjoyed Roman citizenship and the right of self-government.

25. respondebunt Catilinae tumulis silvestribus : *i.e.* they will answer the challenge of Catiline's followers marshalled on the wooded heights about Faesulae. There is an intentional contrast between *urbes* (with their strong walls) and *tumulis silvestribus* (mere wooded elevations without walls).

27. vestra : limiting *copias* and *ornamenta* as well as *praesidia*.

28. omissis his rebus : *leaving out of account these things; his rebus* is explained by the following appositives, *senatu, equitibus, etc.* **quibus** : with *suppeditamur, quibus* is an Ablative of Means ; with *eget*, an Ablative of Separation.   **suppeditamur, eget** : Adversative Asyndeton, — *but which he lacks*.

30. provinciis omnibus : such as Sicily, Gaul, Asia, Spain, Africa, all of which could lend support in case of need.

PAGE **28**. **1. si velimus** : for this type of conditional sentence, see B. 303, *b*.   **causas, quae inter se confligunt** : *the conflicting issues, viz.* of order on the one side and disorder on the other.

2. contendere : *to compare.*   **ex eo ipso** : *i.e.* by this very comparison.

3. quam valde illi jaceant : *how utterly at a disadvantage that side is ; illi* refers to Catiline and his followers.   **ex hac parte** : *on this side, viz.* of the government.

6. pietas : *righteousness.*

8. aequitas, temperantia, fortitudo, prudentia : the four cardinal virtues of Plato and the Stoics.

10. postremo : *in short ;* often used to introduce a final summary.

11. bona ratio cum perdita : *sound policy with recklessness*, literally, *with reckless (policy).* The orator probably means to contrast the political methods of the two opposing parties here mentioned.   **mens sana** : *sanity, sobriety.*

12. omnium rerum : *concerning all things.*

16. quae cum ita sint : *since these things are so.*   **quem ad modum jam antea dixi** : apparently an oversight on Cicero's part. There is no previous injunction of the kind here mentioned.

18. mihi : *by me ;* B. 189, 2 ; A. 375 ; G. 354 ; H. 431, 2.   **ut urbi esset satis praesidi** : *that the city should have sufficient protection ;* a substantive clause, subject of *consultum atque provisum est ; urbi* is Dative of Possession.

20. coloni omnes, etc. ; *i.e.* your fellow-citizens in the colonies and *municipia.*

21. nocturna excursione : referring to Catiline's departure the previous night.

22. quam manum: *a force which;* the relative is regularly incorporated with its antecedent when the antecedent is an appositive.

23. quamquam . . . patriciorum: notice that this clause is purely parenthetical; it is not related to the following *tamen continebuntur.*
animo meliore: *of better disposition,* i.e. less hostile to the government.

24. quam pars patriciorum: a caustic allusion to the fact that a number of the ringleaders of the conspiracy (Catiline, Cethegus, Lentulus) were of patrician origin.   **tamen:** *i.e.* despite Catiline's great reliance upon them.

25. continebuntur: the gladiators were removed from Rome and stationed at various remote points in Italy.   **hoc:** *i.e.* the present state of affairs.

29. quem vocari videtis: apparently messengers were passing through the Forum summoning senators to a meeting.

PAGE **29.   1. adeo:** *in fact.*

2. omnium vestrum: for the use of *vestrum* as a possessive genitive, see B. 242, 2, *a.*

4. monitos: in predicate relation to *illos.*   **etiam atque etiam:** *again and again.*   **mea lenitas adhuc:** *my previous forbearance; adhuc* is here used with adjective force limiting *lenitas.*

5. solutior: *too lax.*   **hoc exspectavit:** *looked forward to this, had this object.*

6. ut . . . erumperet: *i.e.* that the conspiracy might come to a head; *ut erumperet* is in apposition with *hoc.*   **quod reliquum est:** *as for the future;* literally, (*as regards that*) *which is left.* Cicero wishes to say that, while he has exercised forbearance in the *past* (*lenitas adhuc*), in the *future* his course will be different.

7. jam non: *no longer.* Cicero implies that his past forbearance had in a sense involved forgetfulness of his country and of the loyal citizens. In future he cannot repeat this.

8. horum, his: *i.e.* his loyal fellow-citizens.   **mihi . . . vivendum aut . . . esse moriendum:** *I must either live with these or die for them* (literally, *it must be lived by me,* etc.) ; *i.e.* I must either save them or die in the attempt.

9. nullus est portis custos: *i.e.* no one prevents the departure of anybody who wishes to go.

10. qui: the indefinite.

11. qui, cujus: the antecedent is the omitted subject of *sentiet.* Translate *cujus: on whose part.*

12. ullum: with *factum* as well as with *inceptum* and *conatum.*

contra patriam : prepositional phrases limiting nouns are much less frequent in Latin than in English. They occur chiefly, as here, with nouns having verbal force.

15. carcerem : alluding to 'The Dungeon,' *Tullianum* (beneath the *Carcer*), in which criminals were sometimes executed.

18. minimo motu, nullo tumultu : Ablatives of Attendant Circumstance.

19. post : *within.*

20. me : not Ablative of Agent (which would require *a*), but Ablative Absolute with *duce et imperatore.* **togato** : *i.e.* in the garb of peace, without resort to arms.

21. sedetur : *shall be brought to an end.* **quod** : *viz. bellum.*

25. patriae : dative, dependent upon *impendens.*

26. illud : explained by *ut intereat, etc.*

27. optandum : *to be hoped for.* **ut intereat . . . possitis** : substantive clauses in apposition with *illud.* **neque . . . -que** : correlatives.

PAGE **30.** **1. prudentia** : for the ablative, see B. 218, 3 ; A. 431, *a* ; G. 401, N. 6 ; H. 476, 1.

3. multis et non dubiis : for this use of *et*, which seems to us redundant, see B. 241, 3 ; *non dubiis* illustrates the figure known as Litotes.

4. significationibus : these signs and portents are enumerated in the Third Oration, p. 40, line 4 ff. **quibus ducibus** : *under whose leadership.* **hanc spem sententiamque** : *i.e.* the hope and purpose of crushing the conspiracy without resort to arms.

6. ab externo hoste atque longinquo : *i.e.* from the Roman troops when fighting foreign enemies ; inasmuch as the gods were supposed to abide in their temples at Rome, they could not be present with the Roman troops in the field. Now, however, they are near at hand.

9. ut defendant : a substantive clause, object of *precari, venerari, implorare.* **quam urbem** : the antecedent is incorporated in the relative clause, instead of being combined with *hanc.* Such incorporation is regular when the relative clause stands first.

10. omnibus . . . superatis : *i.e.* now that we have no enemies to fear from without.

THIRD ORATION AGAINST CATILINE.

On the departure of Catiline from Rome the direction of the conspiracy fell into the hands of Lentulus, a man of irresolute and indolent character. Treasonable negotiations were begun by him with certain Allobrogian envoys, who happened to be in the city. Cicero, obtaining information of these schemes, arranged to surprise and capture the envoys as they were leaving Rome with incriminating documents upon their persons. The evidence thus procured was laid before the Senate, which was convened by the consul in the Temple of Concord. In the present oration, delivered before the people, December 3, 63 B.C., Cicero presents the details of these recent occurrences.

Page 31. 1. vitam : in English we should use the plural. omnium vestrum : for *vestrum* as a Possessive Genitive, see B. 242, 2, *a*.

4. urbem : explaining *domicilium*.

7. ereptam, conservatam, restitutam : agreeing with the nearest object (*urbem*), but logically belonging with the others also. videtis : news of the arrest of the conspirators had already reached the ears of the citizens.

8. et si non minus, *etc.* : *i.e.* ' if the day of one's deliverance from danger is as joyous an occasion as one's birthday, then, since you honor him who gave this city birth (Romulus), you ought also to honor me, who have saved it.' non minus jucundi : *i.e.* fully as pleasant ; Litotes.

10. quod salutis, *etc.* : Cicero has already implied that the condition expressed by *si non minus*, *etc.*, is true, and now proceeds to tell why it is true, — deliverance is something certain, while the lot of birth is full of uncertainty ; furthermore there is pleasure in deliverance from danger, but none in being born. certa laetitia est, nascendi incerta condicio : Adversative Asyndeton.

11. sensu : *i.e.* sensation. voluptate : *with (conscious) pleasure.*

12. profecto : the apodosis begins here.

13. ad deos sustulimus : literally, *have exalted to the gods; i.e.* have deified. Romulus was worshipped by the Romans as a god under the name of Quirīnus. The *Quirinalia* were celebrated annually in his honor on the 17th of February. benevolentia famaque : *in gratitude and praise.*

14. debebit : *will deserve.*

15. is qui servavit : *viz.* Cicero.

16. toti urbi : emphatic and so placed first ; the dative depends upon

subjectos and *circumdatos*.   **templis, delubris,** *etc.*: explanatory of *toti urbi*.

17. prope jam: *already all but;* these words modify *subjectos,* and are placed after it for the sake of emphasis.   Adverbs ordinarily precede the words they modify.

18. idem: *likewise;* literally, *the same;* nominative plural.

PAGE **32. 1. quae quoniam**: *since these facts.*   **comperta**: logically and in order of time we should expect this to precede *illustrata* and *patefacta.*

2. exponam: as object supply in thought *ea,* 'them,' referring to the same thing as *quae.*

3. ut; introducing *possitis.*   **et quanta,** *etc.*: *how great matters and how overt were traced out and detected, and in what way;* et before *quanta* is correlative with the *et*'s following.   **investigata et comprehensa sint**: Subjunctives of Indirect Question, object of *scire.*

4. exspectatis: *are waiting (to hear).*

6. ut: *since the time when.*   **paucis ante diebus**: really nearly a month ago.   It was now December 3, and Catiline had left Rome the night of November 8; but Cicero, to avoid the charge of dilatoriness, aims to represent the interval as brief.

7. cum reliquisset: *leaving* or *having left;* the *cum*-clause here is purely circumstantial.

10. possemus: Deliberative Subjunctive in an indirect question, — *how we were to be able;* B. 300, 2; A. 575, *b*; G. 467; H. 642, 3. **cum eiciebam**: for the indicative here, see B. 288, 1, *A*; A. 545; G. 580; H. 601, 2.

11. hujus verbi: *viz. eicere.*   In the Second Oration Cicero had hesitated somewhat to use this word; see p. 16, line 4.

12. illa: *viz. invidia.*   **quod vivus exierit**: explanatory of *illa* (*invidia*), and giving the reason existing in the minds of Cicero's imagined critics.

14. restitissent: representing a future perfect of direct discourse.

16. atque: *but;* here with adversative force.   **quos . . . sciebam**: *viz.* Catiline's chief accomplices, — Lentulus, Cethegus, and others.

17. nobiscum esse et remansisse: *i.e.* Cicero's expectations had not been realized.

18. in eo: *in this, on this;* explained by the substantive clause, *ut sentirem ac viderem.*

19. ut ita comprehenderem: *in order that I might so grasp;* a clause of purpose, dependent upon *sentirem ac viderem.*

20. quoniam faceret: Subjunctive by Attraction.

21. minorem fidem: *i.e.* less than Cicero desired or less than was proper. **oratio mea**: *my words.*

22. ut provideretis: *that you should make provision;* a Clause of Result. **animis**: *in your thoughts.* The word is not necessary to the sense, and is expressed only for the sake of rhetorical antithesis with the following *oculis.*

23. cum videretis: the subjunctive is due entirely to attraction.

24. comperi: *viz.* through Q. Fabius Sanga, *patronus* of the Allobroges at Rome. **Allobrogum**: a tribe in Farther Gaul. They had been conquered by Fabius in 121 B.C., but were now becoming restless and were ripe for a revolt. From what follows, we gather that Catiline with his customary adroitness had been quick to take advantage of their present temper. **belli, tumultus**: *bellum* is the usual designation for a war outside of Italy; *tumultus* designated an uprising either in Italy or in the neighboring province of Cisalpine Gaul.

25. Gallici: *viz.* in Cisalpine Gaul. **Lentulo**: a man of bad record, though one of the praetors for the year.

28. T. Volturcium: one of the conspirators.

30. ut tota res deprehenderetur: a substantive clause depending upon *facultatem, — chance of the whole thing's being discovered.* **quod**: the antecedent is the general idea involved in the clause *ut deprehenderetur.*

31. ut: merely a repetition (for the sake of clearness) of the *ut* in line 30.

Page 33. **3. praetores**: primarily judicial officers, but also possessing the military *imperium*, and so competent to command troops. **amantissimos rei publicae**: *most patriotic.*

5. qui sentirent: a Clause of Characteristic with the accessory notion of cause, — *since they entertained.* **omnia praeclara atque egregia**: *all admirable and excellent sentiments.*

8. Pontem Mulvium: about two miles north of the city, near the Via Flaminia. Its modern name is Ponte Molle.

9. ita fuerunt: *i.e.* were so arranged or located. **inter eos**: *i.e.* between the two parties.

10. interesset: agreeing with the nearer subject. **eodem**: the adverb. **et**: the adverb, — *also.*

11. multos fortis viros: we might have expected *multos et fortis* in accordance with the idiom noted on p. 30, line 3, but *fortis vir* had come to represent a single idea, *fortis* no longer being felt as a separate word ; *cf.* English *gentleman,* originally *gentle man.* **praefectura Reatina** : *the praefecture of Reāte.* Reate was in the Sabine district, about forty miles to the northeast of Rome. Praefectures were original Italian communities, governed from Rome. In 90 B.C. these had all received the privilege of self-government ; yet the old designation was retained. Cicero, as we learn from another oration, was *patronus* (or official protector) of the Reatines, and as such was specially qualified to command the services of trustworthy assistants from this source.

14. tertia fere vigilia exacta : between 3 and 4 A.M. The time from sunset to sunrise was divided into four *vigiliae* of equal length.

15. magno comitatu : for the absence of the preposition, see B. 222, 1 ; A. 413, *a* ; G. 392, R. 1 ; H. 474, 2, N. 1.

17. res : *i.e.* the purpose and occasion of the attack. Not only the Allobrogian envoys but also the troops of the praetors were in ignorance of the purpose of the attack.

21. ipsi : the Allobrogian envoys and Volturcius.

23. horum omnium scelerum : the reference is to the treasonable negotiations with the Allobrogian envoys.

24. Gabinium, Statilius, Cethegus, Lentulus : these men were all prominent members of the conspiracy, and had been left in the city by Catiline as his agents. Cethegus had been charged with the murder of the senators ; Gabinius and Statilius with setting fire to the city. Note the inversion of the name *Gabinius Cimber.* Such inversion occurs occasionally, if the praenomen (Lucius, Gaius, *etc.*) be omitted.

26. tardissime Lentulus venit, *etc. :* a sarcastic allusion to Lentulus's well-known laziness.

27. credo quod, *etc. :* ironical. The letter (given later) contained but four or five lines. **in litteris dandis** : *in writing the letter.*

28. cum : *though.*

29. viris : indirect object of *placeret.* **frequentes** : the adjective here has adverbial force, — *in great numbers.*

30. a me prius aperiri : *should be opened by me before they were laid before the Senate ; quam* here is used as a coördinate conjunction connecting *aperiri* and *deferri ;* more commonly *prius . . . quam* governs the subjunctive. The infinitives are the subject of the impersonal *placeret.*

PAGE **34.** **1. si nihil esset inventum** : the subjunctive is due to the indirect discourse. In the direct form we should have the future perfect indicative.

2. negavi me esse facturum, *etc.* : *I stated that I would not commit (the error) of failing to bring a matter involving the danger of the state before the council of the state untampered with* ; literally, *I said that I would not commit that I should not bring* ; *ut non deferrem* is a Substantive Clause of Result, the object of *esse facturum.*

3. consilium publicum : the Senate.

4. rem integram : *i.e.* with the seals of the captured correspondence unbroken. Otherwise it would have been possible to allege that the correspondence had been forged by Cicero or his agents. **si** : *i.e.* even if.

5. reperta non essent : *viz.* in the correspondence. The pluperfect subjunctive here represents a future perfect indicative of direct statement.

7. senatum coëgi : *viz.* in the Temple of Concord, at the northwest corner of the Forum. See Plan of Forum, facing p. xxxv, and view of Forum, facing p. vii.

10. si quid telorum esset : *whatever weapons there were ;* Subjunctive by Attraction.

13. Gallis : *viz.* the Allobroges. **fidem publicam** : *promise of safety, in the name of the state ; i.e.* Volturcius was to turn state's evidence, and in return was guaranteed freedom from punishment.

17. ut uteretur, ut accederet : *to use, to approach ;* Substantive Clauses Developed from the Volitive, dependent upon the idea of ordering involved in *mandata et litteras.* **servorum praesidio** : Catiline had previously rejected this suggestion ; but the bare mention of the plan, recalling as it did the horrors of the slave insurrection of Spartacus only ten years previously, was sufficient to rouse the indignation of Cicero's audience.

18. quam primum : *as soon as possible.* **id** : *viz.* Catiline's approach to the city.

19. eo consilio : explained by the following *ut*-clause. **quem ad modum discriptum . . . erat** : not a part of the indirect discourse, but an explanatory addition of the speaker ; hence the indicative ; B. 314, 3 ; A. 583 ; G. 655, 2 ; H. 643, 3.

20. incendissent, fecissent : *viz.* the conspirators.

22. ille : Catiline. **qui . . . exciperet** : *i.e.* to cut off any of his enemies who might attempt to escape.

26. ita sibi esse praescriptum : *they had received the following instructions ;* literally, *it had been directed to them thus ; ita* is explained by the following *ut*-clause. **L. Cassio** : one of the conspirators. He adroitly left town just before the arrest of the envoys.

27. ut equitatum mitterent: a substantive clause, used as subject of *esse praescriptum.* Gaul was a famous breeding-place for horses. In Caesar's Gallic campaigns, his cavalry came almost exclusively from the Gallic allies.

PAGE **35. 1. pedestres copias non defuturas (esse):** the infinitive depends upon the idea of saying involved in *esse praescriptum, (it being urged that) infantry would not be lacking.*   **sibi:** referring to the conspirators; indirect reflexive.

2. sibi: this reflexive refers to the Allobrogian ambassadors.   **ex fatis Sibyllinis:** the Sibylline books.   The original collection was said to have been purchased by Tarquinius Superbus from the Cumaean Sibyl. This was destroyed by fire at the burning of the Capitol in 83 B.C., but at the order of the Senate a new collection was prepared soon after. These books were consulted only in times of public calamity or upon the appearance of certain portents.   **haruspicum:** these interpreted the will of the gods by examining the entrails of sacrificial victims. They were originally Etruscans, summoned to Rome as occasion demanded.   Later they established themselves permanently in the city.

3. tertium illum Cornelium: *i.e.* that third member of the Cornelian gens mentioned in the Sibylline books.   Lentulus's name was Publius Cornelius Lentulus.

4. esset necesse: *i.e. it was destined.*

5. Cinnam et Sullam: Lucius Cornelius Cinna and Lucius Cornelius Sulla.   Cinna had been consul from 86 to 84 B.C., and was for the time being virtual despot of Rome.   Sulla returned from the East in 83 B.C., overthrew the party of Cinna, and established himself as dictator.   **eundem:** *viz.* Lentulus.

7. qui esset: the clause has causal force, — *since it was the tenth year, etc.*   Evidently some prophecy set this date for the downfall of the state.   **post Virginum absolutionem:** we have no knowledge of this acquittal of the Vestals.   The Vestal Virgins were six priestesses, charged with maintaining the sacred fire on the hearth of Vesta's temple.   The regular period of their service was thirty years, after which they were at liberty to retire and, if they wished, to marry.

8. Capitoli incensionem: in 83 B.C.   The cause of the fire is unknown.

9. Cethego fuisse: *that Cethegus had had;* Dative of Possession.

10. quod placeret: *that it seemed best;* a substantive clause in apposition with *hanc controversiam.*   **Saturnalibus:** *on the Saturnalia,* a festival in honor of Saturnus, the Roman god of agriculture. It fell at this period on the 19th of December, and was a season of unrestrained merriment and festivity, — an opportune time for executing the plans of the conspirators.

11. Cethego: *but to Cethegus;* Adversative Asyndeton. **nimium longum videretur**: this accords well with the impatient headstrong temper attributed to Cethegus by Sallust.

13. ne longum sit: *i.e.* to be brief. **tabellas**: thin tablets of wood covered with black wax, on which it was customary to write with the *stilus*, a sharp-pointed instrument of ivory or metal.

14. quoque: from *quisque*. **datae**: *written;* literally, *given,* *i.e.* by the writer to the person who was to carry them to their destination. **ostendimus Cethego**: *i.e.* showed Cethegus his letter.

15. signum, linum: it was customary to tie a pair of tablets together and seal the knot with the seal-ring of the person sending the letter. As the Romans often dictated their letters to slaves, the seal thus became a guarantee of the actual authorship. In this particular case Cethegus had not only sealed the letter, but also written it with his own hand.

17. sese: the reflexive ordinarily refers to the subject of the main or dependent clause, but occasionally it refers to an oblique case of the main clause, as here to *ipsius*.

18. orare: as subject understand *sese* from the previous clause. **sibi**: *viz.* to Cethegus.

19. recepisset: *had promised.* **qui respondisset dixissetque**: for the subjunctive, see B. 283, 3 ; A. 535, *e* ; G. 634; H. 593, 2. **tamen**: *i.e.* despite the evidence against him.

21. ferramentorum: Cethegus purposely chose a word which should not suggest the murderous purpose of the weapons.

22. recitatis litteris: *by the reading of the letters.*

24. manum: *handwriting.*

28. avi tui: P. Cornelius Lentulus. He had been consul in 162 B.C., and had remained a conspicuous figure in public life for more than forty years afterwards.

30. revocare debuit: *ought to have recalled.* **eadem ratione**: *of the same tenor;* Ablative of Quality with *litterae.*

PAGE **36.** **1. si vellet**: Subjunctive in implied indirect discourse (direct : ' if you want to say anything, you may '); B. 323; A. 592, 1 ; G. 508, 3 ; H. 649, I.

5. quam ob rem venissent: not an indirect question coördinate with *quid esset,* but a relative clause dependent on *quid,* — *what he had to do with them, that they had come, etc.*

7. venissent: Subjunctive in Indirect Question.

9. subito: the adverb. **quanta conscientiae vis esset:** *how great the power of conscience is;* by the sequence of tenses we have the imperfect here; but in English we should use the present, as the clause states a general truth.

10. posset infitiari: *might have denied.*

12. eum: object of *defecit.* **ingenium illud:** *i.e.* that ability for which he was celebrated; Lentulus, despite his defects of character, was a man of acknowledged gifts; *ille* in the sense of 'that well known' regularly stands after its noun.

19. erant: *it was.* The subject is *litterae.* **sine nomine:** *t.e.* without the regular formula with which the Romans customarily began their letters, *e.g.* "P. Cornelius Lentulus sends greetings to Catiline." This corresponded to our custom of placing a signature at the end of a letter. **ita:** *as follows.*

20. ex eo: *viz.* from Volturcius.

21. quem in locum, *etc.*: *i.e.* 'how thoroughly committed to treasonable purposes you are.'

23. infimorum: suggesting the slaves.

26. cum . . . tum: *while . . . at the same time.* **illa:** explained by the appositives, *tabellae, signa, manus, etc.* **certissima:** here, *very certain.*

30. inter sese: *at each other.*

31. se ipsi: *ipse* regularly tends to connect itself with the subject rather than with the oblique cases of *se.*

PAGE **37. 2. de summa re publica:** *concerning the supreme welfare of the state.*

3. principibus: particularly the ex-consuls and the consuls-elect. **acerrimae ac fortissimae:** *most earnest and patriotic.*

4. sine ulla varietate: *without dissent, unanimously.*

8. virtute: *energy.*

10. quod eorum opera forti fidelique usus essem: *because I had found their assistance efficient and faithful; forti* and *fideli* are in predicate relation to *opera;* see note on p. 24, line 22, *locupletioribus his et melioribus civibus uteremur.* Observe that we have the pluperfect in *usus essem,* while we have the perfect in *liberata sit.* The historical present (here *laudantur*) may be followed by either primary or secondary sequence.

12. collegae meo: C. Antonius, the other consul. **quod remo-visset:** Antonius had openly sympathized with Catiline, but had been induced to withdraw his support by Cicero, who yielded up to him the rich province of Macedonia for his proconsular rule.

13. a suis et rei publicae consiliis: *i.e.* both from his private and official concerns.

15. ita: explained by the following *ut*-clause. **cum abdicasset:** Roman magistrates could not be brought to trial while in office, but they were sometimes forced to resign, as in this instance. **praetura:** note the ablative. The Latin idiom differs from that familiar to us in the English *abdicate*.

16. in custodiam: we learn that this was the so-called *custodia libera* (mentioned p. 9, line 13), by which the prisoner was released on parole.

17. qui omnes: *all of whom;* B. 201, 1, *b*; A. 346, *e*.

18. idem hoc: *viz. ut in custodiam traderentur.*

22. eis colonis quos, *etc.*: *i.e.* members of the third class in Cicero's enumeration of Catiline's adherents. See Second Oration, p. 25, line 19.

26. ea: *such.*

27. lenitate: this moderation was shown in the small number of those punished. **ut arbitraretur:** Subjunctive of Result, but the form of statement is inexact. Cicero says, 'The Senate exercised such moderation that they thought the rest of the conspirators could be brought to their senses by the punishment of nine.' What he really means is, 'The Senate exercised such moderation that they punished only nine men, thinking that the rest could thereby be brought to their senses.' **ex tanta conjuratione:** to be joined closely with *novem hominum*.

29. novem hominum: only five of the nine were actually punished. Cassius, Furius, Annius, and Umbrenus succeeded in escaping from the city. Ceparius also fled, but was captured. **poena:** Ablative of Means with the Ablative Absolute *re publica conservata*.

Page **38.** **4. meo nomine:** *in my honor.* **quod:** its antecedent is implied in the statement *supplicatio decreta est.*

5. mihi primum togato: *i.e.* Cicero was the first civilian to whom the honor had fallen. Previously it had been decreed only to generals for military successes.

6. his verbis: the exact words are not given. These would have been *quod . . . liberavit.*

7. si conferatur, interest: for this form of conditional sentence, see B. 303, *b.*

8. hoc interest: *it differs (in) this; hoc* is Accusative of Result Produced ('Internal Object'); literally, *differs this;* B. 176, 2, *a*; A. 390, *c*; G. 332 ; H. 409, 1.   **quod . . . constituta est**: explanatory of *hoc.*

9. bene gesta: understand *re publica* from *conservata re publica.* Both phrases are in the Ablative Absolute, denoting cause, — *in consequence of the good administration of the government, etc.* The difference, however, between the good administration of the government and its preservation is largely a rhetorical one.

12. indiciis, confessionibus: Ablatives of Cause.   **judicio**: Ablative of Accordance.

13. praetoris jus: *i.e.* immunity from prosecution while in office. **magistratu abdicavit**: *i.e.* was permitted or forced to resign.

14. ut . . . liberaremur: *in order that in punishing Publius Lentulus as a private citizen we might be freed from misgivings which (however) had not prevented Gaius Marius from putting to death Gaius Glaucia, etc.;* literally, *which had not been to Gaius Marius by which the less he should put to death.*   **religio**: the antecedent, besides being expressed in *religione* (line 17), is also incorporated in the relative clause.   **C. Mario**: consul seven times.   In 102 and 101 B.C., he defeated the Cimbrians and Teutons.   In 106 B.C. he had brought the Jugurthine War to a close.

15. quo minus occideret: dependent upon the idea of hindering involved in *religio fuerat.*   **C. Glauciam**: praetor in 100 B.C.   He had joined with the tribune Saturninus in the prosecution of certain illegal schemes.   **de quo nihil nominatim decretum erat**: *i.e.* the consuls had simply been invested (by the *senatus consultum ultimum;* see note on p. 2, line 13) with absolute power.   Marius was consul for the year.

20. omnis copias . . . concidisse: hardly correct.   Catiline was still a formidable enemy.   But Cicero wishes to reassure his listeners.

23. cum pellebam, hoc providebam: *in endeavoring to drive him out, I foresaw this;* an instance of *cum*-explicative; hence the indicative ; B. 290, 1 ; A. 549, *a* ; G. 582.

25. P. Lentuli somnum, L. Cassi adipes, C. Cethegi temeritatem: *i.e.* the indolent Lentulus, the corpulent Cassius, the headstrong Cethegus.

27. tam diu dum: *(only) so long as.*

PAGE **39.** **1. norat**: = *noverat.*
2. appellare, temptare, sollicitare: note the climax.

3. consilium: *a shrewdness.*

4. jam: *furthermore.* **certas:** *special, definite.*

6. cum aliquid mandarat: *whenever he had ordered anything;* for the indicative with *cum* in clauses of recurring action, see B. 288, 3; A. 548; G. 567; H. 601, 4.

7. quod obiret, *etc.: which he did not personally attend to, encounter, watch for, toil for.* But *quod* can be construed only with *obiret; occurreret* would require the dative (*cui*), while with *vigilaret, laboraret* we should have *ad quod* or *in quo.* This use of one case-form with verbs taking different constructions is called ἀπὸ κοινοῦ ('in common').

14. non Saturnalia constituisset: *i.e.* he would have set a much earlier date; as protasis of *constituisset*, understand in thought *si in urbe remansisset.*

15. tanto ante: *so long in advance.* **rei publicae:** dative with *denuntiavisset.*

16. neque commisisset ut, *etc: nor would he have permitted the capture of his seal,* etc.

17. quae: referring loosely to the capture of the correspondence of the conspirators.

18. gesta sunt: *have been managed.*

23. ut levissime dicam: *to say the least.*

25. dum esset: Subjunctive by Attraction.

26. tanta pace, *etc. :* Ablatives of Manner.

27. quamquam: corrective, — *and yet.*

29. id consequi: *to reach that conclusion; id* refers to the statement just made. **cum:** *while.*

30. conjectura: *by reasoning, by inference.* **humani consili:** (*a matter) of human wisdom;* predicate Genitive of Quality, limiting *gubernatio.*

PAGE **40.** **1. tum:** *at the same time.*

2. his temporibus : *viz.* the last few weeks.

4. ut omittam: *to pass over;* Praeteritio. **illa:** explained by the following appositives, *faces,* etc. **ab occidente :** *in the west,* the quarter for unlucky omens. English uses *in* in many expressions where the corresponding Latin idiom calls attention to the point of view from which a thing presents itself to the eye of the observer or to the mind of the speaker, and hence uses *ab* or *ex.*

6. tam multa : *in such numbers.*

10. memoria : Ablative of Means. **Cotta et Torquato :** these were consuls in 65 B.C., at the time of Catiline's first conspiracy ; see Introd. to First Oration against Catiline, p. 118.

11. Capitolio : the temple of Jupiter, Juno, and Minerva on the southwest summit of the Capitoline Hill. It was Rome's greatest sanctuary. **de caelo esse percussas** : *were struck by lightning.*

12. cum depulsa sunt : *at the time when;* hence the indicative. **depulsa, dejectae** : *i.e.* from their supports.

13. legum aera : *i.e.* the bronze tablets of the laws.

15. quem inauratum, *etc. : i.e.* whose gilded statue representing him as a suckling infant, *etc.* A statue in the Palazzo dei Conservatori at Rome has with some probability been identified with the statue referred to by Cicero. See the illustration opposite p. 40.

16. uberibus lupinis : dative ; indirect object of *inhiantem.* **fuisse** : *stood.*

18. caedes atque incendia : the plural to denote special instances.

20. appropinquare, nisi flexissent : the direct discourse would be : *appropinquant, nisi flexerint* (future perfect).

21. fata ipsa : superior even to the gods themselves.

22. illorum : *viz.* the *haruspices.* **responsis** : Ablative of Cause. **ludi** : games, consisting of chariot-races, contests of gladiators, *etc.,* were often celebrated to appease divinities supposed to be hostile.

23. neque res ulla : *and nothing.* The Latin regularly says *neque ullus* (*a, um*), not *et nullus.*

24. idem : *they likewise ; viz.* the *haruspices.*

25. facere : as subject understand some such idea as ' the Roman people,' ' the Senate.' **majus** : *i.e.* larger than the old one.

26. contra atque antea fuerat : *opposite to its former position, i.e.* of the old statue. With words of likeness and difference, *atque* at times has the force of *as, than ;* hence, literally, *opposite than, etc.*

27. signum : *statue.* **quod videtis** : the statue was on the summit of the Capitoline and could easily be seen from the Forum, where Cicero was speaking ; see the view, facing p. vii.

28. fore ut illustrarentur : customary periphrasis for the future passive infinitive (*illustratum iri*).

30. ut possent : Subjunctive of Result.

31. illud signum collocandum locaverunt : *contracted for the placing of that statue ;* B. 337, 8, *b,* 2 ; A. 500, 4 ; G. 430 ; H. 622. **consules illi** : *i.e.* Cotta and Torquatus, two years before the present time. The duty of contracting for the erection of public buildings belonged regularly to the censors, but the censors for 65 B.C. had resigned. Thus their duties devolved upon the consuls.

PAGE **41**. **1. superioribus consulibus**: *viz.* in 64 B.C. The construction is Ablative Absolute, *superioribus* being used substantively, — literally, *the former ones being consuls.* **nobis**: understand *consulibus.*

3. hic: *in view of this.*

4. tam mente captus: *so crazy; mente* is Ablative of Specification; literally, *so stricken in mind.* **qui neget**: *as to deny;* Relative clause of Result. **haec omnia quae videmus**: *i.e.* all this universe. Cicero is thinking of those who, like the Epicureans, denied that the gods had any share in the government of the world. On the contrary, he declares, the hand of the gods is most obvious in human affairs.

7. cum esset responsum: *though the reply had been given.* **ita**: explained by *caedes . . . comparari.* **rei publicae**: dative with *comparari.*

8. et ea: *and that too.* **quae**: *things which.* The antecedent of *quae* is involved in *caedes . . . comparari.*

10. ea non modo, *etc.*: *tamen* is to be supplied in thought at the beginning of this clause.

11. illud: *the following circumstance;* explained by the clause *ut . . . statueretur.* **praesens**: *providential.*

12. Optimi Maximi: *Optimus Maximus;* standing epithets of the god.

14. in aedem Concordiae ducerentur: *viz.* to be confronted with the evidences of their guilt, as described in the earlier part of this oration.

16. ad vos senatumque: the Forum and senate-house (*Curia*) were nearly east of the Capitol, where the statue was set up, turned toward the east, according to the directions of the soothsayers.

18. quo: *wherefore.*

19. qui sunt conati: *since they undertook.* Relative clauses in the indicative often, as here, exhibit causal force.

21. me: the emphasis rests upon this word. **restitisse**: from *resisto.*

22. ille, ille, *etc.*: note the Anaphora.

24. salvos: logically modifying *Capitolium, templa,* and *urbem,* as well as *vos,* but agreeing in form with the nearer subject.

25. hanc mentem: *this purpose;* referring to his purpose of crushing the conspiracy.

26. jam vero: *furthermore.*

28. et ignotis et barbaris: referring to the Allobroges.

30. huic tantae audaciae: the abstract for the concrete, — *these so* *reckless men.* The dative is one of Separation; B. 188, 2, *d*; A. 381; G. 345, R. 1; H. 427.

PAGE **42.** 1. **ut homines Galli neglegerent ... anteponerent :** *that Gauls should disregard . . . and should prefer;* Substantive Clauses of Result, subject of *factum esse.*   **civitate male pacata :** though technically subdued and under Roman control, the Allobroges were restless and ripe for the revolt which occurred soon after the date of this oration ; *male* here has the force of *scarcely.*

2. **quae gens una :** *the only race which ;* referring to the Gauls in general, not to the Allobroges.

3. **non nolle :** *not unwilling ;* Litotes.

4. **ultro :** with *oblatam.*   **a patriciis hominibus :** several of the conspirators were of patrician families. A proposition coming from such a source would naturally have great weight.

5. **suis opibus :** *their own interests.* Dative of Indirect Object with *anteponerent.*

6. **id :** resuming the substance of *ut neglegerent, anteponerent.* **praesertim qui,** *etc. : especially since they would have been able, etc.;* Subjunctive in Clause of Characteristic with accessory idea of cause ; B. 283, 3 ; A. 535, *e* ; G. 633 ; H. 592.

7. **tacendo :** *i.e.* by keeping the secret.   **potuerint :** this represents a perfect indicative of more direct statement, and is not merely a Clause of Characteristic, as already explained, but is likewise the conclusion of a contrary-to-fact protasis. B. 304, 3, *a* ; 322, *c* ; A. 517, *c* ; G. 596, R. 3 ; 597, 5, *c* ; H. 583.

8. **ad omnia pulvinaria :** *at all the shrines; pulvinaria* were properly cushioned couches ; on these were set images of the gods, with viands placed before them ; the ceremony was designated a *lectisternium* ('couch-spreading'), and was a regular accompaniment of a thanksgiving (*supplicatio*).

9. **celebratote :** the future imperative is used because the reference is not to the immediate but to the remoter future.

11. **habiti sunt :** *have been paid.*   **ac :** connecting *justi* and *debiti.*

12. **justiores :** *i.e.* than those just decreed.

14. **togati :** agreeing with the subject of *vicistis.*

15. **recordamini :** imperative.

16. **dissensiones :** *recordor* never takes the genitive.

17. **audistis :** *have heard of;* a common meaning of *audio.*

18. **vidistis :** many of Cicero's auditors had been witnesses of the civil disturbances at Rome in 88–87 and 83–81 B.C.   **L. Sulla P.**

Sulpicium oppressit: in 88 B.C. the Romans declared war against Mithridates, king of Pontus, and committed its conduct to the consul, L. Cornelius Sulla. But the popular party resented this appointment, and P. Sulpicius Rufus, one of the tribunes for the year, secured the passage of a law annulling Sulla's appointment and investing Marius, the popular idol, with the chief command. This act was unconstitutional, and Sulla, who had already set out for the scene of conflict, straightway returned to Rome, defeated his opponents, put Sulpicius and others to death, and then proceeded again to the East.   **C. Marium . . . ejecit:** Marius escaped capture at the time of Sulla's return to Rome and took to flight.

19. **custodem hujus urbis:** alluding to Marius's defence of Rome against the Teutons and Cimbrians.

20. **Cn. Octavius consul . . . collegam:** Cn. Octavius, a partisan of Sulla, was consul in 87 B.C., the year after Sulla's departure for the Mithridatic War. Octavius's colleague was L. Cornelius Cinna, an adherent of Marius. The two consuls soon became involved in open hostilities, and Cinna was driven from the city.

21. **omnis hic locus,** *etc.: viz.* the Forum in which the adherents of Octavius and Cinna had fought a pitched battle.

22. **redundavit:** a bold Zeugma; *redundavit* applies properly only to *sanguine,* — *was piled with heaps of corpses and ran with blood.* **superavit postea Cinna cum Mario:** after Cinna had been driven from Rome by Octavius, he gathered his partisans about him, recalled Marius, and soon made himself master in the city.

23. **clarissimis viris:** among these were Cn. Octavius, Quintus Catulus, Marius's old colleague in the campaign against the Teutons and Cimbrians, and Lucius Caesar, the commander in the Social War.

24. **ultus est . . . postea Sulla:** Marius died soon after his triumph over Octavius, but the Marian party remained in undisputed control for the next four years, *viz.* till the close of 83 B.C., when Sulla returned in triumph from the Mithridatic War, took vengeance on his enemies, and established himself as ' perpetual dictator.'

26. **quanta deminutione, quanta calamitate:** Ablatives of Attendant Circumstance.

27. **Lepidus . . . Catulo:** Marcus Aemilius Lepidus and Quintus Lutatius Catulus were consuls in 78 B.C., the year following Sulla's abdication of the office of perpetual dictator. Lepidus represented the popular party, Catulus the aristocratic. The two consuls became involved in civil strife, in which Lepidus was defeated. He died soon after. Catulus was son of the victor over the Cimbrians.

28. ipsius: Lepidus. He was of less importance than the others (*ceterorum*) whom he involved in his own ruin.

29. rei publicae: dative.

PAGE **43**. **1. quae pertinerent**: Relative Clause of Result. **non ad delendam rem publicam**: *i.e.* they were not like the present conspiracy.

4. se esse, se florere: for the use *se*, see B. 331, IV, *a* ; G. 532, R. 2. **hanc urbem**: the subject of *conflagrare*.

8. dijudicatae sint: for the perfect subjunctive used as an historical tense, see B. 268, 6 ; A. 485, *c* ; G. 513 ; H. 550.

9. uno: this simply serves to emphasize the superlatives, and is scarcely translatable in English.

12. ut omnes ducerentur: a Substantive Clause Developed from the Volitive, in apposition with *lex haec*. **qui salva urbe salvi esse possent**: *who could be solvent, if the city was safe*, *i.e.* without a revolution. Cicero plays upon the two meanings of *salvus ; salva urbe* is Ablative Absolute.

15. tantum civium: *i.e.* only so many citizens.

19. pro: *in return for.*

25. nihil mutum: *i.e.* nothing like a statue or any outward mark of honor. Cicero asks only to be remembered in the hearts of his countrymen.

26. minus digni: = *indigni*.

28. litterarum monumentis: *i.e.* in historical works.

29. eandem diem: *the same space of time.* Note the gender of *dies*.

PAGE **44**. **1. propagatam esse**: *has been established.*

3. alter (terminaret): Pompey, who had recently triumphed over Sertorius in Spain, over the pirates of the Mediterranean, and lastly over Mithridates in Asia.

4. alter (servaret): Cicero.

7. fortuna atque condicio: the two words together mean hardly more than 'character.' **quae illorum**: elliptical for 'as the character of the exploits of those.'

9. illi: *but they;* Adversative Asyndeton.

10. vestrum est: *it is your duty.* **sua**: referring to *ceteris;* B. 244, 4 ; A. 301, *b* ; G. 309, 2 ; H. 503, 2.

11. recte: *with reason.* **mea ne obsint**: a substantive clause, object of *providere; mea* is put first for emphasis.

15. mihi quidem ipsi nihil noceri potest: *no injury can be done me* *myself;* literally, *it can be injured nothing to me; nihil* is Accusative of Result Produced, retained in the passive. Compare the corresponding active idiom, *mihi nihil nocet,* 'does me no harm.'

17. dignitas : *majesty.*

19. quam qui neglegunt : *and those who neglect that.*

20. is animus : *this resolve;* explained by the following *ut*-clauses.

24. qua condicione, *etc.: in what situation; i.e.* whether you wish them to be safe or not. Ablative of Quality.

27. ad vitae fructum : *to life's achievements.*

28. in honore vestro : *i.e.* in any office within your gift.

29. quicquam altius : *any loftier height.* Cicero was consul, the highest magistrate of the republic.   **quo libeat** : Clause of Characteristic.

P AGE **45. 1. illud** : explained by the *ut*-clauses.   **ea privatus tuear,** *etc.: i.e.* he will guard the reputation he has recently won and will strive to add to it.

3. laedat : as subject understand *invidia.*

4. mihi valeat : Copulative Asyndeton.

5. curem ut ea virtute, *etc.: i.e.* he will strive by an honorable life in future to continue worthy of his past.

8. vestrum : *of you;* the possessive pronoun has here the force of an objective genitive.

9. aeque ac : *the same as.*

11. ut in perpetua pace . . . providebo : foreshadowing the execution of the arrested conspirators.

FOURTH ORATION AGAINST CATILINE.

Cicero's Fourth Oration against Catiline was delivered in the Senate on the 5th of December, in the course of the discussion concerning the penalty to be inflicted on the captured conspirators. By Roman law no citizen could legally be executed without an appeal to the people. By the specious plea that the conspirators were no longer citizens, Cicero persuaded the Senate to deny them this privilege, and to decree their execution. They were strangled forthwith in the Tullianum, or ' Dungeon,' adjoining the Forum.

This act caused many desertions from the band of followers which Catiline had gathered in Etruria. The remnant, while endeavoring to make their way to Gaul with Catiline at their head, were forced into an engagement at Pistoria, in which after a fierce struggle they all perished.

PAGE **46**. 2. **vestro**: with *periculo*.

5. **voluntas**: *good will*.

7. **si haec condicio consulatus**, *etc.*: *i.e.* if the consulship was bestowed upon me on these terms.

8. **ut perferrem**: a substantive clause in apposition with *condicio*.

10. **dum modo pariatur**: a Clause of Proviso.

11. **dignitas**: *honor*.

12. **Forum, in quo omnis aequitas**, *etc.*: the Forum was the centre of the judicial life of Rome. Around it were grouped the various basilicas or law courts, in which justice was administered. Note the number of such basilicas in the Plan facing p. xxxv.

13. **Campus consularibus auspiciis consecratus**: the Campus Martius was the meeting place of the Comitia Centuriata, the assembly which elected the consuls. Auspices were regularly taken before the Comitia proceeded with its business; *auspiciis* is ablative.

14. **Curia, summum auxilium**, *etc.*: *i.e.* the Senate (which regularly met in the Curia) is the support and protector of all foreign nations. The Senate directed the foreign policy of Rome.

15. **domus, lectus**: alluding to the attempts made to assassinate Cicero in his own house; see p. 5, line 11 ff.

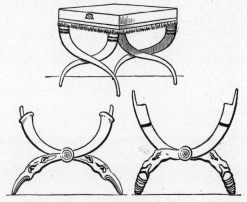

SELLA CURULIS.

16. **haec sedes honoris**: *viz.*, the curule chair, the official seat of curule magistrates (consuls, praetors, censors, curule aediles). It was in shape like a camp chair without a back, and was supported by

ivory legs. Cicero probably accompanied these words with a gesture toward the seat from which he had just risen to address the Senate.

17. periculo, insidiis: Ablatives of Separation with *vacua*. **multa tacui:** *i.e.* he had withheld incriminating evidence against certain persons.

18. meo quodam dolore: Ablative of Attendant Circumstance.

PAGE **47.** **1. in vestro timore:** *at the time of your alarm.* **hunc exitum esse:** *this to be the outcome; hunc* is for *hoc*, attracted to the gender of the predicate noun, as regularly; B. 246, 5; A. 296, *a*; G. 211, R. 5; H. 396, 2.

2. ut eriperem: in apposition with *hunc*.

8. suum nomen . . . fatale ad perniciem: Lentulus had been told by the soothsayers that he was 'that third Cornelius to whom the mastery of Rome was destined to come.'

10. cur non laeter: *why should I not rejoice?* Deliberative Subjunctive; B. 277; A. 444; G. 466; H. 559, 4.

11. prope fatalem: Cicero does not mean that his consulship fell short of bringing safety to the state, but merely wishes to apologize for using so strong a word as *fatalis* in reference to his consulship. **exstitisse:** hardly more than *fuisse*.

16. pro eo ac mereor: *in accordance with my deserts;* literally, *in accordance with that as I deserve.*

17. mihi relaturos esse gratiam: *i.e.* will reward me. **si quid obtigerit:** a euphemism for *si occisus ero.*

19. immatura: *untimely.* If a man has reached the consulship, he has reached the summit of public honor.

20. sapienti: *to a philosopher* (the ideal wise man). **ille ferreus:** *so unfeeling;* literally, *that unfeeling* (*person*).

21. qui non movear: *as not to be moved.* **fratris carissimi:** Quintus Cicero, praetor elect.

22. horum omnium: the senators. **lacrimis:** the ancients were less inclined than we to conceal emotion.

23. neque meam mentem non domum, *etc.: nor does my distracted wife fail to recall my thoughts often toward home.* Cicero's wife was Terentia. Though he later divorced her, there is no reason to doubt the genuineness of his affection at this time.

25. filia: Tullia, now probably eighteen years old. Her death eighteen years later was a severe blow to her father. **parvulus filius:** the young Marcus, at present two years old. The diminutive adjective implies affection, — *dear little.*

26. ille gener: C. Calpurnius Piso. He married Tullia in 63 B.C. Piso was not a member of the Senate, and consequently must have been outside the temple in which the Senate was assembled. Very likely he stood at the entrance.

28. in eam partem: *to this purpose or resolve.*

PAGE **48.** **1. una peste**: *i.e. one general ruin.*

2. pereamus: in the same construction as *sint*, to which it is connected by the coördinate conjunction *potius quam*. For the use of the first person, see B. 255, 4; A. 317, *a*; G. 287. **incumbite, circumspicite procellas**: nautical figures. The state, as often, is conceived of as a ship; *incumbere* is literally 'to bend to (the oars).'

4. non, non, non: in translation connect the negatives closely with the proper names. **Ti. Gracchus, C. Gracchus**: for the unlawful acts of these agitators, see the notes on p. 2, lines 2, 15.

6. L. Saturninus: the demagogic tribune of 100 B.C., already mentioned p. 2, line 19. With Glaucia he led the mob that killed C. Memmius, Glaucia's rival for the consulship.

8. severitatis: not in the sense of undue severity, but rather of strictness.

9. vestram omnium: a variation of *omnium vestrum.*

12. servitia: *the slave bands.* Abstract for the concrete.

13. id consilium: *this plan;* explained by *ut relinquatur*. **ut relinquatur**: as *initum est* is clearly historical, we should have expected the imperfect subjunctive here. Greater vividness is attained by employing the present.

16. rei: from *reus.*

17. quod: *in that.*

22. dandos: *i.e. dandos esse.*

23. qui honos: *an honor which.*

25. hesterno die: December 4.

PAGE **49.** **1. illa praedicam**: *I will say by way of preface (to the discussion).* **sunt consulis**: *belong to the consul (to say).* For the predicate Genitive of Possession, see B. 198, 3; A. 343, *b*; G. 366; H. 447.

3. jam pridem videbam: *i.e. had already noticed long before.*

4. haberi: *was being formed.*

6. ante noctem: to be valid, a decree of the Senate must be passed before sunset.

9. latius opinione: *more widely than is thought.*

11. provincias occupavit: alluding to the reports that Catiline had secured promises of support in Spain and Africa.

15. adhuc: *i.e.* thus far in the debate.   **sententias:** *motions.*   **D. Silani:** consul elect.

17. C. Caesaris: the conqueror of Gaul and author of the Commentaries on the Gallic War. At the time of this oration he had already held the offices of quaestor and aedile, and had just been elected praetor for the year 62 B.C. He was recognized as the leader of the popular party, and was even credited with having secretly encouraged the schemes of Catiline.

18. ceterorum amplectitur: note the Adversative Asyndeton.

20. in summa severitate versatur: *insists on* (literally, *is engaged in*) *the greatest severity.*   **alter:** *the one, viz.* Silanus.

22. punctum temporis: Accusative of Duration of Time.

23. vita, spiritu: Ablative of Means with *frui.*

25. recordatur: *calls to mind; i.e.* reminds us.

26. intellegit: *recognizes the fact that.*

PAGE **50.**   **1. inviti:** the adjective with adverbial force, — *unwillingly.*

2. vincula: *imprisonment.*   **et ea sempiterna:** *and that too for life.*

3. ad singularem poenam . . . inventa sunt: *i.e.* in Caesar's opinion.

4. habere: *to involve.*   **ista res:** *i.e.* the plan of distributing the condemned conspirators among the municipal towns.   **iniquitatem, si velis,** *etc. : i.e.* the proposition is unjust, if we wish to *require* the municipal towns to receive the conspirators ; if we simply *request* them to, it is likely to be difficult to secure compliance.

5. si velis: *if one wishes;* an instance of the indefinite second singular. When this use occurs in a *subordinate* clause, the verb regularly stands in the subjunctive.

6. decernatur: *let it be decreed.*

7. reperiam: understand *eos* as object.   **qui non putent:** *who will not think;* Clause of Characteristic.

8. suae dignitatis: *consistent with their honor;* predicate Possessive Genitive limiting *recusare,* the subject of *esse.*

9. si quis ruperit: subjunctive in implied indirect discourse. Direct form : *si quis ruperit* (future perfect), *poena erit.*   **eorum:** with *vincula.*

11. ne quis possit: *that no one be able;* Substantive Clause Developed from the Volitive, object of *sancit*.   In such clauses (as also in purpose clauses) the Latin regularly has *ne quis*, not *ut nemo*.   Yet, to avoid confusion, *ut nemo* may be used for *ne quis* where *ne . . . quidem* follows, as p. 48, line 13.

12. **per populum**: in the legislative assembly.

16. **una**: *along with it.*   **dolores . . . ademisset**: *i.e.* Cicero here means to say that "death ends all."   This view doubtless represented the sentiments of many of the senators to whom he was speaking.   It did not represent the views of Cicero himself or the sentiments to which he had himself given expression at the close of the First Oration (p. 15, line 23), *aeternis suppliciis vivos mortuosque mactabis.*

17. **itaque**: *i.e.* because it was recognized that there was no life after death, and consequently no future punishment.   **ut . . . posita**: *that some terror might be set before the wicked; improbis* is dative.

19. **illi antiqui**: *i.e.* those ancient writers whose works we know.

20. **voluerunt**: *would have it, represented; i.e.* they represented that punishment in a future state awaited the wicked.   **his remotis**: the Ablative Absolute has the force of a condition ; *his* refers to *suppliciis.*

22. **mea video quid intersit**: *I see what my interest is.*   Instead of using the genitive of the personal pronouns with *interest* and *refert*, the Latin regularly employs the ablative singular feminine of the corresponding possessive ; B. 211, 1, *a* ; A. 355, *a* ; G. 381 ; H. 449, 1.

23. **quoniam is secutus est**: the reason for the following statement : *minus erunt mihi populares impetus pertimescendi; i.e.* Caesar represents the masses, and they will not criticise the decree that has come from him.

24. **is viam . . . secutus est**: *i.e.* represents democratic sentiments.   **in re publica**: *in public life.*   **habetur**: *is regarded.*

25. **hoc auctore et cognitore**, *etc.*: the Ablatives Absolute have causal force, — *since he is the author and advocate, etc.*

27. **sin**: for the use of *sin*, see B. 306, 3 ; G. 592 ; H. 575, 5. **illam alteram**: understand *sententiam*, governed by *secuti eritis* to be supplied from the previous sentence.   **nescio an amplius**, *etc.*: *I am inclined to think that more trouble will be occasioned for me.*   On the force of *nescio an*, see B. 300, 5 ; G. 457, 2.

29. **vincat**: Jussive Subjunctive.

30. **majorum ejus amplitudo**: the Julian gens traced its descent from Venus and Anchises.

PAGE **51**. **1. tamquam obsidem,** *etc.:* *i.e.* Caesar's disposition to punish the acts of men of his own party (Catiline, Lentulus, *etc.*) is a pledge of constant devotion to the state.

2. intellectum est quid interesset, *etc.:* *we have seen what the difference is between,* etc.; *i.e.* we have seen this in Caesar. He himself has given us an illustration of the difference, exemplifying as he does the *animus vere popularis.* Note that *interesset,* though expressing a general truth, follows the principle for the sequence of tenses. In English we put such general truths in the present, irrespective of tense sequence.   **levitatem contionatorum:** this represented the ordinary type of popular leaders, — loud-mouthed demagogues without depth of convictions or insight.

3. saluti populi consulentem : defining *vere popularem.*

5. video . . . non neminem: many members of the popular party absented themselves from the present meeting of the Senate, to avoid putting themselves on record by voting against the conspirators.   **de istis :** *from among those ;* dependent upon *non neminem.*   **se haberi volunt:** for the infinitive with *se,* see B. 331, IV, *a* ; G. 532, R. 2.

6. non neminem: *several.*   **ne videlicet,** *etc.:* *of course, that they may not vote; ferat* is singular, since it refers to *non neminem.* The English idiom calls for the plural.

7. at is : *yet they;* again referring to *non neminem.*   **in custodiam . . . dedit:** *i.e.* voted to commit the arrested conspirators to custody. Cicero wishes to emphasize the inconsistency of men who had shared in the previous acts of the Senate and now refused to join in the discussion of the penalty to be imposed upon the conspirators.

8. mihi : *i.e.* in my honor, in my name.

10. hoc : explained by the following indirect question : *quid judicarit.*   **qui . . . decrerit, quid . . . judicarit :** *what opinion he has entertained, who has decreed, etc.; decrerit* (for *decreverit*) is attracted into the subjunctive. The antecedent of *qui* is the subject of *judicarit.*   **quaesitori :** Cicero, who had directed the investigation.

12. tota re et causa : *re* is the whole affair ; *causa* refers to the legal case.   **at vero:** *now.*   **intellegit,** *etc.: recognizes.* Caesar had not expressly said this, though his attitude certainly implied it. Hence Cicero dexterously avails himself of the opportunity of adding weight to his own views by attributing them to Caesar.

13. legem Semproniam : this law reaffirmed the principle that no citizen should be put to death except by decree of the people. It was called *lex Sempronia* from its author, Gaius Sempronius Gracchus, the popular agitator.

14. **qui autem rei publicae sit hostis,** *etc. :* this plea is shallow and specious. It marks the attorney rather than the true lawyer. Roman jurisprudence recognized no forfeiture of citizenship *except by due process of law.* **eum civem :** *eum* is subject; *civem* predicate accusative.

15. **ipsum latorem :** *viz.* Gaius Gracchus.

16. **injussu populi poenas dependisse :** Cicero refers to Gracchus's death as furnishing an exception to the Sempronian law. But Gracchus was killed by a mob in defiance of law; hence the circumstances of his death had no bearing on the present cases. **rei publicae :** dative. **idem ipsum,** *etc. : he also thinks that even Lentulus, despite his lavish generosity* (a popular quality), *can no longer be called a true friend of the people.*

19. **etiam :** *still,* or with *non, no longer.* This temporal sense of *etiam* is rare in classical prose.

20. **homo mitissimus atque lenissimus :** *though a most considerate and merciful man; homo* is in apposition with the omitted subject of *dubitat, viz. is,* referring to Caesar. **non dubitat :** *does not hesitate.*

22. **se jactare :** *make himself conspicuous;* literally, *exhibit himself.*

23. **in pernicie :** *to the ruin.*

25. **egestas ac mendicitas consequatur :** the two conceptions are felt as a whole; hence the singular verb.

27. **hoc :** Caesar's proposal. **dederitis ;** the future perfect emphasizes the summary and certain accomplishment of the future act.

28. **comitem ad contionem :** *a colleague in the meeting, i.e.* in the public gathering before which Cicero would naturally announce the results of the Senate's deliberation. The Third Oration is an example of such a *contio.* **populo :** dependent upon *carum atque jucundum.*

Page 52. 2. **populo Romano :** *in the eyes of the Roman people.*

3. **obtinebo :** *i.e. I shall prove.* **eam :** Silanus's proposition.

5. **de meo sensu :** *from my own feelings.*

6. **ita mihi salva re publica,** *etc. :* literally, *so may I be permitted to enjoy . . . as I am not moved; i.e. may I not be permitted to enjoy, . . . if I am moved; ita* 'so,' 'on these terms,' is explained by the the *ut*-clause. The English 'So help me God' illustrates this use of *ita ; liceat* is Optative Subjunctive.

7. **quod . . . vehementior sum :** *because I am unusually earnest in this case.* This parenthetical statement gives the reason for Cicero's explanation, — 'I say it because,' *etc.*

12. **animo :** *in imagination.* But the ablative is really one of Means.

sepulta : the word is unusual in this sense and is chosen for the sake of antithesis with the following *insepultos.*

13. versatur mihi ante oculos : *there hovers before my eyes ; mihi* is Dative of Reference.

14. bacchantis : *as he exults ;* limiting *ejus* to be understood with *furor.* **mihi proposui :** *i.e.* in imagination.

15. regnantem : *as king.* The words *rex* and *regnare* represented conceptions detestable in the eyes of free Romans.

16. purpuratum esse huic Gabinium : *Gabinius as his prime minister.* But *purpuratum* really includes more than this. It was a designation of the high officials under oriental tyrants, and hence suggests the despotic rule that Lentulus intended to inaugurate ; *huic* is Dative of Reference. **cum exercitu venisse Catilinam :** *Catiline's arrival with an army ; esse* and *venisse* are objects of *proposui.*

17. tum : the main clause begins here. **lamentationem :** this and the following accusatives depend on *perhorresco ;* B. 175, 2, *b* ; A. 388, *a* ; G. 330, R. ; H. 405, 1.

18. familias : for this archaic genitive, see B. 21, 2, *a* ; A. 43, *b* ; G. 29, R. 1 ; H. 79, 2.

24. supplicium de servo : the Latin idiom is 'to take punishment *from* some one' ; we speak in English of 'inflicting punishment *on* some one.'

27. qui non lenierit : *for not alleviating ;* Clause of Characteristic, with accessory notion of cause ; B. 283, 3 ; A. 535, *e* ; G. 633 ; H. 592. **nocentis :** *i.e.* of the guilty slave.

28 in his hominibus : *in the case of these men ;* limiting *vehementissimi fuerimus.*

32. id egerunt : *aimed at this ; id* is explained by *ut collocarent,* a Substantive Clause Developed from the Volitive.

PAGE **53.** **4. crudelitatis :** dependent upon *fama.*

5. nisi vero : *nisi vero* regularly implies that the supposition introduced is absurd. **cuipiam :** with *visus est.* **L. Caesar :** a distant relative of Julius Caesar. He had been consul in 64 B.C.

6. crudelior : *particularly cruel.*

7. sororis suae virum, etc. : *his sister's husband.* This was Lentulus.

9. cum : *and when ;* Copulative Asyndeton. **avum suum . . . filiumque,** *etc. :* L. Caesar's grandfather on his mother's side was M. Fulvius Flaccus, who was one of the chief adherents of C. Gracchus. When the Gracchan party became involved in open hostilities with the

Senate and its supporters, Flaccus sent his son, a youth of eighteen, to
negotiate for terms. The young man was promptly put in prison and
subsequently strangled. Cicero cites these summary acts as furnishing a full warrant for the severest punishment of the conspirators.
consulis: Opimius, who had been invested with the duty of 'seeing
that the state suffered no harm.'

11. quorum quod simile factum: *what deed of these* (Flaccus and
his son)(*was*) *like* (*the purposes of the conspirators*)*? quorum* is the
relative; *quod* the interrogative adjective.

12. largitionis voluntas: *a disposition for lavish treatment, viz.* of
the common people. Gracchus had secured the passage of a law by
which wheat was furnished to Roman citizens at a merely nominal
price.

13. versata est: *was prevalent.* **partium quaedam contentio**:
i.e. Gracchus's programme involved little beyond a high state of party
spirit ; it did not aim at the destruction of the government.

14. avus: a stanch upholder of the aristocracy ; see note on p. 35,
line 28.

15. armatus: emphasis rests on this word.

16. ne quid, *etc.*: *i.e.* lest the interests of the state should suffer.

17. hic: *the present* (*Lentulus*) *;* in contrast with *ille*.

21. vereamini, censeo, *etc.*: *I urge you to entertain the fear lest,
etc.;* highly ironical. Cicero means that any such fear is, under the
circumstances, absurd ; *censeo* is parenthetical.

27. ea quae exaudio: *those objections that I clearly hear.* Reference is to the open misgivings of the senators uttered in Cicero's
hearing.

30. ut habeam: *that I have not;* B. 296, 2 ; A. 564 ; G. 550, 2 ;
H. 567, 1.

PAGE **54. 1. omnia provisa**, *etc.*: *i.e.* the fears of the senators are
groundless.

2. cum, tum etiam: *not only, but also.* **mea summa cura**: *with
the greatest care on my part.*

3. majore: with *voluntate*.

4. summum imperium: *i.e.* the supreme authority of their
country.

8. hujus templi: the temple of Concord.

9. sentirent unum atque idem: *entertain one and the same*
(*conviction*).

10. sibi esse pereundum: *that they must perish.*

16. quid commemorem: *why should I mention?* Deliberative Subjunctive.

17. qui vobis ita summam, *etc.: who yield you preëminence in rank and wisdom, only to vie with you in love, etc.;* *ita* is explained by the *ut*-clause, which here has so-called "stipulative" force, — 'on condition that,' 'on the understanding that.'

19. ex: *after.* **multorum annorum dissensione:** in 122 B.C. Gaius Gracchus had secured the passage of a law whereby the control of the jury courts was transferred from the senators to the equites. Sulla later (81 B.C.) restored this control to the senators. Later still, in Pompey's consulship (70 B.C.), the control was divided between the senators, equites, and *tribuni aerarii.*

20. hujus ordinis: *with this body, viz.* the Senate; dependent upon *societatem* and *concordiam.*

21. conjungit: agreeing with the nearer subject.

22. confirmatam: *cemented; confirmo* in line 23 is used in a different sense, — *viz. declare.*

23. perpetuam: in predicate relation to *conjunctionem.*

26. tribunos aerarios: representatives of the thirty-five tribes. Barring their representation in the jury-courts, little is known of them.

27. scribas: *clerks;* particularly the quaestor's clerks employed in the treasury. **universos:** *in a body.* **cum hic dies ad aerarium frequentasset:** *when this day* (December 5), *had brought them in crowds to the Treasury.* The Treasury (*aerarium*) was in the Temple of Saturn at the west end of the Forum, adjacent to the Temple of Concord.

28. casu: *by chance; i.e.* it accidentally happened that the day of the allotment and of Cicero's speech were the same. **exspectatione sortis:** *i.e.* the allotment of the provinces to the quaestors, who regularly entered upon their duties on the Nones of December (December 5). Very likely lots were also cast to determine under what quaestor the various *scribae* should serve.

31. cui non sit carum: Clause of Characteristic.

PAGE 55. **1. solum:** *soil.* **cum:** not with *sit,* but correlative with *tum vero.*

4. sua virtute: *by their merit.* By industry slaves could often save enough to purchase their freedom. **fortunam hujus civitatis:** *the good fortune of citizenship here.*

6. quidam hic nati: *viz.* the conspirators. Slaves were more often of foreign birth. **summo loco:** Ablative of Source.

11. servus est nemo: *there is no slave; nemo* for *nullus*, as not infrequently.

12. qui modo sit: *provided only he be.* A relative Clause of Proviso. **tolerabili condicione**: Ablative of Quality. **qui non perhorrescat**: Clause of Characteristic.

13. haec stare: *i.e.* the city and its institutions to remain.

14. quantum audet, etc. : many slaves were naturally hampered by the fact that their masters sympathized with the conspiracy.

15. voluntatis: Genitive of the Whole with the omitted antecedent (*tantum*) of *quantum.*

16. si quem, etc. : this clause may be rendered by the English passive, — *if any one of you is troubled by this; hoc* is explained by the following infinitives, *concursare, sperare.* **quod**: the relative.

17. lenonem quendam: *a certain agent.* **concursare**: the frequentative suggests frantic haste. **tabernas**: *the shops.*

18. pretio sollicitari posse: *i.e.* can be bribed.

19. est id quidem coeptum: the logical apodosis of the sentence begun by *si quem* is not *est coeptum*, but rather something to be supplied, *e.g.* 'I will state'; *est coeptum*, for *coeptum est*, means 'that *has* been attempted.'

20. fortuna miseri: *wretched in estate.*

21. voluntate perditi: *abandoned in purpose.* **sellae**: *i.e.* the seat on which the artisan or tradesman sat in his shop. **operis**: *trade.*

22. cubile ac lectulum: *lectulus* is a synonym of *cubile*, and introduces no new idea.

27. instrumentum: *stock in trade.* **opera**: *occupation.*

28. frequentia sustentatur, alitur otio: note the Chiasmus. **quorum**: referring to *eorum* in line 24.

29. occlusis tabernis: Ablative Absolute with temporal force,— *when the shops are closed.* **quid tandem, etc. :** *what would have happened, if, etc.?* A conditional sentence of the contrary-to-fact type. The protasis is in (*tabernis*) *incensis*, equivalent to *si tabernae incensae essent.* For the form of the apodosis, see B. 304, 3, *b*; A. 517, *d*; G. 597, R. 3; H. 582.

PAGE **56.** **4. atque**: *and in fact.*

10. Arcem: the Arx was the northern summit of the Capitoline Hill. On this summit was the temple of Juno Moneta. **Capitolium**: the southern summit of the Capitoline Hill, crowned by the Temple of Jupiter, Juno, and Minerva, which also was called Capitolium. **aras**

Penatium : *i.e.* the altars of the city Penates on the Palatine. Besides the regular household Penates of each family, there were the *Penates publici* of Rome itself, said to have been brought from Troy by Aeneas.

11. illum ignem : the temple of Vesta was on the edge of the Forum but a short distance from the Temple of Concord, where Cicero was now speaking.

17. quae facultas : *an advantage which;* referring to *memorem vestri, oblitum sui.* **omnis ordines :** *viz.* the senatorial order, the equestrian order, and the common people. These three orders constituted the Roman state.

19. in civili causa : *i.e.* on a political question.

20. cogitate quantis laboribus, *etc. : consider with how great toil the government was established, with how great valor freedom was assured . . . and how one night almost destroyed these; imperium, libertatem,* and *fortunas* are all the objects of *delerit* (= *deleverit*); literally, *one night destroyed a government established by how great toil, etc.*

23. id ne umquam : *that that may never.*

25. haec : object of *locutus sum.*

26. mihi studio praecurritis : *outstrip me in zeal.*

28. functa : understand *esse.*

Page 57. **1. ad sententiam :** *to asking your views.* The consul asked the individuals in turn to indicate their opinions.

2. quanta manus est . . . tantam : *as great as is the band; quanta* is correlative with *tantam.*

5. turpem et infirmam et abjectam : note the repetition of the conjunction (Polysyndeton), the less usual and therefore more emphatic form of enumeration.

6. alicujus : *i.e.* of some ringleader. The contingency here alluded to by Cicero was actually realized in 58 B.C., when Cicero was exiled in consequence of his action "in putting Roman citizens to death without trial," as the formal decree recited. See Introd. p. ix f.

7. dignitas : *authority.*

8. factorum : B. 209, 1 ; A. 354, *b* ; G. 377 ; H. 457.

9. quam minitantur : *with which they threaten* (me); *minitor* may take the Accusative of Result Produced ('Internal Object'), either with or without the dative of the person threatened.

10. vitae : the emphatic word in the clause. In the previous sentence the orator has just said that, as for *death*, that is the inevitable lot of all. Now, in contrast, he adds, as for *life*, no one has attained so much glory from it as himself. The two considerations together are his reason for the declaration that he will never regret his conduct.

11. quanta honestastis: *as you have honored me with.*

12. bene gesta: understand *re publica;* Ablative Absolute with causal force, — *in consequence of the successful management of the government.*

13. sit Scipio clarus: Cicero here begins an enumeration of the chief Roman heroes who had won recognition for their successful conduct of the interests of the state. To all he concedes their well-earned glory, confident that his own title to fame will be no less readily acknowledged. *Scipio ille* is Scipio Africanus the Elder; *sit* is Jussive Subjunctive.

14. in Africam redire atque Italia decedere: an instance of Hýsteron Próteron, *i.e.* an inversion of the natural order of events. Hannibal's withdrawal from Italy naturally preceded his return to Africa. The events referred to marked the close of the Second Punic War, when Scipio carried operations into Africa, thus forcing Hannibal to withdraw from Italy and return to the protection of Carthage. *Italia* is Ablative of Separation. The omission of the preposition with *decedere* is unusual.

16. alter Africanus: Scipio Africanus the Younger. He was the son of Lucius Aemilius Paulus, but was adopted by the son of the elder Africanus, taking the name Publius Cornelius Scipio Aemilianus.

17. Carthaginem Numantiamque: Carthage was razed to the ground at the conclusion of the Third Punic War, 146 B.C. Numantia, the chief town of the Celtiberians in northern Spain, was captured and destroyed by Scipio in 133 B.C. It had long been the headquarters of the Celtiberians in their wars against the Romans.

18. Paulus ille: Lucius Aemilius Paulus, who successfully conducted the Third Macedonian War, defeating and capturing King Perseus at Pydna in 168 B.C. **currum honestavit**: *i.e.* he walked before Paulus's chariot in the triumphal procession.

19. quondam: with *potentissimus*.   **Perses**: also known as Perseus.

20. gloria: Ablative of Quality.   **Marius**: see note on p. 38, line 14.   **bis Italiam . . . liberavit**: *viz.* in 102 B.C., when Marius defeated the Teutons at Aquae Sextiae, and in 101 B.C., when, in company with his colleague Catulus, he repulsed the Cimbrians near Vercellae.   **obsidione**: *i.e.* invasion.

21. omnibus: indirect object of *anteponatur.*

22. Pompejus: for his achievements prior to this time, see note on
p. 44, line 3. He was at present a popular idol, though viewed with
jealousy by the aristocratic Senate. It is most likely that this lauda-
tory reference to Pompey was not included in the speech delivered
before the Senate by Cicero, but was inserted afterwards when it was
prepared for publication.

24. aliquid loci: *some place.* For the genitive, see B. 201, 2; A.
346, *a*, 3; G. 369; H. 442. **nisi forte**: *nisi forte* regularly implies
that the suggested case is absurd.

25. majus est: *i.e.* is a more glorious thing. **patefacere nobis
provincias quo exire possimus**: *i.e.* to supply provinces for provincial
governors to rule, as Pompey had done.

26. curare ut habeant quo revertantur: *i.e.* to preserve the state,
as Cicero had done. **ut habeant**: substantive clause, object of
curare. **etiam**: *also.*

27. quo victores revertantur: (*a place*) *to which to return when
victorious.* The antecedent of *quo* (here the adverb) is implied in the
omitted object of *habeant; victores* is the adjective, limiting the subject of *revertantur.* **quamquam**: corrective, — *and yet.* **uno
loco**: *in one respect, one point;* Ablative of Specification.

28. domesticae: *sc. victoriae; i.e.* a victory over one's fellow-
citizens.

29. aut: correlative with the *aut* following *serviunt.* **oppressi
serviunt**: *i.e.* are crushed and become slaves.

Page **58.** **2. cum reppuleris**: all subordinate clauses in which the
indefinite second singular occurs, regularly stand in the subjunctive.
Here the subject of *reppuleris* is entirely general, — *when one has
driven them away.*

3. possis: Potential Subjunctive. The second person is indefinite
here also; but the clause is a *principal* one, and the subjunctive is
due entirely to the potential force of the thought.

4. mihi: Dative of Agency; B. 189, 2; A. 375; G. 354; H. 431, 2.

5. id: subject of *posse* in line 9.

10. quae possit: Relative Clause of Result.

14. pro imperio, pro exercitu, pro provincia: *in place of the imperium, in place of the army, in place of the province.* These three
conceptions are partly identical. The *imperium* was the absolute
military authority exercised *over* the army *in* the province.

15. quam neglexi: instead of proceeding to cast lots for proconsular provinces, Cicero had renounced his claims in favor of his

colleague Antonius, who thereby secured the rich province of Macedonia for his proconsular command. Cicero's object was to detach Antonius from support of the conspiracy, with which he was known to be in sympathy. **triumpho ceterisque laudis insignibus**: in yielding up Macedonia to Antonius, Cicero was virtually foregoing a triumph, since that province offered a promising field for military successes.

17. clientelis hospitiisque: *relations of clientship and guest friendship.* Provincial governors usually formed such relations both with provincial communities and with individuals. These often became an important element of prestige and influence after their return to Rome.

18. quae tamen, *etc.*: Cicero means to say that he has certain provincial clients and guest friends despite his distance from the provinces. **urbanis opibus**: *i.e.* by such influence as I can exert in the city. **non minore labore tueor quam comparo**: *I maintain no less industriously than I establish them;* *i.e.* he strives zealously to establish such relations and afterwards to keep them up.

19. pro his, *etc.*: *in view of all these considerations; pro* in this and the following phrases appears in a different sense from that above.

25. fefellerit, superaverit: future perfects, — *shall disappoint and crush.*

26. commendo, . . . cui erit: the form of expression is slightly illogical. Cicero means, 'if my hope is disappointed, yet my son, whom I commit to you, will have adequate protection.'

28. suo solius periculo: *with risk to himself alone;* Ablative of Attendant Circumstance. For the genitive *solius*, see B. 243, 3, *a*; A. 302, *e*; G. 321, R. 2; H. 446, 3.

PAGE **59**. **5. ut instituistis**: *as you have begun.* The debate was in process before Cicero rose to speak.

6. qui dubitet: Relative Clause of Result. For *is = talis*, see B. 247, 1, *a*.

8. praestare: *vouch for the execution of.*

THE ORATION ON POMPEY'S APPOINTMENT.

66 B.C.

In the year 88 B.C. the Romans became involved in a serious conflict with Mithridates, king of Pontus. They had long been jealous of the growing influence and dominion of this able and powerful ruler, and now prepared to dispute with him the mastery of western Asia. The war begun in 88 B.C. lasted till 84, and is known as the First Mithridatic War. The Roman forces were ably commanded by Sulla, who finally granted terms of peace to Mithridates on condition that he should confine himself to his own kingdom of Pontus, should surrender eighty ships, and pay an indemnity of 3000 talents.

Sulla returned to Rome in 83 B.C. to take vengeance on his own political opponents, who in his absence had gained control of the government. The province of Asia was left in charge of Lucius Murena, whose military ambition soon led to a renewal of hostilities with Mithridates. This struggle, which lasted till 81 B.C., when Murena was peremptorily commanded by Sulla to desist from further warfare, is known as the Second Mithridatic War.

The succeeding years were utilized by Mithridates in preparation for a new trial of strength with Rome. In the year 74 B.C. he invaded Bithynia, a Roman province, and thus precipitated the Third Mithridatic War. The struggle continued for a number of years, marked by changing fortunes on land and sea. Lucullus, who had been entrusted with the command of the Roman forces, was an able general, and won many brilliant successes, but failed to capture Mithridates himself. At Kabira (72 B.C.) the Roman victory was decisive; but Lucullus's soldiers, through their eagerness for plundering the camp of the enemy, allowed Mithridates to slip through their hands. Assisted by his son-in-law Tigranes, the king succeeded in protracting the stubborn contest. In 67 B.C. he inflicted a crushing defeat at Zela upon the Roman *legatus* Triarius. Meanwhile Lucullus's troops had mutinied, and he himself had been superseded in the command by M'. Acilius Glabrio, consul for the year 67, an utterly incompetent general, who made no effort to retrieve the recent disasters, but remained inactive in his province of Bithynia.

It was at this juncture that the tribune C. Manilius brought forward (in the popular assembly; Introd. p. xxix) a bill for the appointment of Pompey to the command of the Roman forces in the East. Gnaeus Pompey was born in 106 B.C. He had served under his own father in the Social War (90–88 B.C.), in the Civil War under Sulla (83–82 B.C.), and in the war against Sertorius in Spain (76–71 B.C.). His brilliant military successes in these struggles had earned him two triumphs before he had filled even the lowest magistracy, — events quite at variance with Roman custom, which limited the honor of a triumph to consuls, praetors, and dictators. In 67 B.C. he had been chosen to take charge of the war against the pirates. For a generation or more

Mediterranean commerce had suffered severely from these marauders, who at times had the boldness to descend even upon the coast towns of Italy itself. Under Pompey's command the war was brought to a decisive close in the short space of three months, and the Mediterranean was once more safe for peaceful commerce.

Such was the man whom Manilius now proposed to invest with the supreme command of the Roman armies in the war against Mithridates. When the bill came up for discussion before the popular assembly, it was bitterly opposed by the aristocratic party, represented by Catulus and Hortensius, who naturally looked with a jealous eye upon the proposal to invest a representative of the popular party with such unprecedented power as was contemplated in the bill of Manilius. Cicero, who at this stage of his career was allied with the democracy, supported the measure in the speech which has come down to us, an effort which, barring certain exaggerations of Pompey's merits and certain distortions of fact, is a model of a public oration. In its orderly arrangement, its careful analysis, and its wealth of well-chosen illustration, it could hardly be surpassed.

The bill of Manilius was enacted into law by the votes of all the tribes of the assembly ; Pompey was appointed to the command in the East, and realized completely the hopes and promises of his friends by bringing the Mithridatic War to a triumphant close.

PAGE **60**. **1. frequens conspectus vester :** *the sight of your crowded assembly*, the *Concilium Plebis ;* see Introd. p. xxix.

2. multo jucundissimus : *i.e.* far the pleasantest of all sights ; *jucundissimus* (like *amplissimus* and *ornatissimus*) is a predicate adjective with *visus est*.   **hic locus :** the Rostra, from which the assembly was addressed. It was situated between the Forum and Comitium. See the Plan opposite p. xxxv.   **ad agendum :** in its technical sense, *agere* is used of bringing measures before the assembly. Only the presiding magistrate was authorized to do this. In the present instance the presiding magistrate was the tribune Manilius.

3. ad dicendum : only those might speak in debate to whom the presiding magistrate gave permission. Thus in the present meeting Cicero spoke by permission of Manilius, not by virtue of his own official position as praetor.

4. hoc aditu laudis : *this avenue to fame.* The reference is to speaking before the public assemblies ; *aditu* is Ablative of Separation with *prohibuerunt.*   **optimo cuique :** *to all the best men ;* literally, *to each best man.*

6. ab ineunte aetate : *i.e.* from early manhood, the time of assuming the *toga virilis*, usually about the sixteenth year. There were various ways of securing public advancement. Cicero had chosen the profession of law from his earliest years, and steadfastly devoted himself to that as a means of winning public recognition. Others chose the profession of arms.

7. cum : *since.*   **antea :** *hitherto.*   **per aetatem :** *on account of my age.* Cicero was now forty years old. Evidently he deemed great maturity essential for success in legislative discussion.   **hujus . . . attingere :** *i.e.* to aspire to the glory attaching to those who speak before the assembly.

8. nihil huc nisi perfectum, *etc. :* *i.e.* that no speech ought to be delivered before you unless carefully prepared ; *perfectum ingenio* refers to the matter of the speech ; *elaboratum industria* to the form of presentation. We should expect a connective (*et*) between *perfectum* and *elaboratum.*

10. amicorum temporibus : *to the necessities of my friends ; temporibus* refers to the legal difficulties in which his friends might become involved. Fees were not paid for legal services at this time. A Roman ambitious for political advancement gave his legal assistance gratuitously to those in need of it, and in this way built up a political following.

11. ita : logically this belongs only with *meus labor, etc.* The meaning is brought out by rendering : *and so, while this place has not lacked,* etc., *my efforts have secured,* etc.   **neque :** correlative with *et* in line 12.   **vacuus fuit ab eis :** *has lacked those ; eis* is Ablative of Separation.

12. qui defenderent : Clause of Characteristic.

13. periculis : *i.e.* the legal dangers in which they had become involved. The word has almost the same force as *temporibus* above in line 10.   **caste integreque :** Cicero means that he enlisted himself only in righteous causes.   **versatus :** *employed.*

14. ex vestro judicio : *i.e.* the verdict they had rendered in choosing him praetor. Cicero had been elected by the Comitia Centuriata, while he was now addressing the Concilium Plebis ; but the constituency of the two bodies was essentially the same.

15. cum renuntiatus sum, intellexi : an instance of *cum* explicative, — *in being the first to be elected, I understood ;* B. 290, 1 ; G. 582. **dilationem comitiorum :** the assemblies were often adjourned in consequence of the occurrence of unfavorable omens.   **ter :** there had been two adjournments before the completion of the election, but

Cicero had been elected each time.   **praetor primus renuntiatus sum:** *was the first to be reported elected.* There were eight praetors in all.

16. centuriis cunctis: the Comitia Centuriata voted by centuries. There were three hundred and seventy-three centuries at this time. A majority elected. Apparently Cicero's election was unanimous.

17. quid aliis praescriberetis: *viz.* that others should do as Cicero had done.

18. auctoritatis tantum, *etc.: i.e.* the influence the people had given him by electing him to the praetorship and other positions of trust.

19. honoribus mandandis: by *honoribus* Cicero means the magistracies to which he had been chosen. He had previously held the quaestorship and curule aedileship. The Ablative is one of Means. **ad agendum facultatis tantum:** *so much capacity for discussion; agere* is here used in a general sense.

Page **61.** **2. ex forensi usu:** *i.e.* from legal practice. The law-courts were on the borders of the Forum.

3. apud eos: *before those, i.e.* for the benefit of those.

4. utar: understand *eā,* referring to *auctoritate.*

5. potissimum: *especially.*   **ei rei:** *viz.* ability in speaking. **quoque:** *i.e.* eloquence as well as other accomplishments, — military prowess, for example.

7. illud: explained by the following clause, *quod oblata est.*   **in primis:** *especially.*   **laetandum esse:** *is matter for rejoicing;* literally, *ought to be rejoiced at.*

8. mihi: with *insolita,* — *this to me unusual circumstance.*

11. virtute: *worth, capacity.*   **hujus orationis:** *of a speech on this subject,* or *of this theme.*

12. copia: *fulness.*

13. modus: *restraint.* The difficulty is not to find material, but to restrain oneself from speaking at too great length.

14. ut proficiscatur: a parenthetical clause of purpose giving Cicero's reason for the subsequent statement.

15. ducitur: *springs.*

16. vestris vectigalibus: *your tributaries; vectigalibus* is from *vectigalis.* Further on we have *vectigalia,* from *vectigal,* 'taxes.' **sociis:** the regular word for ' provincials.'

17. alter relictus: Mithridates. Lucullus had defeated Mithridates in battle, but had not succeeded in capturing him.

18. **alter lacessitus** : Tigranes. He had given shelter to Mithridates, and in consequence had been attacked by the Romans and defeated.

COIN OF MITHRIDATES.

19. **Asiam**: the Roman province of Asia consisting of the western coast provinces of Asia Minor. **arbitratur**: with two disjunctive subjects, the verb is regularly singular.

21. **magnae res**: *heavy capital.* **aguntur**: *is at stake.* The provincial revenues were regularly farmed out to syndicates of equestrian capitalists. **in vestris vectigalibus exercendis**: *in managing your revenues.*

22. **occupatae**: *invested.* **pro necessitudine,** *etc. :* Cicero himself belonged originally to the equestrian order.

24. **Bithyniae**: in northern Asia Minor on the Black Sea. **quae nunc vestra provincia est**: Nicomedes III, king of Bithynia, had died in 74 B.C., bequeathing his dominions to the Roman people.

25. **exustos esse**: this and the following infinitives are the objects of *detulerunt* ('reported'). **regnum Ariobarzanis**: Ariobarzanes was king of Cappadocia.

27. **totum**: *wholly.* **L. Lucullum . . . discedere**: owing to the mutinous disposition of his troops. For Lucullus's previous exploits, see the Introduction to this oration.

28. **qui**: the antecedent of *qui* is *eum* understood, the subject of *esse.* Lucullus's successor was M'. Acilius Glabrio, a general of utter incompetency. Cicero's *non satis paratum* is decidedly euphemistic.

30. **unum**: *viz.* Pompey.

PAGE 62. 1. **imperatorem**: predicate accusative.

6. **genus belli ejus modi**: by the English idiom we should say either,

'the war is of such a sort,' or 'the nature of the war is such,' not 'the nature of the war is of such a sort.'   **ejus modi, quod . . . debeat:** *such that it ought; quod debeat* is a Relative Clause of Result.

8. **persequendi:** *of following it up to the end.*   **agitur:** in the same sense as above, p. 61, line 21. Notice the Anaphora, — *agitur, agitur* (11), *aguntur* (12, 15).

9. **gloria:** emphatic, as shown by its unusual position at the end of its clause.   **quae . . . tradita est:** *which has been handed down to you . . . not only great in all respects, but particularly so in military affairs; magna* and *summa* are predicate adjectives.

13. **certissima:** *i.e.* Asia was a rich and fertile province. Hence the income from that source was certain.

14. **quibus amissis:** the Ablative Absolute here has conditional force, — *if these are lost.*   **pacis ornamenta, subsidia belli:** *i.e.* money is essential to secure the refinements of peace; also for the prosecution of war.

15. **civium:** Roman citizens doing business in Asia.   **quibus est a vobis:** *quibus vobis* would have been ambiguous, — either *for whom by you* or *by whom for you.* In such cases agency is expressed not by the dative (the usual construction with the gerundive), but by *a* with the ablative; B. 189, 1, *a*; A. 374, *a*, N. 1; G. 355, R.; H. 431, 1.

16. **et ipsorum,** *etc.:* *both for their own sakes and that of the republic.*

19. **illa macula . . . concepta:** the reference is to the wholesale massacre of Roman citizens executed by Mithridates's orders in 88 B.C.; 80,000 are said to have perished in a single day.   **bello superiore:** the First Mithridatic War (88–83 B.C.).

20. **penitus insedit:** *has sunk in deeply,* like a stain in a garment; *insedit* is from *insido.*

22. **una significatione litterarum:** *by one despatch.*

23. **necandos trucidandosque:** *trucidandos* is explanatory of *necandos,* — not merely 'put to death,' but 'put to death by massacre.'

26. **Ponti Cappadociae latebris occultare:** *i.e.* to confine himself to his own dominions; *latebris* is Ablative of Means; *cf.* Caesar's *se tenuit castris.* The English idiom leads us to expect the Ablative of Place.

PAGE **63.** 1. **hoc est:** *that is.*

2. **in Asiae luce:** as contrasted with the *latebrae Ponti.*

3. **insignia victoriae:** explained by the following *triumphavit.*

4. **triumphavit L. Sulla, triumphavit L. Murena:** *triumpho* refers

to the celebration of a formal triumph at Rome. Such triumphs were determined by vote of the Senate, but could regularly be granted only when the following conditions were fulfilled : (1) The victorious general must have fought a decisive engagement in which at least 5000 of the enemy were slain ; (2) The war must have been brought to a close ; (3) The victorious army must have returned with their general. Sulla returned in 83 B.C. and celebrated a triumph in 81 B.C. Murena returned in 81 B.C. and celebrated a triumph in the following year. But neither general met all the above conditions for granting a triumph, — Murena far less than Sulla.

7. pulsus superatusque : the participles have adversative force, — *though defeated and conquered.* **regnaret :** *i.e.* continued to reign.

8. laus est tribuenda quod, *etc. : praise must be bestowed (for) what they did, indulgence allowed (for) what they left undone.* The antecedent of *quod* in each case is (*propter*) *id* understood.

10. Sullam res publica revocavit : *i.e.* the condition of public affairs at Rome demanded Sulla's return. After Sulla's departure for the Mithridatic War in 88 B.C., the Marian party had gained the upper hand at Rome and had despatched a rival army to the scene of conflict. This made it difficult for Sulla to continue the successful conduct of the war. **Murenam Sulla revocavit :** Sulla had returned to Rome in 83 B.C., and left his lieutenant Murena in command in the East. Although peace had been made with Mithridates, Murena became engaged in a fresh struggle (the Second Mithridatic War), until peremptorily ordered to desist and to return to Rome.

12. reliquum : *succeeding.*

15. exercitus permagnos : said to have numbered 140,000 infantry and 16,000 cavalry.

16. potuisset : Subjunctive by Attraction. **Bosporanis :** those who dwelt near the Cimmerian Bosporus, in the modern Crimean peninsula.

18. ad eos duces quibuscum tum bellum gerebamus : *viz.* Sertorius and his officers. After the overthrow of the Marian party by Sulla in 82 B.C., Sertorius, with other leading Marians, had withdrawn to Spain, where they established an independent government in defiance of Rome.

19. duobus in locis disjunctissimis, *etc. : viz.* Pontus and Spain ; *disjunctissimis* refers to the distance apart of the two countries ; *diversis* calls attention to the fact that they were in opposite directions from Rome.

20. binis hostium copiis: for the use of *binis* here instead of *duobus*, see B. 81, 4, *b*; A. 137, *b*; H. 164, 3.

21. gereretur: Subjunctive by Attraction, representing a future indicative of more direct statement.

22. de imperio: *i.e.* for the supremacy. **alterius partis, Sertorianae,** *etc. : in the one quarter, viz. Sertorius and Spain.*

24. firmamenti ac roboris: *firmamentum* is outward support; *robur*, inward strength. **Cn. Pompei . . . depulsum est:** Cicero's statement exaggerates Pompey's services. Sertorius had been assassinated, after which Pompey found it an easy task to defeat his successor.

25. in altera parte: *viz.* in the East.

27. initia illa rerum gestarum: *those initial successes.* **non felicitati:** *not to good luck ; felicitati* depends on *tribuenda.*

28. haec autem extrema: *i.e.* Lucullus's recent reverses in Pontus; see p. 69, line 27 ff.

29. tribuenda: *attributable.*

30. videantur: *are seen.* **alio loco:** § 20 of this oration.

31. vera, falsa: *deserved, undeserved.* **ei:** *from him;* Dative of Separation; B. 188, 2, *d*; A. 381; G. 345, R. 1; H. 427.

PAGE **64.** **1. exorsus:** *the first topic.*

3. mercatoribus tractatis: the Ablative Absolute here denotes cause, — *because our traders had been treated, etc.*

4. injuriosius: for the force of the comparative, see B. 240, 1; A. 291, *a*; G. 297; H. 498. **vos:** in emphatic contrast with *majores.*

6. quo animo: Ablative of Quality. **legati . . . superbius appellati:** in 148 B.C., Roman ambassadors had intervened in behalf of Sparta at Corinth, demanding that Sparta and certain other Greek states be allowed to withdraw from the Achaean League. On this occasion and again a year later the Roman envoys were treated with great rudeness by the Corinthian assembly. On their second mission they were howled down and compelled to leave the platform where their spokesman was speaking. This afforded an easy pretext for war, the real reason for which doubtless lay in Rome's commercial jealousy of Corinth.

7. totius Graeciae lumen: Corinth was an important centre of culture as well as of commerce.

8. exstinctum: *Corinthum* is feminine; but the participle is attracted to the gender of the appositive, *lumen.* For the perfect infinitive where we should expect the present, see B. 270, 2, *a*; A.

d; 486, G. 280, *c*; H. 620, 1. **eum regem qui**, *etc. :* at the outbreak of the first Mithridatic War, Mithridates had captured M'. Aquillius, thrown him in chains, and finally poured molten gold down his throat.

9. **legatum consularem :** while Aquillius had originally been sent as ambassador, he had exceeded his diplomatic capacity and actively engaged in the war against Mithridates. Aquillius had been consul (with Marius as colleague) in 101 B.C.

11. **excruciatum necavit :** *tortured and killed ;* B. 337, 5; A. 496, N. 2; G. 664, R. 1; H. 639. **libertatem imminutam :** *the impairment of the freedom ;* for this use of the participle, see B. 337, 6; A. 497; H. 636, 4. The same use appears also in *ereptam, violatum, interfectum.*

13. **persecuti sunt :** *avenged.*

14. **relinquetis :** *ignore.*

15. **ut :** *as.* **illis :** *viz.* your ancestors.

16. **sit :** the subject is *non posse.*

18. **quid :** a common particle of transition in Latin. **quod . . . vocatur :** this clause is the object of *ferre.*

19. **vocatur :** *is brought* (literally, *called*).

20. **Ariobarzanes :** king of Cappadocia. **socius atque amicus :** an honorary title often bestowed by the Senate.

23. **cuncta Asia :** to denote place, the preposition *in* is usually necessary. But *in* is often lacking with nouns limited by *totus ;* less frequently with nouns limited by *cunctus,* as here.

24. **vestrum auxilium :** the emphasis rests on these words, — ' 'tis to you they are compelled to look for help.'

25. **cartum :** *a particular.* The student should not confound *certus* and *quidam.*

26. **alium :** *viz.* Glabrio, another than they had hoped for.

27. **sine summo periculo :** *i.e.* danger to themselves. They feared that Glabrio might resent their opposition to his command.

PAGE **65.** 1. **esse :** in apposition with *hoc.* **summa omnia :** *all the highest qualities.* **et eum propter esse :** *and that he is near at hand.* Pompey was now in southern Asia Minor, having just finished the war with the pirates. **quo etiam carent aegrius :** *for which reason also they resent the more bitterly not securing him ;* literally, *go without* (*him*) *the more bitterly ; eo* (Ablative of Separation) is to be understood with *carent.*

2. **adventu ipso :** *by his very arrival.* **atque nomine :** Pompey, when he came to Asia Minor to hunt out the pirates in their Cilician

strongholds, had already defeated the Sertorian forces in Spain, had assisted in crushing the gladiators under Spartacus, and had swept the pirates from the waters of the Mediterranean.

3. ad maritimum bellum : *i.e.* the pirate war.   **venerit :** subordinate clause in indirect discourse.   **impetus hostium :** *i.e.* the activity of Mithridates's forces.

4. hi : the provincials.

5. ut se dignos existimetis : *that you consider them worthy to have their welfare entrusted to such a man ;* more literally, *worthy that you entrust their safety to such a man ;* B. 282, 3 ; A. 535, *f* ; G. 631, 1 ; H. 591, 7.

6. sicut ceterarum provinciarum socios : *i.e.* like the provincials in the provinces of which Pompey was now in charge.

7. hoc : *viz. rogant.*

8. cum imperio : *i.e.* with absolute military power.

9. defendant : *viz.* the province. The subjunctive is due to attraction.

10. adventus : plural.   **in urbes :** prepositional phrases limiting nouns are not frequent in Latin. They usually occur, as here, with nouns derived from verbs.   **non multum . . . differant :** *i.e.* provincial governors were wont to plunder the people as though enemies.

11. hunc : in emphatic contrast with *ceteros* in line 8.

12. tanta temperantia, *etc. :* Ablatives of Quality in predicate relation to *hunc,* — *this man they previously heard to be, and now see to be, of such self-restraint, etc.*

15. propter socios, nulla ipsi injuria lacessiti, *etc. :* three wars are here referred to, the War with Antiochus (terminated by the battle of Magnesia, 190 B.C.), the Second Macedonian War (terminated by the battle of Cynoscephalae, 197 B.C.), and the Third Punic War, marked by the destruction of Carthage, 146 B.C. In each case the pretext for war was found in an alleged injury to Roman allies. The real reason was Roman imperial ambition. The Aetolians did not wage a separate war against Rome, but were allies of Antiochus.

18. una cum : *along with.*

19. de . . . agatur : *your most important revenues are at stake ;* literally, *it is being agitated concerning, etc.*

21. tanta : here, *so small.*   **ut . . . possimus :** *i.e.* the revenues of most provinces are barely sufficient to pay for their maintenance and protection.

23. ubertate agrorum, *etc. : i.e.* a reference to the different kinds of revenue yielded by Asia : tithes (*decumae*) on the produce of the fields ; grazing taxes (*scriptura*) on pasture lands ; duties (*portoria*) on exports and imports.

25. **exportentur**: Subjunctive by Attraction.   **terris**: B. 187, III ; A. 370 and *a* ; G. 347 ; H. 429.

27. **belli utilitatem**, *etc.* : *what lends advantage in war and honor in peace*, viz. money ; *cf.* above, p. 62, line 14, *pacis ornamenta et subsidia belli.*

PAGE **66.** 3. **pecuaria, agri cultura, mercatorum navigatio** : another reference to the three sources of revenue already mentioned.

5. **ita** : = *itaque.*   **ex portu, ex decumis, ex scriptura** : Cicero still dwells upon the three sources of provincial revenue, changing the order of enumeration followed on p. 65, line 23 ; *decumae* were 'tenths,' a ten per cent tax on all farm products ; *scriptura*, the grazing tax, apparently derived its designation from the practice of listing (*scribere*) the cattle or sheep of each owner who used the public pasture lands.

9. **exercent atque exigunt** : *manage and collect.*

11. **propter** : the adverb, as above, p. 65, line 1.

13. **familias maximas** : *i.e.* companies of slave assistants, who managed the details of collecting the revenues. Roman slaves were often persons of intelligence and education, and were not seldom entrusted with responsible clerical and administrative duties.   **in saltibus** : for collecting the *scriptura.*   **in agris** : for collecting the *decumae.*

14. **in portubus** : for collecting the *portoria.* For the form *portubus*, see B. 49, 3 ; A. 92, *c* ; G. 61, R. 1 ; H. 131, 2.   **custodiis** : *guard-posts*, for preventing smuggling.

15. **habere** : *maintain.*   **illis rebus frui** : for the ablative, see B. 218, 1 ; A. 410 ; G. 407 ; H. 477, I.

16. **fructui** : B. 191, 2 ; A. 382, 1 ; G. 356 ; H. 433.   **conservaritls** : future perfect indicative.

18. **liberatos** : a predicate modifier of *eos*, — *keep them free(d).*

19. **illud** : explained by the appositional clause, *quod pertinet.*

20. **extremum** : *as the last point.*   **cum essem dicturus** : *as I began to speak;* see p. 62, line 4 ff.

21. **quod . . . pertinet** : *the fact that it involves the possessions; quod* is the conjunction ; B. 299, 1 ; A. 572 ; G. 525, 2 ; H. 588, 3. As subject understand *bellum* from *belli.*

22. **quorum . . . habenda est ratio** : *for whom you must exercise consideration; quorum* depends on *ratio.*

23. et: we should expect a following *et* correlative with this; but owing to the number of intervening clauses the orator forgets the construction here begun, and proceeds with *deinde* (line 29).

24. honestissimi: almost a standing epithet of the *equites*, to which class the *publicani* belonged. **rationes et copias:** *their interests and property.*

26. per se: *on their own account;* referring to *res et fortunae;* i.e. the money itself is of great importance, apart from all other considerations of humanity or justice.

28. eum ordinem qui exercet illa: *viz.* the equestrian order. **ceterorum ordinum:** *viz.* the senators and the common people.

30. partim . . . partim: *some . . . others;* here used as nouns, in apposition with the subject of *negotiantur.* The first *partim* refers to men from the common people, the second to members of the senatorial order. The latter, while forbidden by Roman custom to engage in trade, often had capital invested in the large financial enterprises conducted by the equestrian syndicates.

PAGE **67. 1. pecunias:** *capital.*

2. est humanitatis vestrae: *it belongs to you as men;* literally, *it is of your humanity;* B. 198, 3; A. 343, c; G. 366; H. 439, 3.

3. sapientiae: *(it is) the part of wisdom; sapientiae* has the same construction as *humanitatis.* **videre:** *i.e.* to recognize.

4. a re publica: = *a rei publicae calamitate.* **sejunctam esse:** *be separated.*

5. illud: explained by *nos recuperare.* **parvi refert:** *is of small account;* B. 211, 3, *a*; A. 417; G. 379, 380; H. 449, 3. **nos recuperare:** *for us to recover.*

6. publicanis omissis: *if we abandon the publicans, i.e.* leave them to their fate.

7. isdem: referring to the *publicani.* **redimendi:** *viz.* the *vectigalia.*

9. quod: the relative pronoun.

10. belli Asiatici: the First Mithridatic War. **docuit:** agreeing with the nearer subject.

11. memoria retinere: *hold in memory.* But the ablative is really one of Means. **tum cum amiserant:** for the pluperfect indicative with *cum* temporal, see B. 288, *A* and *a*; A. 545; G. 580; H. 601, 2.

12. solutione impedita: *in consequence of the suspension of payment.*

13. non enim possunt, *etc.:* as indicated by the position of the words, the emphasis rests on *non enim possunt*, — *for it is impossible that many should lose*, etc.

14. ut non plures, *etc.*: *without involving others in the same disaster.*

16. id: in apposition with the statement, *haec fides*, etc.

17. haec fides atque haec ratio pecuniarum: *these relations of credit and finance.*

18. Foro: the Wall Street of Rome. Here were the bankers' offices. **versatur**: *prevail.* **implicata est**: *are bound up with.*

19. illa, haec: *illa* refers to the financial affairs of the East; *haec* to those at Rome. **ut . . . concidant**: *without our interests (haec) collapsing.*

21. num dubitandum sit: *whether you ought to hesitate.* The orator's implication is that the Romans ought not to hesitate.

22. gloria nominis, salus sociorum, vectigalia, fortunae plurimorum civium: the four topics separately considered under the head of *genus belli.*

24. re publica: *the interests of the state.* **defendantur**: subjunctive in a Clause of Characteristic.

26. belli genus, *etc.*: the Latin says, 'the nature of the war is so necessary.' We should say, 'the war in its nature is so necessary.'

27. non esse ita magnum: *but is not so great;* Adversative Asyndeton.

28. maxime laborandum est: *special effort must be made.*

30. contemnenda: the pupil should note that *contemno* is seldom as strong a word as the English *despise.* It conveys rather the notion of slighting, neglecting, or ignoring. Cicero here means that the Romans must guard against the impression that the necessary provisions for the conflict can be ignored.

PAGE **68.** **1. ut omnes intellegant**, *etc.*: Manilius's bill would naturally seem to involve a criticism of Lucullus. To guard against alienating Lucullus's supporters, Cicero frankly recognizes his qualities and achievements.

3. debeatur: subordinate clause in indirect discourse. **ejus adventu**: *at the time of his arrival* to take command, in 74 B.C. **Mithridati**: Dative of Possession.

4. ornatas, instructas: participial adjectives.

5. urbem Asiae, *etc.*: *a city of Asia, most renowned*, etc. For the location of Cyzicus and other towns, see the Map of Asia Minor facing p. 61.

6. Cyzicenorum: *viz. that of the Cyzicenes.* We should have expected the name of the city (Cyzicus) in apposition.   **obsessam esse et oppugnatam :** these infinitives represent *imperfect* indicatives of direct discourse ; B. 317, *a* ; A. 584, *a* ; G. 653, R.

10. **classem magnam :** said to have consisted of fifty ships bearing 10,000 men.   **ducibus Sertorianis :** *under Sertorian leaders;* Ablative of Attendant Circumstance. Only one of the leaders was actually a Sertorian.   **ad Italiam raperetur:** the object was to incite an uprising of the Marian party.

11. **studio :** *i.e.* by party passion.   **superatam esse :** in the battle of Tenedos, 73 B.C.

17. **permultas :** not with *Cappadociae* only, but, *the other cities of Pontus and Cappadocia, very many in number.*

18. **uno aditu :** hardly in accordance with the facts. Some of the cities made prolonged resistance.

19. **ad alios reges :** to his son Machares, king of Bosporus, and Tigranes, king of Armenia.

21. **salvis sociis,** *etc.: i.e.* without loss to the provincials or impairment of the revenues, *i.e.* Lucullus did not draw upon either of these sources to defray the expenses of his campaigns, but lived on the country of the enemy.

22. **satis haec esse laudis :** *that these things constitute sufficient glory.*   **atque ita :** *and* (*bestowed by me*) *in such a way, i.e.* so generously.

23. **nullo :** *nullo* supplies the lacking ablative of *nemo*.   **istorum qui obtrectant :** *i.e.* Lucullus's own supporters.

24. **legi :** *bill.*   **causae :** *proposal, movement.*

25. **hoc loco :** the Rostra, from which Cicero was now speaking.

28. **hoc :** *this question.*

29. **primum :** there is no *deinde* corresponding to this. Cicero apparently forgets to continue his contemplated enumeration.   **ex suo regno :** Pontus.

30. **ex eodem Ponto :** Pontus is here used in the broad sense of the entire district around the Black Sea. Medea's home was Colchis at the eastern extremity of the Sea.   **Medea illa :** *the famous Medea;* B. 246, 3 ; A. 297, *b* ; G. 307, 2 ; H. 507, 4. Medea was the most noted of mythical sorceresses. She married Jason, leader of the Argonautic expedition, after assisting him to secure the Golden Fleece, and then fled with him from Colchis, taking along also her brother Absyrtus.

PAGE **69.**   2. **se :** indirect reflexive, referring to Medea.   **parens :** Aeëtes, king of Colchis.

3. **eorum collectio dispersa** : *the gathering of them here and there;* by Hypallage, *dispersa* is joined with *collectio;* logically it belongs with *eorum.*

7. **bello superiore** : the First Mithridatic War, as in § 7.   **direptas congesserat** : *had plundered and accumulated.*

8. **omnem** : with *vim.*

9. **diligentius** : *too carefully.* The soldiers were so intent on plunder that they let the king slip through their hands.

10. **illum** : Medea's father, Aeëtes.

11. **hunc** : Mithridates.

12. **rebus** : B. 187, II, *a*; A. 367; G. 346, R. 2; H. 426, 1.

13. **cujus** : Tigranes.

17. **neque . . . neque** : *either . . . or;* for the use of negatives here, see B. 347, 2; A. 327, 2; G. 445; H. 656, 2.   **lacessendas, temptandas** : *i.e.* the Romans not only never thought of attacking (*lacessendas*) these tribes, but not even of testing (*temptandas*) their temper.

18. **alia** : = *besides, further.*   **gravis atque vehemens opinio** : *deep-seated and excited notion;* Latin *opinio* is not English *opinion,* but *notion, impression, surmise, etc.*

20. **fani locupletissimi** : thought to be the temple of Nanaea or Anaïtis on the lower Euphrates.

22. **multae atque magnae** : *many great;* B. 241, 3.

23. **concitabantur** : notice the picturesque force of the imperfect tense, which describes events as in progress. Compare *concitatae sunt* (above, in line 15), which merely states the occurrence as a bald fact.

24. **urbem ex Tigranis regno** : Tigranocerta, the capital of Armenia.   **proeliis usus erat secundis** : *had fought* (literally, *used, enjoyed*) *successful engagements.*

25. **nimia longinquitate locorum** : *i.e.* the too great distance from home.

26. **suorum** : *for their friends.* From natural motives Cicero suppresses the real causes for discontinuing the campaign, *viz.* the mutiny of Lucullus's troops.   **commovebatur** : another instance of the picturesque imperfect.   **hic** : *on this point.*

27. **fuit illud extremum** : *this was the upshot; illud* is explained by the clause *ut quaereretur.*   **ut quaereretur** : Substantive Clause of Result; B. 297, 3; A. 570; G. 553, 4; H. 571, 2.

28. **magis quam** : *rather than.*

30. **eorum** : if the text is correct, *auxiliis* must be supplied with

eorum. The two classes alluded to are then (1) those who had come from Mithridates's own kingdom ; (2) those who came from the outside (*adventiciis auxiliis*).

32. **sic, solere :** *sic* is redundant after *hoc*, just as *solere* is redundant after *fere.*

Page **70.** 3. **nomen regale :** *the name of king.*

4. **tantum quantum numquam :** our English idiom is : *more than . . . ever.*

5. **incolumis :** *i.e. in the height of his power.*

7. **eo :** further explained by the clause *ut attingeret.* **ut attingeret :** Substantive Clause of Result ; B. 297, 3 ; A. 570 ; G. 557 ; H. 571, 4.

8. **posteaquam pulsus erat :** *postquam* and *posteaquam* when referring to a single past act regularly take the perfect indicative ; yet occasionally the pluperfect is found ; B. 287, 1, 3 ; A. 543, *a* ; G. 561, 563 ; H. 602 and 1.

9. **victorem :** here used as an adjective. **impetum fecit :** in the battle of Zela, 67 B.C., in which the Roman forces were almost annihilated.

10. **hoc loco :** *at this point.* **poetae qui . . . scribunt :** these words naturally suggest the early epic poets, Naevius (269–199 B.C.), author of the *Bellum Punicum*, and Ennius (239–169 B.C.), author of the *Annales.*

12. **imperatoris :** Lucullus. **non ex proelio nuntius :** *i.e.* no one of the Roman army was left to tell the tale ; this was almost literally true.

15. **aliqua ex parte :** *in some respect, to some extent.* **incommodis :** the overwhelming disasters of the Romans are euphemistically called *incommoda*, ' inconveniences,' ' embarrassments.'

16. **potuisset :** *i.e.* if he had continued in command ; subjunctive in the apodosis of a contrary-to-fact condition, with implied protasis ; B. 305, 1. **vestro jussu :** *i.e.* by a law enacted by the assembly which Cicero was now addressing. **quod . . . putavistis :** it was not regard for precedent that led to the recall of Lucullus. The real cause of superseding him was the mutiny among his own soldiers combined with the intrigues of his enemies at home.

17. **vetere exemplo :** *in accordance with ancient precedent ;* B. 220, 3 ; *cf.* A. 418, *a* and N. ; G. 399, N. 1 ; H. 475, 3.

20. **ea :** *this* ; explained by the indirect question, *quantum putetis.* **conjectura :** not *by conjecture*, but *by reflection* (literally, *putting (things) together*), or (with *perspicite*), *reflect and consider.*

21. factum (esse) : *has become.* **conjungant** : *are waging jointly;* literally, *unite.* **reges potentissimi** : Mithridates and Tigranes.

22. renovent, suscipiant, accipiat : *quod* is to be understood with all these. **agitatae nationes** : *i.e.* nations that had already been involved in the struggle. **integrae gentes** : nations not yet involved in the war. Compare p. 69, line 16 f.

23. novus imperator noster : *a new general of ours.* **accipiat** : *is entering upon.* **vetere exercitu pulso** : the emphasis of the clause rests upon these words, as is indicated by their position. The consideration which Cicero wishes to emphasize is not that one general had superseded another, — such changes were common, — but that the step had been taken under peculiar circumstances, — *after the rout of the previous army.*

24. quare esset, *etc.* : (*to show*) *why this war is, etc.; esset* is a Subjunctive of Indirect Question. Notice also the sequence of tenses. In English we should use the present. In Latin the regular sequence of tenses is followed ; B. 268, 2 ; A. 585, *a* ; G. 518 ; H. 548.

26. restat ut, *etc.* : *in addition it seems to me that I ought to speak;* literally, *it remains that it seems it ought to be spoken,* a faulty redundancy ; *ut videatur* is a Substantive Clause of Result.

27. ac tantis rebus praeficiendo : *and putting him in charge of so important interests.*

28. utinam haberetis : B. 279, 2 ; A. 441 ; G. 260, 261 ; H. 558, 1, 2. **innocentium** : *blameless, irreproachable.*

29. haec deliberatio : explained by the clause *quemnam putaretis.*

30. quemnam putaretis : a Deliberative Subjunctive in an indirect question. The direct form would have been : *quemnam putemus,* 'whom are we to consider ?' B. 300, 2 ; A. 575, *b* ; G. 467 ; H. 642, 3 ; *putetis* is redundant ; *praeficeretis* alone would better have expressed the thought. **potissimum** : *in particular, in preference to all others.*

PAGE **71.** **2. qui superarit** : rhetorical exaggeration of Pompey's merits.

3. antiquitatis memoriam : *the records of the past.* But Cicero's form of comparison is not exactly logical. He says 'who has surpassed the glory not only of men now living but the records of the past.' He means, 'but the glory of those whom we know from the records of the past.' **virtute** : in the broad sense of *capacity, ability.*

5. sic : explained by the following infinitive.

7. auctoritatem : *personal influence.*

8. quis igitur: *who now?*   **scientior**: *i.e.* in military matters. **aut esse debuit**: *or deserved to be?*

9. e ludo atque pueritiae disciplinis: *straight from school and boyhood's studies.*   **bello maximo atque acerrimis hostibus**: *in a great war and against most bitter foes;* Ablative of Attendant Circumstance ; B. 221 ; H. 473, 3. The war referred to was the Social War (90–89 B.C.), and the *acerrimi hostes* were the confederated tribes of Central and Southern Italy. Pompey's father was one of the commanders of the Roman forces in this war. Pompey himself was a lad of sixteen at the time.

11. in militiae disciplinam: *i.e.* to learn the profession of arms. **extrema pueritia**: *at the close of his boyhood, viz.* in 87 B.C., when he was nineteen years old. The period of *pueritia* is here rhetorically extended by a couple of years. Ordinarily it terminated with the seventeenth year, when a youth put on the *toga virilis.*

12. miles: *i.e.* he had already served his apprenticeship in arms and had enlisted as a regular soldier.   **summi imperatoris**: this also refers to Pompey's father, who commanded the forces of the government in the civil war inaugurated by Cinna.   **ineunte adulescentia**: in 83 B.C., after the return of Sulla from the Mithridatic War, when Pompey, at the age of twenty-three years, raised an army of three legions and placed them at Sulla's disposal. When the two leaders first met, Pompey greeted Sulla as *imperator*, whereupon Sulla generously addressed Pompey by the same title.

14. quisquam: the regular indefinite pronoun in clauses of comparison ; B. 252, 4.   **inimico**: *i.e.* a personal or private enemy, while *hostis* is a public enemy.

17. alienis: *of others; alienus* serves regularly for the possessive genitive of *alius.*

18. suis imperiis: *his own commands; suis* is in sharp contrast with *alienis.*

19. non stipendiis: *i.e.* not by serving campaigns in the ranks, like most men of his age.   **triumphis**: Pompey celebrated two triumphs before he was thirty-six years old, one over Africa in 81 B.C., at the age of twenty-five ; the other over Spain, ten years later.

21. civile: the Civil War between Sulla and the Marian party, 83–82 B.C.   **Africanum**: the war against one remnant of the Marian party, which had formed an alliance with King Hiarbas of Numidia, 82 B.C.   **Transalpinum**: on the march through Gaul, to begin operations against Sertorius in Spain, 76 B.C.

22. Hispaniense: the war against Sertorius, the leader of the surviving remnants of the Marian party in Spain. This war continued from 76 to 71 B.C. **mixtum ex civitatibus**, *etc. : involving the most warlike states and tribes;* literally, *mingled from, etc.; bellicosissimis* limits both substantives. Sertorius succeeded in drawing to his standard extensive support from the native Spaniards.

23. servile: on his return from Spain in 71 B.C., Pompey fell in with and cut to pieces a body of 5000 slaves belonging to the army of Spartacus, which had just suffered a crushing defeat at the hands of Crassus in Lucania. This achievement, however, was not of great moment. The main credit for ending the Servile War belonged to Crassus. **navale bellum**: the war against the pirates, referred to more fully in §§ 31–35 of this oration.

24. genera et bellorum et hostium: an inexact expression. Cicero means that the wars were different in character and in the kinds of enemies involved. **gesta, confecta**: participles, limiting the plural idea involved in *civile, Africanum, etc., bellum.*

25. nullam rem esse: *that nothing exists.* **in usu positam militari**: *connected with military practice.*

27. jam vero: *furthermore.* **virtuti**, *etc. : virtuti* is emphatic, — *as regards ability, what language can be found adequate to express that of Pompey ?*

30. illo: B. 226, 2 ; A. 418, *b* ; G. 397, N. 2 ; H. 481.

PAGE **72.** **2. neque enim illae sunt solae virtutes**: we naturally expect Cicero to add 'but other qualities are equally great,' and then to proceed with the enumeration of these as exemplified in Pompey. Instead of this, he dwells for some time on *illae virtutes,* and does not take up a consideration of Pompey's other qualities till § 36, *quid, ceterae, etc.*

5. tanta quanta non: *greater than.*

7. testis, testis, testis, *etc. :* note the emphasis of the Anaphora.

8. quam hujus virtute liberatam (esse): *viz.* in the Civil War, 83 B.C. Compare the note on *civile,* p. 71, line 21.

9. Sicilia: just prior to the African War (see note on p. 71, line 21), Pompey had successfully fought against a remnant of the Marian party in Sicily.

11. Africa: see note on *Africanum,* p. 71, line 21.

13. Gallia: see note on *Transalpinum,* p. 71, line 21.

15. Hispania: Spain was finally reduced, but the contest was long and stubborn, involving many reverses to the Roman arms.

17. iterum et saepius: *again and again.* Italy has already occurred once in this enumeration of witnesses (line 7).

18. taetro periculosoque : the Servile War is characterized as *taetrum*, because the very thought of a war with slaves was revolting. Its danger was seen in the repeated victories won by the slaves over the government forces. **ab hoc auxilium expetivit**: in view of the successes of Spartacus, Crassus had at one time urged that Pompey be recalled from the war against Sertorius ; but he afterwards withdrew the recommendation.

19. quod: the relative. **exspectatione . . . imminutum est** : this is probably pure assumption.

20. adventu . . . sepultum : Crassus had effectively crushed the insurrection before Pompey's return.

22. nunc vero jam : *just at present moreover.* Pompey had just finished the war against the pirates, a topic which Cicero now takes up.

23. cum . . . tum : *not only . . . but also.* **universa** : *in their entire extent.*

27. servitutis periculo: the pirates regularly sold as slaves those whom they captured.

28. cum . . . navigaret: *since he sailed, etc. ; i.e.* men sometimes sailed in winter, the dangerous season, to avoid the pirates. They then incurred the risk of death. Navigation on the Mediterranean was usually suspended from November to March. **referto . . . mari** : Ablative Absolute denoting time, — *when the sea was swarming with pirates, viz.* in those seasons when navigation was safe. **praedonum** : *refertus* governs the genitive as well as the ablative.

29. hoc tantum bellum : *viz.* against the pirates. **turpe** : for the justification of the epithet, see § 33, in which reference is made to descents of the pirates even upon the coast towns of Italy itself.

30. vetus : at irregular intervals war had been waged against the pirates for more than a generation before Pompey's appointment in 67 B.C., but no permanent successes had been gained by the Romans. **tam late divisum,** *etc.* : the war extended over all the eastern Mediterranean. **quis umquam arbitraretur** : *who would ever have thought ?* B. 280, 4 ; 304, 2 ; A. 517, *a* ; G. 597, R. 1 ; H. 579, 1.

Page **73.** **4. hosce** : *these recent.*

5. cui praesidio, *etc.*: *whom did you protect ?* Literally, *to whom were you for a protection ?* B. 191, 2 ; A. 382, 1 ; G. 356 ; H. 433.

9. quid longinqua commemoro : *why do I speak of occurrences at a distance ?* Cicero means that it is unnecessary to speak of the depredations of the pirates in distant provinces, when men have seen these marauders almost at their very doors.   **fuit, fuit** : the use of the perfect emphasizes the fact that the custom belongs to the past and exists no longer.   The Anaphora lends additional force.

10. populi Romani : B. 204, 2 ; A. 385, *c* ; G. 359, R. 1 ; H. 435, 4.

11. propugnaculis imperi : *i.e.* troops and navies.   **non sua tecta defendere** : as is now necessary, when the pirates make descents upon the coast towns of Italy itself.

12. sociis . . . dicam : *am I to say that the sea was closed to our allies ? i.e.* 'am I to dwell on what happens to our allies at a distance, when we sail from Brundisium, an Italian port, only in midwinter ? '

13. cum transmiserint, redempti sint, pervenerint, sciatis : B. 309, 3 ; A. 549 ; G. 587 ; H. 598 ; but translate *cum* by *when.*

14. a Brundisio : for the force of *a* with the ablative of town names, see B. 229, 2 ; A. 428, *a*.   The preposition is needed here, since the ships sailed not from the town itself but from the harbor near the town.   **hieme summa** : *in the dead of winter.*   **qui** : its antecedent is *eos* understood, the subject of *captos* (*esse*).

15. venirent : *viz.* as ambassadors.   **cum legati . . . redempti sint** : we have no certain information of such occurrences as are here mentioned.   An ancient Latin commentator on this passage, however, mentions an instance in which a captured envoy was ransomed by his wife.

17. duodecim secures : by metonymy for 'two praetors.'   The praetor, when in his province, had a right to an escort of six lictors, each bearing an axe (*securis*) in a bundle of rods (*fasces*).

20. vestros portus : *i.e.* the harbors of Italy, on which at various times the pirates had made descents.   **atque eos portus**, *etc.: and that, too, the harbors from which.*   The Italian harbors received heavy imports of grain from Sardinia, Sicily, Africa, and Egypt.   Italy itself had long been unable to raise sufficient grain for the support of its population.

21. vitam ac spiritum ducitis : in the shape of grain.

22. an vero ignoratis : *you actually are not ignorant, are you ?* By the ellipsis of the first member of a double question, *an* sometimes stands alone.   Its force depends upon the context ; here *an* is equivalent to *nonne*.   **celeberrimum** : *most frequented.*

23. inspectante praetore : apparently some praetor holding a special command of the coast district.

25. liberos : the reference is apparently to the kidnapping of the daughter of M. Antonius, who had commanded in the war against the pirates in 103 B.C. The plural *liberos* is rhetorical exaggeration.

27. Ostiense incommodum: on one occasion the pirates had made a descent upon Ostia, burning a Roman fleet in the harbor and plundering the town.

28. prope inspectantibus vobis: Ostia was but a few miles from Rome at the mouth of the Tiber.

29. classis ea, cui praepositus esset: *a fleet in charge of which, etc.; ea* is indefinite; *cui praepositus esset* is a Clause of Characteristic.

31. pro: the interjection.

PAGE **74.** **1. qui modo,** *etc.:* observe the antithesis between the different words of this and the following clauses; "*nunc* is contrasted with *modo, intra Oceani ostium* with *ante ostium Tiberinum, nullam navem* with *classem, audiatis* with *videbatis*" (D'Ooge).

2. ei: *you, the selfsame persons;* emphatic appositive of the subject of *audiatis.* **Oceani ostium:** the Strait of Gibraltar.

3. audiatis: for the sequence of tenses, see B. 268, 7; A. 485, *a;* G. 513.

4. haec qua celeritate gesta sint: dependent upon *videtis.*

5. a me: for the usual dative.

8. celeriter: this repeats the notion of *brevi tempore,* and may be omitted in the English rendering. **Cn. Pompejo duce:** *under the lead of Gnaeus Pompey.* **tanti belli impetus navigavit:** *the storm of so great a war swept the sea;* a bold poetical figure.

11. frumentaria subsidia: *granaries.*

13. duabus Hispaniis: Spain was divided into two provinces, *Hispania citerior,* north of the River Ebro, and *Hispania ulterior,* south of the Ebro.

14. confirmata: agreeing with the nearer subject; *confirmatis* would have been ambiguous.

15. Achaiam omnemque Graeciam: *Achaia, and in fact all Greece;* -*que* is corrective. The name *Achaia* at this time was often restricted to the Peloponnesus.

16. Italiae duo maria: *i.e.* the Adriatic, and the Mediterranean to the west of Italy. These two seas were respectively known as the Mare Superum and the Mare Inferum or Mare Tuscum.

17. ut: *from the time when.*

18. totam Ciliciam: Cilicia was the great stronghold of the pirates.

22. idem: *likewise;* literally, *he the same.* **Cretensibus:** with *ademit,* this is a Dative of Separation; with *imperavit,* a simple indirect object.   **usque in Pamphyliam**: from Crete to Pamphylia was not a specially long distance. Cicero, in saying *usque in*, 'even to,' is thinking of the remoteness of Pamphylia from Rome.

23. **legatos deprecatoresque**: not two classes of persons; the *legati* were also *deprecatores; -que*, as often, is merely explanatory (epexegetic).   **spem deditionis non ademit**: *i.e.* encouraged them to hope that he would receive them in surrender. The Cretans had been practically subdued by Metellus, but, seeking relief from his severity, had requested Pompey to accept their surrender. Their hopes were never realized. Cicero cites this incident merely as illustrating Pompey's prestige.

24. **obsidesque imperavit**: *but demanded; -que*, as not infrequently, is here adversative.   **ita**: for *itaque, — accordingly*.

29. **est**: emphatic, — *is really, is truly*.   **haec**: referring to what precedes, but attracted to *virtus;* B. 246, 5; A. 296, *a*; G. 211, R. 5; H. 396, 2.

30. **imperatoris**: *on the part of a commander*.   **ceterae**: *sc. virtutes,* 'qualities.'   **quas . . . coeperam**: with reference to p. 72, line 2. Cicero had not actually begun to enumerate these other qualities; he had merely intimated an intention of doing so.

Page **75**. 2. **summo ac perfecto**: *consummate and ideal*.

4. **administrae**: B. 168, 1; A. 282, *c*; G. 321; H. 393, 1.

5. **innocentia**: *integrity*, particularly in money matters.

7. **quae qualia sint**: *of what nature these (qualities) are*.

8. **summa enim omnia sunt**: *i.e.* Pompey possesses them all in the highest degree; *summa* is emphatic. This sentence, though grammatically coördinate with *sed possunt*, is logically subordinate. Cicero means — (*let us briefly consider these qualities*), *for, though Pompey possesses them all in the highest degree, yet they can be better understood, etc.; i.e.* Cicero means to give a reason for the previous statement *quae . . . consideremus*.

9. **ex aliorum contentione**: Brachylogy (condensed expression) for, *by a comparison with the qualities of others, i.e.* of other commanders.

11. **quem enim imperatorem,** *etc.* : in this and the next section, Cicero, following out his plan of comparing Pompey with others (*ex aliorum contentione*), enumerates some of the chief defects of previous commanders, — the sale of military appointments, use of the army funds for bribery or for personal profit, oppression of the provincials, *etc.* **ullo in numero putare**: *regard of any account*.

12. **veneant atque venierint**: *are sold and have been sold;* from *veneo;* subjunctives in Clauses of Characteristic. Some commanders apparently made a practice of selling appointments to the post of centurion.

13. **quid magnum aut amplum**, *etc.*: *what great or worthy purpose (can we conceive) that that man entertains who, etc.?* cogitare depends upon *putare possumus* to be supplied in thought from the preceding sentence, although *putare* in the first sentence is employed in a different sense (*regard*) from that required in the second sentence (*think, conceive*); *hunc* does not refer to any particular man, but is general.

15. **propter cupiditatem provinciae**: *i.e.* on account of his desire of retaining the province in which he is already stationed. Provinces furnished rich opportunities for plunder and extortion.

16. **magistratibus diviserit**: *divided among the magistrates, i.e.* as bribes. The higher magistrates naturally had great influence in the appointment and retention of provincial governors.

17. **in quaestu**: *at interest.*

18. **facit . . . videamini**: *i.e.* shows that you recognize.   **fecerint**: Subjunctive by Attraction.

20. **ante**: the adverb.   **de se confiteri**: *i.e.* admit his guilt.

22. **quocumque ventum sit**: *wherever they have come;* literally, *wherever it has been come (by them)*; Subjunctive by Attraction. For the impersonal use, see B. 138, IV; A. 208, *d*; G. 208, 2; H. 302, 6.

23. **itinera quae fecerint**: the implication is that Roman armies when marching through Italy had plundered even Roman citizens; Subjunctive of Indirect Question: *itinera* is emphatic.

26. **quid existimetis**: *what you are to think;* Deliberative Subjunctive in an indirect question; B. 300, 2; A. 575, *b*; G. 467; H. 642, 3.

27. **plures**: with *civitates* as well as *urbes.*

28. **hibernis**: *by your soldiers wintering there.* Owing to the lax discipline of their commanders, Roman troops often conducted themselves with great license in the provincial towns.   **sociorum**: with *civitates.*

31. **in judicando**: the provincial governor was also charged with supreme judicial power.

Page **76**. 1. **hic**: *under these circumstances.*   **tantum**: the adverb, with *excellere,* — *so much, so greatly.*

2. **cujus legiones**, *etc.*: *since his legions, etc.;* Clause of Character-

istic with accessory notion of cause. The reference is to Pompey's recent arrival in Pamphylia. **ut non modo**: *i.e.* the troops not only refrained from plunder and extortion, but did not even do injury by marching through the fields ; *non modo* is for *non modo non ;* B. 343, 2, *a*; A. 217, *e*; G. 482, R.; H. 656, 3.

4. jam vero: *further.* **quem ad modum hibernent**: *i.e.* how Pompey's troops are now conducting themselves in winter quarters.

6. ut sumptum, *etc.*: *to induce him to spend money on the soldiery ;* the subject of *faciat* is to be supplied from *nemini ; militem* is used collectively.

7. cupienti: *viz.* to spend money on the soldiers.

8. hiemis: *from winter ;* Objective Genitive. **avaritiae**: *for greed ;* Possessive Genitive.

10. age vero: *but come.*

12. inventum (esse): *were derived.*

18. non amoenitas ad delectationem: *i.e.* the charms of places did not induce him to stop to enjoy them.

19. denique: *in short.* **labor**: *i.e.* weariness from toil.

21. quae . . . arbitrantur: many generals and provincial governors ruthlessly plundered the choice works of art found in foreign cities.

23. aliquem: *as one ;* predicate accusative.

25. fuisse: *there actually were.* **hac continentia**: *i.e.* such as Pompey's.

26. incredibile, *etc.*: *was beginning to seem incredible and to have been falsely reported.*

29. tum cum habebamus: for the indicative, see B. 288, I, A ; A. 545; H. 601, 2. **ea temperantia**: *i.e.* such as Pompey now exhibits.

31. aditus: the plural is used because repeated instances are thought of.

PAGE **77.** **2. principibus**: *princes.*

5. copia: *fluency.* **in quo ipso**: *in which very thing ;* the antecedent of *quo* is the general idea involved in the clause *quantum valeat.*

6. hoc ex loco, *etc.*: *i.e.* Pompey had often addressed the assembly from the Rostra, on which Cicero is now speaking.

7. fidem: emphatic by position, — *as regards his honor.* **socios, hostes**: note the force of the antithesis : ' if our enemies prize Pompey's honor, what must our allies think of it ? '

8. quam . . . judicarint: *i.e.* when all enemies have judged it, *etc.*

9. dictu: B. 340, 2 ; A. 510 ; G. 436 ; H. 635, 1.

10. **pugnantes, victi**: *when fighting; when conquered.*

13. **nostrae memoriae**: *of our time.*

17. **ea re**: *in that respect.*

18. **plurimum possit**: *is especially strong.* **vehementer . . . quis ignorat**: *who is ignorant that what the enemy think, what the provincials think, concerning our commanders, bears vitally on the conduct of war?* *pertinere* is the object of *ignorat;* the indirect question *quid existiment* is the subject of *pertinere.*

21. **ut contemnant**, *etc.:* dependent upon *commoveri,* — *are induced to disregard or to fear, etc. ; contemno* is the opposite of *metuo; contemnant* and *metuant* apply to the enemy ; *oderint, ament,* to the *socii.* Note that *oderint,* though perfect in form, is present in sense.

23. **igitur**: *now.*

26. **tanta et tam praeclara judicia**: *viz.* by appointment to important commands and election to civil office. Pompey had been consul in 70 B.C. **an vero**, *etc.:* for the force of *an,* see note on p. 73, line 22.

27. **quo . . . pervaserit**: *that the fame of that day has not reached it;* a Relative Clause of Result ; *quo* is the adverb ; *illius diei* refers to the time, a year before (67 B.C.), when Gabinius introduced his bill for the appointment of Pompey as commander in the war against the pirates.

PAGE **78**. 2. **completis omnibus templis**: *i.e.* their steps and porticoes. The Temple of Saturn and the Temple of Concord would have afforded a clear view of the Rostra in Cicero's day ; see the view of the Forum, facing p. vii.

3. **sibi**: *for themselves.* **commune omnium gentium bellum**: *a war of common concern to all nations, i.e.* the depredations of the pirates concerned all the Mediterranean peoples. For the genitive, see B. 204, 2 ; A. 385, *c* ; G. 359, R. 1 ; H. 451, 2, N.

5. **ut non dicam**, *etc.: non* is closely associated with *dicam (non dicam = omittam) ;* hence *ut non dicam neque confirmem,* where we might have expected *ne dicam neve confirmem.*

7. **exempla sumantur**: *let examples be taken;* Jussive Subjunctive; B. 275 ; A. 439 ; G. 263, 3 ; H. 559, 2.

8. **qui quo die**, *etc.: (for) on the day that he, etc.;* literally, *on which day who (viz.* Pompey) *was appointed, etc.*

9. **ex**: *after.*

10. **consecuta est**: *ensued.* **unius hominis**: Objective Genitive with *spe;* Possessive Genitive with *nomine.*

12. **potuisset**: apodosis of a contrary-to-fact condition; the protasis is implied in *ex summa ubertate*.

13. **ex eo proelio**: the Battle of Zela; see p. 70, line 11.

14. **invitus**: the adjective has adverbial force.

16. **provincia**: Asia.   **haberet**: also governed by *cum*.

17. **Cn. Pompejum . . . attulisset**: Pompey had arrived in Cilicia shortly after the Battle of Zela.

18. **ad eas regiones**: *i.e.* to the vicinity of those districts. Pompey was really a long distance from the scene of war.

19. **et**: correlative with *et* in line 20.

21. **perfecturus sit**: *will achieve*. For the mode of expressing future time in the subjunctive, see B. 269, 3; A. 575, *a*; G. 515; H. 541, 2, N. 1.

22. **qui perfecerit**: Subjunctive by Attraction.

24. **rumore**: *i.e.* the report of his proximity.

25. **illa res**: explained by the clauses *quod dediderunt, quod dixerunt*.

29. **noster imperator**: *a general of ours, viz.* Metellus; see note on p. 74, line 23.

30. **in ultimas prope terras**: for the exaggeration, see note on p. 74, line 22.

Page **79**. 1. **usque in Hispaniam**: where Pompey was conducting the war against Sertorius.   **eum**: subject of *judicari*.

2. **ei quibus erat molestum**, *etc.*: *i.e.* Pompey's political opponents, the aristocrats.

3. **ad eum potissimum**: *i.e.* to Pompey rather than to the aristocrat Metellus, who was associated with Pompey in the Sertorian War. **speculatorem quam legatum judicari maluerunt**: despite Cicero's implication, this view was probably correct. The envoy seems to have been sent to Sertorius, not to Pompey. If he entered Pompey's camp at all, it was probably as a spy.

5. **hanc auctoritatem . . . existimetis**: *how much you are to think this influence, enlarged by subsequent exploits, etc., will weigh with those kings, etc. ;* for the purpose of emphasis, *hanc auctoritatem* is placed at the beginning of the subordinate clause. The reference in *postea rebus gestis* is to Pompey's achievements subsequent to the Sertorian War.   **multis postea rebus gestis**: *res gestae* is usually felt as a single substantive idea, 'exploits,' 'achievements,' but traces of the participial force of *gestis* are here seen in the adverbial modifier *postea*.

6. judiciis : as p. 77, line 26.

8. existimetis : Deliberative Subjunctive in Indirect Question.

9. ut timide et pauca dicamus : *for us to speak humbly and briefly ;* a Substantive Clause Developed from the Volitive ; B. 295, 6.   In the sense, 'the fact remains (that),' *reliquum est* is followed by a Substantive Clause of Result ; in *dicamus* we have the editorial 'we.'

10. meminisse et commemorare, *etc. : but which we can remember, etc. ;* Adversative Asyndeton.   **altero :** *another.*

11. sicut aequum est, *etc. : as is fitting men (should speak) with reference to (a matter lying in) the power of the gods,* viz. good fortune, *felicitas ;* the *sicut*-clause modifies *dicamus ; homines* is subject accusative of *dicere,* to be supplied in thought as subject of *aequum est.*

12. sic : explained by the following infinitives.   **Maximo :** Quintus Fabius Maximus Cunctator (dictator 217 B.C.), who followed the policy of avoiding an engagement with Hannibal.   Hence he was often called "The Shield of Rome."

13. Marcello : Marcus Claudius Marcellus, the captor of Syracuse (212 B.C.) in the Second Punic War.   His aggressive tactics won him the name of "The Sword of Rome."   **Scipioni :** presumably Scipio Africanus the Elder, who by defeating Hannibal at Zama (202 B.C.) brought the Second Punic War to a close.   **et :** *et* does not usually stand between the last two members of an enumeration, unless used between all the preceding members.   When used as here, it contrasts the total of the preceding members with another total usually indicated by *ceteri, reliqui,* or some such word.

15. saepius : *i.e.* oftener on account of the good fortune which seemed to attend them than on account of *virtus.*

16. quibusdam summis viris : indirect object of *adjuncta.*

17. ad res magnas bene gerendas : *for the successful conduct of great enterprises.*

18. fortuna : the emphatic idea of the sentence.   For the subject, the place of greatest emphasis is the end of the sentence.

19. hac moderatione : *such reserve.*

20. in illius potestate fortunam positam esse : to assert this would to Cicero's mind be blasphemous.

21. reliqua : *the future.*

22. invisa : as would be the case, if he should assert that Pompey's fortune rested with himself (*in illius potestate fortunam positam esse*).

23. ingrata : with reference to *praeterita meminisse.*   To forget the past would be ungrateful. **non sum praedicaturus** : *I do not propose to tell.*

25. **ut** : *how*, introducing an indirect question.

26. **assenserint** : this verb is ordinarily deponent. Hence we should expect *assensi sint ;* but the rare perfect *assenserint* is used for symmetry with *gesserit, obtemperarint, etc.*

28. **brevissime** : *by way of summary.*

29. **qui auderet** : *as to dare;* Relative Clause of Result.

30. **quot et quantas** : *as.*

Page **80**. 1. **quod ut . . . sit** : *that this may be permanent, etc. ;* Substantive Clause Developed from the Optative, dependent on *velle et optare;* B. 296, 1 ; *cf.* A. 563, *b* ; G. 546 ; H. 565.

2. **cum . . . tum** : *not only . . . but also.*

3. **sicuti facitis** : *just as you do, viz.* wish and hope.

6. **accuratissime** : *with the greatest pains.*

9. **dubitatis quin conferatis** : *do you hesitate to devote?* In the sense of 'hesitate,' *dubito* is ordinarily construed with an object infinitive, not a *quin*-clause, as here ; B. 298, *b* ; A. 558, *a*, N. 2 ; G. 555, 2, R. 2.

11. **in rem publicam conservandam, etc.** : *to the preservation and extension of the state.*

14. **is erat deligendus, etc.** : *he would deserve to be chosen and sent.* For the use of the indicative in the conclusion of a condition contrary-to-fact, see B. 304, 3, *b* ; A, 517, *c* ; G. 597, R. 3 ; H. 582.

15. **haec opportunitas** : explained by the clauses *ut adsit, etc.*

17. **eis qui habent** : *viz.* Lucullus and Glabrio. With *habent* understand *exercitus*, as object.

18. **ducibus dis immortalibus** : *under the guidance of the immortal gods;* Ablative Absolute. **eidem cui** : *to the same man as.*

19. **cetera** : *sc. bella.* **summa** : with *salute.*

20. **regium** : *against the king, viz.* Mithridates ; or, *against the kings*, Mithridates and Tigranes. **(non) committamus** : *should we not commit ?* Deliberative Subjunctive.

21. **at enim** : *but to be sure ; at* is often thus used to introduce the opinion of some opponent ; *enim* did not originally mean *for*, but *indeed, to be sure.* This force has for the most part disappeared in classical Latin, but survives in a few phrases, such as *at enim, sed enim, neque enim* ('nor indeed'). **amantissimus rei publicae** : *most patriotic.*

22. **vestris beneficiis amplissimis** : *i.e.* election to important offices.

Catulus had been consul in 78 B.C.   **Q. Catulus**: son of the Catulus who defeated the Cimbrians (101 B.C.). He was the leader of the aristocrats.

23. honoris, fortunae, *etc.* : the genitives are appositional, explaining *ornamentis ; honoris* refers to Hortensius's election to the consulship (69 B.C.) ; *fortunae* to his wealth ; *virtutis* to his character ; *ingeni* to his special gifts as orator.

24. Q. Hortensius: one of the ablest advocates and orators of the day. He was Cicero's chief rival as an orator.   **ab hac ratione** : *from this way of thinking, from this view.*

25. multis locis : here in a temporal sense, — *on many occasions.*

26. et : connecting *valuisse* and *oportere*, — *has had great weight, and ought to have ; valere* is the subject of *oportere.*

29. ipsa re ac ratione : *by considering the facts themselves ;* literally, *by the matter itself and consideration ;* Hendiadys.

PAGE 81. 1. hoc : Ablative of Cause, — *for this reason ;* explained by the following *quod*-clause.

2. idem (nom. plu.) **isti**: *they likewise ;* literally, *they, the same (ones).*   **et (necessarium) . . . et (in uno)** : correlatives, *on the one hand, . . . on the other.*   **esse, esse** : explanatory of *ea omnia.*

3. summa esse omnia : *are all the highest qualifications.*

4. igitur : *now ;* transitional merely, as often.   **si tribuenda sint** : subordinate clause in indirect discourse.   **uni** : *upon a single man.*   **omnia** : *i.e.* absolute power.

7. obsolevit : *has lost its force ;* literally, *has grown old.*   **oratio** : *plea.*   **re magis quam verbis** : *by experience rather than by argument.*

8. pro : *in accordance with.*

9. et : correlative with *et* in line 12.   **in senatu, cum promulgasset** : the Senate regularly discussed matters that were to be proposed for legislative action by the popular assembly.

10. Gabinium : the tribune who had given notice of an intention to introduce the bill in the assembly.   **graviter ornateque** : *impressively and eloquently.*

12. legem promulgasset : *i.e.* had given notice of the bill. Notice of bills was required seventeen days in advance of the time when the vote was to be taken.

14. tum : limiting *valuisset.* Note the emphasis of the position.

16. vera causa : *real interests.*

18. cum legati . . . capiebantur, *etc.* : *viz.* by the pirates ; *cf.* § 32. For the indicative, see B. 288, 1, *A* and *a* ; A. 545 ; G. 580 ; H. 601, 2

Note the use of the imperfect tense in these *cum*-clauses, indicating that the events referred to were regular and customary occurrences.

19. ex omnibus provinciis commeatu : *from intercourse with all the provinces;* commeatu is an Ablative of Separation with *prohibebamur; ex provinciis* is an attributive modifier of *commeatu,* — literally, *a going back and forth from the provinces.*

22. jam : *any longer.*

24. Atheniensium : dependent on *civitatem* to be supplied in thought. **quae . . . dicitur** : especially at the time of the Confederacy of Delos, after the Persian Wars.

25. Carthaginiensium : masters of the Mediterranean till the overthrow of Carthage at the close of the Second Punic War, 201 B.C.

26. Rhodiorum : these enjoyed considerable maritime importance in the first and second centuries B.C.

28. antea : *ever before.*

29. quae non defenderet : *as not to defend.*   **aliquam** : *some considerable.*

PAGE **82.** **1. regionis** : *territory.*   **per se ipsa** : the Romans regularly avoided making *ipse* agree with the reflexive, preferring to join it with some other word of the sentence.

3. cujus . . . permanserit : *though its name continued;* a Clause of Characteristic with an accessory adversative idea.

5. ac : corrective, — *and in fact.*   **parte** : with *caruit.*

6. utilitatis : with reference to the grain supplies from Asia. **caruit** : *i.e.* was forced to forego.

7. Antiochum : brilliantly successful naval operations were an important feature in the war against Antiochus (192–190 B.C.). **Persem** : defeated by Paulus in the Macedonian War, 168 B.C. The naval successes in this war were hardly as conspicuous as Cicero here implies.

8. omnibus navalibus pugnis : Mylae, the Aegatian Islands, *etc.*

10. ei : *we;* the first and second persons are sometimes thus indicated after relative clauses; *cf. ei*, p. 74, line 2.

12. habebamus : *maintained, kept.*   **omnes socios salvos praestare** : *to keep all the provincials safe.*

14. quo omnes . . . commeabant : after the fall of Corinth, Delos became the great emporium of Greece.

16. referta divitiis, parva, sine muro : these facts would naturally invite attack. The phrases have adversative force. Translate : *though stored with,* etc.   **idem** : nominative plural, — *we also.*

18. Appia Via: an important highway leading south from Rome. **jam**: *actually*. **carebamus**: *were deprived of the use of*.

19. non pudebat, *etc.*: *magistrates were not ashamed to mount.* Cicero implies that they ought to have kept away from a place hallowed by trophies of Roman victory, until they had wiped out the stain of the existing disgrace.

20. cum: *though*.

21. exuviis nauticis . . . ornatum: the very name *Rostra* ('Beaks') is derived from the beaks of captured galleys suspended as trophies.

22. bono animo: *with good motives*.

24. in salute communi: *i.e.* in a matter involving the general welfare.

25. dolori suo obtemperare: *i.e.* to follow the promptings of their feelings of resentment.

28. vere: with *imperare*. **videremur**: *were seen*.

30. obtrectatum esse: impersonal, — *that objection has been offered*

31. id: in apposition with the idea contained in (*obtrectatum esse*) *utrique*.

32. ne legaretur: *to prevent Gabinius being sent as lieutenant to Pompey*. Pompey had desired to have Gabinius appointed his *legatus* in the war against the pirates; but the *lex Licinia et Aebutia* forbade that any one should receive a military appointment under a law proposed by himself. This obviously proper principle seems to have had so much weight with Pompey that he refrained from appointing Gabinius, though technically empowered to name his own *legati* by Gabinius's law. Instead, he had vainly been striving to induce the Senate to name Gabinius. As yet (*adhuc*) the Senate had refused. This was perfectly natural, since the aristocratic Senate had been hostile to Gabinius's bill from the outset. **expetenti ac postulanti**: *who begged, etc.*

PAGE **83**. **1. utrum . . . an**: these particles usually introduce disjunctive double questions, *i.e.* questions proposing an alternative. Here the second question merely suggests in other words the substance of the first, *viz.* the appointment of Gabinius. **ille qui**, *etc.*: *viz.* Pompey.

2. quem velit, idoneus non est, *etc.*: *does he not deserve to secure the man whom he wishes?* non for *nonne* occurs particularly in excited questions. For the mood of *impetret*, see B. 282, 3; A. 535, *f*; G. 631, 1; H. 591, 7; *velit* is Subjunctive by Attraction (to *impetret*).

3. cum: *when;* but the clause is really adversative.

4. ipse: *the very man, viz.* Gabinius.

7. periculo: *at his risk.* The proposer of a law naturally felt responsible for its consequences.

8. an = *nonne*, as repeatedly before in this oration.   **C. Falcidius,** *etc.:* names of tribunes who, at least after their tribunate was ended, had received appointments as *legati.* Cicero implies that possibly the earlier opposition to Gabinius had been based upon the fact that he was still tribune. That reason, the orator urges, can no longer hold, since Gabinius's tribunate is over and other ex-tribunes have been appointed *legati.*

Cicero is unfair here; he seeks to cloud the real issue by attributing to the Senate motives that do not actuate them. Cicero assumes that the opposition to Gabinius was based on the fact that he was a tribune. The real ground undoubtedly was that Gabinius was the author of the law under which it was proposed to appoint him *legatus.* Falcidius and the other tribunes here named presumably had not proposed the laws under which their appointments were made.

9. honoris causa: *i.e.* with respect.

10. plebi: for the form of the genitive, see B. 52, 2 ; A. 98, *d*, N.; G. 68, 8; H. 134, 2.

11. in: *in the case of.*   **sunt:** as subject understand the aristocratic senatorial opponents of Gabinius's appointment.   **diligentes:** *scrupulous.*

12. in hoc imperatore atque exercitu: *i.e.* under this commander and in this army ; with *imperatore*, *sub* would have been the more appropriate preposition.

13. praecipuo jure : *with especial justice.*

14. deberet : apodosis of a contrary-to-fact conditional sentence the protasis of which is omitted.

15. ad senatum relaturos: *will bring the matter up for action before the Senate.*

16. ego me profiteor relaturum : *I give notice that I, etc.* It was the prerogative of the praetor to introduce matters in the Senate for consideration.   **cujusquam inimicum edictum :** the consuls might by edict declare that the " order of the day " should be adhered to, and so attempt to block Cicero's proposed action. He declares he will tolerate no such procedure.

17. quo minus defendam : *from defending;* B. 295, 3; A. 558, *b* ; G. 549 ; H. 568, 8.   **vobis fretus :** B. 218, 3 ; A. 431, *a* ; G. 401, N. 6 ; H. 476, 1.   **vestrum jus beneficiumque :** *the prerogative and favor conferred by you, viz.* that Pompey should appoint his own *legati.*

18. neque quicquam audiam: *i.e.* I will heed no interference. **praeter intercessionem:** *barring intercession*, the formal veto of a tribune. The tribunes possessed a constitutional right to veto the action of all magistrates.

19. qui minantur: *i.e.* who threaten to make use of the tribunician veto.

20. etiam atque etiam . . . considerabunt: *i.e.* they will think twice how far they may go. Technically a veto was always possible, but it might exhibit such a defiance of public sentiment as to rouse popular indignation.

22. Cn. Pompejo socius ascribitur: *i.e.* is associated with Pompey in the public mind as a partner in his achievements.

23. alter: Gabinius. **uni:** *upon a single commander*, Pompey. **illud bellum suscipiendum:** *the charge of that war.*

24. alter: Pompey.

25. reliquum est ut, *etc. :* as p. 70, line 26. **Q. Catuli auctoritate et sententia:** *i.e.* the opinion of the influential Q. Catulus.

26. cum ex vobis quaereret: *viz.* in the speech he delivered before the assembly.

27. si in uno . . . essetis habituri: *if you vested all power in Pompey alone, in whom you would repose hope, in case anything happened to him; poneretis* and *factum esset* represent respectively the future and future-perfect indicative of direct discourse (*ponetis, factum erit*).

28. eo: for the ablative, see B. 218, 6 ; A. 403, *c* ; G. 401, N. 7; H. 474, 3. **cepit magnum,** *etc. :* *i.e.* received a great tribute to his character and standing.

29. cum dixistis: *in that you declared;* an instance of *cum* explicative ; B. 290, 1; *cf.* A. 549, *a* ; G. 582.

30. in eo ipso: *viz.* Catulus.

PAGE **84. 3. in hoc ipso:** *i.e.* in the matter at issue.

4. quo minus . . . hoc magis: *the less certain . . . so much the more ;* Ablatives of Degree of Difference ; B. 223 ; A. 414, *a* ; G. 403 ; H. 479.

7. at enim ne quid fiat: the expression is elliptical, — *but, to be sure, (the cry is raised),* '*let nothing be done,*' *etc.* For the force of *enim*, see the note on p. 80, line 21 ; *fiat* is Jussive Subjunctive.

8. non dicam, *etc. :* an admirable illustration of *praeteritio.*

9. paruisse: with *consuetudini, followed;* with *utilitati, consulted*

10. consiliorum rationes : *the character of their plans.*

12. Punicum atque Hispaniense : the Third Punic War and the war in Spain against Numantia.   **ab uno imperatore** : Scipio Africanus the Younger, chosen consul, in violation of precedent, before he had been praetor, in 147 B.C., to assume the conduct of the Third Punic War. In 134 B.C., he was chosen consul a second time, to conduct the Spanish War. This was another violation of precedent, for at that time it was illegal for any man to hold the consulship twice.

16. nuper : over forty years before. But *nuper* is a very elastic term.   **ita** : explained by the following *ut*-clauses, and hardly translatable.   **vobis patribusque vestris** : some in Cicero's audience had been alive at the time referred to ; others were sons of those who were then living but had since died.   **esse visum** : *it seemed best.* **ut poneretur** : B. 295, 4 ; A. 563, *d* ; G. 546 ; H. 565, 5.

17. C. Mario : elected consul in violation of all precedents for five successive years, 104–100 B.C. He had also previously held the consulship once (107 B.C.).   **cum Jugurtha** : 107 B.C.

18. cum Cimbris, cum Teutonis : 102–101 B.C.

19. novi nihil : *nothing new.*

20. summa voluntate : *with the full consent.*

22. quid tam novum : understand *est.*   **quam adulescentulum ... conficere** : *as for a mere stripling to muster, etc.* The reference is to Pompey's enrolment of legions to assist Sulla ; see p. 71, line 12. He was only twenty-three years of age at the time.   **privatum** : *i.e.* holding no public office.

23. difficili tempore : *at a crisis.*

24. huic : *viz. exercitui.*   **praeesse, gerere** : in the same construction as *conficere.*

25. quam . . . dari : *as for a command and an army to be given, etc.*

26. cujus aetas, *etc.* : no one could enter the Senate until he had held the office of quaestor. Candidates for the quaestorship were at this time regularly required to be in their thirty-seventh year.

27. Siciliam, Africam : see notes, p. 72, line 9, p. 71, line 21.

31. exercitum deportavit : *brought home his army,* showing that his work was complete. This was a necessary preliminary to receiving a triumph.

32. equitem Romanum triumphare : ordinarily only a consul or praetor might enjoy this honor. For Pompey's triumphs, see note on p. 71, line 19.

PAGE **85.** 2. **omnium studio** : *with enthusiasm on the part of all* ; Ablative of Attendant Circumstance.

3. **ut mitteretur** : Substantive Clause of Result.   **cum duo consules**, *etc.* : *viz.* Lepidus and Brutus. The consuls were the natural persons to take command in the field.

4. **essent**: *there were*.   **ad bellum maximum** : the war against Sertorius in Spain.

5. **pro consule** : *i.e.* with proconsular power. Pompey was not strictly proconsul. That term properly designated an ex-consul exercising his *imperium* as provincial governor.

6. **quidem** : *by the way*.

7. **non nemo** : *some*, with plural force.

8. **L. Philippus** : consul in 91 B.C. and subsequently censor ; a devoted partisan of Sulla and Pompey, and famous for his ready repartee.

9. **non se mittere** : *i.e.* that he was not voting to send.   **sua sententia** : *in his judgment*.   **pro consule, pro consulibus** : a pun on the meaning of *pro*. In the first instance the word has its ordinary meaning ; in the second it means ' in place of,' ' as a substitute for.' Philippus sarcastically calls attention to the fact that the consuls were unfit or unwilling to take the field.

10. **rei publicae bene gerendae** : *of a successful management of the state's interests*.

11. **duorum consulum munus** : *viz.* the command of the armies.

13. **ex senatus consulto**, *etc.* : *released from the laws by a decree of the Senate;* the laws required that a candidate for the consulship should be forty-two years old and should first have held the quaestorship and praetorship. Pompey fulfilled neither of these requirements. Here and in line 16 below, Cicero takes especial satisfaction in pointing out that the action referred to was taken by the Senate itself, the body now opposed to Pompey.

14. **ante . . . quam ullum alium**, *etc.* : *before it would have been lawful, etc.* In strictness it was not lawful to stand for the lowest magistracy (the quaestorship) before one's thirty-seventh year ; see Introd. p. xxii. Pompey was in only his thirty-sixth year in 70 B.C., when he entered upon the consulship ; *licuisset* is an apodosis of a contrary-to-fact conditional sentence whose protasis is omitted ; *ante . . . quam* for *antequam* is frequent.

16. **iterum triumpharet** : Pompey's second triumph was celebrated upon the eve of his entrance upon the consulship, December 31, 71 B.C.

17. **quae nova constituta sunt, ea**, *etc.* : *the innovations which have been introduced, those, etc.*

20. **profecta sunt in**, *etc.* : *have been conferred upon the same man*

by the influence, etc.; literally, *have proceeded to . . . from the influence.*

21. Q. Catuli atque ceterorum: *i.e.* leading members of the aristocratic party, who are now most conspicuous in opposing Pompey's appointment.   **ejusdem dignitatis**: *i.e.* senatorial rank.

23. non ferendum: *intolerable.*

24. illorum: Catulus and his followers.

25. vestrum judicium: (*but*) *that your verdict.*

27. cum jam suo jure suam auctoritatem possit defendere, *etc.*: Cicero means that the Roman people are able to justify their present right to choose Pompey by the brilliant outcome of their former choice.

28. vel: intensive, — *even.*

29. isdem istis: the senatorial opponents.

PAGE **86. 1. quem praeponeretis**: *to put in charge;* Relative Clause of Purpose.

4. plus in re publica vidistis: *had a deeper insight in affairs of state.*   **eis repugnantibus**: Ablative Absolute with adversative force, — *despite their opposition.*

6. attulistis: this also is a part of the protasis.   **isti principes**: Catulus, Hortensius, and the other senatorial leaders.

7. et sibi et ceteris, *etc.*: *let them admit that both they and all others must obey the sovereign will of the Roman people;* sibi and ceteris are Datives of Agency; *auctoritati* is indirect object of *parendum esse*, — literally, *it must be obeyed* (*to*) *the authority;* fateantur is Jussive Subjunctive.

8. bello Asiatico et regio: *i.e.* the war against the king in Asia.

10. singularis: *to a signal degree.*

12. ita versari: *so to conduct himself.*

13. nostrum imperatorem: *a commander of ours; i.e.* any and all Roman commanders.

14. qui: the indefinite.

16. cupidorum: *avaricious.*

20. nostris magistratibus: *in the eyes of our magistrates.*

23. quibus . . . inferatur: *against which a pretext for war may be brought.*

25. coram: *i.e.* privately.

29. hostium simulatione: *i.e.* under the pretence of proceeding against the enemy.

31. tribuni militum: there were six of these in each legion and they exercised command in rotation.

32. capere : literally, *hold, contain*, and so *satisfy.*

Page **87.** **1. quem :** *any one.*   **collatis signis :** *i.e.* in a pitched battle.

3. nisi erit idem : *unless he shall also be a man.*

5. manus, oculos, animum : note the climax, — ' not only his hands but his eyes, and not only his eyes but his mind.'

7. ecquam putatis, *etc. : i.e.* if it seems reduced to peace, it is because it no longer has wealth to be plundered.

8. pacatam fuisse : *i.e.* has been regarded as reduced to peace. So long as a state was rich it was regarded as hostile.

9. ora maritima : *i.e.* the inhabitants of the coast provinces of Asia, who were chiefly concerned in the operations against the pirates.

12. imperatores : *i.e.* provincial governors.   **locupletari :** *enriched themselves ;* passive with middle force ; B. 256, 1 ; A. 156, *a* ; G. 218 ; H. 517.

13. pecunia publica : *i.e.* the state funds put at their disposal for maintaining troops and ships.   **neque eos,** *etc. : eos* does not refer to *paucos,* but to provincial governors in general. This criticism applied particularly to M. Antonius Creticus, who had lost his fleet in the war against the Cretans.

14. classium nomine : *with their so-called fleets* (literally, *under the name of fleets*) ; *i.e.* owing to the misuse of the public funds, the fleets were unfit for effective service.

15. majore turpitudine : *i.e.* greater than if no fleets had been sent out.   **videremur :** *we were seen.*   **qua cupiditate :** *in what a spirit of avarice.*

16. quibus jacturis : *at what heavy expense ; i.e.* they use money lavishly in buying their appointments.   **quibus condicionibus :** *under what bargains ; i.e.* corrupt agreements to reward those who have assisted their advancement.

17. videlicet : ironical.

19. non : to be joined with *videamus.*   **cum :** correlative with the following *tum.*   **suis :** emphatic, — *his own.*

20. alienis vitiis : *by the defects of others, i.e.* by contrast with the defects of others.   **videamus :** for the mood, see B. 307, 1 ; A. 524 ; G. 602 ; H. 584 and 2.   **nolite dubitare :** *do not hesitate,* the regular form of a prohibition in classical prose.

21. quin credatis : *to entrust ;* the infinitive would have been the usual construction here ; B. 298, *b ;* A. 558, *a,* N. 2 ; G. 555, R. 3 ; H. 596, I.   **qui . . . inventus sit :** *since he has been found to be* *the only one;* Clause of Characteristic with accessory notion of cause.

22. quem . . . gaudeant: *at whose arrival . . . the allies rejoice.*

25. est vobis auctor: *you have as an authority.* **omnium: =** *omnium generum.*

26. P. Servilius: P. Servilius Vatia, who in 78–75 B.C. conducted a naval campaign against the pirates with great distinction, though with only temporary success.

27. exstiterunt: = *fuerunt; tantae* is a predicative adjective.

29. C. Curio: consul in 76 B.C. For the next three years he was governor of Macedonia, in which post his military successes secured him the honor of a triumph. **summis vestris beneficiis,** *etc.:* grammatically *beneficiis* and *rebus gestis* depend upon *praeditus,* but logically they depend upon some word to be supplied. Translate: *honored by favors at your hands, distinguished by famous exploits; beneficiis,* as often, refers to public offices.

30. summo ingenio: this probably refers to Curio's ability as an orator. **Cn. Lentulus:** consul in 72 B.C. He had been a *legatus* of Pompey in the war against the pirates.

31. vestris honoribus : *i.e.* offices conferred by you.

PAGE **88.** **2. C. Cassius:** consul in 73 B.C. He held a command in the war against Spartacus in 72 B.C.

3. num videamur: *whether we* (*i.e. whether we do not*) *seem.* **horum:** Servilius, Curio, *etc.* **auctoritatibus :** Ablative of Means.

5. Manili: for the form of the vocative, see B. 25, 1; A. 49 *c*; G. 33, R. 2; H. 83, 5.

6. et (legem) : correlative with the *et*'s following.

7. auctore populo Romano: *since the Roman people supports you;* literally, *the Roman people being your voucher;* Ablative Absolute.

8. neve pertimescas : *and not to dread ;* for the idea 'and not,' *neve* is the regular particle in Substantive Clauses Developed from the Volitive.

11. iterum nunc : *now for the second time.* The first time had been on the occasion of Pompey's appointment to the charge of the pirate war.

12. quid est quod, *etc.* : *what reason is there why we should hesitate ?* The origin of the subjunctive in this idiom is obscure.

13. perficiendi facultate : in 'means of putting it through,' Cicero is thinking of the enthusiastic body of voters ready to enact the bill into law.

15. **quicquid possum** : *whatever power I have.* **hoc beneficio** : referring to his office as praetor.

18. **polliceor ac defero** : *promise and put at the disposal.*

19. **huic loco temploque** : referring to the Rostra. In the broadest sense of the term a *templum* was any place consecrated by taking the auspices. These were regularly taken before opening the public assemblies.

20. **ad rem publicam adeunt** : *enter public service.*

21. **perspiciunt** : *search.*   **hoc facere** : namely, support this bill.

22. **neque quo putem** : *nor because I think;* B. 286, 1, *b* ; A. 540, N. 3 ; G. 541, N. 2 ; H. 588, II, 2.

24. **periculis, honoribus** : *for (warding off) dangers; for (acquiring) office;* a loose use of the Dative of Purpose.

25. **ut hominem praestare oportet** : *so far as a mere mortal ought to undertake.* Such a matter naturally lay in the power of the gods.

26. **tecti** : the participle.   **repellemus** : the editorial ' we.'

27. **ab uno** : referring to Pompey.   **ex hoc loco** : *i.e.* from political speeches.   **eadem . . . ratione vitae** : *i.e.* his devotion as advocate to his clients ; see p. 60, line 10.

29. **feret** : *shall allow.*

PAGE **89.** 1. **mihi** : Dative of Agency ; B. 189, 2 ; A. 375, *b* ; G. 354 ; H. 431, 2.

2. **tantumque abest ut,** etc. : *and so far am I from seeming to have sought advantage . . . that I am aware I have,* etc.; literally, *so far distant is my seeming; ut videar* is a Substantive Clause of Result, the subject of *abest; ut intellegam* is an ordinary Clause of Result.

6. **me praeferre oportere** : *that I ought to prefer; me* is the subject of *praeferre; praeferre* is subject of *oportere; oportere* is the object of *statui.*   **hoc honore** : the praetorship.

9. **rationibus** : *interests.*

THE ORATION FOR ARCHIAS.

The poet Archias was a native of Antioch, where he was born about 119 B.C. In early youth he displayed unusual poetic gifts, being particularly skilful in the art of improvisation. He travelled extensively in Asia Minor, Greece, and southern Italy, giving public exhibitions of his powers and winning general admiration. When about seventeen years of age, he came to Rome (102 B.C.), where his personal qualities and literary accomplishments secured him admission to the homes of the noblest families. Particularly close and friendly were the relations which he formed with the Luculli. Some time before the outbreak of the Social War (90 B.C.) he visited Sicily with M. Lucullus, and on his return came to Heraclea, where, apparently through Lucullus's influence, he secured the privilege of enrolling as a citizen. In the year 89 B.C., the *Lex Plautia-Papiria* was passed, by the terms of which Roman citizenship was guaranteed to all who at the time of the enactment of the law were enrolled in any city allied with Rome, provided they should register with a Roman praetor within sixty days. Inasmuch as Archias had been enrolled a citizen of Heraclea, which for two hundred years had been an allied city, he appeared before the praetor, Quintus Metellus Pius, at Rome, and was formally registered. This was in 89 B.C. It was not till twenty-seven years later (62 B.C.) that his citizenship was questioned. At this time one Grattius brought formal complaint in court that Archias was not entitled to the citizenship which he claimed. This action was taken under the *Lex Papia*, passed in 65 B.C. to protect the integrity of the Roman franchise.

Cicero undertook the defence of the case, and easily proved the baseless character of Grattius's charges. Less than half of the oration is devoted to the law and the facts of the case. The greater portion — and for us far the more important portion — is devoted to a glorification of the pursuit of letters, and to a description of Archias's poetic powers. The purpose of this digression was to persuade the jury that, even if Archias were not a citizen, his poetic gifts and especially his celebration of Roman achievements would entitle him to become one.

Archias was presumably acquitted, though we possess no positive assurance of the fact.

PAGE **90.** 1. **judices:** *gentlemen of the jury.* Jurymen at this time were chosen in equal numbers from the senators, *equites*, and *tribuni aerarii.*   **quod sentio quam sit exiguum:** *and I feel how little it is; quod* is the subject of *sit;* literally, *I feel how little which* (referring to *quid ingeni*) *is.*

3. **versatum:** here an adjective.   **hujusce rei:** namely, *dicendi.*

4. **ratio aliqua:** *any theoretical knowledge.* Cicero's theoretical knowledge of the art of speaking was extensive and profound. In later life he composed a number of important rhetorical treatises, which have come down to us; Introd. p. xiv.   **optimarum artium:** the so-called liberal arts, those branches of study that were not

primarily of direct practical value, such as grammar, rhetoric, music, philosophy, *etc.*

5. profecta: *proceeding from* (from *proficiscor*).

6. earum rerum: viz. *ingenium, exercitatio dicendi, ratio dicendi,* the three essential qualifications of an orator ;. the apodosis of the sentence begins here. **vel:** intensive, modifying *in primis* (*especially*). **A. Licinius:** *i.e.* Archias. Upon becoming a citizen, Archias had taken the name Licinius from that of his patron, M. Licinius Lucullus. Cicero's use of this name, therefore, is a virtual assertion of Archias's citizenship.

8. quoad longissime: *up to the very farthest point to which.*

10. inde usque repetens: *going back even that far;* literally, *retracing even from that point.* **mihi:** Dative of Reference. **principem:** *guide.*

11. rationem: *the systematic pursuit.* **horum studiorum:** *viz.* oratory.

12. exstitisse: = *fuisse*, as often. **quodsi haec vox, *etc.*:** *i.e.* if my oratory has ever been of assistance to any, *viz.* persons under indictment for crime, or involved in civil suits.

13. saluti: Dative of Purpose.

14. a quo: the apodosis begins here. The antecedent of *quo* is *huic ipsi* in line 15. **id, quo, *etc.*:** *viz.* his gift of oratory ; *quo possemus* is a Clause of Characteristic. **accepimus:** the editorial ‘we.’ **ceteris, alios:** *ceteris* strictly means ‘all the others’ ; *alios,* ‘some others.’ Here translate : *others, some.* Cicero, of course, could lend his legal help to all ; but naturally he could not acquit all his clients.

15. huic ipsi: Archias. **quantum est situm in nobis:** *so far as in me lies.*

17. hoc ita dici: *viz.* that I owe my early oratorical training to a poet.

18. alia: *viz.* other than mine. **in hoc:** *i.e.* in this Archias. **facultas ingeni:** *endowment.* **neque:** *and not.*

PAGE **91.** **1. ne nos quidem, *etc.*:** (*I will say that*) *not even I, etc.* Cicero seems to be referring to his own poetic efforts. Some fragments of his poetry have come down to us, but they lack merit ; Introd. p. xviii,

2. dediti: here an adjective.

4. quasi: an instance of the ‘apologetic’ *quasi*, which is often used by way of apology for some bold or unusual figure. Thus here *cognatio,* ‘kinship,’ properly restricted to human relationships, is boldly used of the relations of the liberal arts. **inter se:** *with each other.*

6. me: subject of *uti* in line 9.   **in quaestione legitima:** *in an investigation conducted under warrant of law.* A *quaestio* was a formal investigation, or process of law ; *legitima* here refers to the fact that the present investigation was held by virtue of a special *lex*, which prescribed just such trials as this in cases of doubtful citizenship. See Introduction to this oration, page 234.   **in judicio publico:** *in a state trial;* as opposed to a case in which only the interests of private parties were involved.   **cum res agatur,** etc. : *though the case is being tried, etc. ; i.e.* despite the dignity and formality of the occasion.

7. apud praetorem: this happened to be Cicero's own brother, Quintus.

8. tanto conventu ac frequentia: *before so great a throng and assemblage;* Ablative of Attendant Circumstance (literally, *with so great a throng*).

9. hoc genere dicendi quod, *etc.:* an allusion to the praise of literature, the theme of the greater part of this oration.   **uti:** subject of *videatur* in line 5.

10. forensi sermone: *i.e.* public utterance in general.

12. accommodatam huic reo, vobis non molestam: Chiasmus, combined with Asyndeton, — *(and) to you not annoying.*

13. ut patiamini: a substantive clause, explanatory of *hanc veniam.*   **me:** subject of *loqui* in line 17.   **summo poeta, eruditissimo homine, hominum litteratissimorum, vestra humanitate, hoc praetore:** reasons why the orator should be allowed to speak in praise of literature : the defendant is a poet, the court is thronged with men of letters, and the presiding official is also a man of letters.

14. hoc concursu: *before this assemblage;* Ablative of Attendant Circumstance ; literally, *with this assemblage.*

15. hac vestra humanitate: *such being your culture.* This is also probably an Ablative of Attendant Circumstance ; literally, *with this culture on your part; vestra* refers to the jury.   **hoc praetore:** Quintus Cicero was a man of letters of some note ; he is said to have been the author of several tragedies ; *hoc praetore exercente* is Ablative Absolute.

17. liberius: *i.e.* more freely than is usual under such circumstances. **in ejus modi persona, quae:** *in the case of a person of this kind, who* (literally, *which*).

19. periculis: here, as often, in the sense of legal dangers,— *lawsuits.*

20. quod si, *etc.:* *if I perceive that this, etc.; quod* refers to his request.

21. perficiam: *I will bring about.* **ut putetis:** a substantive clause, object of *perficiam*.

22. segregandum: understand *esse*.

23. etiam, si non esset, asciscendum fuisse: *that even if he were not (a citizen), he ought to have been received (as one)*, a conditional sentence of the contrary-to-fact type in indirect discourse. The direct form would have been *si non esset, asciscendus fuit;* B. 304, 3, *b* ; A. 517, *c*; G. 597 ; H. 582.

25. ut primum: *as soon as.* **ex pueris:** *i.e. from boyhood.*

26. aetas puerilis: *boyhood.* **ad humanitatem informari:** *to be trained for culture.*

27. scribendi: *i.e.* composing poetry.

28. Antiocheae: *at Antioch;* limiting *coepit* on the next page. **loco nobili:** the English idiom is *in high station;* but in the Latin, *loco* is an Ablative of Source; B. 215; A. 403, *a*; G. 395; H. 469, 2. **celebri quondam urbe:** *once a much frequented city;* ablative in apposition with the locative *Antiocheae;* B. 169, 4 ; A. 282, *d*; G. 411, R. 3; H. 393, 7.

29. liberalissimis studiis: the *artes quae ad humanitatem pertinent* of line 2.

PAGE **92.** **1. post:** the adverb. **Asiae:** Asia Minor.

2. adventus: English uses the singular here. The Latin emphasizes the repeated instances. **sic celebrabantur:** *were so thronged.*

3. famam: object, like *exspectationem*, of *superaret.* **exspectationem**, *etc.:* Adversative Asyndeton, — *(but) the arrival of (Archias) himself and the admiration (he evoked) exceeded people's expectation.* With *admiratio, ipsius* is an Objective Genitive ; with *adventus*, Subjective.

4. Italia: here used of southern Italy, the district known as Magna Graecia.

5. studiaque haec: *viz.* poetry.

7. tranquillitatem rei publicae: there was almost continuous domestic tranquillity at Rome from the time of the Gracchi to the outbreak of the Social War, *i.e.* from about 120 to 90 B.C. It must have been about 105 B.C. that Archias first came to Italy from Greece and Asia.

8. et: correlative with *et* (before *omnes*) in line 10.

9. civitate: *with citizenship.* By Greek custom it was possible for a man to enjoy citizenship in different states. **ceteris praemiis:** such as crowns, drinking-cups, etc.

10. aliquid judicare: *to form any judgment;* *aliquid* is Accusative of Result Produced.

12. hac tanta celebritate: Ablative of Cause.   **cum esset jam notus:** *being already known;* a purely circumstantial *cum*-clause.   **absentibus:** literally, (*to people at Rome*) *distant from him;* English alters the idiom.   Translate (with the subject of *esset*) : *while at a distance*.

13. Mario consule et Catulo: an unusual form of expression for the regular *Mario et Catulo consulibus*.   Marius and Catulus were consuls in 102 B.C.   **nactus est primum consules eos:** *he first found consuls.*

14. quorum . . . posset: the first *alter* refers to Marius.   For his exploits, see note on p. 57, line 20.   The second *alter* refers to Catulus, who shared with Marius the honor of defeating the Cimbrians in 101 B.C.   Catulus was also distinguished as a man of letters, and was the author of various works in prose and verse.   Note the Zeugma in *adhibere* (*apply, lend*).   This meaning fits only with *studium* and *aures;* with *res* and *res gestas* we must supply in thought some such word as *suppeditare* (*furnish*).

15. cum . . . tum: correlatives.   **studium:** *interest.*   **aures:** *critical attention, good taste.*

16. posset: subjunctive in a Clause of Characteristic.   **Luculli:** a noble family, wealthy and cultivated.   Its two most conspicuous members at Rome at this time were L. Lucullus, subsequently commander in the Mithridatic War, and his brother M. Lucullus.   **praetextatus:** Cicero applies to Archias a term properly belonging only to Roman boys under the seventeenth or eighteenth years. As a foreigner, Archias could hardly have worn the *praetexta.*

18. erat ingeni, *etc. : was a mark not only of his ability and literary accomplishments, but also of his character and disposition;* predicate Genitive of Possession.   **hoc:** explained by the clause *ut domus esset.*

19. adulescentiae: dative with *favit.*

20. esset: *remained;* *ut esset* is a Substantive Clause of Result.

21. Q. Metello illi Numidico: in 109 and 108 B.C., he had charge of the war against Jugurtha, winning a triumph and the title Numidicus. For *illi,* 'that famous,' *cf.* p. 68, line 30, *Medea illa.*

22. ejus Pio filio: for *Pio, ejus filio;* the grammatical figure is called Hyperbaton ('a stepping over').   Q. Metellus Pius received the surname Pius for his activity in securing the recall of his father from exile.   **M. Aemilio:** M. Aemilius Scaurus, consul in 115 and 107 B.C., a leading orator of his time and long the leader of the Senate. **vivebat cum:** this expression always designates close intimacy.

23. Q. Catulo et patre et filio: the father was Marius's colleague, already mentioned. The son was consul in 78 B.C. He appears in the Oration on Pompey's Appointment as one of the leading opponents of Manilius's bill. **L. Crasso**: one of the most famous orators of his time. He died 91 B.C.

24. Drusum: M. Livius Drusus, an aristocratic leader. In 91 B.C. he broke away from his party and urged the granting of citizenship to the Italian *socii*. His efforts at reform led to his assassination by an unknown hand. **Octavios**: eminent members of this family were Cn. Octavius, consul with Cinna in 87 B.C., and his son Lucius, consul in 75. **Catonem**: probably the father of Cato Uticensis, the contemporary of Cicero.

25. Hortensiorum domum: the most distinguished member of the family was Q. Hortensius, the orator, who figured in the debate on Pompey's Appointment. His father was consul in 97 B.C.

27. percipere: *to learn.*

28. si qui: *whoever.*

29. satis longo intervallo: *after quite a long interval;* a special development of the Ablative of Time within which.

PAGE **93.** **1. decederet**: *was on his way back.* **Heracleam**: a Greek city on the Gulf of Tarentum. It has been suggested that the father of the Luculli was living here. He had been banished from Rome soon after his praetorship in Sicily (103 B.C.).

2. esset . . . foedere: *enjoyed most liberal treaty rights;* literally, *was of most liberal, etc.* In *jure et foedere* (Ablatives of Quality) we have Hendiadys. Heraclea had assisted the Romans in the war with Pyrrhus, and the treaty referred to dates from that time (278 B.C.). **ascribi se**: for the subject accusative here, see B. 331 IV, *a*; G. 532, R. 2.

3. cum: *while.*

5. civitas: *i.e.* Roman citizenship. **Silvani lege et Carbonis**: the so-called *Lex Plautia-Papiria* (from the gentile names of the two tribunes who introduced it). It was enacted in 89 B.C.

6. si qui, *etc.*: (*to*) *whoever should be enrolled, etc.* The passage gives the provision of the law in indirect discourse. Hence the subjunctives *ascripti fuissent, habuissent, essent professi*, representing future perfects of direct statement. The clause *cum lex ferebatur* is not properly a part of the quoted statement, but is an explanatory statement of the speaker; hence the indicative; B. 314, 3; A. 583; G. 655, 2; H. 643, 3. **civitatibus**: dative.

7. **sexaginta diebus**: Ablative of Time within which.

10. **Metellum**: Quintus Metellus Pius (see p. 92, line 22), praetor in 89 B.C.

11. **nihil dico amplius**: *i.e.* I have nothing more to say.

12. **horum**: *of these things.* For the rare use of the genitive plural neuter of adjectives and pronouns with substantive force, see B. 236, 2; A. 288, *b*; G. 204, N. 4.

13. **Gratti**: the name of the man who instituted proceedings against Archias. He is otherwise unknown.

15. **non**: *i.e.* not merely.

16. **egisse**: *took active part.*

18. **publico**: *official.*

19. **hic**: *at this point.*

20. **Italico bello**: the Social War.

21. **omnes**: *completely.* Notice the emphasis secured by placing this word at the end of the sentence.

22. **ad ea**: *with reference to these things.*   **quaerere**: (*and*) *to ask;* Asyndeton; so below, *flagitare* (line 24), *desiderare* (line 27). **quae**: as antecedent understand *ea*, object of *quaerere.*

23. **memoria**: *testimony.*

24. **amplissimi viri**: Metellus.

25. **municipi**: since the Social War, Heraclea, which was previously a *civitas foederata*, had become a municipal town.

27. **idem**: (*you*) *also.*

28. **tot annis**: Ablative of Degree of Difference.

29. **ante civitatem datam**: *before the granting of citizenship; i.e.* by the law of Silvanus and Carbo; B. 337, 6; A. 497; H. 636, 4.

30. **immo**: *on the contrary.*

PAGE 94. 1. **eis tabulis**: *according to those records;* Ablative of Accordance.   **solae**: evidently Metellus was not the only praetor with whom one could register.   **illa professione**: *that registration, i.e.* the registration made in accordance with the law of Silvanus and Carbo.

2. **collegio praetorum**: *board of praetors.* The eight praetors, like the ten tribunes, formed a *collegium.*

3. **Appi**: Appius Claudius Pulcher, father of the notorious Clodius. **neglegentius**: *too carelessly.*

4. **Gabini levitas**, *etc.*: Asyndeton, — *and when the unsteadiness of Gabinius, etc.* Gabinius was another praetor before whom men appeared to make registration.   **quamdiu incolumis fuit**: *incolumis* is used in the legal sense. The whole clause = *ante damnationem.*

5. post damnationem: some years after his praetorship Gabinius had been convicted of extortion as provincial governor of Achaia. **calamitas**: *his downfall.*   **tabularum**: *in his records.*

6. resignasset: the figure is drawn from breaking the seal of a document and so vitiating its genuineness.

7. diligentia: *scrupulousness.*   **L. Lentulum**: another praetor of 89 B.C.   Apparently he presided over the court which had jurisdiction in questions of citizenship.

8. judices: *i.e.* the panel of jurors attached to Lentulus's court. **venerit, dixerit**: for the perfect subjunctive as an historical tense, see B. 268, 6; A. 485, *c*, N. 2; G. 513; H. 550.   **unius nominis . . . commotum**: the incident is cited merely to show Metellus's scrupulousness.   He was unwilling to tolerate even the slightest tampering with his records.

9. igitur: not *therefore*, which would be illogical here, but, as often, *now.*

11. quid est quod, etc. : *what reason is there why you should hesitate.*   The reason for the employment of the subjunctive in this idiom is not clear.

13. et: connecting *mediocribus* and *praeditis.*   But to our English sense the *et* is superfluous, — *upon many ordinary men, endowed either,* etc.   **humili aliqua arte**: *some inferior accomplishment,* such as dancing, acting, or the like.

14. Graecia: *i.e.* Magna Graecia (southern Italy).   **impertiebant**: for the indicative, see B. 288, 1, *A*; A. 545; G. 580; H. 601.   Note also the force of the imperfect tense, — *were constantly bestowing.*

15. credo: ironical, as often.

16. quod: its antecedent is *id*, which depends upon *largiri*, to be understood with *noluisse.*

17. huic: indirect object of *largiri* understood.

18. ceteri non modo ; hic, qui ne utitur: two separate questions with the force : ' When others stole into the records, *etc.*, . . . shall this Archias be excluded ? '   **post civitatem datam**: *cf.* p. 93, line 29.

19. legem Papiam: this law, enacted 65 B.C. (twenty-four years after Archias had acquired citizenship), was aimed at those who asserted illegal claims to citizenship.

20. ne utitur quidem illis (tabulis): the reason for Archias's failure to make use of these evidences of citizenship is not clear.   Possibly Cicero, counting on the sufficiency of other evidence, deliberately omitted to use the records of Rhegium and the other cities.

22. census nostros : *i.e.* the census lists at Rome.   **scilicet :** *of course ;* sarcastic.   **est enim obscurum :** ironical.

23. proximis censoribus : *in the last censorship ;* Ablative Absolute. The full form would be *proximis censoribus censoribus*, 'the last censors being censors' ; but the expression is always abridged as above. The censors here referred to were those for 70 B.C. In 65 B.C. censors had been chosen, but took no census. Ordinarily censors were elected every five years, but from 89 B.C to the present time there had been many irregularities in the office.

24. L. Lucullo : commander in the war against Mithridates.   **apud exercitum :** not *in exercitu*, which would have meant that Archias was a soldier. He was merely in the suite of Lucullus.   **superioribus :** understand *censoribus*. The censors of 86 B.C. are referred to.

25. cum eodem quaestore : *with the same man* (Lucullus) *serving as quaestor.* Lucullus was at this time quaestor under Sulla in the First Mithridatic War.   **primis :** *i.e.* the first censors after he received citizenship. These belonged to the same year (89 B.C.) in which Archias was first enrolled at Rome.

28. ita : *thereby, viz.* by securing the admission of his name to the lists.   **se gessisse pro cive :** *has given himself out to be a citizen.* **eis temporibus :** the main clause of the sentence begins here.

29. quibus tu, *etc. : when you charge that not even in his own judgment did he enjoy the right, etc.* As subject of *versatum esse*, supply in thought *eum.*   **ipsius judicio :** Grattius had inferred that Archias did not consider himself a citizen, since his name did not appear in the census lists.

30. et : correlative with *et* in the following line.   **testamentum fecit, adiit hereditates :** under Roman law only citizens could make a valid will or enter upon an inheritance.

32. in beneficiis ad aerarium delatus est : *i.e.* his name was reported to the treasury by Lucullus in the list of those recommended for rewards for their services in the Mithridatic War. Naturally only citizens would be considered entitled to an allowance from the state treasury.

PAGE **95.** **2. potes :** understand *quaerere.*   **neque . . . neque :** for the use of a second negative after *numquam*, see B. 347, 2 ; A. 327, 3 ; G. 445 ; H. 656, 2.

4. quaeres a nobis : Cicero here begins a plea *extra causam* and devotes the remainder of this oration to a panegyric of literature.

5. ubi . . . reficiatur : *the means for refreshing our spirits ;* literally, *wherein the spirit may be refreshed;* Relative Clause of Purpose. As antecedent of *ubi*, understand *id* with *suppeditat*. **ex:** *after*. **hoc:** *i.e.* this din with which we are all familiar.

6. convicio: referring to the disputes of litigants and their attorneys.

7. an tu, etc.: *you do not think, do you ? an* is here equivalent to *num;* B. 162, 4, *a*; *cf.* A. 335, *b*; G. 457, 1; H. 380, 3. **suppetere nobis posse,** etc.: *that we can have material for speaking on such a variety of topics;* literally, *that there can be on hand to us (that) which,* etc. Cicero means that the reading of poetry suggests to the orator many valuable ideas, figures, and phrases. As subject of *posse* and antecedent of *quod*, *id* is to be understood; *quod dicamus* is a Relative Clause of Purpose.

9. excolamus, relaxemus: subordinate clauses in indirect discourse.

11. ego vero: *for my own part, I.* **ceteros pudeat:** *let others be ashamed; pudeat* is Jussive Subjunctive.

12. litteris: *in literature.* But the ablative is one of Means.

13. neque . . . neque: as above in line 2. **ad communem afferre fructum:** *i.e.* to make their studies useful in the public service of the state. **in aspectum lucemque proferre:** referring to literary productivity. Cicero's point is, that, to justify one's devotion to literature, one must either make it directly practical in public life, or else must be an author.

14. me autem quid pudeat: *but why should I be ashamed ? me* is emphatic, and contrasted with *ceteros;* hence its position; *pudeat* is a Deliberative Subjunctive.

15. vivo: the present here has the force of a present perfect. **nullius:** this form regularly supplies the place of the missing genitive of *nemo.* **tempore:** *necessity,* referring especially to legal troubles.

18. quis . . . reprehendat: *who, pray, would censure me ? reprehendat* is a Potential Subjunctive.

19. si quantum, etc.: *if I take as much time as; si* introducing *sumpsero* in line 24. **quantum:** subject of *conceditur.* **ceteris, alii** (line 22): used with the same difference of meaning as p. 90, line 14. Everybody else (*ceteris*) is conceded time for attending to his private affairs, etc.; a few (*alii*) are even privileged to devote their leisure to long banquets, gaming, etc.

20. ludorum: referring to various spectacular exhibitions brought out on festal occasions, such as chariot racing, contests of gladiators, wild animals, etc.

21. **requiem**: for the form, see B. 59, 2, *c*; A. 105, *e*; G. 68, 8; H. 145, 3.

22. **temporum**: Genitive of the Whole dependent on *quantum*. We should expect it rather with *tantum*. The plural is used, since different portions of time are referred to in the different cases cited. **tempestivis conviviis**: four o'clock was the usual hour for dinner (*cena*) with the Romans. Dinners that began earlier were a mark of luxury and were designated as *tempestiva*, ' early.'

25. **eo magis**: *the more on this account; eo* is explained by the *quod*-clause.

26. **oratio et facultas**: *oratorical power.* Hendiadys. **quanta-cumque**: here in the sense of *however slight.*

27. **numquam . . . defuit**: *i.e.* Cicero's oratorical skill has always been at the service of his friends who were under indictment. For the voluntary nature of legal services at Rome, see note to p. 60, line 10. **quae si**: *if this, viz. oratio et facultas.*

28. **levior**: *rather trivial.* **illa quidem, quae,** etc.: *I know from what source I derive those ideals which are of consummate value, i.e.* ' I know that it is from literature that I derive them '; *illa* refers to Cicero's ideals of life. It is from literature and philosophy that he has drawn them. In other words, from the study of literature he has gained two things, (1) oratorical power ; (2) a juster conception of life and duty. The former is perhaps a slight thing, — he does not undertake to say, — but the latter is a living reality of the highest moment.

29. **nam nisi,** etc.: explaining how his ideals have been formed by the study of literature.

30. **multis litteris**: *by extensive reading.*

PAGE 96. 2. **honestatem**: *honor.* Latin *honor* would have been ambiguous here, since it often means *office.* **ea**: referring to *laudem et honestatem* considered as a single idea.

4. **exsili**: as severe a punishment as could befall a Roman. **parvi esse ducenda**: *ought to be considered of small account.* For the genitive, see B. 203, 3 ; A. 417 ; G. 379 ; 380, 1 ; H. 448, 1.

5. **dimicationes, profligatorum hominum impetus**: referring to the recent conspiracy of Catiline and the continued opposition of Catiline's former adherents.

7. **pleni, plenae**: *viz.* of the principle conveyed in line 1 f. Note the Anaphora in *pleni, plenae, plena.*

8. **exemplorum**: *i.e.* of instances of men who have guided their

lives by this principle.   **vetustas:** *ancient history.*   **quae:** referring to *libri, voces, exemplorum.*

9. **nisi litterarum lumen accederet:** *i.e.* unless they had been immortalized in literature.

10. **imagines:** *models.*   **ad intuendum:** *for contemplation.*

11. **expressas:** the adjective, — *distinct, clear cut.* The word was originally applied to the clay or wax models of the sculptor, which were literally *squeezed out,* and hence, *carefully modelled, clear.*

16. **illi ipsi summi viri:** *i.e.* men of action.

18. **eruditi:** here an adjective.

19. **tamen est certum,** *etc.:* *i.e.* yet my answer is certain.

20. **animo ac virtute:** *character and achievement.*

21. **sine doctrina:** this phrase is almost equivalent to a predicate adjective, limiting *homines.*   **et:** connecting *fuisse* and *exstitisse.* **naturae ipsius,** *etc.:* *by the almost divine character of their very natures.*

22. **moderatos et graves:** *wise and influential.*

23. **illud:** *this (further admission)* ; explained by the words *saepius . . . doctrinam.*   **saepius ad laudem,** *etc. : that natural endowment (naturam) without culture has oftener redounded to men's glory and success, than culture without natural endowment.* Note the Chiasmus in *naturam sine doctrina : : sine natura doctrinam.* This adds further emphasis to the contrast.

25. **atque idem,** *etc.: and yet I also maintain this;* *hoc* (Accusative of Result Produced, — *make this contention*) is further explained by *illud nescio quid solere.*

26. **accesserit:** *has been added.*   **ratio conformatioque doctrinae:** *a methodical course of literary training;* literally, *a theory and moulding process of literary culture.* There is Hendiadys in *ratio conformatioque.*

27. **tum illud nescio quid,** *etc. : then that indescribable (nescio quid) excellence and distinction is wont to manifest itself.* For the force of *nescio quid,* see B. 253, 6 ; *cf.* A. 575, *d* ; G. 467, R. 1 ; H. 512, 7.

28. **ex hoc . . . numero:** *to this number belongs;* literally, *from this number is ;* *esse* is dependent upon *contendo.*

30. **Africanum:** Scipio Africanus the Younger.   **ex hoc:** understand *numero.*   **C. Laelium:** Scipio's intimate friend.   **L. Furium:** L. Furius Philus, consul in 136 B.C. Africanus, Laelius, and Furius were all members of the so-called Scipionic Circle, a body of leading Romans eminent alike for their distinction in public life and their sympathy with letters and philosophy.

Page **97**. 1. **moderatissimos et continentissimos**: *cf. moderatos*, p. 96, line 22.

2. **fortissimum**: *most stalwart;* in the moral sense.   **illis temporibus**: *for those times;* but the case is ablative.   **doctissimum**: though primarily a man of affairs, Cato was nevertheless a man of letters, and wrote several important works. Only one of these, the treatise on farming (*De Agricultura*), has come down to us. **M. Catonem**: the famous censor (234 to 149 B.C.).

3. **senem**: he reached the age of eighty-four years.   **si nihil . . . adjuvarentur**: *if they had not been assisted at all; nihil* has adverbial force. On the use of the imperfect *adjuvarentur*, referring to past time, see B. 304, 2 ; A. 517, *a* ; G. 597, R. 1 ; H. 579, 1.   **ad percipiendam colendamque virtutem**: *for appreciating and practising virtue.*

5. **non ostenderetur**: *were not made manifest.*

9. **ceterae**: *viz. remissiones.*   **neque temporum sunt**, *etc.*: *do not befit all occasions, etc.; temporum* is a predicate Genitive of Possession.

10. **at haec studia adulescentiam alunt**: a famous passage and deservedly so, embodying as it does an important truth in simple and impressive language.

12. **adversis**: understand *rebus.* The case is dative.

15. **sensu nostro gustare**: *i.e.* appreciate.

16. **deberemus**: owing to the defective nature of the English verb *ought*, we must use some other word here, in order to bring out the contrary-to-fact idea. Translate: *it would be our duty.*

17. **cum videremus**: *when we see.* The subjunctive is due to attraction. The imperfect tense is due to the fact that in conditional sentences of the contrary-to-fact type, the imperfect subjunctive (here *deberemus*) is treated as a secondary tense.

18. **Rosci morte**: Q. Roscius Gallus, by birth a slave, was one of the most eminent comic actors of his time, and enjoyed the personal friendship of many Romans of the highest standing. He died in 62 B.C., only a short time before the trial of Archias.

19. **qui cum esset senex**, *etc.;* *and though he was an old man when he died;* literally, *though he died an old man; senex* is a predicate nominative.

20. **venustatem**: Roscius was famed for the grace of his movements on the stage.   **videbatur**, *etc.*: *it seemed as though he ought not to have died at all;* literally, *he seemed not to have deserved, etc.*

21. **ergo ille**: *he, now; ergo*, as often, is purely transitional.

22. **conciliarat, neglegemus**: *i.e. when he won, etc., shall we ignore,*

etc.? **animorum motus,** *etc.:* referring to Archias's accomplishments.

25. **hoc novo genere dicendi:** referring to Cicero's praise of literature, — a novel line of discourse for a law-court.

29. **revocatum:** *when encored;* understand *hunc vidi* from the previous sentence. **eandem rem dicere:** *treat the same theme.*

PAGE **98.** 1. **veterum scriptorum:** the old Greek authors.

2. **non diligam:** *should I not love?* Deliberative Subjunctive.

4. **sic:** in English *this.* **ceterarum rerum studia,** *etc.: as regards other things* (*i.e.* other than poetry), *their pursuit consists in, etc.;* literally, *the pursuit of other things consists;* but *ceterarum rerum* is emphatic and contrasted with *poetam.*

5. **doctrina et praeceptis et arte:** *theory, rules, and practice.*

6. **poetam:** (*but*) *the poet.* **natura ipsa valere:** compare the familiar, *Poeta nascitur, non fit.*

8. **noster Ennius:** Q. Ennius, the father of Roman poetry (239–169 B.C.), born at Rudiae in Calabria. His most important work was the *Annales,* a history of Rome in hexameter verse, from the earliest times to his own day. Only fragments of Ennius's work have come down to us.

12. **barbaria:** *barbarous nation;* literally, *barbarism;* abstract for the concrete. **saxa et solitudines,** *etc.:* compare the story of Orpheus, whose playing is said to have drawn after him the beasts and trees ; also the story of Amphion, who was fabled to have built the walls of Thebes by the music of his lyre.

14. **rebus optimis:** *by the highest culture.*

15. **Homerum,** *etc.: Homerum* is emphatic. The names of the seven cities claiming Homer are given in the hexameter line :

Smyrna, Chios, Colophon, Salamis, Rhodos, Argos, Athenae.

16. **Salaminii:** the inhabitants of Salamis in Cyprus, not of the Attic island.

19. **pugnant inter se,** *etc.:* for the honor of Homer's birthplace.

21. **etiam:** for emphasis, placed after the words it modifies.

25. **Cimbricas res:** *i.e.* the campaign against the Cimbrian invaders.

26. **durior:** *somewhat unsympathetic.*

27. **aversus a:** *hostile to.*

29. **Themistoclem:** the famous Athenian statesman, the hero of Salamis (480 B.C.).

30. **quaereretur:** impersonal.

Page **99.** **1. quod acroama:** *what kind of a performer* (literally, *oral performance*); another instance of the use of the abstract for the concrete; yet this is the prevailing force of the word in Latin. **ejus:** *i e. se ejus vocem audire.*

2. a quo praedicaretur: subordinate clause in indirect discourse.

3. L. Plotium: a rhetorical teacher at Rome in Cicero's boyhood.

4. Mithridaticum bellum: the Third Mithridatic War.

5. in multa varietate versatum: *conducted with many vicissitudes.*

6. hoc: *viz.* Archias.

8. populus Romanus, populi Romani, populi Romani: the emphatic idea, as indicated by the Anaphora,—*for it was the* ROMAN PEOPLE *that opened Pontus;* . . . *it was an army of the* ROMAN PEOPLE; . . . *it is the glory of the* ROMAN PEOPLE, *etc.*

9. et: correlative with *et* before *ipsa* in line 10.

10. regiis: *viz.* of King Mithridates.   **natura et regione:** *i.e.* by the nature of the country.

11. non maxima manu . . . fudit: alluding to the Battle of Tigranocerta (69 B.C.), in which the Roman forces under Lucullus put to rout an army of Armenians under Tigranes which outnumbered them twenty to one.

13. urbem Cyzicenorum: Cyzicus was besieged by Mithridates until finally relieved by Lucullus, 73 B.C.   **ejusdem:** *viz.* Lucullus.

15. nostra: repeating again with emphasis the idea of *populi Romani.*   **feretur:** *will be declared.* Its subject is *pugna* in line 18.

16. interfectis ducibus . . . pugna illa navalis: the so-called Battle of Tenedos, fought off Lemnos in 73 B.C.; *hostium* limits *ducibus* as well as *classis.*

19. quae quorum, etc.: *the glory of the Roman people is heralded by those by whose talents these achievements are extolled; i.e.* Archias's poem on the war had shed lustre on the Roman name.

21. Africano superiori: the elder Scipio.

22. is ex marmore: *i.e.* his marble bust; literally, *he in (from) marble.* The Tomb of the Scipios was discovered and opened toward the close of the eighteenth century. On a sarcophagus within the tomb was discovered a bust which many have thought to be the one here mentioned by Cicero. See the illustration facing p. 99. The bust and sarcophagus are now in the Vatican museum at Rome.

23. cujus laudibus: *i.e.* by the praises that Ennius bestowed on Scipio in his *Annales.*

24. in caelum tollitur: *viz.* by Ennius.

25. hujus proavus Cato: *Cato, the great-grandfather of the one now* *living; hujus* refers to Cato Uticensis. The great-grandfather is Cato, the Censor.   **magnus honos adjungitur :** *viz.* by Ennius's praise of Cato.

26. **Maximi, Marcelli, Fulvii :** all these were celebrated in Ennius's *Annales.* On Maximus and Marcellus, see notes to p. 79, lines 12, 13. There were two Fulvii of eminence in Ennius's day, Q. Fulvius Flaccus, four times consul in the Second Punic War, and M. Fulvius Nobilior, Ennius's patron, whom the poet accompanied on his Aetolian campaign (189 B.C.). Note the plurals *Maximi, Marcelli,* — men like Maximus and Marcellus.

28. **illum Rudinum :** Ennius, born at Rudiae in Calabria.   **qui haec fecerat :** *i.e.* who had composed these poems.

29. **in civitatem receperunt :** Ennius received Roman citizenship through the assistance of the sons of M. Fulvius Nobilior. Such a privilege was of great significance in the early days.

30. **Heracleensem :** Cicero wishes to contrast the importance of the flourishing city of Heraclea with the insignificance of the little hamlet of Rudiae.   **multis civitatibus :** *by many states;* dative ; B. 189, 2 ; A. 375 ; G. 354 ; H. 431, 2.

31. **de nostra civitate :** *from citizenship with us.* Note the use of *de* here ; *de* means ' from ' in the sense of from a place where a person or thing properly belongs. The word is particularly appropriate here, therefore.

32. **nam si,** *etc. :* the passage is elliptical. Supply in thought, ' Some may urge that Archias's poetry, being Greek, is of less account. This is scarcely valid, for,' etc.

PAGE **100.** 2. **Graeca leguntur :** *Greek is read.*   **in omnibus fere gentibus :** Greek was at this time practically the universal language of the civilized world, occupying much the same position that French has held in modern times.

3. **suis finibus :** *to its own boundaries;* literally, *by its own boundaries.* Latin at this time was not spoken to any extent outside of Latium and the Latin and Roman colonies.   **exiguis sane :** *small, as we must admit.*

4. **quare :** introducing a general summing up of the substance of the argument from the beginning of Chapter IX. In the last few sections Cicero has been arguing at length that a poet's celebration of individual achievement is in reality a glorification of the Roman people. ' Therefore,' he now goes on to say, ' inasmuch as our conquering arms have already gone to the ends of the earth, we ought to desire our glory

(*i.e.* the poetic record of our achievements) to be extended just as far, especially since such poems not only lend glory to us, but give heart and courage to our generals and heroes.' **si res eae quas gessimus,** *etc.*: *si* here has the force of *since,* inasmuch as the protasis is recognized as true.   **orbis terrae regionibus**: *i.e. only* by the limits of the world, — a rhetorical exaggeration.

5. **quo**: its antecedent is *eodem* in line 6.

6. **pervenerint**: subjunctive in indirect discourse.   **gloriam**: *sc. nostram.*   **penetrare**: object of *cupere.*

7. **cum**: *while;* correlative with *tum* in line 8.   **ipsis populis**: with *ampla.* Note that *populis* is 'nations,' not our collective 'people.'   **de quorum rebus scribitur**: *whose achievements are celebrated.*   **haec**: *i.e.* these poems celebrating great deeds.

8. **eis certe qui,** *etc.:* *i.e.* the commanders and soldiers of our armies.   **de vita**: *at risk of life.*

9. **hoc**: *i.e.* the immortalizing of their deeds in verse.

13. **adulescens**: *young hero.*   **qui . . . inveneris**: *since you secured a Homer as the herald of your valor;* *praeconem* is a predicate accusative; *qui inveneris* is a Clause of Characteristic with an accessory idea of cause, — (*as being one*) *who secured, i.e. since you secured.*

16. **noster hic Magnus**: *viz.* Pompey. He received the designation of Magnus from Sulla.

19. **et nostri,** *etc.:* the force of *nonne* extends also to this clause. **sed**: in English we should say, *though.*

21. **illud**: *viz.* the award of citizenship.

22. **credo**: ironical, as often when parenthetical.

23. **ut donaretur**: object of *perficere.*   **ab aliquo imperatore**: usually citizenship could be granted only by the people, but commanders of influence sometimes exercised the prerogative.

24. **non potuit**: *would not have been able;* B. 304, 3, *a*; A. 517, *c*; G. 597, R. 3; H. 583.   **Hispanos et Gallos**: *i.e.* persons of small consequence as compared with Archias.   **donaret**: *viz.* with citizenship.

25. **petentem**: the protasis to *repudiasset* is contained in this participle, which is here equivalent to *si petisset.*   **quem**: (*Sulla*) *whom;* the subject of *jubere* in line 29.   **in contione**: this was in the Forum.

26. **de populo**: *from the lower classes.* Compare Archias, who was *loco nobili natus.*

27. **quod fecisset**: the reason of the poet for presenting the petition.   **in eum**: *in his honor.*   **tantum modo**: *i.e.* the only merit

of the composition was that it was in verse form. **alternis versibus:** literally, *the alternate lines being a little longer; i.e.* in alternate hexameters and pentameters, the so-called elegiac distich.

28. **ex eis rebus,** *etc.:* the confiscated property of proscribed citizens. **quas tum vendebat:** not personally, but by an auctioneer.

29. **jubere:** governed by *vidimus.* **ea condicione,** *etc.: but (only) on condition that he should never write anything again; ne scriberet* is a so-called 'Stipulative Subjunctive,' a development of the Jussive, having the force, 'on the understanding that, that not.'

30. **qui:** its antecedent is the omitted subject of *expetisset, is* understood, referring to Sulla. **duxerit:** the subjunctive here is due to attraction. For the perfect subjunctive used as an historical tense, see B. 268, 6; A. 485, *c,* N. 2; G. 513; H. 550.

PAGE **101.** 1. **tamen:** *i.e.* despite the wretchedness of his verses. **hujus:** Archias.

3. **civitate multos donavit:** while proconsul in Spain, conducting the war against Sertorius, 79–71 B.C.

5. **qui praesertim,** *etc.: especially since he* (Metellus) *so desired.*

6. **pingue quiddam sonantibus,** *etc.: composing in a dull provincial jingle;* literally, *sounding a certain dull and foreign thing.* Cicero shows the natural contempt for provincial efforts. For the construction of *quiddam,* see B. 176, 2, *a*; A. 390, *c*; G. 332; H. 409, 1.

10. **optimus quisque maxime,** *etc.: i.e.* the better the man, the keener his ambition. But translate: *all the best men.*

12. **in eo ipso, in quo,** *etc.: in the very act of scorning glory.*

14. **praedicari de se ac nominari:** the impersonal construction seems harsh to our sense. We should expect the personal construction: *se praedicari ac nominari.* **Decimus Brutus:** consul in 138 B.C. He won distinction as a general in a campaign against the Lusitanians, a people of the Spanish peninsula.

15. **Acci:** the famous tragic poet (170 to about 90 B.C.).

16. **templorum ac monumentorum:** *i.e.* temples and other memorial buildings. **suorum:** *i.e.* built from the spoils of his campaigns.

17. **ille Fulvius:** see note on p. 99, line 27.

18. **Martis manubias Musis consecrare:** Fulvius erected a Temple of Hercules and the Muses at Rome and decorated it with many works of art captured in his Aetolian campaign.

19. **in qua urbe . . . in ea:** *in a city in which . . . in that.* **prope armati:** *i.e.* fresh from the field of war.

26. **quas res:** *eas res quas.* The reference is to the conspiracy of

Catiline suppressed by Cicero the year before this oration was delivered.

28. **hic:** Archias.

PAGE 102. 4. **laborum periculorumque:** Objective Genitives.

5. **laudis et gloriae:** Appositional Genitives. **qua detracta:** the Ablative Absolute here has conditional force.

6. **quid est quod:** *what reason is there why ?*

7. **nos:** object of *exerceamus.*

9. **quibus:** its antecedent is *eisdem (regionibus).*

11. **nec:** the apodosis begins here.

12. **vigiliis:** *wakeful nights.* **angeretur:** the passive here, as often, has middle force, — *would not harass itself.*

13. **nunc:** *but now, i.e.* as things are. **virtus:** *a noble instinct.*

15. **vitae tempore :** *i.e.* the termination of life.

16. **cum omni posteritate adaequandam:** *i.e.* ought to be made immortal.

17. **tam parvi animi:** *of such a small spirit;* Genitive of Quality.

18. **videamur:** *are we to seem, should we seem ?* Deliberative Subjunctive in indignant question.

20. **spatium:** *sc. vitae.*

21. **nobiscum omnia moritura:** *i.e.* that everything connected with us will perish along with us. Cicero means that we ought to hope that at least the memory of our lives and characters will survive.

22. **an statuas et imagines,** *etc. : i.e.* have not great men taken a pride in leaving marble statues to keep alive the memory of their features? And should not we much more wish to leave behind us an adequate picture of our minds? **statuas, imagines :** the former designates full length statues; the latter, more commonly *busts.* **simulacra :** *as representations;* in predicate relation to *statuas* and *imagines.*

24. **consiliorum ac virtutum :** the emphatic member of the sentence ; *virtutum* here means *glorious deeds.*

25. **multo malle :** *to wish much more.* **summis ingeniis expressam :** finely drawn by the consummate genius of some poet.

26. **omnia :** object of *spargere ac disseminare.* **quae gerebam :** *i.e.* which I ever did.

28. **haec :** *i.e. sempiterna memoria.* **sive a meo sensu afutura est :** *i.e.* if I am to be unconscious of the fame I have won.

29. **sapientissimi homines :** *i.e.* those philosophers who believed in the immortality of the soul, for example, Pythagoras, Socrates, Plato.

PAGE **103**.   **1. ad aliquam animi mei partem pertinebit** : this of course presupposes the continued existence of the individual soul after death.

2. cogitatione speque : *i.e.* the thought and hope that this memory will in some way be connected with my consciousness after death.

5. vetustate : *i.e.* by the length of the friendship.   **id** : subject of *existimari*.

6. quod videatis : for the subjunctive, see B. 324, 2 ; A. 593 ; G. 629.   **summorum hominum ingeniis** : *i.e.* by men of the highest genius, *e.g.* Lucullus, Marius, Catulus.

7. causa vero ejus modi : Ablative of Quality (like *pudore eo, ingenio tanto*), but the place of the adjective is taken by an equivalent Genitive of Quality (*ejus modi*) ; *ejus modi*, which is further explained by the clause *quae comprobetur*, may be omitted in translation.

8. beneficio legis : the *Lex Plautia-Papiria*.   **municipi** : Heraclea.

11. ut : introducing *accipiatis* in line 17.

13. his recentibus periculis : those of the Catilinarian conspiracy.

15. eo numero : *viz.* the company of poets.   **qui** : agreeing with the plural notion involved in the collective noun *numero*.

16. ita : *viz. sancti*.

19. quae breviter simpliciterque dixi : *i.e.* the first part of the oration bearing directly on the law and the facts of the case at issue.

20. omnibus : the passive of *probo* regularly takes the Dative of the Person Judging, instead of the Ablative of Agent.

21. a . . . aliena : *at variance with ; aliena* is in predicate agreement with *quae*.   **et . . . et** : *both . . . and.*

24. ab eo qui, *etc. : viz.* by his brother Quintus.

THE ORATION FOR MARCELLUS.

Marcus Claudius Marcellus was a Roman noble, who in 51 B.C. had filled the office of consul. As the hostility between Caesar and Pompey developed, he had championed the cause of the latter, exhibiting his dislike of Caesar in particularly aggressive fashion. After the battle of Pharsalus, however, recognizing the hopelessness of further resistance, he had withdrawn into retirement at Mitylene and devoted himself to his favorite pursuits of rhetoric and philosophy. After Caesar's triumph in 46 B.C., an organized movement for Marcellus's pardon was begun by his friends. At length in a meeting of the Senate at which Caesar was present, C. Marcellus, the brother or cousin of the exile, throwing himself at Caesar's feet, formally petitioned for the pardon of his kinsman. Caesar magnanimously granted the request, whereupon Cicero arose and delivered the oration known as *pro Marcello*. This should be interpreted as 'on behalf of' rather than 'in behalf of Marcellus.'   As he was returning from Greece to Italy, Marcellus was assassinated by a member of his own retinue. The motive for the deed is not known.

PAGE 104. 1. **diuturni silenti**: the emphatic idea of the sentence; it is governed by *finem*.   Cicero's long silence in regard to public affairs was occasioned by his dissatisfaction at Caesar's overthrow of the old constitution.   **eram usus**: *I had observed*. In English the present perfect would be more natural here.

2. **timore, dolore, verecundia**: Ablatives of Cause; *dolore* refers to Cicero's regret at the trend of public affairs.

3. **idemque**: *and likewise*.

4. **quae**: as antecedent understand *ea*, object of the gerund *dicendi*. **vellem, sentirem**: the gerund is so similar to an infinitive that the subjunctive is used in accordance with B. 324, 2 ; A. 593 ; G. 629.

5. **dicendi**: dependent on *initium*. Note the Chiasmus in *diuturni silenti finem : : initium dicendi*.

6. **in summa potestate**: Caesar's power was now absolute. He had recently been appointed extraordinary dictator for a period of ten years.

7. **rerum omnium**: with *modum*.   **modum**: *moderation*.

8. **tacitus**: *in silence*.

9. **Marcello reddito**: *now that Marcellus has been restored*.

12. **dolebam**: explaining *dolore* in line 2.

13. **cum**: *though*.

14. **in eadem fortuna**: Cicero, who also had opposed Caesar, had been pardoned.   **esse**: governed by *dolebam et angebar*.

15. **nec persuadere . . . ducebam**: explanatory of *verecundia* in line 3.   **versari**: this is logically dependent upon *persuadere* as well as upon *fas esse ducebam*, but grammatically belongs to the latter expression alone ; *persuadere* governs an *ut*-clause.

16. **in nostro vetere curriculo**: *i.e.* in my former participation in public affairs ; *nostro* for *meo*, as not infrequently.   **illo aemulo distracto**: Ablative Absolute.

17. **studiorum ac laborum**: Marcellus like Cicero was an eloquent orator, and was a student of philosophy.   **quasi quodam**: *like some*. **a me**: note the Hyperbaton ; the phrase would naturally stand immediately before *distracto*.

19. **his omnibus :** the senators.

20. **quasi :** the apologetic *quasi*, introducing the figure in *signum sustulisti*.

PAGE **105.** 2. **mihi :** Dative of Agency.   **in multis :** in the case of many, *i.e.* many who had been pardoned.   **paulo ante :** *just recently.*

3. **omnibus :** in the same construction as *mihi*, with which it is sharply contrasted.

4. **te anteferre :** governed by *intellectum est.*

6. **ille :** Marcellus.

7. **ante actae :** *past.*

8. **cum :** correlative with *tum.*   **consensu senatus :** *i.e.* in the fact that the Senate was unanimous in requesting Marcellus's pardon.

9. **judicio tuo :** *i.e.* by the fact of Caesar's decision to pardon him. **maximo :** *most significant.*

10. **in dato beneficio :** *in granting a favor.*

12. **quam ad ipsum ventura sit :** Cicero's expectations in this respect were not realized. Marcellus evinced little satisfaction at his pardon.

16. **aut ullo laudis genere :** *or any other praiseworthy quality.*

17. **nullius :** serving here as the genitive of *nemo.* Note the emphasis of the position, increased by the repetition.

19. **exornare :** *to give a suitable description of.*   **enarrare :** *to give a full report of.*

20. **in his :** namely, *rebus gestis.*

22. **idque usurpare :** *and to speak of the fact ;* *id* is explained by what follows.

23. **omnis :** agreeing with *res gestas.*

27. **numero proeliorum :** Pliny the Elder says that Caesar fought fifty pitched battles.   **nec varietate regionum :** *viz.* Gaul, Britain, Germany, Greece, Pontus, Egypt, Numidia, Spain.   **celeritate conficiendi :** Caesar was characterized by a truly marvellous rapidity of action, when once his decision was taken. Compare his famous dispatch after his victory over Pharnaces ; *veni, vidi, vici.*

29. **nec . . . potuisse peragrari :** *and that . . . could not have been traversed.*   **disjunctissmas terras,** *etc. :* in the Civil War (49–46 B.C.).

PAGE **106.** 4. **capere :** *compass.*

6. **ducibus :** *from the generals ;* but the case is dative.

12. **hujus gloriae :** *viz.* of the pardon of Marcellus.

16. quin etiam: *nay, further.*

18. tuam esse, *etc.*: *is entirely your own;* as subject of *esse*, understand *istam gloriam.*

19. numquam enim, *etc.* : *i.e.* in Caesar's case.

21. gentes barbaras: referring to the Gauls and Germans.

22. locis infinitas: *boundless in extent.*   **copiarum**: *resources.*

23. tamen ea vicisti, *etc.*: *i.e.* in subduing savage tribes, you triumphed over difficulties such as others have often triumphed over. **naturam et condicionem**: *i.e.* such a nature and character.

25. ferro et viribus : *i.e.* by the resources of war.

26. victoriae: dative.

29. haec: referring to the previous infinitives.

30. deo: *similis* regularly takes the genitive of persons.

PAGE **107.**   **1. itaque** : this belongs logically with the thought contained in *incendimur, etc.* (line 10); *celebrabuntur* and *conticescet* are logically subordinate to this, — ' and so, while your martial glory will be celebrated and no age will ever forget it, yet that is a small thing as compared with the affection and admiration evoked by your recent generous act.'

2. paene omnium gentium litteris atque linguis, *etc.* : this prophecy has been literally fulfilled.

5. nescio quo modo : *somehow or other.*

10. gestis rebus: the usual order (*rebus gestis*) is here inverted for the purpose of contrasting real achievements with imaginary ones (*fictis*).

13. cujus mentem sensusque et os, *etc.*: *whose purpose, feelings, and features we see, evincing the desire, etc.*; *ut velis* is a substantive clause depending loosely upon the three substantives *mentem, sensus, os.*

14. quicquid : its antecedent is *id.*   **reliquum fecerit**: *has left.*

15. studiis : *enthusiasm.*

18. illa auctoritas : *i.e.* that influential man, Marcellus.

20. equidem : *for my own part.*   **C. Marcelli** : the brother or cousin of M. Marcellus.

21. pietate : *devotion.*   **omnium Marcellorum** : *i.e.* the whole house extending back for generations.

23. dignitatem suam : for *suus* referring to an oblique case, see B. 244, 4 ; A. 301, *b* ; G. 309, 2 ; H. 503, 2.

26. innumerabilibus gratulationibus: an obvious exaggeration. Four thanksgivings (*supplicationes*) had been decreed in Caesar's honor

at different times, all of which, however, were of unprecedented duration.

28. ceterae duce te, *etc.* : *those other things done under your leadership
were great to be sure, but yet they were done, etc.*   With *ceterae,* supply in
thought *res,* subject of *erant* understood.   From *gestae,* which is used
as a participle, understand *gestae sunt* as the verb of the second member of the sentence.

30. idem : *at the same time.*   **quae :** referring to *rei.*   **ut . . .
allatura sit :** the mode of expression is illogical.   Cicero means that,
though time will bring an end to the trophies of Caesar's military
achievements, yet it will add constantly to the fame of his mercy
and generosity.

31. tropaeis et monumentis : *i.e.* the tangible memorials of your
victories.

PAGE **108.**   **4. jam ante :** *i.e.* before the pardon of Marcellus.

5. aequitate et misericordia : Cicero's tribute to Caesar's clemency
was well deserved.   Previous victors in civil wars — for example,
Cinna, Marius, Sulla — had exhibited an inhuman cruelty towards
their defeated opponents.

6. ut hoc . . . auditum : *that this when heard may be incapable
of being understood.*   **perinde atque,** *etc.* : *precisely as I think and
feel it.*   Cicero evidently fears that he may fail to express adequate
appreciation of Caesar's clemency.

7. ipsam victoriam vicisse : *i.e.* to have risen superior to the claims
which victory gave.

9. victoriae condicione : *the rights of victory.*

10. omnes victi : *all of us, defeated as we were.*   **occidissemus :**
would have perished; occidissemus is not merely an adversative
cum-clause; it is also the conclusion of a contrary-to-fact condition,
of which the protasis is involved in *victoriae condicione; i.e.* 'if
you had exercised your rights of victory, we should have perished.'
clementiae tuae judicio : *through the verdict prompted by your clemency; clementiae* is a Subjective Genitive.

14. omnes : *all (of us).*   **ad illa arma :** *to that struggle.*

16. aliqua culpa tenemur : *are guilty of some fault ;* literally, *are
held by, are involved in.*

17. scelere : from the crime of being enemies.   **liberati sumus :**
viz. by this act of Caesar's.   **cum Marcellum conservavit,** *etc.* : *in
saving Marcellus, in restoring me . . . and the other most eminent
men ;* the force of *cum* extends also to *reddidit.*

19. nullo deprecante : Cicero emphasizes Caesar's special generosity in pardoning Cicero himself without solicitation ; *nullo* supplies the missing ablative of *nemo*.

20. ipsos : this word, in agreement with the object of *reddidit*, merely intensifies the force of the reflexive.   **frequentiam et dignitatem :** literally, *numbers and rank*, *i.e.* men of rank present in great numbers.

22. non hostes induxit in Curiam : *i.e.* has not viewed as enemies those whom he has brought back to the senate house.

25. de pace audiendum (esse) : *that proposals of peace should be heeded ; audiendum (esse)* is impersonal.

26. civium pacem flagitantium : by *civium* Cicero refers chiefly to himself. In one of his letters to Pompey, he writes : " I take it you bear in mind the importance of securing peace, even though on hard conditions."

27. nec ulla : *i.e.* not in the civil strife between Sulla and the Marian party, when Cicero was a young man.

29. togae : a figurative equivalent of *pacis*.   **socia :** *on the side of.*

30. hominem : *viz.* Pompey, the leader of the constitutional party opposed to Caesar.   **privato officio :** *i.e.* from personal devotion.

Page **109.** **1. grati animi :** Subjective (not Objective) Genitive. **fidelis memoria :** *the loyalty.*

2. nulla non modo cupiditate, *etc.* : *i.e.* with neither desire of gain nor hope of success ; Ablatives of Attendant Circumstance.   **prudens et sciens :** *with my eyes open ;* a redundant legal phrase.

5. in hoc ordine : the Senate.   **integra re :** *i.e.* before the beginning of hostilities.

6. eadem sensi : *held the same sentiments.*   **cum capitis mei periculo :** after the battle of Pharsalus, Cicero had refused to take further part in the struggle, and announced his intention of returning to Italy. Thereupon the hot-headed son of Pompey assaulted him, and was with difficulty restrained by the vigorous intervention of Cato.

7. ex quo : *wherefore.*

9. ceteris : dative, dependent on *iratior.*

10. fuerit iratior : Adversative Asyndeton.   **id :** understand *fuit.* **tum cum esset :** the subjunctive is here used at apparent variance with the principle laid down in B. 288, 1, *a* ; A. 545 ; G. 580 ; H. 601 ; but the exception is only apparent, for *tum* here does not refer to a definite time, but is general. Translate, *at a time when.*

12. victor : *as victor.*

14. hujus quidem rei, *etc.* : *hujus rei* refers to the idea of advocating peace ; *i.e.* I can bear witness that Marcellus was an advocate of peace. Cicero's assertion exceeds what is warranted by the facts. Like Cicero, Marcellus had lacked enthusiasm for Pompey's cause, but he had not been an outspoken advocate of peace.

17. insolentiam certorum hominum : *the presumption of special persons,* *i.e.* persons who were well known, but whom Cicero will not name. The reference is to the insolent confidence of certain Pompeians, who after Pompey's first success at the battle of Dyrrhachium allotted among themselves the magistracies for the following year and the properties of their opponents, whose proscription they already anticipated.   **ipsius victoriae ferocitatem :** Pompey openly announced his intention of wholesale vengeance in case of success.

19. qui illa vidimus : *i.e.* who witnessed those threats of vengeance.

20. causae : the merits of the two sides.   **victoriae :** *i.e.* the way Caesar actually used victory and the way in which Pompey would have used it.

22. vidimus victoriam, gladium non vidimus : note the Chiasmus, which partly justifies the Asyndeton.   **proeliorum exitu terminatam :** *ended with the close of fighting ; i.e.* Caesar's victory was not continued by a proscription of his enemies.

23. vagina vacuum : *unsheathed ;* but the expression is unnatural and unexampled.

25. quin multos . . . excitaret : no mere compliment. Caesar was moved to tears when the head of Pompey was brought him, and at the news of Cato's suicide he is reported to have expressed regret that he had been robbed of the glory of pardoning him.

26. ex eadem acie : = *ex eodem exercitu,* *viz.* the same as that to which the *multos* of line 25 belonged.

27. alterius partis : *of the other party,* *viz.* Pompey's ; dependent upon *victoriam* and placed first for emphasis.

28. nimis iracundam futuram fuisse victoriam : apodosis of a contrary-to-fact condition in indirect discourse.

29. quidam . . . minabantur : the reference is to Pompey's partisans, who followed their leader in declaring all neutrals hostile. Caesar, on the other hand, announced that he would consider as his friends all who were not in arms against him ; *otiosis* means *neutrals.*

PAGE **110.**   **1. ubi fuisset :** *i.e.* whether they had followed Pompey to Greece or had remained in Italy.   **cogitandum esse :** ought to be considered in determining whether persons were to be ranked as friends or foes.

4. qui excitaverunt: with causal force, *for having caused*. The antecedent of *qui* is the collective *populo Romano*.

8. bono: *gift*, viz. his *clementia et sapientia*.

9. cum: correlative with *tum*.

10. ex quo: *quo* refers loosely to the joint idea contained in *natura et moribus*.

13. quos . . . esse: *i.e.* to be associated with you in the conduct of the government.

16. summa bona: according to the Stoics virtue was the *summum bonum* and worthy of being sought for its own sake.

19. haec: *laus vera, magnitudo animi*.   **donata**: *i.e.* given as for permanent possession, as contrasted with *commodata*, temporarily intrusted.   **cetera**: *i.e.* all other advantages.

20. noli defatigari: *do not become weary*.

21. cupiditate: *i.e.* from desire of personal advantage, — wealth or station.

22. lapsis: *when they have erred*.   **opinione offici**: *from a notion of duty*.

23. specie quadam rei publicae: *from a certain appearance of government; i.e.* the machinery of the state (Senate and magistrates) seemed to be on Pompey's side.

25. contraque = *que* has adversative force, as often after a negative clause.   **quod**: *that*.

27. querellam et suspicionem: *viz.* that his assassination was being plotted by secret enemies.

28. quae: *the fulfilment of which*.

29. cum: correlative with *tum*, but hardly translatable in this context.

PAGE **111**.   **1. tua cautio nostra cautio est**: truer than Cicero realized. The historian Drumann observes that had it not been for Caesar's murder, Cicero would never have been proscribed. The same was true of many other senators who heard these words of Cicero.

2. si . . . peccandum sit: *if we must err in either one direction or the other*. The subjunctive is due to attraction.

4. quisnam tam demens: *viz.* as to wish to murder Caesar.   **de tuisne**: *some one of your associates?* The phrase *de tuis* depends upon some indefinite pronoun to be supplied in thought.

5. qui magis sunt tui: for the sake of a compliment, Cicero here plays on the meaning of *tuus*.   **quibus**: its antecedent is *ei*, to be understood after *quam*.

6. **hoc numero, qui,** *etc.*: *i.e.* some one from the number who fought on Caesar's side in the recent struggle.   The plural *qui* is justified by the collective force of *numero*.

7. **ullo**: *any one*.   Cicero often uses *ullo* as a substantive, oftener in fact than the regular pronoun *quoquam*, which we should naturally expect in the substantive use.   **quo duce**: *under whose leadership;* the antecedent of *quo* is *hujus* in line 8.

8. **suae**: *sc. vitae.*

10. **inimici**: as verb understand *cogitent*.   **qui**: *sc. inimici.* **fuerunt**: *i.e.* were enemies.   **sua pertinacia**: with reference to those who, after Pharsalus and the murder of Pompey, continued the resistance to Caesar, particularly in Africa.

12. **qui fuerunt**: *i.e.* those who were hostile and have survived.

16. **omnium**: with *quis*, not *rerum*.

17. **tam nihil . . . cogitans**: *so thoughtless both concerning his own and the common weal.*

18. **tua salute contineri**: *is bound up with your safety;* Ablative of Association; B. 222 A.

19. **suam**: *sc. salutem.*   **unius tua**: *of you alone;* B. 243, 3, *a*; A. 302, *e*; G. 321, R. 2; H. 446, 3.   **omnium**: *sc. vitam.*

20. **de te cogitans,** *etc.*: *contemplating with reference to you merely human contingencies, etc.*   By *casus humanos* Cicero means such contingencies as come in the natural course of human life, — illness, decay of mental and physical powers, *etc.*

22. **extimesco**: neuter here, — *am made afraid.*

24. **consistere**: (with *in*) *depends upon.*

25. **motus valetudinis**: *conditions of health.*   **sceleris insidiarumque consensio**: *i.e.* a treacherous or secret league for the commission of crime (murder).

26. **si**: *even if.*

27. **credamus**: *are we to believe ? can we believe ?*   Deliberative Subjunctive.

28. **omnia sunt excitanda**: *i.e.* all our institutions must be restored.

29. **quod necesse fuit**: *as was inevitable.*   The antecedent of *quod* is the general idea involved in *belli impetu perculsa atque prostrata.*

30. **constituenda judicia,** *etc.*: in further explanation of *omnia sunt excitanda.*   The reforms here mentioned were actually undertaken by Caesar before his death.

Page **112.** 1. **fides** : *i.e.* commercial confidence and credit. Business had been totally disorganized by the war. **comprimendae libidines** : referring not merely to private immorality, but to the excessive self-indulgence and luxury of the age. **propaganda suboles** : the free-born population had been decimated by the civil dissensions of the last few years. Caesar endeavored to repair these losses by encouraging marriage and the birth of children. This he did by offering certain immunities and honors to fathers of large families.

3. **non fuit recusandum quin** : *i.e.* it was inevitable that.

4. **quassata** : the participle.

5. **fuisset** : *should be* ; representing a future perfect indicative of more direct statement.

8. **prohibuisset** : conclusion of a contrary-to-fact condition ; the protasis is involved in *togatus.*

14. **doctorum hominum** : = *philosophorum.*

15. **prudentiam** : *wisdom.*

16. **venit** : impersonal ; the subject is *te dicere.*

17. **istud** : explained by *tibi . . . vixisse.* Suetonius tells us that Caesar's health at this time was greatly broken, and that, in consequence, he was thought to have been willing to die.

18. **tum** : explained by the *si*-clauses. **audirem** : *i.e.* should be willing to hear, should approve (as I now do not).

20. **complexae sunt** : *i.e.* comprise, include.

21. **fundamenta quae**, *etc.* : for *fundamenta eorum operum quae, etc.* These words are probably to be understood figuratively of all the plans, political, social, and architectural, which Caesar entertained. The reference is not merely to buildings.

22. **hic modum definies** : *under these circumstances* (*hic*), *will you determine the duration of your life?*

23. **non salute rei publicae, sed aequitate animi** : *i.e.* not by the needs of your country, but by your own resignation (willingness to die).

24. **istud** : *viz.* the determination of the length of one's life by one's readiness to die.

25. **quamvis sis sapiens** : *despite your philosophy* ; *quamvis* more often introduces a clause representing an act merely as conceived. But occasionally, as here, it denotes an actual fact.

26. **parum magna** : *i.e.* too small achievements.

27. **immo vero** : *to be sure.* **aliis** : *i.e.* other ordinary mortals. **quamvis multis** : Caesar's glory is sufficient for an unlimited number, if divided among them.

28. quamvis : here with its more usual force.

30. hic : subject. **exitus :** predicate. **futurus fuit :** *was to be.* **ut relinqueres :** explanatory of *hic.*

PAGE **113.** **2. admirationis plus quam gloriae :** *i.e.* lest he be regarded merely as a prodigy rather than as a glorious benefactor of the race.

3. gloria : *i.e.* true glory.

4. illustris ac pervagata : limiting *fama; pervagata* is here an adjective, — *widespread.* **in :** *toward.*

6. haec pars, hic actus : *this rôle, this part;* figures drawn from the stage.

7. ut rem publicam constituas, etc. : explanatory of *haec pars, hic actus, in hoc.*

8. ea : *i.e. re publica.* **summa tranquillitate :** Ablative of Manner.

9. te : subject of *vixisse.*

11. dicito : the future imperative is used, because the reference is to the remote, rather than to the immediate future ; B. 281, 1, *a* ; A. 449, 1 ; G. 268, 2 ; H. 560, 4. **omnino :** *anyway.* **hoc ipsum ' diu ' :** *this very conception of ' long ' ; diu* is here treated as a noun.

13. quamquam : corrective, — *and yet.*

14. his angustiis : *these narrow limits.*

16. haec : the subject.

17. corpore et spiritu continetur : *i.e.* consists of body and vital functions (literally, *breathing*). For the ablative, see B. 218, 4 ; *cf.* A. 431; *cf.* G. 396, N. 1.

20. huic : referring to the idea involved in *posteritas, aeternitas.* **inservias, ostentes :** B. 295, 6, 8 ; A. 565 ; G. 553, 4, R. 1 ; H. 564, II, 1.

21. quae miretur : Relative Clause of Purpose, — *to admire.*

22. quae laudet : (*much*) *to praise;* another Relative Clause of Purpose. The antecedent of *quae* is *multa,* to be supplied from the preceding sentence as the object of *exspectat.*

23. imperia : this and the following accusatives are the objects of *audientes* and *legentes.* **provincias :** referring to Caesar's commands in the provinces of Gallia ulterior, Gallia citerior, and Illyricum, 58–48 B.C. During most of this time Caesar was in Gallia ulterior, prosecuting the Gallic War. **Rhenum :** referring to Caesar's passage of the Rhine. Roman troops had not crossed it before Caesar's day. **Oceanum :** referring to Caesar's successful naval campaign against the Veneti, and to his voyage to Britain. **Nilum**: an allusion to the battle of the Nile in the Alexandrine War, 47 B.C.

24. **monumenta**: *i.e.* such monumental works as the Basilica Julia, one of the great law-courts, and the magnificent Forum Julium, both of which were planned and begun by Caesar.

25. **munera**: *i.e.* the spectacles exhibited to the populace at the celebration of Caesar's triumphs. These consisted especially of gladiatorial combats and exhibitions of wild beasts, which were hunted and slain in the arena of the Circus. The spectacles exhibited by Caesar are said to have surpassed in extent and magnificence anything of the kind hitherto witnessed in Rome. **triumphos**: in the summer of the year in which this oration was delivered, Caesar had formally celebrated his four triumphs: over the Gauls, over Ptolemy, over Pharnaces, King of Pontus, and over Juba, King of Numidia.

29. **cum alii**, *etc.*: *some exalting your deeds to the skies, others perhaps noting the absence of something.* The *cum*-clauses are explanatory of *dissensio*, and have no temporal force.

PAGE **114.** 2. **salute patriae**: *i.e.* by bringing safety to your country. **illud**: *viz. bellum civile.* **fati**: *a thing of destiny, i.e.* inevitable.

3. **videatur**: *shall seem.* The dependent result clause receives future force from the future perfect *restinxeris.* **hoc**: *viz.* the bringing of *salus* to the country.

3. **servi**: the imperative of *servio.*

5. **haud scio an**: *probably;* B. 300, 5 ; G. 457, 2.

7. **id**: *viz.* the judgment of posterity. **quidam**: *viz.* the Epicureans, who believed that death involved the utter annihilation of both soul and body. Caesar himself is said to have been an adherent of this school.

10. **fuerunt**: *viz.* in the Civil War.

11. **studiis**: *allegiance.* **sed . . . dissidebamus**: *i.e.* there existed not merely a difference of opinion (*consiliis et studiis*), but there was an actual armed conflict (*armis et castris*).

12. **obscuritas quaedam**: *i.e.* the merits of the controversy were not clear.

14. **quid optimum esset**: *i.e.* which side it was best to support.

17. **odium suum**: *hatred of himself.*

18. **nec qui**, *etc.*: *and who did not,* etc.

19. **eosdem**: resumptive of *omnes*, and to our sense superfluous. **ab aliis, ab aliis**: *by some; from others.*

20. **posita (sunt)**: *viz.* after Pharsalus.   **erepta sunt**: at Thapsus (46 B.C.), in the African War.

23. **quae enim pertinacia**, *etc.*: *i.e.* one who lays down his life in a cause may be regarded by some as guilty of obstinacy (*pertinacia*), yet by others he is held to be exhibiting loyal devotion (*constantia*). On the other hand, there is no extenuation for him who cherishes malice and resentment after a civil war is over.

26. **restat ut**, *etc.*: *it remains for all to cherish a single wish, i.e.* unite in a common purpose, *viz.* the protection of Caesar. For the subjunctive, see B. 295, 6; A. 569, 2; G. 553, 4.

27. **nisi te salvo et in ista sententia manente**: *unless you continue safe and in that purpose;* Ablative Absolute; *ista sententia* refers to Caesar's magnanimity.

PAGE 115. 1. **haec**: *i.e.* this country, this government.

3. **tibi**: with *pollicemur.*

8. **majores etiam habemus**: *we entertain still greater, viz. gratias,* which with *agimus* has the force of *thanks,* with *habemus,* of *gratitude.*

11. **stantibus dicere**: *to rise and say so, i.e.* in a formal speech.

12. **quodam modo**: as being an intimate friend and associate of Marcellus.   **quod**: the relative; its antecedent is *id* in line 14.

13. **M. Marcello . . . reddito**: *upon the restoration of Marcus Marcellus, etc.;* limiting *fieri* in line 12.

14. **fieri id intellego**: explained by *laetari omnes.*

16. **quod autem**, *etc.*: *but since* (line 19), *as long as there was doubt concerning his safety, I vouchsafed to him by anxiety, care, and effort, that which is a mark* (line 16) *of the greatest good will (which good will of mine towards him was always well known to all, so much so that I yielded scarcely to C. Marcellus, his most excellent and loving brother, and barring him (yielded) to no one), then certainly at the present time I ought to vouchsafe it, being now relieved, etc.;* in other words, 'Since I was a devoted friend of Marcellus in his time of trouble, I certainly ought to be so now in his hour of good fortune.' The antecedent of *quod* is *id* (line 19); *id quod summae benevolentiae est* refers to the assistance Cicero had rendered Marcellus and the efforts he had made to secure his pardon.

18. **fratri**: *frater* means both 'brother' and 'cousin'; its meaning here is uncertain.   **cederem**: *i.e.* in devotion.

22. **praestare** : as object, understand *id* from line 19.

23. **ut** : introducing *accesserit.*   **omnibus me rebus,** *etc.* : *though I had not only been saved by you in all regards;* by *omnibus rebus* (Ablative of Specification), Cicero means life, property, rank, *etc.*

24. **ad** : *in addition to.* The phrase limits *accesserit.*

25. **quod . . . arbitrabar** : *a thing which I no longer thought possible.* The antecedent of *quod* is the general idea involved in the clause *ut accesserit.*

26. **cumulus** : *crowning favor.*

VOCABULARY.

Regular verbs of the first conjugation are indicated by the numeral 1 following the present indicative. — Roots are in small capitals.

A. = **Aulus**, a Roman first name or *praenomen*.

ā, ab, abs, prep. with abl., *from, away from ; at, on ;* with passive verbs, *by ;* of time, *from, since, after.* Before words beginning with a consonant, either **a** or **ab** may be used ; before words beginning with a vowel or *h*, **ab** only is admissible.

abdicō, [dīco, *proclaim*], 1, *disown, refuse ;* with **se** and abl., *resign, abdicate.*

abditus, a, um, [abdo], *concealed, remote, hidden.*

abdō, dere, didī, ditus, [do, *put*], *put away ; hide, conceal.* **se abdere**, *bury oneself.*

abeō, īre, iī, itūrus, *go away, depart.*

abhorreō, ēre, uī, [horreo, *shudder at*], *shrink from ; be at variance with, be strange to, be disengaged.*

abiciō, ere, jēcī, jectus, [ab + jacio], *throw away, throw down, prostrate, overwhelm ; cast aside, lay aside.*

abjectus, a, um, [abicio], *thrown aside ; worthless.*

absconditus, a, um, [abscondo], *hidden, secret.*

absēns, entis, [absum], *absent.*

absolūtiō, ōnis, [absolvo, *acquit*], f., *acquittal.*

abstrahō, ere, trāxī, trāctus, *drag away ; withdraw.*

absum, abesse, āfuī, āfutūrus, *be away, be distant, be absent, be removed.*

abundantia, ae, [abundo], f., *abundance.*

abundō, [ab + undo, *surge*], 1, *overflow, abound in.*

abūtor, ī, ūsus, *use up ; take advantage of, outrage.*

ac, see **atque.**

accēdō, ere, cessī, cessūrus, [ad + cedo], *come to, move toward, draw near, approach ; be added.*

accelerō, [ad + celero], 1, *make haste.*

accidō, ere, cidī, [ad+cado], *fall to ; happen, befall.*

accipiō, ere, cēpī, ceptus, [ad + capio], *take, receive ; undertake ; incur, suffer ; hear, learn.*

Accius, ī, m., a Roman tragic poet.

accommodātus, a, um, [accommodo], *adapted, suited, fitting.*

accommodō, [ad + commodo], 1, *adapt, adjust, suit.*

accubō, āre, [ad+cubo, *lie*], *lie, recline.*

accūrātē, [accuratus], adv., *carefully, with care, with pains.*

267

accūsō, [ad + causa], 1, *accuse, charge, arraign.*

ācer, ācris, ācre, *sharp; eager, keen, severe, stringent, active, energetic; bitter, furious, wild, headstrong.*

acerbē, [acerbus], adv., *bitterly; heartlessly.*

acerbitās, ātis, [acerbus], f., *bitterness; pain, harshness, severity.*

acerbus, a, um, [acer], *bitter; relentless, severe.*

acervus, ī, [AC, *sharp;* hence, *pointed pile*], m., *heap, pile.*

Achāia, ae, f., *Achaia,* a Grecian province; the Peloponnesus.

Achillēs, is, m., *Achilles,* the famous Greek hero.

aciēs, ēī, [AC, *sharp*], f., *sharpness; edge; battle line, battle array, array; army; battle.*

acquīrō, ere, quīsīvī, quīsītus, [ad + quaero], *acquire in addition; add to.*

ācriter, [acer], adv., *sharply, keenly, vigilantly.*

acroāma, atis, [Gr. ἀκρόαμα], n., originally, *something heard with pleasure;* then, *entertainment; performer.*

āctus, ūs, [ago], m., *a doing; act, part of a drama, rôle.*

ad, prep. with acc., *to, toward; near, in the vicinity of, at, by, among, at the house of; till, to, up to; for, for the purpose of; in regard to, according to.*

adaequō, [aequo, *make equal*], 1, *make equal.*

addō, ere, didī, ditus, *put to, add.*

addūcō, ere, dūxī, ductus, *lead to, bring to, draw; induce, persuade, influence.*

1. adeō, īre, iī, itus, *go to, come to, approach; visit; enter upon.*

2. adeō, adv., *up to, even to, even; actually, in fact.*

adeps, ipis, m. and f. ; pl., *corpulence, fat.*

adhibeō, ēre, uī, itus, [ad + habeo], *hold toward; apply; lend, furnish, supply; use, employ.*

adhortor, 1, *urge, exhort.*

adhūc, adv., *up to this time, thus far, as yet, hitherto.*

adimō, ere, ēmī, ēmptus, [ad + emo, *take*], *take away.*

adipīscor, ī, adeptus, [ad + apiscor, *attain*], *attain, secure.*

aditus, ūs, [1. adeo], m., *a going to; access, approach; entrance, avenue.*

adjūmentum, ī, [adjuvo], n., *help, assistance, aid.*

adjungō, ere, jūnxī, jūnctus, *join to, add, annex, unite; attach; confer upon.*

adjuvō, āre, jūvī, jūtus, *help, aid, assist, support.*

administer, trī, [minister, *servant*], m., *assistant; tool.*

administra, ae, [administer], f., *a female assistant, handmaid.*

administrō, [ministro, *wait upon*], 1, *care for, attend to, manage, handle, direct, conduct, carry on; execute.*

admīrātiō, ōnis, [admiror], f., *admiration, wonder.*

admīror, 1, *admire, wonder at.*

admittō, ere, mīsī, missus, *admit.*

admoneō, ēre, uī, itus, *remind, admonish.*

(admonitus, ūs), [admoneo], m. Used only in the abl. sing., *admonitu, on the advice, at the suggestion.*

admurmurātiō, ōnis, [admurmuro, murmur], f., *a murmuring, murmur.*

adōrnō, 1, *equip, fit out, supply with materials.*

adsum, adesse, adfuī, adfutūrus, *be near, be present, be at hand, impend; stand by, aid, assist.*

adulēscēns, entis, [originally the present participle of adolesco, *grow up*], c., *youth, young man, young hero.*

adulēscentia, ae, [adulescens], f., *youth.*

adulēscentulus, ī, [adulescens], m. dim., *very young man, stripling.*

adulter, terī, m., *adulterer.*

adultus, a, um, [adolesco], *grown up, mature.*

adventīcius, a, um, [advenio], *foreign.*

adventus, ūs, m., *a coming, approach, arrival.*

adversārius, a, um, [adversor], *turned toward* or *against; opposite; opposed, hostile;* as noun, adversarius, ī, m., *opponent, enemy.*

1. adversus, a, um, [adverto, *turn toward*], *turned toward; turned against; hostile, unfavorable.* res adversae, *misfortune, adversity.*

2. adversus, prep. with the acc., *against.*

advesperāscit, ere, rāvit, [vesper, *evening*], impers., *evening approaches, it grows dark.*

aedēs, is, [AIDH, *burn*], f., originally *hearth;* then *temple;* pl., *house, dwelling.*

aedificium, ī, [aedifico], n., *building, edifice, structure.*

aedificō, [aedes, *house,* + FAC *make*], 1, *build, erect, construct.*

Aegaeus, a, um, *Aegean.*

aeger, gra, grum, *sick, ill.*

aegrē, [aeger], adv., *with difficulty, unwillingly, reluctantly.*

Aemilius, ī, m., a Roman gentile name.

aemulus, a, um, [cf. imitor], *rivalling;* as noun, m., *rival.*

aequē, [aequus], adv., *equally, in like manner.*

aequitās, ātis, [aequus], f., *evenness; fairness, justice; tranquillity, resignation* (of spirit).

aequus, a, um, *even, level; fair, just, right; favorable; resigned.* aequo animo, *with resignation.*

aerārium, ī, [aerarius, *pertaining to money*], n., *treasury.*

aerārius, a, um, [aes], *of copper; pertaining to the treasury.*

aes, aeris, n., *copper, bronze, money;* aes alienum, *another's money, debt;* pl., aera, *bronze tablets.*

aestās, ātis, [AIDH, *burn*], f., *summer.*

aestus, ūs, [AIDH, *burn*], m., *heat.*

aetās, ātis, [= aevitas, from aevum, *age*], f., *age, time of life; time; life; old age.*

aeternitās, ātis, [aeternus], f., *eternity.*

aeternus, a, um, [= aeviternus, from aevum, *age*], *lasting, everlasting, permanent, enduring, immortal, endless.*

Aetōlus, a, um, *Aetolian, of Aetolia.*

afferō, afferre, attulī, allātus, *bear to, bring to, bring; add; cause, occasion, produce; apply, use.*

afficiō, ere, fēcī, fectus, [ad+facio], do to; affect, visit with, fill, honor with; impair, weaken.

affingō, ere, fīnxī, fīctus, fashion in addition; invent.

affīnis, e, adj., bordering on; related to; privy to.

affīrmō, 1, affirm, assert.

afflīctō, [affligo], 1, afflict, distress.

afflīgō, ere, īxī, īctus,[fligo, strike], smite, shatter; afflict.

affluēns, entis, [affluo], flowing with; abounding in, rich in.

Āfrica, ae, f., Africa.

Āfricānus, a, um, [Africa], of Africa, African; as noun, the surname of the Scipios.

ager, agrī, m., field, land, tract, territory, district; pl., the country.

aggregō, [ad+grego; grex, herd], 1, gather, collect.

agitō, [ago], 1, set in violent motion; rouse, excite.

agnōscō, ere, nōvī, nitus, [ad + (g)nosco], recognize, acknowledge.

agō, ere, ēgī, āctus, drive, move forward; do, act, manage; plead, speak, discuss; passive, be at stake, be at issue. gratias agere, render thanks, thank.

agrārius, a, um, [ager], pertaining to land; as noun, m. pl., agrāriī, ōrum, the agrarian party, supporters of agrarian laws.

agrestis, e, [ager], pertaining to the country, rustic, rude, boorish.

Ahāla, ae, m., a Roman family name.

ajō, say, assert.

ālea, ae, f., a die; dicing, gaming, gambling.

āleātor, ōris, [alea], m., diceplayer, gambler.

Alexander, drī, m., Alexander.

aliēnigena, ae, [alienus + gigno], m., one foreign-born, foreign.

aliēnus, a, um, [alius], of another, another's. aes alienum, debt. As noun, alienus, ī, m., stranger, foreigner.

aliquandō, [ali- + quando], adv., some time; at length, finally, at last.

aliquantus, a, um, [ali-+quantus], some, considerable. aliquanto, abl. of degree of difference, somewhat.

aliquī, qua, quod, [ali- + qui], indef. adj. pron., some, any.

aliquis, qua, quid, [ali-+ quis], indef. pron., some one, any one, anybody; pl., some, any. Neut., aliquid, something, anything.

aliquō, [aliquis], adv., to some place, somewhere.

aliquot, indecl., several, some, a few.

alius, a, ud, another, some other, other, different, else. alius . . . alius, one . . . another, the one . . . the other. alii . . . alii, some . . . others.

alliciō, ere, lexī, lectus, [ad + lacio, entice], allure, attract.

Allobrox, ogis, m., one of the Allobroges, a tribe of farther Gaul.

alō, ere, aluī, altus or alitus, nurse, nourish, nurture; support, sustain, maintain; promote, encourage, increase.

Alpēs, ium, f. pl., the Alps.

altāria, ium, [altus], n. pl., altar.

alter, tera, terum, one of two, the other, another; second. alter

... alter, *the one ... the other.*
alteri ... alteri, *the one party
... the other.*

alternus, a, um, [alter], *alternate.*

alteruter, utra, utrum, gen. alter-
utrīus, *one or the other.*

altus, a, um, [alo], *high, lofty;
deep.*

alveolus, ī, [alveus, *a hollow*],
tray; a gaming-board; gaming.

amāns, antis, [amo], *loving, fond.*
amans rei publicae, *patriotic.*

āmēns, entis, [a + mens], *sense-
less, frenzied, foolish.*

āmentia, ae, [amens], f., *folly,
madness.*

amiciō, īre, īctus, [ambi, *around,*
+ jacio, *throw*], *throw around,
wrap about, clothe.*

amīcitia, ae, [amicus], f., *friendship.*

amīcus, a, um, [amo], *friendly.*

amīcus, ī, [amo], m., *friend.*

Amīsus, ī, f., *Amisus,* a city of
Pontus on the Euxine Sea.

āmittō, ere, īsī, issus, *let go; lose;
forfeit.*

amō, 1, *love.*

amoenitās, ātis, [amoenus, *pleasant*], f., *pleasantness, attractive-
ness, loveliness.*

amor, ōris, [amo], m., *love, liking,
affection.*

amplector, ī, exus, [ambi-, *around,*
+ plecto, *twine*], *to twine about,
embrace; include.*

amplificō, [amplus + facio], 1, *extend, enlarge, increase.*

amplitūdō, inis, [amplus], f.,
*greatness, distinction, eminence,
honor.*

amplus, a, um, *large, great,
grand; eminent, distinguished,
illustrious, noble, honorable;*

generous; comp. as noun, **amplius,** *more;* adverbially,
further.

an, interrog. conj., introducing
second member of a double
question, *or.* ne ... an or
utrum ... an, (*whether*) ... *or.*

anceps, cipitis, [ambi- + caput],
*having two heads; double; un-
certain.*

angō, ere, *compress, choke; distress, trouble, vex.*

angulus, ī, m., *angle, corner.*

angustiae, ārum, [angustus], f.,
narrowness, limitations.

anhēlō, [anhelus, *panting*], 1,
pant; breathe forth.

anima, ae, f., *breath, breath of
life; life, existence.*

animadversiō, ōnis, [animad-
verto], f., *a giving attention;
chastisement, punishment.*

animadvertō, ere, tī, sus, [ani-
mum + adverto, *turn to*], *turn
the mind to, give attention to;
notice, observe; inflict punishment.*

animus, ī, m., *soul, spirit; mind;
purpose, intention; disposition,
feelings; heart; courage; spirit,
temper, disposition; imagination; conviction;* pl., *arrogance,
greed; loyalty.*

anne = an.

Annius, ī, a Roman gentile name.

annōna, ae, [annus], f., *the year's
produce; grain, grain-supply;
price of grain.*

annuō, ere, uī, *nod, nod assent.*

annus, ī, m., *year.*

ante, adv. and prep. : 1) As adv.,
before, previously, ago. 2) As
prep. with acc., *before, in front
of.*

anteā, adv., *previously, before, formerly.*

antecellō, ere, [ante + cello, *project*], *excel, surpass.*

anteferō, ferre, tulī, lātus, *bear before; set before, regard as more important, prefer.*

antelūcānus, a, um, [ante + lux], *before light; prolonged till daybreak.*

antepōnō, ere, posuī, positus, *put before; prefer, value above.*

antequam, *before.* Sometimes written separately, ante . . . quam.

Antiochēa, ae, f., *Antioch,* in Syria.

Antiochus, ī, m., *Antiochus.*

antīquitās, ātis, [antiquus], f., *antiquity; ancient history, history.*

antīquus, a, um, *old, ancient, of olden times, former;* pl. as noun, *the ancients.*

aperiō, īre, eruī, ertus, *open.*

apertē, [apertus], adv., *openly; plainly, unreservedly.*

apertus, a, um, [aperio], *open.*

apparātus, a, um, [apparo], *prepared; elegant, sumptuous, choice.*

apparō, [ad + paro], 1, *prepare, make ready for.*

appellō, 1, *address, name, accost, call; appeal to.*

Appennīnus, ī, m., *the Apennines.*

appetēns, entis, [appeto, *seek after*], *eager for, desirous of.*

Appius, ī, m., *Appius,* a Roman praenomen or first name.

Appius, a, um, adj., *Appian, of Appius.*

approbō, 1, *approve, applaud.*

appropinquō, 1, *approach, draw near.*

aptus, a, um, [AP, *fasten*], *fitted, fitting, suitable, adapted.*

apud, prep. with acc., *at, with, near, by; among, in the presence of, at the house of.*

Āpūlia, ae, f., *Apulia,* a district of southern Italy.

aqua, ae, f., *water.*

aquila, ae, f., *eagle; standard, ensign.*

āra, ae, f., *altar.*

arbitror, [arbiter, *judge*], 1, *think, judge, believe, consider.*

arceō, ēre, cuī, *confine; keep off.*

arcessō, ere, īvī, ītus, *cause to come, summon, send for, call in, invite.*

Archiās, ae, m., *Archias,* a Greek poet of Antioch.

ārdeō, ēre, sī, sūrus, *be on fire, blaze, burn.*

ārdor, ōris, m., *blazing, burning, glow; eagerness.*

argenteus, a, um, [argentum], *of silver, silver.*

argentum, ī, n., *silver; silver plate.*

argūmentum, ī, [arguo, *prove*], n., *proof, ground, evidence.*

Ariobarzānēs, is, m., *Ariobarzanes.*

arma, ōrum, n., *tools, implements; arms, weapons.*

armātus, a, um, [armo], *equipped; armed, in arms.*

Armenius, a, um, *Armenian.* As noun, m. pl., *Armenians.*

armō, [arma], 1, *equip; arm.*

ars, artis, f., *skill, art; practice; pursuits, studies, branches; qualities; liberal arts.*

artifex, icis, [ars + FAC, *make*], m., *a master of an art, artist.*

arx, arcis, [compare **arceō**], f., *citadel, fortress, stronghold.*

ascendō, ere, scendī, scēnsum, [ad + scando, *climb*], *to mount, climb; rise.*

ascīscō, ere, scīvī, scītus, [ad + scisco, *decree*], *admit to, receive.*

ascrībō, ere, īpsī, īptus, [ad + scribo], *enroll.*

Asia, ae, f., *Asia,* the Roman province, comprehending Phrygia, Caria, Mysia, Lydia.

Asiāticus, a, um, *of Asia, Asiatic.*

aspectus, ūs, [aspicio], m., *sight, view; aspect, appearance.*

aspiciō, ere, exī, ectus, [ad + specio, *look*], *look at, look upon, behold.*

assentiō, īre, sēnsī, sēnsum, [ad + sentio], *assent to, agree with.*

assequor, ī, secūtus, [ad + sequor], *follow up; accomplish; attain, secure.*

asservō, [ad + servo], 1, *guard, watch; care for.*

assīdō, ere, sēdī, sessūrus, [ad + sido, *sit*], *take a seat.*

assiduē, [assiduus], adv., *continually, constantly.*

assiduitās, ātis, [assiduus], f., *persistence.*

assuēfaciō, ere, fēcī, factus, *accustom.*

astō, āre, astitī, *stand near.*

at, conj., *but; yet, at least.*

Athēnae, ārum, f., *Athens.*

Athēniēnsis, e, *of Athens, Athenian;* pl. as noun, *Athenians.*

atque (before consonants **ac**), conj., [ad + que], *and, and also;* with comparatives and words of likeness or difference, *as, than.*

atrōcitās, ātis, [atrox], f., *savageness, cruelty, fierceness.*

atrōx, ōcis, [ater, *black*], *savage, cruel, fierce.*

attendō, ere, tendī, tentus, [ad + tendo], *direct toward; attend, give attention to, notice, observe; follow, listen to.*

attenuō, [ad + tenuo, *make thin*], 1, *make thin; lessen; make less formidable.*

attingō, ere, tigī, tāctus, [ad + tango], *touch; attain; approach; touch upon, treat.*

attribuō, ere, uī, ūtus, [ad + tribuo], *assign, allot.*

auctiōnārius, a, um, adj., [auctio, *auction*], *of an auction, of the auctioneer.*

auctor, ōris, [augeo, *increase, promote*], m., *originator, author; counsellor; promoter; leader; voucher.*

auctōritās, ātis, [auctor], f., *authority, power, influence, weight; dignity, prestige, reputation.*

audācia, ae, [audax], f., *boldness, daring; audacity, effrontery, presumption, insolence.*

audāx, ācis, [audeo], *bold, daring; audacious, reckless.*

audeō, ēre, ausus, semi-dep., *venture, dare.*

audiō, īre, īvī or iī, ītus, *hear, hear of; listen to.*

auferō, auferre, abstulī, ablātus, [ava, obsolete prep., + fero], *take away, carry off; remove.*

augeō, ēre, auxī, auctus, *to increase, enlarge, advance, enrich; magnify, glorify, honor.*

Aulus, ī, m., *Aulus,* a Roman praenomen or first name.

Aurēlius, a, um, *of Aurelius, Aurelian.*

auris, is, f., *ear;* pl., *critical taste, taste.*

aurum, ī, n., *gold.*

auspicium, ī, [auspex, *diviner*], n., *divination by the flight of birds, augury;* pl., *auspices.*

aut, conj., *or.* aut . . . aut, *either . . . or.*

autem, conj., *on the other hand, but; however, now;* (rarely) *moreover.*

auxilium, ī, [augeo], n., *aid, help, assistance;* pl., *auxiliaries, reinforcements.*

avāritia, ae, [avarus, *eager*], f., *greed, avarice, covetousness.*

āversus, a, um, [averto, *turn away*], *turned away; averse, hostile.*

avidus, a, um, *eager for, desirous of.*

avītus, a, um, [avus], *of a grandfather, ancestral.*

āvocō, 1, *call away.*

avus, ī, m., *grandfather.*

bacchor, ārī, ātus, [Bacchus], 1, dep., *celebrate the rites of Bacchus; exult, revel.*

barbaria, ae, [barbarus], f., *barbarousness; barbarian country or people.*

barbarus, a, um, *barbarous, savage;* pl. as noun, *barbarians.*

barbātus, a, um, [barba, *beard*], *having a beard, bearded.*

beātus, a, um, [beo, *make happy*], *happy, prosperous, fortunate; opulent, rich.*

bellicōsus, a, um, [bellicus], *warlike.*

bellicus, a, um, [bellum], *of war, military.*

bellō, [bellum], 1, *wage war.*

bellum, ī, n., *war.*

bene, [bonus], adv., *well, successfully.*

beneficium, ī, [bene + facio], n., *kindness, favor, service.*

benevolentia, ae, [benevolus, *well-wishing*], f., *kindness, good will; loyalty, devotion.*

benignitās, ātis, [benignus, *kind*], f., *kindness, favor.*

bēstia, ae, f., *a beast, animal.*

bibō, ere, bibī, *drink.*

bīnī, ae, a, [bis], distrib. adj., *two by two, two each.*

bipartītō, [bipartitus], adv., *in two parts.*

bis, adv., *twice.*

Bīthȳnia, ae, f., *Bithynia,* a province of Asia Minor bordering on the Euxine Sea.

bonitās, ātis, f., [bonus], *goodness, kindness.*

bonus, a, um, *good, excellent, advantageous, useful; patriotic, loyal;* pl. as noun, m., *good men, good citizens;* n., *goods, property, possessions.*

Bosporānus, a, um, *of the Bosporus;* pl. m., as noun, *dwellers on the Bosporus.*

brevis, e, *short, brief, little.*

breviter, [brevis], adv., *briefly.*

Brundisium, ī, n., *Brundisium,* a city in Calabria; the modern *Brindisi.*

Brūtus, ī, m., *Brutus,* a Roman family name.

C. = Gāius.

cadō, ere, cecidī, cāsūrus, *fall, fall dead, be slain.*

caedēs, is, [caedo, *cut*], f., *killing, slaughter, murder.*

Caelius, ī, m., a Roman gentile name.

caelum, ī, n., *heaven, sky.*

Caesar, aris, m., *Caesar,* a Roman family name.

Cājēta, ae, f., *Cajeta,* a coast town of Latium; the modern *Gaëta.*

calamitās, ātis, f., *loss, calamity, misfortune; ruin, disaster; defeat.*

callidus, a, um, *shrewd, clever, crafty.*

campus, ī, m., *open field, plain;* often for *Campus Martius,* the *Campus Martius* in Rome.

canō, ere, cecinī, *sing; prophesy, predict.*

cantō, [cano], 1, *sing; play.*

cantus, ūs, [cano], m., *music, singing, song.*

capillus, ī, [cf. caput], m., *hair.*

capiō, ere, cēpī, captus, *take, capture, seize; receive; contain, hold, satisfy; take in, conceive, apprehend; adopt; incur, suffer, reap.* mente captus, (*stricken in mind*), *mad, insane.*

capitālis, e, [caput], *deadly, dangerous.*

Capitōlium, ī, [caput], n., *the Capitoline Hill; the Capitol,* or temple of Jupiter situated on the Capitoline.

Cappadocia, ae, f., *Cappadocia,* a district of Asia Minor.

caput, itis, n., *head; life; civil status.*

Carbō, ōnis, m., *Carbo,* a Roman family name.

carcer, eris, m., *a prison, jail.*

careō, ēre, uī, itūrus, *be without, go without, do without, lack, dispense with, be deprived of.*

cāritās, ātis, [carus], f., *dearness, expensiveness, high price.*

carmen, inis, n., *song; poem.*

Carthāginiēnsis, e, [Carthago], *Carthaginian.* As noun, m. pl., *Carthaginians.*

Carthāgō, inis, f., *Carthage.*

cārus, a, um, *dear, precious, valued.*

Cassius, ī, m., *Cassius,* a Roman gentile name.

castē, [castus, *pure*], adv., *purely; righteously.*

castra, ōrum, n., *camp.*

castrēnsis, e, [castra], *of the camp.*

cāsus, ūs, [cado], *chance, accident; issue, event, occurrence.*

Catilīna, ae, m., *Catiline,* a Roman family name.

Catō, ōnis, m., *Cato,* a Roman family name.

Catulus, ī, m., *Catulus,* a Roman family name.

causa, ae, f., *a cause, occasion, ground, reason; excuse, pretext; case, situation, condition; lawsuit; side, party.* causā, with gen., *on account of, as a mark of, for the sake of.*

cautiō, ōnis, [caveo], f., *caution, precaution.*

caveō, ēre, cāvī, cautūrus, *be on one's guard, take care, take heed; guard against.*

cēdō, ere, cessī, cessūrus, *withdraw; yield, give way.*

celeber, bris, bre, *thronged, much frequented.*

celebritās, ātis, [celeber], f., *glory, distinction.*

celebrō, [celeber], 1, *throng, frequent, visit in numbers; celebrate, praise, glorify, magnify.*

celeritās, ātis, [celer, *swift*], f., *swiftness, speed, rapidity, promptness.*

celeriter, [celer, *swift*], adv., *quickly, speedily.*

cēna, ae, f., *dinner.*

cēnseō, ēre, cēnsuī, cēnsus, *assess, enroll* (in census)*; think, believe, consider; urge, advise, recommend; resolve, vote, decree.*

cēnsor, ōris, [cf. censeo], m., *censor,* a Roman magistrate.

cēnsus, ūs, [censeo], m., *census, enrollment, assessment;* pl., *census-lists.*

centuria, ae, [centum], f., *century* (company of one hundred), a political division among Roman voters.

centuriātus, ūs, [centurio], m., *the office of centurion.*

centuriō, ōnis, [centuria], m., *commander of a century* (in the army), *centurion.*

Cēpārius, ī, m., a Roman gentile name.

cernō, ere, crēvī, crētus, *distinguish, discern; see, perceive; separate.*

certāmen, inis, [certo], n., *contest, struggle, strife.*

certē, [certus], adv., *certainly, surely; at least, at any rate.*

certō, [certus], adv., *for certain, for a certainty, with certainty.*

certō, [certus], 1, *struggle, fight, contend, vie with.*

certus, a, um, [cerno], *fixed, definite, certain, sure; specific, special, particular; trusty, reliable.* certiorem facere, *inform.*

cervīx, īcis, [cf. curvus, *curving*], f., *neck.* In Cicero only in pl., cervices, um.

cēterus, a, um, *the other, remainder, rest.* Almost always in pl.

As noun, m. pl., *the others, the rest.*

Cethēgus, ī, m., *Cethegus,* a Roman family name.

Chīlō, ōnis, m., a Roman family name.

Chius, a, um, adj., *Chian, of Chios,* an island in the Aegean Sea. As noun, m. pl., *the Chians, inhabitants of Chios.*

cibus, ī, m., *food.*

Cicerō, ōnis, m., *Cicero,* a Roman family name.

Cilicia, ae, f., *Cilicia,* a Roman province on the southern coast of Asia Minor.

Cimber, brī, m., *Cimber,* a Roman family name.

Cimbrī, ōrum, m., *the Cimbrians,* a Germanic tribe. They invaded Italy in 101 B.C.

Cimbricus, a, um, *of the Cimbrians, Cimbrian.*

cingō, ere, īnxī, īnctus, *surround; beset.*

cinis, eris, m., *ashes.*

Cinna, ae, m., a Roman family name.

circum, [acc. of circus, *ring*], prep. with the acc.; *around, about, at, near, in the neighborhood of.*

circumclūdō, ere, sī, sus, [circum + claudo, *close*], *shut in, hem in; block.*

circumdō, are, dedī, datus, [do, *put*], *place around.*

circumscrībō, ere, īpsī, īptus, *circumscribe, limit.*

circumscrīptor, ōris, m., [circumscribo], *swindler.*

circumsedeō, ēre, sēdī, sessus, *sit around, surround.*

circumspiciō, ere, exī, ectus,

[circum + specio, *look*], *look around; look out for, beware of.*

circumstō, āre, stetī, *stand around, stand about; surround, beset.*

cito, [citus, *quick*], adv., *quickly, soon.*

cīvīlis, e, [civis], *of citizens, civil.*

cīvis, is, c., *citizen, fellow-citizen.*

cīvitās, ātis, [civis], f., *state, citizenship.*

clam, [cf. celo], adv., *secretly.*

clāmō, 1, *shout, cry out, cry aloud.*

clāmor, ōris, [clamo], m., *shout, cry.*

clārus, a, um, *clear, bright; plain, manifest; renowned, distinguished, glorious, illustrious, famous.*

classis, is, f., *class, division; fleet.*

claudō, ere, sī, sus, *shut, close; secure.*

clēmēns, entis, *lenient, indulgent, merciful.*

clēmenter, [clemens], adv., *quietly, mildly.*

clēmentia, ae, [clemens], f., *mercy, clemency.*

clientēla, ae, [cliens, *dependent*], f., *clientship, vassalage;* pl., *body of clients, clients.*

Cn. = Gnaeus, a Roman first name.

Cnidus, ī, f., *Cnidus,* a city on the coast of Caria.

coepī, isse, coeptus, *begin, commence.*

coerceō, ēre, cuī, citus, [com- + arceo], *confine, restrain, repress.*

coetus, ūs, [coëo, *come together*], m., *assembly, meeting, gathering.*

cōgitātē, [cogito], adv., *with thoughtful preparation.*

cōgitātiō, ōnis, [cogito], f., *thought, reflection, meditation; design.*

cōgitō, [com- + agito], 1, *think, think of, meditate, plan, plot; consider, consult, provide for; contemplate, purpose, intend; imagine.*

cognātiō, ōnis, [cognatus, *kindred*], f., *relationship, kindred.*

cognitiō, ōnis, [cognosco], f., *becoming acquainted with, acquaintance.*

cognitor, ōris, [cognosco], m., in law, *advocate, sponsor.*

cognōscō, ere, gnōvī, gnitus, [com- + (g)nosco, *learn*], *become acquainted with, learn, know, recognize; note, notice, observe.*

cognovi, *I know.*

cōgō, ere, coēgī, coāctus, [com- + ago], *to drive together, collect, compel, force.*

cohaereō, ēre, haesī, haesūrus, [com- + haereo], *cling together; be connected with.*

cohibeō, ēre, uī, itus, [com- + habeo], *restrain, control, check.*

cohors, rtis, f., *cohort,* tenth part of a legion, about 360 soldiers. cohors praetoria, *praetorian cohort, body-guard.*

collēctiō, ōnis, [collectus], f., *collection.*

collēga, ae, [cf. lēgo], m., *associate, colleague.*

collēgium, ī, [collega], n., *official board, college, association.*

colligō, ere, lēgī, lēctus, [com- + lego, *gather*], *gather, collect, assemble, bring together.*

collocō, 1, *place, put, station, pitch, set, set up, erect; establish, settle; invest.*

colō, ere, coluī, cultus, *to till, cultivate; honor, cherish, seek out; respect, revere, worship.*

colōnia, ae, [colonus], f., *a colony.*

colōnus, ī, [colo], m., *tiller of the soil; colonist.*

Colophōn, ōnis, m., *Colophon,* a city of Lydia.

Colophōnius, a, um, *of Colophon.* As noun, m., *inhabitants of Colophon.*

color, ōris, m., *color; complexion.*

comes, itis, [com-+eo], c., *attendant, a companion, follower, associate, comrade.*

cōmissātiō, ōnis, [comissor, *revel*], f., *revel, carousal.*

comitātus, ūs, [comitor], m., *retinue, escort, train.*

comitia, ōrum, [com-+eo], n., *assembly, comitia; election.*

Comitium, ī, [com-+eo], n., *Comitium,* a place of meeting for the assemblies; it adjoined the Forum.

comitor, [comes], 1, *accompany, attend, escort.*

commeātus, ūs, [commeo], m., *a going to and fro, intercourse; supplies.*

commemorābilis, e, [commemoro], *worth mentioning, remarkable, noteworthy.*

commemorātiō, ōnis, [commemoro], f., *mention, remembrance.*

commemorō, [memoro, *mention*], 1, *call to mind, mention, relate, recount; allude to, speak of.*

commendātiō, ōnis, [commendo], f., *a commending, recommendation.*

commendō, [com-+mando, *commit*], 1, *commend, commit, intrust.*

commeō, [meo, *go*], 1, *go and come, go to and fro.*

commisceō, ēre, miscuī, mixtus, *mix with, mingle with.*

commissum, ī, [committo], *deed, misdeed, crime.*

committō, ere, mīsī, missus, *bring together; intrust, commit; cause, allow, permit.* pugnam committere, *join, begin, engage in battle.*

commodō, [commodus, *adapted*], 1, *accommodate; lend, loan, furnish.*

commodum, ī, [commodus, *adapted*], n., *convenience, advantage; interest.*

commoror, [moror, *delay*], 1, *stay, linger, remain.*

commoveō, ēre, mōvī, mōtus, *set in violent motion; move, stir, disturb, alarm, agitate, excite, rouse; influence, affect.*

commūnicō, [communis], 1, *share, share with.*

commūnis, e, *common, in common, general, universal, public.*

commūniter, [communis], adv., *in common, in general.*

commūtō, 1, *change completely, alter completely.*

comparātiō, ōnis, [comparo], f., *preparing, preparation.*

1. **comparō**, [paro, *get ready*], 1, *prepare, make ready, get ready; secure, establish;* pass., *be composed; be made up.*

2. **comparō**, [compar, *like*], 1, *compare, liken.*

compellō, ere, pulī, pulsus, *drive together; drive, force.*

comperiō, īre, perī, pertus, [com- + pario, *acquire, obtain*], *learn, discover, find out, ascertain.*

competītor, ōris, [com- + peto], m., *a rival candidate, competitor.*

complector, ī, plexus, *embrace, clasp; include, comprise.*

compleō, ēre, ēvī, ētus, [com- + pleo, *fill*], *fill up, fill.*

complexus, ūs, [complector], m., *embrace.*

complūrēs, a or ia, gen. ium, *several, a good many, many.*

comprehendō, ere, dī, sus, [prehendo, *lay hold of*], *arrest, seize; detect; grasp, lay hold of, master.*

comprimō, ere, pressī, pressus, [com- + premo], *press together; repress, check, restrain; crush.*

comprobō, 1, *approve, sanction, endorse; prove, attest.*

cōnātus, ūs, [conor, *attempt*], m., *an attempt, endeavor, effort, undertaking.*

concēdō, ere, cessī, cessus, *withdraw, go away, depart; concede, yield, grant, permit.*

concelebrō, 1, *attend; throng; visit in numbers.*

concertō, 1, *contend earnestly, contend.*

concidō, ere, cidī, [com- + cado], *fall completely; fall, collapse; perish.*

conciliō, [concilium, *gathering*], 1, *unite, make friendly; win over, win, secure.*

concipiō, ere, cēpī, ceptus, [com- + capio], *take hold of; receive, incur, contract; conceive, imagine.*

concitō, [concieo, *rouse*], 1, *rouse, excite, stir up, agitate; urge on.*

concordia, ae, [concors], f., *union, harmony, concord.* As proper name, *Concord,* the goddess.

concupīscō, ere, cupīvī, ītus, [com- + cupio], *desire eagerly, covet, desire.*

concursō, [curso], 1, *run about, go about.*

concursus, ūs, [concurro, *run together*], m., *a running together, rallying; concourse, gathering, throng.*

condemnō, [com- + damno], 1, *condemn, convict.*

condiciō, ōnis, [com- + dīco, *declare*], f., *agreement, terms, contract, bargain, understanding; condition; situation, lot; character.*

condō, ere, didī, ditus, [com- + do, *put*], *put together, found, place, put; treasure up, treasure.*

cōnferō, ferre, contulī, collātus, *bring together; convey; devote, bestow, fix, confer, contribute; bring upon, visit; defer, put off, postpone; compare, contrast.* se conferre, *betake oneself.* signa conferre, *join battle.*

cōnfertus, a, um, [confercio, *stuff*], *filled; gorged.*

cōnfessiō, ōnis, [confiteor, *confess*], f., *confession, admission, acknowledgment.*

cōnfestim, adv., *immediately, straightway, forthwith.*

cōnficiō, ere, fēcī, fectus, [com- + facio], *do thoroughly; accomplish, do, finish, consummate, achieve, bring about, bring to pass; bring to an end, complete, finish; bring together, raise, muster; use up, wear out, exhaust, destroy; subdue.*

cōnfīdō, ere, fīsus, [com- + fido, trust], semi-dep., *trust.*

cōnfīrmō, 1, *make strong, strengthen, increase; cement, establish; show, prove; declare, assert, affirm; encourage.*

cōnfiteor, ērī, fessus, [com- + fateor], *confess, admit, acknowledge, own.*

cōnflāgrō, 1, intrans., *burn, burn up, be consumed.*

cōnflīgō, ere, flīxī, flīctus, [fligo, *strike*], *strike together; contend, fight.*

cōnflō, [flo, *blow*], 1, *blow up; stir up, kindle; melt together, fuse, compose.*

cōnfōrmātiō, ōnis, [conformo], f., *moulding, moulding influence.*

cōnfōrmō, [formo, *form*], 1, *form, mould, train.*

cōnfringō, ere, frēgī, frāctus, [com- + frango, *break*], *shatter, destroy.*

congerō, ere, gessī, gestus, *bring together, accumulate.*

congregō, [com- + grex, *herd*], 1, *gather, collect.*

congruō, ere, uī, *agree, harmonize.*

coniciō, ere, jēcī, jectus, [com- + jacio], *hurl violently; hurl, aim; drive, force.*

cōnīveō, ēre, nīvī or nīxī, *shut the eyes, wink at; overlook.*

conjectūra, ae, [conicio], f., *putting together, reasoning, inference, conclusion.*

conjūnctiō, ōnis, [conjungo], f., *union, alliance.*

conjungō, ere, jūnxī, jūnctus, *join together, join, unite.*

conjūnx, jugis, [cf. conjungo], c., *spouse, husband, wife.*

conjūrātiō, ōnis, [conjuro], f., a *taking oath together; league; conspiracy, plot.*

conjūrātus, a, um, [conjuro], *leagued together.* As noun, m. pl., *conspirators.*

conjūrō, 1, *take oath together; plot, conspire.*

cōnor, 1, *try, attempt, undertake; endeavor, strive.*

conquiēscō, ere, quiēvī, quiētus, *become quiet; find peace, find rest; come to a standstill.*

cōnscelerātus, a, um, [conscelero], *wicked, depraved.*

cōnscientia, ae, [conscio, *be conscious of*], f., *consciousness, knowledge; consciousness of guilt; conscience.*

cōnscrībō, ere, scrīpsī, scrīptus, *write together, enroll.* **patres conscripti**, *conscript fathers, senators.*

cōnsecrō, [com- + sacro, *consecrate*], 1, *dedicate, consecrate, devote.* **consecratus**, partic. as adj., *holy, hallowed, sacred.*

cōnsēnsiō, ōnis, [consentio], f., *an agreeing together, agreement, accord.*

cōnsēnsus, ūs, [consentio], m., *agreement, understanding, unanimity, harmony, accord.*

cōnsentiō, īre, sēnsī, sēnsūrus, *agree, combine, unite.*

cōnsequor, ī, secūtus, *follow with, attend; follow, overtake; reach, attain, achieve, secure, accomplish; ensue.*

cōnservō, 1, *keep safe, preserve, save; retain; maintain; spare; protect.*

cōnsessus, ūs, [consido, *sit down*], m., *a sitting together; assembly, throng.*

cōnsīderō, 1, *look at closely; consider, reflect.*

cōnsilium, ī, [consulo], n., *deliberation; deliberative assembly, council; counsel, advice; decision, plan, design, purpose; discretion, prudence, wisdom.*

cōnsistō, ere, stitī, stitum, [sisto, *cause to stand*], *stand still, stop, pause;* with in, *depend upon.*

cōnsōlor, [solor, *comfort*], 1, *cheer, comfort, console.*

cōnspectus, ūs, [conspicio], m., *sight, view, presence.*

cōnspiciō, ere, spexī, spectus, *see, gaze upon, behold.*

cōnspīrātiō, ōnis, [conspiro, *breathe together*], f., *harmony, agreement.*

cōnstanter, [constans, *firm*], *steadfastly; consistently.*

cōnstantia, ae, [constans, *firm*], f., *steadfastness, firmness, courage; loyalty, devotion; character.*

cōnstituō, ere, uī, ūtus, [com- + statuo], *settle, place, put, fix, establish, set, set up; found; constitute; enact; create; appoint; mark out, decide, arrange, fix upon, determine.*

cōnstō, āre, stitī, stātūrus, 1, *hold together; consist of, depend upon.* constat, *it is established, it is clear, it is evident.*

cōnstringō, ere, strinxī, strictus, [stringo, *draw tight*], *bind, restrict, hold fast, curb.*

cōnsuētūdō, inis, [consuetus, *used*], f., *custom, habit, usage, precedent; companionship, intercourse, friendship.*

cōnsul, ulis, m., *consul, one of the two chief Roman magistrates.*

cōnsulāris, e, [consul], *of a con-*

sul, *consular.* As noun, m., consularis, *ex-consul, consular.*

cōnsulātus, ūs, [consul], m., *the office of consul, consulship.*

cōnsulō, ere, luī, ltus, *take counsel, deliberate, consider; consult; look out for, take thought for.*

cōnsultō [abl. of consultum], adv., *designedly, purposely.*

cōnsultum, ī, [consulo], n., *resolution, decree.*

cōnsūmō, ere, sūmpsī, sūmptus, *use up, consume, destroy; spend.*

contāminō, 1, *stain, defile, contaminate; dishonor.*

contegō, ere, tēxī, tēctus, *to cover, conceal.*

contemnō, ere, tempsī, temptus, [temno, *slight*], *think lightly of, disregard, neglect, ignore; despise.*

contendō, ere, dī, tus, *stretch, strain; struggle, contend, fight; maintain; compare.*

contentiō, ōnis, [contendo], f., *a stretching, straining; strife, struggle, contention, contest, rivalry; comparison.*

contentus, a, um, [contineo], *content, contented, satisfied.*

conticēscō, ere, ticuī, [com- + taceo], *become silent, be silent.*

continēns, entis, [contineo], *self-contained, self-controlled, temperate, wise, upright.*

continentia, ae, [continens], f., *self-control, self-restraint; continence, chastity.*

contineō, ēre, tinuī, tentus, [com- + teneo], *hold together, bind together; hold in check, confine, restrain, check, stop, keep off; control; contain, hold; bound;* pass., *consist of.*

contingō, ere, tigī, tāctus, [com- + tango], *touch; happen, fall to the lot of.*

continuus, a, um, [contineo], *continuous, successive.*

cōntiō, ōnis, [for coventio, com- + venio, *a coming together*], *a (public) meeting, assembly; (public) address, speech.*

cōntiōnātor, ōris, [contionor, *make a speech*], m., *a demagogue, tonguester.*

contrā, [com-]: 1) Adv., *on the other hand; differently; in opposition; on the contrary.* contra atque, *otherwise than; contrary to what.* 2) Prep. with acc., *opposite, facing; contrary to, against; in spite of; in reply to.*

contrahō, ere, trāxī, trāctus, *contract, incur.*

contrārius, a, um, [contra], *opposite; contrary, conflicting.*

contrōversia, ae, [controversus, *disputed*], f., *dispute, controversy, quarrel; question.*

contumēlia, ae, f., *affront, indignity, insult.*

conveniō, īre, vēnī, ventus, *come together, assemble, meet, gather.* Impers., convenit, *it is fitting, it is proper.*

conventus, ūs, m., *a meeting, assembly.*

convertō, ere, tī, sus, [verto, *turn*], *turn around, turn; change.*

convīcium, ī, n., *wrangling, altercation.*

convincō, ere, vīcī, victus, *overcome, overwhelm; convict, refute.*

convīvium, ī, [com- + vivo], n., *feast, entertainment, banquet.*

convocō, 1, *call together, convene, assemble.*

cōpia, ae, [com- + ops], f., *plenty, abundance, fulness; resources, help, assistance; power, ability; fluency;* pl., copiae, *riches, means; troops, forces.*

cōpiōsus, a, um, [copia], *furnished abundantly, supplied, rich.*

cōram, adv., *openly, face to face.*

Corduba, ae, f., *Corduba,* a city of Spain; the modern Cordova.

Corinthus, ī, f., *Corinth,* a city of Greece.

Cornēlius, ī, m., a Roman gentile name.

corpus, oris, n., *body.*

corrigō, ere, rēxī, rēctus, [com- + rego], *correct, reform.*

corrōborō, [con- + roboro], 1, *strengthen, establish, make strong.*

corrumpō, ere, rūpī, ruptus, [con- + rumpo], *corrupt, ruin, destroy, debauch; tamper with, falsify.* corruptus, *depraved, corrupt.*

corruō, ere, uī, [com- + ruo, *fall*], *fall together; collapse.*

corruptēla, ae, [corruptus], f., *enticement, temptation;* pl., *corrupting arts.*

corruptor, ōris, [corrumpo], m., *corrupter, seducer.*

cotīdiānus, a, um, [cotidie], *daily.*

cotīdiē, [quot + dies], adv., *daily, every day.*

Cotta, ae, m., a Roman family name.

Crassus, ī, m., *Crassus,* a Roman family name.

crēber, bra, brum, *thick, close; numerous, frequent, repeated.*

crēbrō, [creber], adv., *frequently, often.*

crēdibilis, e, [credo], *to be believed, credible.*

crēdō, ere, didī, ditus, *believe, suppose; trust; intrust.*

crēscō, ere, crēvī, crētus, *increase, grow; improve.*

Crētēnsis, e, *Cretan;* pl. as noun, *Cretans.*

crīminor, [crimen, *accusation*], 1, *accuse, charge.*

cruciātus, ūs, [crucio, *torture*], m., *torture, torment, punishment; pain.*

crūdēlis, e, [crudus, *bloody*], *cruel; severe, fierce; merciless, pitiless.*

crūdēlitās, ātis, [crudelis], *cruelty, harshness, severity.*

crūdēliter, [crudelis], adv., *cruelly, harshly, fiercely.*

cruentus, a, um, [cruor, *gore*], *bloody, stained with blood.*

cubīle, is, [cubo, *lie down*], n., *couch, bed.*

culpa, ae, f., *a fault, error; failure; guilt, blame.*

cultūra, ae, [cf. colo], f., *tilling, cultivation.* agri cultura, *farming.*

cum, prep. with the abl., *with, together with, in the company of.*

cum, conj., temporal, *when, while, as, whenever;* causal, *since;* adversative, *though, although.* cum . . . tum, *while . . . at the same time; not only . . . but also.* cum primum, *as soon as.*

cumulō, [cumulus], 1, *heap up, increase; crown.*

cumulus, ī, m., *a heap, pile; addition.*

cūnctus, a, um, [for conjunctus], *all, whole, entire.*

cupiditās, ātis, [cupidus], f., *a longing, desire, eagerness; avarice, greed; passion, partisan passion; ambition.*

cupidus, a, um, [cupio], *desirous, eager, fond; greedy, covetous, avaricious.*

cupiō, ere, īvī, ītus, *long for, be eager for; wish, desire.*

cūr, adv., *why? wherefore?*

cūra, ae, f., *care; anxiety, solicitude, trouble; pains, effort.*

Cūria, ae, f., *Curia,* the *Curia Hostilia* or senate-house, in the Comitium.

Cūriō, ōnis, m., a Roman family name.

cūrō, [cura], 1, *care, care for, see to it.*

curriculum, ī, [currus], n., *race-course; course, career.*

currus, ūs, [curro, *run*], m., *a chariot, car.*

cursus, ūs, [curro, *run*], m., *a running, course; march; career; speed; voyage.*

curūlis, e, [currus], *of a chariot, curule.* sella curulis, *the curule chair.*

cūstōdia, ae, [custos], f., *guarding; guard, watch, sentinel; custody, confinement; protection.*

cūstōdiō, īre, īvī, ītus, [custos], *guard, watch.*

cūstōs, ōdis, c., *a guard, guardian, protector.*

Cȳzicēnus, a, um, adj., *of Cyzicus,* a city of northwestern Asia Minor on the Propontis.

D. = Decimus.

d., abbreviation for diem.

damnātiō, ōnis, [damno], f., *condemnation, conviction.*

damnō, [damnum, *damage*], 1, condemn, convict.

dē, prep. with abl., *from, down from, away from; out of, of; for, on account of; about, concerning.*

dēbeō, ēre, uī, itus, [de + habeo], *withhold* and so *owe;* with inf., *ought, deserve.*

dēbilis, e, [de + habilis, *easily handled*], *weak, feeble.*

dēbilitō, [debilis], 1, *weaken, enfeeble, cripple; overwhelm, overcome.*

dēbitus, a, um, [debeo], *due, just, deserved.*

dēcēdō, ere, cessī, cessūrus, *withdraw, depart, go away.*

decem, indecl., *ten.*

dēcernō, ere, crēvī, crētus, *decide, determine; resolve, vote, decree.*

dēcerpō, ere, psī, ptus, [de + carpo, *pick*], *pluck off; take away, detract.*

decet, ēre, decuit, *it is becoming, it is fitting.*

decimus, a, um, [decem], *tenth.*

Decimus, ī, m., *Decimus,* a Roman praenomen.

dēclārō, [claro, *illuminate*], 1, *declare, show, prove; announce.*

dēclīnātiō, ōnis, [declino, *bend aside*], f., *a turning aside.*

dēcoctor, ōris, [decoquo, *boil down*], m., *a spendthrift, bankrupt.*

decorō, [decus, *decoration*], 1, *adorn; honor, glorify, extol.*

dēcrētum, ī, [decerno], n., *a decree, decision, resolution.*

decuma, ae, [decima; sc. **pars**], f., *a tenth part, tithe.*

dēdecus, oris, [decus, *glory*], n., *disgrace, shame, dishonor, infamy; vice.*

dēdicō, [dīco, *proclaim*], 1, *dedicate, consecrate.*

dēditiō, ōnis, [dedo], f., *a giving up, surrender.*

dēdō, ere, didī, ditus, *give up, surrender; devote, dedicate; lend.* deditus, *devoted, dedicated, given up.*

dēdūcō, ere, dūxī, ductus, *to lead away, lead out; conduct; turn aside, lead away from; bring, reduce.*

dēfatīgō, [fatigo, *weary*], 1, *wear out, exhaust, make weary.*

dēfendō, ere, dī, sus, [de + fendo, *strike*], *ward off; defend, guard, protect; maintain.*

dēferō, ferre, tulī, lātus, *bring away, carry off, carry; report, announce, lay before; confer upon, bestow.*

dēfessus, a, um, [defetiscor, *become tired*], *worn out, weary.*

dēficiō, ere, fēcī, fectus, [de + facio], *revolt; fail, be wanting.*

dēfīgō, ere, fīxī, fīxus, *fasten, fix, plunge, plant.*

dēfīniō, īre, īvī, ītus, [finio, *end*], *bound, limit.*

dēflagrō, 1, *burn down, destroy, ruin; be destroyed.*

dēiciō, ere, jēcī, jectus, [de + jacio], *throw down, overthrow; thrust aside; avert.*

deinde, [de + inde], adv., *thereupon, then.*

dēlābor, ī, lāpsus, *glide down, descend.*

dēlectātiō, ōnis, [delecto], f., *delight, pleasure.*

dēlectō, [delicio, *allure*], 1, *delight, please, entertain, charm.*

dēlēctus, ūs, [deligo, *choose*], m., *choosing; levy.*

dēleō, ēre, ēvī, ētus, *erase, blot out; destroy, ruin.*

dēlīberātiō, ōnis, [delibero], f., *a deliberation, consultation.*

dēlīberō, 1, *deliberate, consider.*

dēlicātus, a, um, *voluptuous, wanton.*

dēlictum, ī, [delinquo, *be wanting*], n., *a fault; sin, crime, wrong.*

dēligō, ere, lēgī, lēctus, [de + lego], *choose, select, pick out.*

Dēlos, ī, f., *Delos,* one of the Cyclades.

dēlūbrum, ī, [de + luo], n., *place of purification; shrine, sanctuary, temple.*

dēmēns, entis, *out of one's mind; mad, crazy; maddened.*

dēmenter, [demens], adv., *senselessly, foolishly.*

dēmentia, ae, [demens], f., *folly, madness.*

dēmigrō, [migro, *depart*], 1, *migrate; travel off.*

dēminuō, ere, uī, ūtus, [minuo, *lessen*], *lessen; take away.*

dēminūtiō, ōnis, [deminuo], f., *a diminution, decrease, loss, sacrifice.*

dēmōnstrō, [monstro, *show*], 1, *point out, show, indicate.*

dēmum, adv., *at length.*

dēnique, adv., *at last, finally, in fine, in short.*

dēnotō, 1, *mark, designate.*

dēnūntiō, [nuntio, *announce*], 1, *announce, declare.*

dēpellō, ere, pulī, pulsus, *throw down, overturn; drive away, drive out; ward off, remove, avert.*

dēpendō, ere, dī, [pendo, *weigh*], *pay.*

dēplōrō, [ploro, *wail*], 1, *deplore, lament.*

dēpōnō, ere, posuī, positus, *lay aside, dismiss, abandon.*

dēportō, [porto, *carry*], 1, *carry off, take away; bring home.*

dēposcō, ere, poposcī, [posco, *ask*], *demand, claim.*

dēprāvō, [de + pravus, *crooked*], 1, *distort, pervert, corrupt.*

dēprecātor, ōris, [deprecor], m., *intercessor, advocate, mediator.*

dēprecor, 1, *deprecate, avert by prayer; plead for, intercede for.*

dēprehendō, ere, dī, sus, [prehendo, *grasp*], *grasp, seize, apprehend; detect; understand, comprehend.*

dēprimō, ere, pressī, pressus, [de + premo], *press down, sink.*

dēprōmō, ere, prōmpsī, prōmptus, [promo, *take out*], *draw out, draw.*

dērelinquō, ere, līquī, līctus, *forsake, desert, abandon.*

dēserō, ere, ruī, rtus, [sero, *entwine*], *desert, forsake, abandon.*

dēsertus, a, um, [desero], *deserted, abandoned, solitary.*

dēsīderium, ī, [desidero], n., *longing, desire, yearning.*

dēsīderō, 1, *desire, long for, yearn for; feel the absence of, note the absence of.*

dēsignō, [signo, *mark*], 1, *mark, mark out; choose, elect.* consul designatus, *consul elect.*

dēsinō, ere, siī, situs, *cease, stop.*

dēsistō, ere, stitī, stitūrus, [sisto, *make to stand*], *desist, cease.*

dēspērātiō, ōnis, [despero], f., *hopelessness, despair.*

dēspērātus, a, um, [despero], *despaired of, desperate, abandoned.*

dēspērō, 1, *despair of.*

dēspiciō, ere, exī, ectus, [de + specio, *look*], *look down upon, disparage.*

dēstringō, ere, inxī, ictus, [stringo, *draw tight*], *to strip off; unsheathe, draw.*

dēsum, esse, fuī, futūrus, *be wanting, be lacking, fail; be remiss.*

dētestor, [testor, *call to witness*], 1, *protest against; ward off by protest.*

dētrahō, ere, trāxī, trāctus, *take away, subtract, withdraw; take.*

dētrīmentum, ī, [detero, *rub off*], n., *that which is worn away; loss, detriment, harm, defeat, disaster.*

deus, ī, m., *god.*

dēvinciō, īre, nxī, nctus, *bind, attach.*

dēvinco, ere, vīcī, victus, *conquer completely, overcome.*

dēvocō, 1, *call away, allure.*

dēvoveō, ēre, vōvī, vōtus, [voveo, *vow*], *devote, offer, consecrate.*

dextera or dextra, ae, [*i.e.* manus], f., *right hand.*

dīcō, ere, dīxī, dictus, *say, speak, tell, mention, declare, state.*

dictātor, ōris, [dicto, *dictate*], m., *dictator,* an extraordinary Roman magistrate.

dictātūra, ae, [dictator], f., *dictatorship.*

dictitō, [dicto, *dictate*], 1, *say often, keep saying, insist.*

diēs, ēī, m. and f., *day, time.* in dies or in dies singulos, *daily, from day to day.*

differō, ferre, distulī, dīlātus, [dis- + fero], *differ.*

difficilis, e, [dis- + facilis, *easy*], *difficult, hard.*

difficultās, ātis, [difficilis], f., *difficulty, trouble.*

diffīdō, ere, fīsus, [dis- + fido, *trust*], *distrust, despair of.*

diffluō, ere, fluxī, [dis- + fluo, *flow*], *flow in different directions; fall apart, crumble to pieces.*

dignitās, ātis, [dignus], f., *worth, merit; dignity, standing, honor, rank, prestige, authority.*

dignus, a, um, *worthy, deserving, suitable.*

dījūdicō, 1, *distinguish; decide, adjust.*

dīlābor, ī, lāpsus, *fall asunder, fall apart.*

dīlātiō, ōnis, [differo, *put off*], f., *a putting off, postponement.*

dīligēns, entis, [diligo], *industrious, watchful, careful, diligent, particular, scrupulous.*

dīligenter, [diligens], adv., *industriously, scrupulously, diligently, carefully.*

dīligentia, ae, [diligens], f., *industry, attention, pains, care, diligence, fidelity.*

dīligō, ere, lēxī, lēctus, [dis- + lego], *choose, single out; love, esteem.*

dīlūcēscō, ere, lūxī, [lucesco, *grow light*], *grow light.*

dīmicātiō, ōnis, [dimico], f., *contention, contest, struggle.*

dīmicō, [mico, *dart*], 1, *to fight, contend, struggle.*

dīmittō, ere, mīsī, missus, *let go, dismiss, abandon; disband;* pass., *break up.*

dīreptiō, ōnis, [diripio], f., *a plundering, pillaging.*

dīreptor, ōris, [diripio], m., *robber, plunderer.*

dīripiō, ere, uī, eptus, [dis- + rapio], *tear asunder, tear in pieces; lay waste, ravage, plunder, pillage.*

discēdō, ere, cessī, cessūrus, *go apart, scatter; withdraw, go away, depart.*

discernō, ere, crēvī, crētus, *separate.*

discessus, ūs, [discedo], m., *going away, departure, withdrawal.*

disciplīna, ae, [discipulus, *pupil*], f., *training, discipline, skill; pursuit, study.*

discō, ere, didicī, [cf. doceo], *learn.*

discrībō, ere, īpsī, īptus, *mark out, distribute, assign, allot, apportion.*

discrīmen, inis, [discerno, *settle, decide*], n., *decisive moment or event; crisis, danger, peril, hazard.*

disjūnctus, a, um, [disjungo, *separate*], *separated; distant, remote.*

dispergō, ere, sī, sus, [dis- + spargo], *scatter, spread.* dispersus, *scattered, widespread.*

dispertiō, īre, īvī, ītus, [dis- + partio, *divide*], *allot, distribute.*

disputō, [dis- + puto, *clear up*], 1, *discuss, debate.*

dissēminō, [semino, *sow*], 1, *spread abroad, disseminate.*

dissēnsiō, ōnis, [dissentio], f., *difference of opinion, discord, strife, dissension.*

dissentiō, īre, sēnsī, sēnsum, *dissent, disagree.*

dissideō, ēre, ēdī, [dis- + sedeo], *sit apart; be at variance, be at strife.*

dissimilis, e, *unlike, different.*

dissimilitūdō, inis, [dissimilis], f., *unlikeness, difference.*

dissimulō, [simulo, *make like*], 1, *make unlike, conceal, hide, disguise; dissemble.*

dissipō, 1, *spread abroad, scatter.*

dissolvō, ere, solvī, solūtus, *break up, loosen, relax.* dissolutus, *lax, remiss.*

distrahō, ere, āxī, āctus, *tear apart; tear away, take away, snatch.* distractus, *divergent.*

distribuō, ere, uī, ūtus, *divide, allot, apportion, assign.*

distringō, ere, strinxī, strictus, [stringo, *draw tight*], *distract.*

diū, adv., *long, for a long time.*

diūturnitās, ātis, [diuturnus], f., *length of time, duration.*

diūturnus, a, um, [diu], *long, long continued, protracted.*

dīvellō, ere, vellī, vulsus, [vello, *rend*], *tear apart; separate, sever.*

dīversus, a, um, [diverto, *turn away*], *turned different ways; different, various, varying, diverse.*

dīvidō, ere, vīsī, vīsus, *divide, separate; apportion.*

dīvīnitus, [divinus], adv., *by divine favor, by divine providence, divinely, providentially.*

dīvīnus, a, um, [divus, *divine*], *of the gods; divine, godlike.*

dīvitiae, ārum, [dives], f., *riches, wealth.*

dō, ăre, dedī, datus, *give, give up, grant, allow; offer, furnish, afford, bestow; assign; put.* litteras dare, *send or write a letter.*

doceō, ēre, uī, ctus, *teach; show,*
demonstrate, prove.

doctrīna, ae, [doceo], f., *instruc-*
tion, teaching, learning; theory;
culture.

doctus, a, um, [doceo], *taught,*
trained; learned.

doleō, ēre, uī, itūrus, *be pained,*
grieve.

dolor, ōris, m., *pain; grief, dis-*
tress; resentment.

domesticus, a, um, [domus], *of*
the home; private, domestic;
civil, internal.

domicilium, ī, [domus], n., *abode,*
dwelling, home.

domina, ae, [cf. **dominus**, *master*],
f., *mistress.*

dominātiō, ōnis, [dominor, *be mas-*
ter], f., *mastery, supremacy,*
power.

domō, āre, uī, itus, *tame; sub-*
due.

domus, ūs, f., *house, household,*
home. **domi**, *at home.*

dōnō, [donum], 1, *present, give.*

dōnum, ī, [do], n., *present, a gift.*

dormiō, īre, īvī, ītum, *sleep.*

Drūsus, ī, m., *Drusus,* a Roman
family name.

dubitātiō, ōnis, [dubito], f., *doubt,*
hesitation, uncertainty, misgiv-
ing.

dubitō, [dubius], 1, *hesitate,*
doubt.

dubius, a, um, [cf. **duo**], *doubtful,*
uncertain. **sine dubio**, *without*
doubt, beyond question.

dūcō, ere, ūxī, uctus, *lead, draw,*
guide, conduct, take; drag away;
lead on, draw on, influence; de-
rive; consider, hold, regard.

ductus, ūs, [duco], m., *leading;*
direction, guidance.

dūdum, [diu + dum], adv., *long,*
for a long time.

duim, archaic form used as equivalent of present subjunctive of
do, but from a different root.

dulcēdō, inis, [dulcis], f., *sweet-*
ness, charm.

dulcis, e, *sweet.*

dum, conj., *while; until; as long*
as; provided, provided only.
dum modo, *provided, provided*
only.

dumtaxat, adv., *merely, only.*

duo, ae, o, *two.*

duodecim, [duo + decem], *twelve.*

dūrus, a, um, *hard, harsh; unsym-*
pathetic.

dux, ducis, [cf. **duco**], c., *a leader,*
guide; commander, general.

ē, see ex.

ēbriōsus, a, um, [ebrius, *drunk*],
addicted to drink. As noun, *sot,*
drunkard.

ecquī or ecquis, ecquae or ecqua,
ecquid or ecquod, *any one? any-*
thing? any? whether any(thing).

ecquid, [ecquis], adv., *anything at*
all? at all?

ēdictum, ī, [edico, *proclaim*], n., *a*
proclamation, ordinance, edict.

ēdō, ere, didī, ditus, *give forth, set*
forth, make known.

ēdoceō, ēre, cuī, ctus, *show.*

ēdūcō, ere, dūxī, ductus, *lead forth,*
lead out, take away, take along;
conduct, lead; draw.

efferō, ferre, extulī, ēlātus, [ex +
fero], *bring forth, bring out;*
carry forth, carry out; exalt,
raise up, elevate; praise, extol.

efficiō, ere, fēcī, fectus, [ex + facio],
accomplish, effect; bring about,
bring to pass.

effigiēs, (ēī), [ex + fingo, *fashion*], f., *copy, image, likeness.*

effrēnātus, a, um, [ex + frenatus, *bridled*], *unbridled.*

effugiō, ere, fūgī, [ex + fugio], *flee away, escape, escape from.*

egēns, ntis, [egeo], *poor, needy.*

egeō, ēre, uī, *lack, need.*

egestās, ātis, [egens], f., *need, want, destitution, poverty.*

ego, meī, *I.*

egomet, emphatic for **ego.**

ēgredior, ī, gressus, [e + gradior, *step*], *go forth.*

ēgregius, a, um, [e + grex, *herd, crowd*], *excellent, admirable, superior.*

ēiciō, ere, jēcī, jectus, [e + jacio], *cast out, drive out, eject, get rid of.* **se eicere**, *hasten forth.* **ejectus**, as adj., *outcast.*

ēlābor, ī, ēlāpsus, *slip away, slip.*

ēlabōrō, 1, *toil, make effort, take pains; perfect, elaborate.*

ēlūdō, ere, sī, sus, [ludo, *play*], *make sport of, baffle, mock.*

ēmergō, ere, sī, sum, [mergo, *dip*], *rise, emerge; come forth.*

ēmittō, ere, mīsī, missus, *let go, let slip, let escape.*

ēmorior, ī, mortuus, *die.*

ēnārrō, 1, *recount, enumerate.*

enim, postpositive conj., *for;* with **neque, at,** etc., often, *indeed, in fact.*

Ennius, ī, m., *Ennius,* the Roman poet.

1. **eō**, īre, īvī, itum, *go, march, pass.*
2. **eō**, [is], adv., *to that place, thither, there.*

eōdem, [idem], adv., *to the same place.*

epigramma, atis, [Gr. ἐπίγραμμα], n., *an inscription; an epigram.*

eques, itis, [equus, *horse*], m., *horseman, knight.*

equidem, [quidem], adv., in Cicero usually referring to the first person, *I indeed, I at least, I at any rate, I for my part,* etc.

equitātus, ūs, [equito, *ride*], m., *cavalry.*

ergā, prep. with acc., *toward, towards.*

ergō, adv., *therefore, then, consequently, accordingly.*

ērigō, ere, rēxī, rēctus, [e + rego], *raise up, lift up, encourage, cheer.*

ēripiō, ere, ipuī, eptus, [ex + rapio], *snatch away, take away, wrest from; remove; rescue from, save from.*

errō, 1, *wander; be mistaken, err.*

error, ōris, [cf. erro], m., *wandering; error.*

ērūctō, āre, [ructo, *belch*], 1, *to belch forth.*

ērudiō, īre, īvī, ītus, [e + rudis], *instruct, educate.* **eruditus**, *educated, accomplished, cultivated.*

ērumpō, ere, rūpī, ruptus, *burst forth, break out.*

ēscendō, ere, endī, ēnsus, [ex + scando, *climb*], *climb, mount, ascend.*

et, adv. and conj.: 1) As adv., *also, too.* 2) As conj., *and.* **et . . . et,** *both . . . and.*

etenim, conj., *for, for truly, and indeed.*

etiam, [et + jam], adv., *also, even, actually, further, again, too.* **non . . . solum, sed . . . etiam,** *not only . . . but also.*

etiamsī, conj., *even if.*

Etrūria, ae, f., *Etruria,* a district of central Italy.

etsī, conj., *even if, though, although.*

ēvādō, ere, sī, sūrus, [vado, *go*], *escape.*

ēventus, ūs, [evenio, *turn out*], m., *outcome, issue.*

ēvertō, ere, tī, sus, [verto, *turn*], *overturn, overthrow, destroy.*

ēvocātor, ōris, [evoco, *call out*], m., *a summoner, instigator.*

ēvomō, ere, uī, itus, [vomo, *vomit*], *vomit forth; eject.*

ex, ē, (*e* is not used before vowels), prep. with abl., *from, out of; of; since, after; because of, on account of; according to; in, on.*

exaggerō, [aggero, *pile up*], 1, *heap up, gather, accumulate.*

exanimō, [exanimus, *lifeless*], 1, *deprive of breath; distract.*

exaudiō, īre, īvī, ītus, *to hear clearly, hear.*

excēdō, ere, cessī, cessūrus, *go out, depart, pass.*

excellēns, entis, [excello], *superior, surpassing, admirable.*

excellō, ere, [ex + cello, *project*], *tower above, exceed, surpass, excel.*

excelsus, a, um, [excello], *elevated, lofty.*

excidō, ere, cidī, [ex + cado], *fall, drop.*

excipiō, ere, cēpī, ceptus, [ex + capio], *take out, except; intercept, pick up; receive, harbor.*

excitō, [ex + cito, *set in motion*], 1, *stir up, excite, rouse, fire, kindle; raise, raise up.*

exclūdō, ere, sī, sus, [ex + claudo], *shut out, exclude.*

excolō, ere, coluī, cultus, *cultivate, improve, refine.*

excruciō, [crucio, *torture*], 1, *torture.*

excubiae, ārum, [excubo, *lie out on guard*], f., *watch; protection.*

excursiō, ōnis, [excurro, *run out*], f., *sally; raid, inroad.*

exemplum, ī, [eximo, *take out, select*], n., *example, instance, precedent, model.*

exeō, īre, iī, itūrus, *go out, go away, go forth, depart.*

exerceō, ēre, uī, itus, [ex + arceo], *train; exercise, harass, distress; conduct, preside over, manage.*

exercitātiō, ōnis, [exercito, *train*], f., *practice, training, skill.*

exercitātus, a, um, [exercito, *train*], *practised, experienced, trained.*

exercitus, ūs, [exerceo, *train*], m., *army.*

exhauriō, īre, hausī, haustus, *draw off, draw out, drain, get rid of.*

exigō, ere, ēgī, āctus, [ex + ago], *drive out; finish, complete; exact, collect.*

exigŭŭs, a, um, *slight, small, scanty, brief.*

eximiē, [eximius], adv., *exceedingly, extremely.*

eximius, a, um, [eximo, *select*], *chosen, choice, excellent, superior, distinguished, extraordinary.*

exīstimātor, ōris, [existimo], m., *judge, critic.*

exīstimō, [ex + aestimo, *value*], 1, *consider, think, judge, suppose.*

exitiōsus, a, um, [exitium], *deadly, pernicious.*

exitium, ī, [exeo], n., *ruin, destruction.*

exitus, ūs, [exeo], m., *issue, outcome; end.*

exōrnō, 1, *furnish; embellish, adorn.*

exōrsus, ūs, [exordior], m., *beginning, commencement.*

expediō, īre, īvī, ītus, [ex + pes, *foot*], *extricate, help.* Impersonal, **expedit,** *it helps, is advantageous, is expedient.*

expellō, ere, pulī, pulsus, *to drive out, drive away, expel, eject.*

expers, tis, [ex + pars], *having no part in, without a share.*

expetō, ere, īvī, ītus, *seek out, seek after, seek, beg, request.*

expīlō, [pilo, *rob*], 1, *pillage, plunder, rob.*

expleō, ēre, ēvī, ētus, [pleo, *fill*], *fill up, fill, satisfy.*

explicō, āre, āvī and uī, ātus or itus, [plico, *fold*], *disentangle, set free, liberate.*

explōrō, [ex + ploro, *bring complaint*], 1, *to search out, explore, examine, investigate.*

expōnō, ere, posuī, positus, *set forth, explain.*

exportō, [porto, *carry*], 1, *carry out, export.*

exprimō, ere, pressī, pressus, [ex + premo], *press out, squeeze out; model; portray, delineate.* **expressus,** *clear cut, carefully delineated.*

exprōmō, ere, prōmpsī, prōmptus, [promo, *produce*], *exhibit.*

expugnātiō, ōnis, [expugno, *capture*], f., *capture, storming.*

exquīrō, ere, sīvī, sītus, [ex + quaero], *search out, investigate.*

exsilium, ī, [exsul], n., *banishment, exile.*

exsistō, ere, stitī, [sisto, *cause to stand*], *stand forth, come forth; be manifest, appear; exist, be.*

exsolvō, ere, solvī, solūtus, *set loose, set free, deliver.*

exspectātiō, ōnis, [exspecto], f., *expectation, anticipation.*

exspectō, [specto, *look at*], 1, *look for, await, expect, anticipate; look forward to; hope for.*

exstinguō, ere, īnxī, īnctus, [stinguo, *put out*], *put out, quench, extinguish; blot out, destroy; end.*

exstō, āre, *stand out, stand forth; exist, be.*

exsul, ulis, [ex + salio, *jump*], c., *exile.*

exsultō, [exsilio, *jump forth*], 1, *dance for joy, exult.*

extenuō, [tenuo, *make thin*], 1, *lessen, diminish, weaken; belittle.*

exter, or **exterus,** a, um, [ex], *outer, foreign.* Superlative, **extrēmus,** *furthest, remotest, last, extreme, at the end.*

exterminō, [ex + terminus, *boundary*], 1, *drive away, banish.*

externus, a, um, [exter], *foreign.*

extimēscō, ere, muī, [ex + timeo], *be in great fear of, dread.*

extollō, ere, *lift up, raise up.*

extorqueō, ēre, sī, tus, [torqueo, *twist*], *wrench away, wrest from.*

extrā, prep. with acc., *outside, outside of.*

extrēmus, a, um, see **exter.**

exuō, ere, uī, ūtus, *take off, put off, lay aside.*

exūrō, ere, ussī, ūstus, [uro, *burn*], *burn up, consume.*

exuviae, ārum, [exuo], f., *spoils, trophies.*

facile, [facilis, *easy*], adv., *easily, willingly.*

facilis, e, [facio], *easy.*

facilitās, ātis, [facilis], f., *ease, facility; affability, courtesy.*

facinorōsus, a, um, [facinus], *criminal, wicked.* As noun, pl., *criminals.*

facinus, oris, [facio], n., *a deed; wickedness, crime.*

faciō, ere, fēcī, factus, *make, do, act; build, erect, construct; bring about, accomplish, execute, perform; elect, appoint.* Pass., fīo, fieri, factus sum, *be made, become, occur, happen.*

factum, ī, [facio], n., *a deed, act.*

facultās, ātis, [facilis, *easy*], f., *ability, capacity, facility, readiness, skill, power; opportunity.*

Faesulae, ārum, f., *Faesulae,* a city of Etruria ; the modern *Fiesole.*

Faesulānus, a, um, *of Faesulae, Faesulan.*

falcārius, ī, [falx, *sickle*], m., *scythe-maker.*

Falcidius, ī, m., *Falcidius,* a Roman gentile name.

fallō, ere, fefellī, falsus, *deceive, disappoint; escape the notice of.*

falsō, [falsus], adv., *erroneously, falsely.*

falsus, a, um, [fallo], *false, groundless, pretended; unmerited.*

fāma, ae, [fari, *to speak*], f., *report, rumor; reputation, good name, renown, fame.*

famēs, is, (abl. famē), f., *hunger.*

familia, ae, [famulus, *slave*], f., *body* or *company of slaves; household, house, family.*

familiāris, e, [familia], *belonging to the family, private, friendly, intimate.* As noun, m., *intimate friend, familiar friend.* res fa-

miliaris, *private property, property.*

familiāriter, [familiaris], adv., *intimately, on intimate terms.*

fānum, ī, [fas, *divine right*], n., *a shrine, sanctuary.*

fās, [fari, *to speak*], n., with est, *it is right, lawful, destined, fitting.*

fascis, is, m., *bundle of rods; pl., fasces.*

fātālis, e, [fatum], *fated, destined; fatal, destructive.*

fateor, ērī, fassus, *confess, acknowledge.*

fātum, ī, [fari, *speak, foretell*], n., *fate, destiny.*

faucēs, ium, f. pl., *throat, jaws; pass, defile.*

faveō, ēre, fāvī, fautūrus, *be favorable, favor, approve of.*

fax, facis, f., *firebrand; meteor.*

febris, is, f., *fever.*

fēlīcitās, ātis, [felix, *happy*], f., *happiness; good luck, good fortune, success.*

fēmina, ae, f., *female, woman.*

ferē, adv., *about, almost, nearly; roughly speaking; as a rule, usually, generally.*

ferō, ferre, tulī, lātus, *bear, carry, bring; endure, tolerate, suffer, admit; propose, offer, bring forward; gain, receive; report, say; celebrate; conduct, manage.*

ferōcitās, ātis, [ferox, *wild*], f., *fierceness, cruelty.*

ferrāmentum, ī, [ferrum], n., *tool* or *implement of iron; sword, weapon.*

ferreus, a, um, [ferrum], *made of iron, iron; hard, unfeeling.*

ferrum, ī, n., *iron; weapon, sword.*

fertilis, e, [fero], *fertile, productive.*

fēstus, a, um, *festive, festal.*

fīctus, a, um, [fingo], *false, imaginary, fictitious.*

fidēlis, e, [fides], *faithful, trusty, true, sincere.*

fidēs, eī, f., *faith, trust, confidence, belief, credit; honor, honesty, promise; loyalty, devotion; pledge, protection.*

Fidius, ī, [fides], m., *the god of faith,* a name of Jupiter in the expression, **mēdius fidius** (*i.e.* **me dius Fidius juvet**), *so help me the god Fidius, so help me Heaven!*

fīgō, ere, fīxī, fīxus, *fix, fasten, plant.*

fīlia, ae, f., *a daughter.*

fīlius, ī, m., *a son.*

fingō, ere, fīnxī, fīctus, *form, fashion; imagine, conceive.*

fīnis, is, m., *end, limit; bound, boundary;* pl., *borders, territory.* **quem ad finem,** *to what lengths, how long?*

fīnitimus, a, um, [finis], *neighboring, bordering upon, next to.* As noun, pl., *neighbors.*

fīō, fierī, factus; see **facio.**

fīrmāmentum, ī, [firmo], n., *support, bulwark, strength.*

fīrmō, [firmus], 1, *strengthen, fortify, secure.*

fīrmus, a, um, *strong, solid, secure; reliable.*

Flaccus, ī, m., *Flaccus,* a Roman family name.

flāgitiōsē, [flagitiosus], adv., *shamefully, disgracefully.*

flāgitiōsus, a, um, [flagitium], *shameful, disgraceful, dissolute.*

flāgitium, ī, n., *shame, disgrace, disgraceful act.*

flāgitō, 1, *demand, call for.*

flagrō, 1, *burn, glow, be on fire.*

flamma, ae, [flagro, *burn*], f., *flame, blaze, fire.*

flectō, ere, flexi, flexus, *bend, turn, soften, appease, overcome.*

flōrēns, entis, [floreo], *blooming; flourishing, prosperous.*

flōreō, ēre, uī, *bloom; flourish, be prosperous.*

flōrēscō, ere, [floreo], *bloom; flourish.*

flōs, ōris, m., *bloom, flower.*

flūmen, inis, [fluo, *flow*], n., *river, stream; flow.*

focus, ī, m., *fireplace, hearth.*

foederātus, a, um, [foedus], *confederated, allied.*

foedus, a, um, *foul; horrible, dreadful.*

foedus, eris, n., *league, alliance, treaty.*

fōns, fontis, m., *a spring, fountain; source.*

forās, [acc. plur. of obsolete **fora,** *door*], adv., *to the doors, out of doors, out, forth.*

forēnsis, e, [forum], *of the forum; public, legal, forensic.*

forīs, [abl. plur. of obsolete **fora,** *door*], adv., *out of doors, abroad, without.*

formīdō, inis, f., *dread, fear, terror.*

formīdolōsus, a, um, [formido], *terrible, dreadful.*

fortasse, adv., *perhaps, perchance.*

forte, [abl. of **fors,** *chance*], adv., *by chance, by accident.*

fortis, e, *strong, sturdy, brave, fearless, courageous, gallant; energetic.*

fortiter, [fortis], adv., *strongly, sturdily, bravely, courageously.*

fortitūdō, inis, [fortis], f., *bravery, firmness, fortitude.*

fortūna, ae, [fors, *chance*], f., *fortune, chance, luck; good fortune; lot, fate, condition;* pl., *fortunes, property, possessions; misfortune;* personified, *Fortune,* the goddess.

fortūnātus, a, um, [fortuno, *make happy*], *fortunate, happy.*

forum, ī, n., *public place, market-place, forum;* especially the Roman forum. **Forum Aurelium,** *Forum Aurelium,* a hamlet in Etruria.

fragilitās, ātis, [fragilis, *easily broken*], f., *frailty.*

frangō, ere, frēgī, frāctus, *break, crush; put an end to, check; wear out.*

frāter, tris, m., *a brother.*

fraudātiō, ōnis, [fraudo, *cheat*], f., *deception, deceit.*

frequēns, entis, *in numbers, in large numbers, full, crowded, thronged.*

frequentia, ae, [frequens], f., *numbers, throng, crowd, concourse.*

frequentō, [frequens], 1, *throng; assemble in throngs; frequent, resort to.*

frētus, a, um, *relying, trusting, depending.*

frīgus, oris, n., *cold.*

frōns, frontis, f., *forehead, brow.*

frūctus, ūs, [cf. fruor], m., *enjoyment, satisfaction; fruit, reward, return, advantage, profit; crops, products; income.*

frūmentārius, a, um, [frumentum, *wheat*], *of wheat, of grain.* **res frumentaria,** *grain, grain supply.*

fruor, ī, frūctus, *enjoy, delight in.*

fuga, ae, f., *flight.*

fugiō, ere, fūgī, fugitūrus, *flee, avoid, shun, flee from, escape.*

fugitīvus, a, um, [fugio], *fleeing, fugitive.* As noun, m., *runaway slave.*

fulgeō, ēre, fulsī, *flash, gleam, be resplendent.*

fulmen, inis, n., *lightning, thunderbolt.*

Fulvius, ī, m., *Fulvius,* a Roman gentile name.

fundāmentum, ī, n., *foundation.*

fundō, 1, *found, establish.*

fundō, ere, fūdī, fūsus, *pour; scatter, rout.*

fūnestus, a, um, [funus, *funeral*], *deadly, destructive, fatal.*

fungor, ī, fūnctus, *fulfil, discharge.*

furiōsus, a, um, [furia, *fury*], *raving, raging, mad, furious, wild.*

Fūrius, ī, m., *Furius,* a Roman gentile name.

furō, ere, uī, *rave, rage, be mad, be furious.*

furor, ōris, [furo], m., *rage, fury, madness, passion, frenzy.*

fūrtim, [furtum], adv., *furtively, stealthily.*

fūrtum, ī, n., *theft, robbery.*

Gabīnius, ī, m., *Gabinius,* a Roman gentile name.

Gāius, ī, m., *Gaius,* a Roman praenomen.

Gallia, ae, f., *Gaul.*

Gallicānus, a, um, *Gallic.*

Gallicus, a, um, *of the Gauls, Gallic.*

Gallus, a, um, adj., *of Gaul.* As noun, m., *a Gaul.*

gāneō, ōnis, [ganea, *eating house*], m., *a glutton, spendthrift.*

gaudeō, ēre, gāvīsus, semi-dep., *rejoice, be glad.*

gaudium, ī, [gaudeo], n., *joy, gladness, delight.*

gaza, ae, f., *treasure.*

gelidus, a, um, [gelu, *cold*], *cold.*

gener, erī, m., *son-in-law.*

gēns, gentis, [GEN, *beget*], f., *clan, race, tribe, nation, people.*

genus, eris, [GEN, *beget*], n., *birth, descent, race, stock, family; kind, method, manner; character, nature.*

gerō, ere, gessī, gestus, *do, carry on, conduct, manage, administer; accomplish, perform; wage;* of offices, *fill, hold.* res gestae, *exploits, achievements.*

gestiō, īre, īvī, *be eager, desire.*

Glabriō, ōnis, m., *Glabrio,* a Roman family name.

gladiātor, ōris, [gladius], m., *gladiator; cutthroat, ruffian.*

gladiātōrius, a, um, [gladiator], *of gladiators, gladiatorial.*

gladius, ī, m., *sword.*

Glaucia, ae, m., *Glaucia,* a Roman family name.

glōria, ae, f., *glory, fame, honor, renown; ambition.*

gnāvus, a, um, *active, industrious, diligent.*

Gracchus, ī, m., *Gracchus,* a Roman family name.

gradus, ūs, m., *step; grade, degree.*

Graecia, ae, f., *Greece.*

Graecus, a, um, *of Greece, Grecian.* As noun, m. pl., *the Greeks.* Graeca, n. pl., *Greek.*

grātia, ae, [gratus], f., *favor, good-will; popularity, regard; gratitude; influence.* gratiae, arum, pl., *thanks.* gratiā, *for the sake of, on account of.*

Grattius, ī, m., *Grattius,* a man's name.

grātuītō, [gratuitus, *without pay*], adv., *without pay, for naught, gratis, gratuitously.*

grātulātiō, ōnis, [gratulor], f., *a manifestation of joy, wishing joy, congratulation, rejoicing, joy; festival of joy, public thanksgiving.*

grātulor, [gratus], 1, *congratulate.*

grātus, a, um, *pleasing, welcome, grateful, acceptable, dear.*

gravis, e, *heavy; weighty, influential, important; august, dignified, sober, worthy; significant; serious, severe, dangerous.*

gravitās, ātis, [gravis], f., *weight; dignity; influence.*

graviter, [gravis], adv., *weightily; seriously, severely; impressively; grievously.*

gravō, [gravis], 1, *burden, weigh down;* pass., *be reluctant, object.*

grex, gregis, m., *herd, horde.*

gubernātiō, ōnis, [guberno], f., *a steering; guidance, control.*

gubernō, 1, *steer, pilot.*

gustō, 1, *taste; enjoy, appreciate.*

habeō, ēre, uī, itus, *have, possess; make, involve; treat, hold; regard, consider, reckon; keep; entertain, feel; deliver.*

habitō, [habeo], 1, *dwell, reside, stay.*

habitus, ūs, [habeo], m., *condition, nature.*

haereō, ēre, haesī, haesūrus, *stick, cling, cling to.*

haesitō, [haereo], 1, *hesitate, be at a loss.*

Hannibal, alis, m., *Hannibal*, a Carthaginian.

haruspex, icis, m., *soothsayer.*

haud, adv., *not, not at all, by no means.*

hauriō, īre, hausī, haustus, *drain, draw; derive.*

hebēscō, ere, [hebeo, *be dull*], *grow dull, grow blunt.*

Hēraclēa, ae, f., *Heraclea*, a Greek city of Lucania.

Hēraclēēnsis, e, *of Heraclea, Heraclean;* m. pl. as noun, *Heracleans.*

Hērculēs, is, m., *Hercules*, the god. herculē, meherculē (for me Hercules juvet), *so help me Hercules ! as I live, verily.*

hērēditās, ātis, [heres, *heir*], f., *inheritance.*

hesternus, a, um, *of yesterday, yesterday's.* hesterno die, *yesterday.*

hībernō, [hibernus], 1, *pass the winter, spend the winter, winter.*

hībernus, a, um, [hiems], *of winter, winter.* hiberna (castra), n. pl., *winter quarters.*

hīc, haec, hōc, *this; he, she, it; the following.*

hīc, [hic], adv., *here, in this place; at this juncture, under these circumstances.*

hiems, emis, f., *winter.*

hinc, adv., *hence, from this place.* hinc . . . illinc, *on this side . . . on that.*

Hispānia, ae, f., *Spain.*

Hispāniēnsis, e, *Spanish.*

Hispānus, a, um, *Spanish;* m. pl. as noun, *the Spanish, Spaniards.*

hodiē, adv., *to-day.*

hodiernus, a, um, [hodie], *of to-day, to-day's.*

Homērus, ī, m., *Homer.*

homō, inis, c., *a human being, man; fellow.*

honestās, ātis, [honos], f., *honor, integrity.*

honestē, [honestus], adv., *honorably, becomingly, creditably, virtuously.*

honestō, [honestus], 1, *honor, do honor to, grace.*

honestus, a, um, [honos], *honored, honorable, worthy.*

honor or honōs, ōris, m., *honor, respect; post of honor, office.* honoris causa, *with due respect.*

hōra, ae, f., *hour.*

horribilis, e, [horreo, *shudder*], *awful, terrible, dreadful.*

hortātus, ūs, [hortor], m., *encouragement, admonition, advice.*

Hortēnsius, ī, m., *Hortensius*, a Roman gentile name.

hortor, 1, *urge, encourage, exhort.*

hospitium, ī, [hospes, *host*], n., *guest friendship, friendship; entertainment.*

hostīlis, e, [hostis], *hostile.*

hostis, is, c., *enemy.*

hūc, [hic], adv., *hither, here, to this place; to this, to these.*

hūmānitās, ātis, [humanus], f., *humane feeling, fellow feeling, humanity, consideration, kindness, sympathy; refinement, cultivation, culture.*

hūmānus, a, um, [homo], *of men, of mortals, human; humane; refined, cultured.*

humī, [locative of humus], adv., *on the ground.*

humilis, e, [humus, *ground*], *low; slight, ordinary.*

ibi, [is], adv., *there, in that place;
then, thereupon.*

idcircō, [id- + abl. of circus, *ring*],
adv., *on that account, therefore.*

īdem, eadem, idem, dem. pron.,
the same.

ideō, adv., *therefore, on that account.*

idōneus, a, um, *suitable, fit, suited,
favorable.*

Īdūs, Īduum, f. pl., *the Ides;* the
15th of March, May, July, and
October, the 13th of the other
months.

igitur, conj., *therefore, accordingly; then, now.*

ignārus, a, um, [in + gnarus,
knowing], *not knowing, ignorant, inexperienced.*

ignāvia, ae, [ignavus, *slothful*], f.,
laziness; cowardice.

īgnis, is, m., *fire.*

ignōminia, ae, [in + nomen], f.,
disgrace, dishonor.

ignōrātiō, ōnis, [ignoro], f., *ignorance.*

ignōrō, [cf. ignosco], 1, *not know,
not understand, be ignorant.*

ignōscō, ere, nōvī, nōtus, [in +
(g)nosco], *pardon, forgive.*

ignōtus, a, um, [in + (g)notus],
unknown, strange; m. pl. as
noun, *strangers.*

Īlias, adis, f., *the Iliad.*

ille, illa, illud, dem. pron., *that;
he, she, it.*

illecebra, ae, [illicio, *entice*], f.,
*an enticement, allurement,
charm.*

illinc, [ille], adv., *thence, from
that place; on that side.*

illūstris, e, [in + lux], *shining,
bright; famous, glorious, distinguished, noteworthy; excellent.*

illūstrō, [cf. lux], 1, *illuminate,
bring to light, clear up, reveal;
make famous, celebrate.*

Īllyricus, a, um, *of Illyricum,
Illyrian.*

imāgō, inis, [cf. imitor], f., *likeness, image, portrait, bust.*

imberbis, e, [in + barba, *beard*],
beardless.

imitātor, ōris, [imitor], m., *an
imitator, emulator.*

imitor, [cf. imago], 1, *imitate.*

immānis, e, [in + mānus, *good*],
*monstrous, enormous, huge;
wild, inhuman, frightful.*

immānitās, ātis [immanis], f.,
enormity; ferocity.

immātūrus, a, um, [in + maturus,
ripe], *unripe, premature.*

immineō, ēre, [in + mineo,
overhang], *impend; menace,
threaten.*

imminuō, ere, uī, ūtus, [in +
minuo, *lessen*], *lessen, diminish,
impair.*

immittō, ere, īsī, issus, [in +
mitto], *let in, admit; let loose
against.*

immō, adv., *on the contrary,
nay.* **immo vero**, *nay rather;
nay even.*

immortālis, e, [in + mortalis], *undying, immortal.*

immortālitās, ātis, [immortalis],
f., *immortality.*

impediō, īre, īvī, ītus, [in + pes,
foot], *entangle, embarrass;
hinder, prevent.*

impellō, ere, pulī, pulsus, [in +
pello], *impel, incite, urge on,
rouse.*

impendeō, ēre, [in + pendeo],
*overhang; threaten, menace, im-
pend, be imminent, be at hand.*

imperātor, ōris, [impero], m., *a commander-in-chief, general.*

imperātōrius, a, um, [imperator], *of a general; commanding.*

imperītus, a, um, [in + peritus, *experienced*], *inexperienced, ignorant.*

imperium, ī, [impero], n., *a command, order; military power, absolute power; government, rule, control, dominion, empire.*

imperō, 1, *command, order; demand, require; rule, govern.*

impertiō, īre, īvī, ītus, [in + partio, *share*], *bestow, confer.*

impetrō, [in + patro, *effect*], 1, *obtain one's request; obtain, secure.*

impetus, ūs, [in + peto], m., *attack, onset, assault; movement; vehemence, fury.*

impius, a, um, [in + pius, *devoted*], *disloyal, treasonable; impious, wicked.*

implicō, āre, āvī or uī, ātus or itus, [in + plico, *fold*], *entangle;* pass., *be bound up with.*

implōrō, [in + ploro, *wail*], 1, *implore, entreat, beseech.*

importūnus, a, um, *unfit; cruel, relentless, savage.*

improbitās, ātis, [improbus], f., *wickedness, depravity, dishonesty; impudence.*

improbō, [in + probo], 1, *disapprove, condemn, reject.*

improbus, a, um, *bad, wicked, abandoned, vile, impious, bold, impudent.*

impūbēs, eris, [in + pubes, *manhood*], *under age, youthful.*

impudēns, entis, [in + pudens, *modest*], *shameless, impudent.*

impudenter, [impudens], *shamelessly, impudently.*

impudentia, ae, [impudens], f., *shamelessness, impudence.*

impudīcus, a, um, [in + pudicus, *modest*], *shameless, lewd, impudent.*

impūnītus, a, um, [in + punitus, *punished*], *unpunished.*

impūrus, a, um, [in + purus, *clean*], *unclean, impure, infamous, vile.*

in, prep. : 1) With acc., *into, to, on, upon; against, towards; till, to, up to; with reference to, concerning; for; over; according to; among.* in dies, *daily.* 2) With abl., *in, on, at, upon, among; in case of, with reference to; in the course of, within.*

inānis, e, *empty; idle, baseless, groundless, vain.*

inaudītus, a, um, *unheard-of, incredible.*

inaurātus, a, um, [inauro, *gild*], adj., *gilded.*

incendium, ī, [incendo], n., *a burning, fire, conflagration.*

incendō, ere, dī, sus, *to set fire to, burn; kindle, rouse, incite.*

incēnsiō, ōnis, [incendo], f., *burning.*

inceptum, ī, [incipio], n., *undertaking, attempt.*

incertus, a, um, *uncertain.*

incidō, ere, cidī, [in + cado], *fall into; become involved in.*

incīdō, ere, cīdī, cīsus, [in + caedo, *cut*], *to cut into, cut.*

incipiō, ere, cēpī, ceptus, [in + capio], *begin.*

incitāmentum, ī, [incito, *incite*], n., *incentive, stimulus.*

inclīnō, [in + obsolete clino, *bend*], 1, *bend, incline.*

inclūdō, ere, sī, sus, [in + claudo], *lock up, shut up, enclose, confine.*

incohō, 1, *begin, commence.*

incolumis, e, [in + CEL, *strike*], *unhurt, unharmed, uninjured, safe.*

incommodum, ī, [incommodus], n., *inconvenience, unpleasantness, misfortune, disaster.*

incommodus, a, um, [in + commodus, *convenient*], *inconvenient, annoying.*

incorruptē, [incorruptus, *uncorrupted*], *uncorruptly, justly.*

incrēdibilis, e, *not to be believed, incredible, extraordinary, unparalleled.*

increpō, āre, uī, itus, [crepo, *rattle*], *rattle, make a noise.*

incumbō, ere, cubuī, cubitum, [in + CUB, *lie*], *bend to; devote oneself to.*

inde, adv., *thence, from there; from that point.*

indemnātus, a, um, [in + damnatus, *condemned*], *uncondemned, untried, without trial.*

index, dicis, [indico, *point out*], c., *one who points out, witness.*

indicium, ī, [indico, *point out*], n., *information, evidence, testimony.*

indicō, [in + dĭco, *proclaim*], 1, *point out, indicate; prove, show; reveal; accuse, inform against.*

indīcō, ere, dīxī, dictus, [in + dĭco], *declare.*

indignē, [indignus], adv., *shamefully.*

indignus, a, um, *unworthy.*

indūcō, ere, dūxī, ductus, *lead in, bring in; induce, persuade.*

animum inducere, *induce oneself, resolve, determine.*

industria, ae, [industrius], f., *industry, diligence.*

industrius, a, um, *diligent, industrious.*

ineō, īre, iī, itus, *begin; enter upon; undertake, form, initiate.*

iners, ertis, [in + ars], *lazy, idle, inactive.*

inertia, ae, [iners], f., *neglect, negligence, inactivity, remissness.*

īnfāmis, e, [in + fama], *disreputable, lewd, notorious.*

īnferō, īnferre, intulī, illātus, *bring against, wage against.*

īnferus, a, um, [cf. infra, *below*], *below.* **inferi,** m. pl. as noun, *the dead; the lower world.* Superl. **infimus,** *humblest; lowest, basest.*

īnfēstus, a, um, [in + fendo, *strike*], *hostile, dangerous, deadly.*

īnfimus, a, um, see inferus.

īnfīnītus, a, um, [finitus, *limited*], *limitless, unlimited, boundless.*

īnfīrmō, [infirmus], 1, *weaken, invalidate, disprove.*

īnfirmus, a, um, *feeble, weak.*

īnfitiātor, ōris, [infitior], m., *one who denies a debt, debtor.*

īnfitior, [infitiae, *denial*], 1, *deny, disown.*

īnflammō, [flammo, *burn*], 1, *set on fire; inflame, kindle, excite, rouse.*

īnflō, [flo, *blow*], 1, *blow into; inspire.*

īnfōrmō, [formo, *shape*], 1, *mould; train, instruct.*

ingenium, ī, [in + GEN, *beget*], n., *inborn qualities; ability, talent, genius; mind, intellect.*

ingēns, tis, *vast, great.*

ingenuus, a, um, *free-born.*

ingrātus, a, um, *ungrateful, unthankful, thankless.*

ingravēscō, ere, *grow worse, grow more serious.*

ingredior, ī, essus, [in + gradior, *step*], *step upon, tread upon; enter, enter upon, undertake.*

inhiō, [hio, *open the mouth*], 1, *open the mouth at.*

inhūmānus, a, um, *inhuman, cruel, brutal.*

iniciō, ere, jēcī, jectus, [in + jacio], *throw into; inspire in; bring upon, cause, occasion.*

inimīcitia, ae, [inimicus], f., *enmity, hostility.*

inimīcus, a, um, [in + amicus], *unfriendly, hostile;* as noun, *enemy.*

inīquitās, ātis, [iniquus], f., *unfairness, injustice.*

inīquus, a, um, [in + aequus, *just*], *unjust, unfair, unfavorable.*

initiō, [initium], 1, *initiate; dedicate, consecrate.*

initium, ī, [ineo], n., *beginning, commencement.*

injūria, ae, [injurius, from in + jus], f., *an injustice, injury, wrong; outrage.* injuriā (ablative), *unjustly, wrongfully.*

injūriōsē, [injuriosus, *unjust*], *wrongfully, unjustly.*

(injussus, ūs), m., used only in the abl., *without the command.*

injūstus, a, um, *unjust.*

innocēns, entis, [in+nocens, *harmful*], *blameless, guiltless, innocent.*

innocentia, ae, [innocens], f., *blamelessness, innocence; uprightness, integrity.*

innumerābilis, e, [numerabilis, *that can be numbered*], *countless, beyond number, innumerable.*

inopia, ae, [inops, *needy*], f., *want, need, scarcity.*

inquam, defective, *say.*

īnscrībō, ere, īpsī, īptus, *inscribe, write upon, write.*

īnsepultus, a, um, [in + sepelio *bury*], *unburied.*

īnserviō, īre, ītum, *be devoted, devote oneself.*

īnsideō, ēre, sēdī, [in + sedeo], *be seated, be fixed.*

īnsidiae, ārum, [insideo], f. pl., *ambush, ambuscade; plots, schemes; treachery.*

īnsidiātor, ōris, [insidiae], *plotter, assassin.*

īnsidior, [insidiae], 1, *lie in wait for, plot against.*

īnsidiōsus, a, um, [insidiae], *treacherous, insidious.*

īnsīdō, ere, sēdī, sessus, [sido, *sit*], *settle on; become fixed.*

īnsigne, is, [insignis], n., *sign, mark, decoration, badge, token.*

īnsīgnis, e, [in+signum], *marked, notable, signal, eminent, distinguished, noted.*

īnsimulō, 1, *allege, charge.*

īnsolēns, ntis, [soleo, *be wont*], *unusual; haughty, insolent.*

īnsolenter, [insolens], adv., *unusually; insolently; immoderately.*

īnsolentia, ae, [insolens], f., *unusual conduct; insolence, arrogance.*

īnsolitus, a, um, [cf. **soleo**], *unusual, unwonted.*

īnspectō, [inspicio, *look at*], 1 *look on, gaze;* in classical writ-

ers, used only in the present
participle.

īnspērāns, ntis, [spero], *not hop-
ing, not expecting.*

īnspērātus, a, um, *unexpected, un-
looked for.*

īnstituō, ere, uī, ūtus, [in+statuo],
*set up, establish; resolve, deter-
mine, determine upon; train,
instruct.*

īnstitūtum, ī, [instituo], n., *insti-
tution.*

īnstō, āre, stitī, stātūrus, *press on;
be at hand, approach, threaten,
impend.*

īnstrūmentum, ī, [instruo, *fit out*],
n., *equipment, stock in trade, instrument, tool, means.*

īnstruō, ere, ūxī, ūctus, [struo,
build], *to build; draw up, array; fit out, get ready, equip.*

īnsula, ae, f., *island.*

īnsum, inesse, īnfuī, īnfutūrus, *be
in; be inherent in.*

integer, tegra, tegrum, [in + TAG,
touch], *untouched, untampered
with; unbroken; unimpaired;
unscathed, unharmed; fresh,
new; upright, irreproachable.*

integrē, [integer], adv., *honestly,
irreproachably.*

integritās, ātis, [integer], f., *uprightness, integrity.*

intellegō, ere, ēxī, ēctus, [inter +
lego], *know, see, perceive, appreciate, understand, observe, comprehend.*

intendō, ere, dī, tus, [tendo,
stretch], *strain, aim; purpose,
intend.*

inter, prep. with acc., *between;
among; during.*

intercēdō, ere, cessī, cessūrus,
come between, intervene.

intercessiō, ōnis, f., *intervention,
veto.*

interclūdō, ere, ūsī, ūsus, [inter +
claudo], *shut off; interrupt.*

interdum, adv., *sometimes, at
times, occasionally.*

intereā, adv., *in the meantime,
meanwhile.*

intereō, īre, iī, itūrus, *perish, be
destroyed.*

interficiō, ere, fēcī, fectus, [inter
+ facio], *kill, slay, put to death,
murder, execute.*

interim, [inter], adv., *meanwhile,
in the meantime.*

interimō, ere, ēmī, ēmptus, [inter
+ emo, *take*], *kill, put to death.*

interior, ius, [inter], *interior, in-
land.*

interitus, ūs, [intereo], m., *ruin,
destruction.*

interneciō, ōnis, f., *execution,
slaughter.*

interrogō, 1, *ask, question.*

intersum, esse, fuī, futūrus, *be
between; be different, differ; be
present, participate, take part.*

interest, impers., *it interests, is
one's interest, concerns.*

intervāllum, ī, [inter + vallum,
palisade], n., *space between two
palisades; interval, distance.*

interventus, ūs, [intervenio], m.,
a coming between, intervention.

intestīnus, a, um, [intus], *internal, intestine.*

intimus, a, um, [superl. of **interior**], *inmost, intimate.*

intrā, [cf. **inter**], prep. with acc.,
within.

intrōdūcō, ere, dūxī, ductus, *to
lead in, bring in.*

intueor, ērī, itus, *look upon, gaze
at; contemplate.*

intus, adv., *within.*

inultus, a, um, [ulciscor], *unpunished.*

inūrō, ere, ussī, ūstus, [uro, *burn*], *burn in; brand upon.*

inūsitātus, a, um, [usitatus, *usual*], *unusual, unwonted.*

inūtilis, e, *useless.*

inveniō, īre, vēnī, ventus, *come upon, find, discover, detect; find out, learn; invent; derive.*

invēstīgō, [vestigo, *track*], 1, *track out, trace out, discover.*

inveterāscō, ere, rāvī, [vetus], *grow old, become rooted.*

invictus, a, um, *unconquered, invincible.*

invidia, ae, [invidus], f., *envy, disfavor, hatred, odium, unpopularity.*

invidiōsus, a, um, [invidia], f., *involving unpopularity; a cause of disfavor.*

invidus, a, um, *envious, jealous.*

invīsus, a, um, [invideo, *look askance at*], *hateful, hated.*

invītō, 1, *invite, summon.*

invītus, a, um, *unwilling, reluctant.*

ipse, a, um, dem. pron., *self; himself, herself, itself;* pl., *themselves.*

īra, ae, f., *anger, wrath; revenge.*

īrācundia, ae, [iracundus], f., *anger, passion.*

īrācundus, a, um, [ira], *passionate; revengeful.*

īrāscor, ī, [ira], *be angry.*

īrātus, a, um, [irascor], *angry.*

irrēpō, ere, rēpsī, [repo, *creep*], *creep in, slip in.*

irrētiō, īre, īvī, ītus, [in + rete, *net*], *ensnare.*

irruptiō, ōnis, [irrumpo, *break in*], f., *inroad, incursion.*

is, ea, id, dem. pron., *that, this; he, she, it;* pl., *they.*

iste, a, ud, dem. pron., *that, that of yours.*

ita, [cf. is], adv., *so, thus; in such a way; to such an extent.*

Italia, ae, f., *Italy.*

Italicus, a, um, *of Italy, Italian.*

itaque, [ita + que], conj., *and so, accordingly, therefore.*

item, adv., *likewise, in like manner, also.*

iter, itineris, [īre], n., *journey, march; way, road, route.*

iterum, adv., *again, a second time.*

jaceō, ēre, cuī, *lie, lie prostrate, be powerless;* present participle, jacens, *fallen, prostrate.*

jaciō, ere, jēcī, jactus, *hurl, cast; utter; lay, place, establish.*

jactō, [jacio], 1, *toss about; vaunt, display.*

jactūra, ae, [jacio], f., *throwing away; sacrifice, expense.*

jactus, ūs, [jacio], m., *hurling; striking.*

jam, adv., *now, already; at once, straightway, immediately; at length; actually, even;* with negatives, (*no*) *more,* (*no*) *longer.*

Jānuārius, a, um, [cf. janua, *door*], *of January.*

jubeō, ēre, jussī, jussus, *order, command, bid.*

jūcunditās, ātis, [jucundus], f., *pleasantness, delight.*

jūcundus, a, um, [juvo], *pleasant, delightful, agreeable; welcome.*

jūdex, icis, [jus + dico], c., *judge, juror.* judices, *jurymen.*

jūdiciālis, e, [judicium], *of courts, judicial*.

jūdicium, ī, [judex], n., *judgment, opinion, decision, verdict, sentence; trial; court*.

jūdicō, [judex], 1, *decide, judge, determine; be of the opinion, believe; declare*.

jugulum, ī, [dim. of jugum, *yoke*], n., *little yoke; collar bone, the throat, neck*.

Jugurtha, ae, m., *Jugurtha*, king of Numidia.

Jūlius, ī, m., *Julius*, a Roman gentile name.

jungō, ere, jūnxī, jūnctus, *join together, unite*.

Juppiter, Jovis, m., *Jupiter, Jove*.

jūs, jūris, n., *right, law, justice, privilege*.

jūs jūrandum, jūris jūrandī, n., *oath*.

(jussus, ūs), [jubeo], m., only in the abl. sing., *at the order, at the command*.

jūstē, [justus], adv., *rightly, justly*.

jūstitia, ae, [justus], f., *justice*.

jūstus, a, um, [jus], *just, deserved, justified; righteous; regular*.

juventūs, ūtis, [juvenis, *a youth*], *youth, the young*.

juvō, āre, jūvī, jūtus, *to help, aid*.

Kal. = Kalendae.

Kalendae, ārum, f., *Calends, first day of the month*.

Karthāginiēnsis, e, *of Carthage, Carthaginian;* m. pl. as noun, *the Carthaginians*.

Karthāgō, inis, f., *Carthage*, the African city.

L. = Lucius.

labefaciō, ere, fēcī, factus, [labo,

totter + facio], *cause to totter, shake*.

labefactō, [labefacio], 1, *cause to totter, shake; weaken, impair*.

lābēs, is, f., *spot, stain; stigma, disgrace*.

lābor, ī, lāpsus, *glide, slide; fall, err*.

labor, ōris, m., *work, toil, exertion, labor; suffering, hardship*.

labōriōsus, a, um, [labor], *toilsome, laborious*.

labōrō, [labor], 1, *strive, labor, endeavor*.

lacessō, ere, īvī, ītus, [lacio, *entice, lure out*], *challenge; provoke, irritate, exasperate, rouse, excite, harass*.

lacrima, ae, f., *tear*.

lactō, [lac, *milk*], 1, *be a suckling, suck;* used almost exclusively in the present participle.

Laeca, ae, m., *Laeca*, a Roman family name.

laedō, ere, sī, sus, *to wound, injure, harm, damage*.

Laelius, ī, m., *Laelius*, a Roman gentile name.

laetitia, ae, [laetus, *joyful*], f., *joy, gladness, delight*.

laetor, [laetus, *joyful*], 1, *rejoice, be glad*.

lāmentātiō, ōnis, [lamentor], f., *weeping, wailing, cries*.

lāmentor, [lamentum, *wailing*], 1, *bemoan, bewail, lament*.

languidus, a, um, *weak, stupid, dull; besotted*.

largior, īrī, ītus, [largus, *profuse*], *give bountifully, confer, bestow*.

largītiō, ōnis, [largior], f., *generosity, free-handedness; corruption, bribery*.

largītor, ōris, [largior], m., *liberal giver; spendthrift, prodigal.*

lātē, [latus], adv., *broadly, widely, extensively, far.*

latebra, ae, [lateo], f., *lurking place, hiding place, retreat; recess;* usually in pl., with singular force.

lateō, ēre, uī, *be hid, escape notice.*

Latīniēnsis, is, m., *Latiniensis,* a Roman family name.

Latīnus, a, um, *of Latium, Latin.*

Latium, ī, n., *Latium,* the district in which Rome was situated.

lātor, ōris, [fero], m., *bearer; mover, proposer.*

latrō, ōnis, m., *freebooter, bandit, highway robber, brigand.*

latrōcinium, ī, [latrocinor], *brigandage, freebooting, robbery; band of robbers.*

latrōcinor, [latro], 1, *be a brigand, freebooter, highway robber.*

lātus, a, um, *broad, wide, extensive.*

latus, eris, n., *side; body, person.*

laudō, [laus], 1, *praise, extol, commend, approve.*

laus, laudis, f., *praise, glory, fame, distinction, renown, credit, honor.*

lectulus, ī, [lectus], m., *a small couch, bed.*

lēctus, a, um, [lego], *chosen; choice, distinguished, excellent.*

lectus, ī, m., *couch, bed.*

lēgātiō, ōnis, [lego], f., *embassy.*

lēgātus, ī, [lego], m., *envoy, ambassador; lieutenant, deputy.*

legiō, ōnis, [lego], f., *legion.*

lēgitimus, a, um, [lex], *relating to law, of law.*

lēgō, 1, *send* or *appoint as envoy or lieutenant; commission.*

legō, ere, lēgī, lēctus, **collect**, *gather; read, read of.*

lēniō, īre, īvī, ītus, [lenis], *soften, soothe, assuage; mitigate, alleviate.*

lēnis, e, *soft, smooth; mild, moderate, temperate.*

lēnitās, ātis, [lenis], f., *softness, mildness, lenity, indulgence; gentle measures.*

lēnō, ōnis, m., *pander, procurer; agent, tool.*

Lentulus, ī, m., *Lentulus,* a Roman family name.

lentus, a, um, [lenis], *pliant; sluggish, slow.*

Lepidus, ī, m., *Lepidus,* a Roman family name.

lepidus, a, um, *charming, pretty; effeminate.*

levis, e, *light, trivial, trifling, worthless.*

levitās, ātis, [levis], f., *lightness; shallowness, unsteadiness, worthlessness.*

leviter, [levis], *lightly; slightly.*

levō, [levis], 1, *lift up; lighten, relieve, lessen, modify.*

lēx, lēgis, f., *bill; law; principle.*

libellus, ī, [liber], m., *little book, book; petition.*

libēns, entis, [libet], *willing, glad.*

libenter, [libens], adv., *gladly, willingly, with pleasure.*

līber, era, erum, *free, unrestrained; unchecked.*

liber, brī, m., *book.*

līberālis, e, [liber], *befitting a freeman; honorable; liberal.*

līberālitās, ātis, [liberalis], f., *generosity.*

līberē, [liber], adv., *freely.*

līberī, ōrum, [līber], m., *the free members of a household; children.*

lībero, [līber], 1, *free, set free, liberate; relieve, save, deliver.*

lībertās, ātis, [līber], f., *freedom, liberty.*

lībertīnus, a, um, [libertus, *freedman*], *of the status of a freedman.* As noun, *freedman.*

libet, ēre, libuit or libitum est, impers., *it pleases, it is agreeable.*

libīdo, inis, [libet], f., *pleasure, desire; lust, wantonness, sensuality, licentiousness; caprice.*

licet, ēre, cuit and citum est, impers., *it is allowed, it is permitted, it is lawful.*

Licinius, ī, m., *Licinius,* a Roman gentile name.

lingua, ae, f., *tongue.*

līnum, ī, n., *flax; thread, string.*

liquefaciō, ere, factus, [liqueo, *be liquid,* + facio], *make liquid, melt.*

littera, ae, f., a *letter* of the alphabet; pl., litterae, arum, *writing; letter, despatch; documents, records; literature.*

litterātus, a, um, [littera], *learned, cultivated, liberally educated.*

litūra, ae, [lino, *smear over*], f., *blotting out, erasure, correction.*

locō, [locus], 1, *place, put; contract for.*

Locrēnsis, e, adj., *of Locri* (a city in southern Italy), *Locrian;* m. pl. as noun, *Locrians.*

locuplēs, ētis, *rich, wealthy.*

locuplētō, [locuples], 1, *enrich.*

locus, ī, m.; pl., loca, ōrum, n., *place, region, locality; post, position; rank, origin; condi-*

tion; *occasion, opportunity; matter, point.*

longē, [longus], adv., *far.*

longinquitās, ātis, [longinquus], f., *distance, remoteness.*

longinquus, a, um, [longus], *remote, distant.*

longiusculus, a, um, [longior, ius], *rather long, a little longer.*

longus, a, um, *long, far; tedious.*

loquor, ī, cūtus, *speak, say.*

Lūcius, ī., m., *Lucius,* a Roman praenomen.

lūctuōsus, a, um, [luctus], *sad, sorrowful, dismal.*

lūctus, ūs, [lugeo], m., *sorrow, grief, distress, mourning.*

Lūcullus, ī, m., *Lucullus,* a Roman family name.

lūdus, ī, m., *game, play; school, training-school.*

lūgeō, ēre, lūxī, *lament, mourn.*

lūmen, inis, [cf. lux], n., *light.*

lupīnus, a, um, [lupus, *wolf*], *of a wolf, of the wolf.*

lūstrō, 1, *illuminate; survey; traverse.*

lūx, lūcis, f., *light; daylight, daybreak; hope, safety, relief.*

luxūria, ae, [luxus, *excess*], f., *luxury, self-indulgence.*

M. = Marcus.

M'. = Manius.

māchinātor, ōris, [machinor], m., *engineer, manager.*

māchinor, [machina, *machine*], 1, *contrive, scheme, plot.*

mactō, [mactus, *honored*], 1, *increase; honor; visit, punish, afflict.*

macula, ae, f., *spot, stain; disgrace.*

Maelius, ī, m., *Maelius,* a Roman gentile name.

maeror, ōris, m., *sadness, grief, distress.*

magis, adv., *more, rather.*

magistrātus, ūs, [magister, *master*], m., *magistracy, office; magistrate, official.*

magnificē, [magnificus], adv., *gloriously, grandly.*

magnitūdō, inis, [magnus], f., *greatness, magnitude, extent, importance.*

magnopere or **māgnō opere,** [abl. of magnum opus], adv., *greatly, earnestly, especially.*

Magnus, ī, m., *Magnus;* especially the surname of Pompey.

magnus, a, um, *great, large, extensive; mighty, powerful; eminent, high; important, serious.*

majōrēs, um, [magnus], pl., *ancestors, forefathers.*

male, adv., *badly, ill; hardly, scarcely.*

maleficium, ī, [maleficus, *wicked*], n., *crime, wickedness, wrongdoing.*

malleolus, ī, [malleus, *hammer*], m., *fire-dart.*

mālō, mālle, māluī, [magis+volo], *prefer, wish rather.*

malum, ī, [malus], n., *an evil, mischief, misfortune, calamity.*

malus, a, um, *bad, evil, inferior, poor.* As noun, **malum,** n., *evil, mischief, wickedness; misfortune, trouble.*

mandātum, ī, [mando], n., *order, command, commission, message, instruction.*

mandō, [manus + do], 1, *consign, commit, confer; order, instruct, command.*

māne, adv., *in the morning.*

maneō, ēre, mānsī, mānsūrus, *remain, stay, continue.*

manicātus, a, um, [manicae, *long sleeves*], *with long sleeves.*

manifēstō, [manifestus], adv., *manifestly, clearly, open.*

manifēstus, a, um, *open, obvious, palpable, manifest.*

Mānīlius, ī, m., *Manilius,* a Roman gentile name.

Mānius, ī, m., *Manius,* a Roman praenomen.

Mānliānus, a, um, *of Manlius.*

Mānlius, ī, m., *Manlius,* a Roman gentile name.

mānō, 1, *trickle, flow; be diffused, spread.*

mānsuētē, [mansuetus, *tame*], adv., *gently, indulgently.*

mānsuētūdō, inis, [mansuetus, *tame*], f., *mildness, gentleness, forbearance, clemency.*

manubiae, ārum, [manus], f., *booty, money from the sale of booty.*

manus, ūs, f., *hand; force, band; handwriting.*

Mārcellus, ī, m., *Marcellus,* a Roman family name.

Mārcus, ī, m., *Marcus,* a Roman praenomen.

mare, is, n., *the sea.* **terra marique,** *by land and sea.*

maritimus, a, um, [mare], *belonging to the sea, on the sea, of the sea; maritime, sea.*

marītus, a, um, [mas, *male*], *wedded.* **maritus,** as noun, *married man, husband.*

Marius, ī, m., *Marius,* a Roman gentile name.

marmor, oris, n., *marble.*

Mārs, Mārtis, m., *Mars,* the god of war; figuratively, *war, battle.*

Massilia, ae, f., *Massilia*, a Greek city in Gaul; the modern *Marseilles*.

Massiliēnsis, e, *of Marseilles*. As noun, m. pl., *inhabitants of Marseilles*.

māter, tris, f., *mother*. mater familias, *matron*.

mātūrē, [maturus], adv., *betimes*, *early*.

mātūritās, ātis, [maturus], f., *ripeness, maturity*.

mātūrō, [maturus], 1, *bring to maturity; consummate*.

mātūrus, a, um, *early; ripe*.

maximē, [maximus], adv., *most, especially, particularly, very*.

maximus, a, um, superl. of magnus.

Maximus, ī, m., *Maximus*, a Roman family name.

Mēdēa, ae, f., *Medea*, the famous enchantress, daughter of Aeëtes, king of Colchis.

medeor, ērī, *heal, cure, remedy*.

medicīna, ae, [medicus, *healing*], f., *medicine; help, assistance*.

mediocris, e, [medius], *medium, moderate, ordinary, mediocre*.

mediocriter, [mediocris], adv., *moderately, tolerably, slightly, somewhat*.

meditor, 1, *meditate, consider, reflect upon, think of; practise*.

mēdius fidius, see Fidius.

medius, a, um, *middle, middle of, midst of*.

meherculē, [for me Hercules juvet], *so help me Hercules! heavens! indeed, verily*.

melior, comp. of bonus.

membrum, ī, n., *a limb, member*.

meminī, isse, defective, *remember*.

Memmius, ī, m., *Memmius*, a Roman gentile name.

memor, oris, [cf. memini], *remembering, mindful*.

memoria, ae, [memor], f., *memory, recollection, remembrance, tradition*.

mendīcitās, ātis, [mendicus, *needy*], f., *poverty, beggary*.

mēns, mentis, f., *mind, intellect; temper, spirit, feeling; thought; attention; purpose, intention*.

mercātor, ōris, [mercor, *trade*], m., *trader, merchant*.

mercēs, ēdis, [cf. merx], f., *pay, reward*.

mereor, ērī, itus, *deserve, merit*.

meritō, [mereor], adv., *deservedly*.

meritum, ī, [mereor], n., *a merit, favor, service; desert*.

merx, cis, f., *wares, goods, merchandise*.

Metellus, ī, m., *Metellus*, a Roman family name.

metuō, ere, uī, [metus], *fear, be afraid, dread*.

metus, ūs, m., *fear, dread*.

meus, a, um, [me], *my, mine*.

mīles, itis, m., *a soldier*.

mīlitāris, e, [miles], *of a soldier, of war, warlike, military*. res militaris, *warfare, war*.

mīlitia, ae, [miles], f., *military service, war, service*. militiae, loc., *in the field, in war*.

mīlle, indecl. adj., *a thousand;* pl., mīlia, um, n.

minae, ārum, f., *threats*.

minimē, [minimus], adv., superl. of parum, *least, by no means, very little*.

minimus, a, um, superl. of parvus, *smallest, least*.

minitor, [minor], 1, *threaten, menace.*

minor, [minae], 1, *threaten, menace.*

minor, us, comp. of parvus, *smaller, less.*

Minucius, ī, m., *Minucius,* a Roman gentile name.

minuō, ere, uī, ūtus, *lessen, diminish.*

minus, adv., comp. of parum, *less, not.* si minus, *if not.*

mīror, [mirus], 1, *wonder, wonder at, marvel at; admire.*

mīrus, a, um, *wonderful, remarkable, strange, marvellous.*

misceō, ēre, miscuī, mixtus, *mix, agitate, stir up.*

Mīsēnum, ī, n., *Misenum,* a town and headland in Campania near the Gulf of Naples.

miser, era, erum, *wretched, unfortunate, poor, pitiable.*

miserandus, a, um, [miseror], *to be pitied, pitiable.*

miseria, ae, [miser], f., *wretchedness, trouble, misfortune.*

misericordia, ae, [misericors], f., *mercy, clemency, compassion, pity.*

misericors, cordis, [misereo, *pity,* + cor, *heart*], *merciful, compassionate.*

Mithridātēs, is, m., *Mithridates,* king of Pontus.

Mithridāticus, a, um, *of Mithridates, Mithridatic.*

mītis, e, *mild, gentle, considerate.*

mittō, ere, mīsī, missus, *let go, send.*

mixtus, a, um, [misceo], *mixed, motley, heterogeneous.*

moderātē, [moderatus], adv., *with restraint, with moderation.*

moderātiō, ōnis, [moderor, *restrain*], f., *restraint, moderation.*

moderātus, a, um, [moderor, *restrain*], *restrained, temperate, wise, discreet, sober.*

modestus, a, um, [modus], *well-balanced, temperate, discreet; honorable.*

modo, [modus], adv., *only, merely, but; just now, just, lately, a little while ago.* non modo . . . sed (or verum) etiam, *not only . . . but also.*

modus, ī, m., *measure, amount; limit, moderation; kind, sort, nature, character; manner, way, fashion.* ejus modi, *of that sort (kind).* cujus modi, *of what sort (kind)?* quem ad modum, *in what way? how?*

moenia, ium, n., *walls, fortifications.*

mōlēs, is, f., *mass, weight, burden.*

molestē, [molestus], adv., *with trouble.* moleste ferre, *take ill, be annoyed, be vexed at.*

molestia, ae, [molestus], f., *annoyance, trouble, worry, vexation.*

molestus, a, um, [moles], *troublesome, annoying, vexatious.*

mōlior, īrī, ītus, [moles], *strive; plan, plot; attempt.*

mollis, e, *soft, weak.*

moneō, ēre, uī, itus, *remind; advise, warn, urge.*

mōnstrum, ī, [cf. moneo], n., *omen, portent, wonder; monster, abomination.*

monumentum, ī, [cf. moneo], n., *reminder, memorial, monument; record.*

mora, ae, f., *delay, hesitation.*

morbus, ĭ, [cf. morior, *die*], m., *sickness, disease.*

morior, morī, mortuus, *die, expire.*

mors, tis, f., *death.*

mortālis, e, [mors], *mortal.* mortālis, as noun, *a mortal.*

mortuus, a, um, [morior], *dead.*

mōs, mōris, m., *custom, practice, habit, usage;* pl. *character, ways.*

mōtus, ūs, [moveo], m., *movement, motion; commotion, excitement, tumult; operation, process; change, vicissitude; impulse.* terrae motus, *earthquake.*

moveō, ēre, mōvī, mōtus, *move; drive away; affect, impress, touch; impel, inspire.*

mūcrō, ōnis, m., *a sharp point; dagger, sword.*

mulier, eris, f., *woman.*

muliercula, ae, [mulier], f., *little woman; mistress, favorite.*

multitūdō, inis, [multus], f., *great number, multitude, throng.*

multō, [multa, *fine*], 1, *punish.*

multum, [multus], adv., *much.*

multus, a, um, *much;* pl., *many.* multō, *by much, by far, much, far.* multum posse, multum valēre, *have great power, great influence.*

Mulvius, a, um, *Mulvian.* Pōns Mulvius, *the Mulvian Bridge.*

mūniceps, ipis, [munia, *duties,* + CAP, *take*], c., *inhabitant of a municipal town.*

mūnicipium, ĭ, [municeps], n., *municipal town, free town.*

mūniō, īre, īvī, ītus, [moenia], *fortify, strengthen; guard, protect.*

mūnītus, a, um, [munio], *fortified, strongly fortified, secure.*

mūnus, eris, n., *duty, function,*

service; gift, present, favor; show, exhibition, spectacle.*

Mūrēna, ae, m., *Murena,* a Roman family name.

mūrus, ĭ, m., *wall.*

Mūsa, ae, f., *Muse.*

mūtō, 1, *change, alter.*

mūtus, a, um, *dumb, speechless, mute.*

Mytilēnaeus, a, um, *of Mytilene,* a city on the island of Lesbos.

nam, conj., *for.*

nancīscor, ĭ, nactus or nanctus. *find, secure, obtain, gain.*

nāscor, ĭ, nātus, *be born.* nascens, present participle as adj., *growing, budding, nascent.* natus, *born.*

nātiō, ōnis, [nascor], f., *tribe, nation, people, race.*

nātūra, ae, [nascor], f., *birth; nature, natural character, character.*

naufragus, a, um, [navis + frango], *shipwrecked;* pl. as noun, *shipwrecked* or *ruined men.*

nauticus, a, um, [navis], *of ships; nautical, naval.*

nāvālis, e, [navis], *of ships, naval.*

nāviculārius, ĭ, [navicula, *small vessel*], m., *ship-master, ship-owner.*

nāvigātiō, ōnis, [navigo], f., *a sailing.*

nāvigō, [navis + AG, *drive*], 1, *sail, set sail, go to sea.*

nāvis, is, f., *a ship, vessel.*

nē, adv., *not.* ne . . . quidem, *not even.*

nē, negative adv. and conj., *not; that . . . not, in order that . . . not, lest;* after words of fearing, *lest, that.* ne quis, *lest any one, that no one.*

nē, affirmative particle, with personal, possessive, and demonstrative pronouns, *verily, truly, I assure you, indeed.*

-ne, enclitic interrog. particle, *whether.*

Neāpolitānus, a, um, *of Naples, Neapolitan;* pl. as noun, m., *the Neapolitans, inhabitants of Naples.*

nec, see **neque.**

necessāriō, [necessarius], adv., *necessarily, of necessity.*

necessārius, a, um, [necesse], *necessary, inevitable, unavoidable; related.* As noun, *kinsman, relative.*

necesse, [NEC, *connect*], indecl., *necessary, inevitable.*

necessitās, ātis, [necesse], f., *necessity, requirement.*

necessitūdō, inis, [necesse], f., *relationship, connection.*

necne, conj., *or not.*

necō, [cf. **nex**], 1, *put to death, kill, slay.*

nefandus, a, um, *impious, heinous, execrable, abominable.*

nefāriē, [nefarius], adv., *impiously, abominably.*

nefārius, a, um, [nefas, *impiety*], *impious, execrable, abominable, nefarious.*

neglegenter, [neglegens, *careless*], *carelessly, negligently.*

neglegō, ere, ēxī, ēctus, [nec = non + lego], *neglect, omit, overlook, disregard.*

negō, 1, *say no, refuse, say . . . not, deny.*

negōtior, [negotium], 1, *do business, be engaged in business.*

negōtium, ī, [nec = non + otium],

n., *a business, action, task; duty; trouble.*

nēmō, —, dat. **nēminī,** [nē + hemo = homo], m., *no one, nobody.*

nepōs, ōtis, m., *a grandson; a spendthrift.*

nēquam, indecl., *worthless.*

neque, or **nec,** [ne, *not,* + que], conj., *nor, and . . . not.* **neque (nec) . . . neque (nec),** *neither . . . nor.*

nē . . . quidem, see **nē.**

nēquior, ius, comp. of **nequam.**

nēquitia, ae, [nequam], f., *worthlessness, dissoluteness.*

nervus, ī, m., *a sinew;* figuratively, *strength.*

nesciō, īre, īvī, [ne + scio], *not know, be ignorant.* **nescio quis,** *some . . . or other, some.*

nēve, or **neu,** [ne + -ve, *or*], conj., *and not; and that not, nor.*

nex, necis, f., *killing, murder, death.*

nihil, [ne, *not,* + hilum, *trifle*], n., indecl., *nothing;* adverbially, *not at all, not.*

nihildum, *nothing yet.*

nihilum, ī, [ne, *not,* + hilum, *trifle*], n., *nothing.*

Nīlus, ī, m., *the Nile.*

nīmīrum, [ne + mirum], adv., *without doubt, beyond question.*

nimis, adv., *too much, too.*

nimium, [nimius], adv., *too much, too.*

nimius, a, um, [nimis], *excessive, too great, over-.* As noun, *too much.*

nisi, [ne = non + si], conj., *if not, unless, except.*

niteō, ēre, uī, *shine, glisten.*

nitidus, a, um, [cf. **niteo**], *shining, glistening, sleek.*

nix, nivis, f., *snow.*

nōbilis, e, [nosco], *well-known, famous, distinguished, illustrious, eminent, noble.*

Nōbilior, ōris, m., *Nobilior*, a Roman family name.

nōbilitās, ātis, [nobilis], f., *celebrity, distinction, fame; nobility, rank.*

nocēns, entis, [noceo], *guilty.* As noun, *guilty person, culprit.*

noceō, ēre, cuī, citūrus, *injure, harm.*

nocturnus, a, um, [nox], *at night, nocturnal.*

nōlō, nōlle, nōluī, [ne=non+volo], *be unwilling, not wish.*

nōmen, inis, n., *name, title; fame; pretext; score, account.*

nōminātim, [nomino], adv., *by name, expressly.*

nōminō, [nomen], 1, *call by name, name, mention; designate, call; celebrate, make famous.*

nōn, adv., *not, no.*

nōndum, adv., *not yet.*

nōnne, interrog. adv., *(is) not? (does) not?*

nōnnūllus, a, um, *some, several.*

nōnnumquam, adv., *sometimes, often.*

nōs, nostrum, see ego.

nōscō, ere, nōvī, nōtus, *become acquainted with; in perfect system, know.*

noster, stra, strum, [nos], *our, our own, ours, of us.*

nota, ae, [cf. nosco], f., *mark, sign; brand, stigma.*

notō, [nota], 1, *mark, note, brand.*

nōtus, a, um, [nosco], *known; well-known, famous.*

novem, indecl., *nine.*

November, bris, bre, [novem], *of November.*

novus, a, um, *new, recent; strange, novel, unprecedented, unheard of.* res novae, *revolution.*

nox, noctis, f., *night.*

nudiūs tertius, [nunc dies tertius est], *day before yesterday.*

nūdus, a, um, adj., *naked, nude; bare.*

nūllus, a, um, [ne, *not,*+ ullus], *none, no.* As noun, *no one.*

num, interrog. particle expecting the answer No; in indirect questions, *whether.*

Numantia, ae, f., *Numantia*, a city of Spain.

nūmen, inis, [nuo, *nod*], n., *a nod; (divine) will, (divine) power.*

numerus, ī, m., *number; account, importance; category, class; enumeration; quantity.*

Numidicus, ī, m., *Numidicus*, a surname of Q. Metellus, commemorating his African victories.

numquam, [ne, *not,*+ umquam], adv., *never.*

nunc, adv., *now, at present.*

nūntius, i, m., *messenger; command, order, despatch.*

nūper, adv., *lately, recently.*

nūptiae, ārum, [nupta, *bride*], f., *marriage, wedding.*

nūtus, ūs, [nuo], n., *nod; will, command.*

Ō, interj., *O! oh!*

ob, prep. with acc., *on account of, for.* quam ob rem, rel., *for which reason, wherefore;* interrog., *why? wherefore?*

obeō, īre, iī, itus, *go to meet; undertake; attend to.*

obiciō, ere, jēcī, jectus, [ob + jacio], *throw before; expose, present.*

oblectō, [lacto, *allure*], 1, *delight, please, cheer.*

obligō, [ligo, *bind*], 1, *put or lay under obligation; mortgage.*

oblinō, ere, lēvī, litus, [lino, *smear*], *smear over, cover.*

oblĭtus, a, um, perfect passive participle of oblino.

oblītus, a, um, [perfect passive participle of obliviscor], *forgetful, unmindful.*

oblīviō, ōnis, [cf. obliviscor], f., *forgetting, forgetfulness, oblivion.*

oblīvīscor, ī, lītus, *forget.*

oboediō, īre, īvī, ītum, [ob+audio], *obey, give heed to, consult.*

obruō, ere, uī, ŭtus, *overwhelm, bury.*

obscūrē, [obscurus], adv., *darkly, secretly; in riddles.*

obscūritās, ātis, [obscurus], f., *darkness, obscurity; uncertainty.*

obscūrō, [obscurus], 1, *obscure, shroud, conceal, hide.*

obscūrus, a, um, *obscure, hidden, secret, concealed; unknown.*

obsecrō, [ob + sacro], 1, *beseech, entreat, implore.*

obsecundō, [secundo, *favor*], 1, *favor.*

obses, idis, c., *hostage; pledge.*

obsideō, ēre, ēdī, essus, [ob + sedeo], *besiege, beset; look out for, consummate.*

obsidiō, ōnis, [obsideo], f., *a siege; attack, invasion.*

obsistō, ere, stitī, stitum, *stand in the way of, block, thwart, withstand.*

obsolēscō, ere, lēvī, lētus, [olesco, *grow*], *grow old, become obsolete.*

obstrepō, ere, uī, [strepo, *rattle*], *drown with noise, drown.*

obstupefaciō, ere, fēcī, factus, [stupefacio, *stun*], *stun, astound, amaze.*

obstupēscō, ere, puī, [stupesco, *be stunned*], *be stunned; be astounded at, be amazed at.*

obsum, obesse, obfuī, *be a disadvantage, injure, harm.*

obtemperō, 1, *obey, comply with, conform to, follow, consult.*

obtineō, ēre, tinuī, tentus, [ob + teneo], *hold, possess; maintain; make out, prove.*

obtingō, ere, tigī, [ob + tango], *happen, befall.*

obtrectō, [ob + tracto], 1, *disparage, oppose, make opposition.*

occāsiō, ōnis, [occido], f., *opportunity.*

occāsus, ūs, [occido], m., *going down, downfall, destruction.*

occīdō, ere, cīdī, cīsus, [ob + caedo], *cut down; kill, slay, murder.*

occidō, ere, cidī, cāsūrus [ob + cado], *fall; set.* occidens (sol), *the setting sun, the west.*

occlūdō, ere, sī, sus, [ob + claudo], *shut up, close.*

occultē, [occultus], adv., *secretly, in secret.*

occultō, [occulo, *conceal*], 1, *conceal, hide.*

occultus, a, um, [occulo, *conceal*], *secret, hidden.*

occupō, [ob, cf. capio], 1, *seize, take possession of; occupy.* occupatus, a, um, *invested in.*

occurrō, ere, currī, cursūrus, [ob

+ curro], *run to meet; oppose; attend to.*

Ōceanus, ī, [Gr. 'Ωκεανός], m., *the ocean.*

Octāvius, ī, m., *Octavius,* a Roman gentile name.

oculus, ī, m., *eye.*

ōdī, ōdisse, ōsūrus, *hate.*

odium, ī, [cf. odi], n., *hatred.*

offendō, ere, fendī, fēnsus, [ob + obsolete fendo, *strike*], *strike against; wound, offend.* offensus, *an object of offence, offensive, odious.*

offēnsiō, ōnis, [offendo], f., *a striking against, stumbling; misfortune, disaster; offence.*

offēnsus, a, um, see offendo.

offerō, offerre, obtulī, oblātus, [ob + fero], *expose; present, offer, afford; confer, bestow.*

officium, ī, [for opificium, ops + FAC, *do*], n., *service, kindness; duty, obligation.*

offundō, ere, ūdī, ūsus, [ob + fundo], *pour over, fill.*

ōlim, adv., *at that time; formerly, once.*

ōmen, inis, n., *omen.*

omittō, ere, īsī, issus, [ob+mitto], *let go; throw aside; pass by, omit, neglect, disregard.*

omnīnō, [omnis], adv., *entirely, altogether, in all, only;* with negatives, *at all.*

omnis, e, *all, every.*

onus, eris, n., *a load, burden; cargo.*

opera, ae, [opus], f., *exertion, pains; service; help, assistance.* operae pretium est, *it is worth while.*

Opīmius, ī, m., *Opimius,* a Roman gentile name.

opīmus, a, um, [ops], *rich, productive.*

opīniō, ōnis, [opinor], f., *conception, notion, belief, opinion; impression, imagination; expectation.*

opīnor, 1, *think, believe, imagine, judge.*

opitulor, 1, *bring aid, help, assist, succor.*

oportet, ēre, uit, impers., *it behooves, it is fitting, it is necessary; ought.*

oppetō, ere, īvī, ītus, [ob + peto], *go to meet, meet.*

oppidum, ī, n., *walled town, town.*

oppōnō, ere, posuī, positus, [ob + pono], *set against, oppose to, match against, compare.*

opportūnitās, ātis, [opportunus, opportune], f., *opportunity; advantage.*

(oppositus, ūs), [oppono], m., *a setting against; protection.* Used only in the abl. sing. and acc. pl.

opprimō, ere, essī, essus, [ob + premo], *press against; repress, hold in check; overthrow, overwhelm, crush, overpower.*

oppugnō, [ob + pugno], 1, *attack, assault.*

ops, opis, (nom. and dat. sing. not in use), f., *help, assistance;* pl., opes, um, *resources, interest; power, influence.*

optimās, ātis, [optimus], *of or belonging to the best* or *noblest, aristocratic;* pl., optimates, ium, m., *the op-ti-má-tes, the aristocrats.*

optimē, superl. of bene.

optimus, superl. of bonus.

optō, 1, *choose; wish, desire.*

opus, [ops], n., used only in nom. and acc., *necessity, need.* **opus est,** *there is need, it is necessary.*

opus, eris, n., *work; occupation, profession.* **magno opere,** *greatly.* **tanto opere,** *so greatly.*

ōra, ae, f., *coast, shore; district.*

ōrātiō, ōnis, [oro], f., *speech, utterance, remarks, representations, words, plea; oration; eloquence; subject, theme, topic.*

orbis, is, m., *circle.* **orbis terrae** or **terrarum,** *the earth, world.*

ōrdior, īrī, ōrsus, *begin.*

ōrdō, inis, m., *line, row; rank, order, body, class; arrangement, position, status.*

oriēns, entis, [orior], m., (supply sol), *the East.*

ōrnāmentum, ī, [orno], n., *equipment; distinction, badge, token;* .pl., *supplies; graces, glories; treasures.*

ōrnātē, [ornatus], adv., *gracefully.*

ōrnātus, a, um, [orno], *supplied, equipped, provided, furnished; honored, honorable; embellished.*

ōrnō, 1, *fit, equip; honor, do honor to, celebrate; grace, adorn, embellish.*

ōrō, [os], 1, *speak; pray, entreat, beg.*

ortus, ūs, [orior, *rise*], m., *rising.*

ōs, ōris, n., *mouth; face, features, countenance.*

ostendō, ere, dī, tus, [obs+tendo], *show, exhibit; prove.*

ostentō, [ostendo], 1, *show, exhibit, display.*

Ōstiēnsis, e, adj., *of Ostia,* the port of Rome.

ōstium, ī, [cf. **os**], n., *mouth, entrance.*

ōtiōsus, a, um, [otium], *at leisure; quiet, peaceful, tranquil.*

ōtium, ī, n., *leisure, rest, repose, peace, quiet, tranquillity.*

P. = Pūblius.

pācātus, a, um, [paco], *subdued, reduced to peace, at peace, peaceful.*

paciscor, ī, pactus, *bargain, agree, stipulate.*

pācō, [pax], 1, *reduce to peace, pacify.*

pactum, ī, [cf. **paciscor**], n., *agreement;* in abl., *way, manner.*

paene, adv., *almost, nearly.*

paenitet, ēre, uit, impers., *it causes repentance or regret.*

palam, adv., *openly.*

Palātium, ī, n., *the Palatine Hill.*

Pamphȳlia, ae, f., *Pamphylia,* a district lying on the southern coast of Asia Minor.

Pāpius, a, um, *of Papius, Papian.*

pār, paris, adj., *equal, alike, comparable; adequate, that does justice.*

parātus, a, um, [paro], *prepared, ready.*

parcō, ere, pepercī or parsī, parsūrus, *spare, consider, consult for.*

parēns, entis, [pario], c., *parent.*

pāreō, ēre, uī, pāritūrus, *appear; obey, heed, yield to; consult.*

pariēs, etis, m., *wall* (of a building).

pariō, ere, peperī, partus, *bring forth, bear; secure, win, gain; incur.*

parō, 1, *prepare, get ready; destine; ordain.*

parricīda, ae, [obsolete parus, *relative,* + caedo], c., *one who slays a relative, a kinsman;* especially *one who murders a parent; parricide, murderer.*

parricīdium, ī, [parricida], n., *parricide, murder.*

pars, partis, f., *part, portion, share ; direction, side ; party, faction.*

particeps, cipis, [pars + capio], *sharing, participating ;* as noun, *partner, participant.*

partim, [acc. of pars], adv., *partly, in part.* partim . . . partim, *some . . . others.*

partus, a, um, see pario.

parum, [cf. parvus], adv., *too little.*

parvolus, a, um, [parvus], *little.*

parvus, a, um, *small, slight, little, petty, unimportant.* parvī, *of small account.* parvī rēfert, *it matters little.*

passus, ūs, [pando], m., *a stretching ; stride, a step.*

pāstiō, ōnis, [pasco, *feed, graze*], f., *a pasturing, pasturage.*

pāstor, ōris, [pasco, *feed*], m., *shepherd.*

patefaciō, ere, fēcī, factus, [pateo + facio], *lay open, open ; reveal, lay bare, disclose, expose.*

pateō, ēre, uī, *lie open, be open ; be exposed, be revealed ; extend.*

pater, tris, m., *father.*

patientia, ae, [cf. patior], f., *patience, endurance ; forbearance.*

patior, ī, passus, *suffer, endure ; permit, allow.*

patria, ae, [originally an adj., limiting terra], f., *native country, native land.*

patricius, a, um, [pater], *patrician.*

patrimōnium, ī, [pater], n., *patrimony, estate.*

patrius, a, um, [pater], adj., *of one's father ; of one's ancestors, ancestral.*

paucī, ae, a, (sing. rare), *a few.*

paulisper, [paulum + per], adv., *for a little while, for a short time.*

paulō, [paulus, *little*], adv., *by a little, a little.*

paulum, [paulus, *little*], adv., *a little, somewhat.*

Paulus, ī, m., *Paulus,* a Roman family name.

pāx, pācis, f., *peace.* pace tuā, *with your permission.*

peccō, [pes, ped-is], 1, *stumble ; blunder, do wrong, err, make a mistake.*

pectō, ere, pexī, pexus, *comb.*

pectus, oris, n., *breast ; heart.*

pecuāria, ae, [pecu, *cattle*], f., *cattle-raising.*

pecūnia, ae, [pecu, *cattle*], f., *property, money.*

pecus, udis, f., *beast, brute.*

pedester, tris, tre, [pes], *on foot, of foot-soldiers, infantry.*

pellō, ere, pepulī, pulsus, *beat, strike ; drive out, expel ; rout, defeat.*

Penātēs, ium, [penus, *pantry, storeroom*], m., *gods of the storeroom, the Penates, household gods.*

pendeō, ēre, pependī, *hang ; depend.*

penetrō, 1, *reach, penetrate.*

penitus, adv., *inwardly, within ; deeply, carefully ; entirely, wholly.*

pēnsitō, [penso, *weigh*], 1, *to weigh out, pay.*

per, prep. with acc., *through ; over, along, among ; throughout, during, in the course of ; by, through the instrumentality of ; because of ; by way of.*

peradulēscēns, entis, *very young.*

peragrō, [per + ager], 1, *wander over, traverse.*

perbrevis, e, *very short.*

percellō, ere, culī, culsus, [cello, *strike*], *strike down, overwhelm, overthrow.*

percipiō, ere, cēpī, ceptus, [per + capio], *attain; reap; enjoy; apprehend, perceive, understand.*

percutiō, ere, cussī, cussus, [per + quatio, *shake*], *strike, smite, hit.*

perditus, a, um, [perdo], *lost; abandoned, depraved, wicked.*

perdō, ere, didī, ditus, *destroy; lose.*

perdūcō, ere, dūxī, ductus, *lead through; conduct, bring.*

peregrīnor, [peregrinus], 1, *go abroad.*

peregrīnus, a, um, [peregre, *abroad*], *foreign, outlandish, provincial.*

pereō, īre, iī, itūrus, *perish, die.*

perfectiō, ōnis, [perficio], f., *completion.*

perfectus, a, um, [perficio], adj., *perfect, ideal.*

perferō, ferre, tulī, lātus, *endure, suffer, tolerate, bear; convey, bring.*

perficiō, ere, fēcī, fectus, [per + facio], *accomplish; perfect, elaborate, finish; bring to pass, cause, make.*

perfringō, ere, frēgī, frāctus, [per + frango], *break through, break down.*

perfruor, ī, ūctus, *enjoy to the full, enjoy.*

perfugium, ī, [perfugio, *flee for refuge*], n., *place of refuge, refuge, shelter.*

perfungor, ī, fūnctus, *get through with, finish.*

pergō, ere, perrēxī, perrēctus, [per + rego], *proceed, continue.*

perhorrēscō, ere, ruī, [horresco, *bristle up*], *shudder at, tremble at the thought of.*

perīclitor, [periculum], 1, *endanger, jeopardize.*

perīculōsus, a, um, [periculum], *dangerous, perilous, hazardous.*

perīculum, ī, n., *trial; danger, risk, peril; suit, lawsuit.*

perinde, adv., *in the same manner, precisely.* perinde ac, *precisely as.*

perinīquus, a, um, *very unjust.*

perītus, a, um, *experienced, skilled, familiar with.*

permagnus, a, um, *very great, very large.*

permaneō, ēre, mānsī, mānsūrus, *remain.*

permittō, ere, mīsī, missus, *entrust, commit; permit, allow.*

permodestus, a, um, adj., *very modest, shy, shrinking.*

permoveō, ēre, mōvī, mōtus, *move deeply; move, influence, impel.*

permultus, a, um, *very much, very many.* permultum valere, *be very strong.*

perniciēs, ēī, [per, cf. nex], f., *destruction, ruin.*

perniciōsus, a, um, [pernicies], *ruinous, fatal, pernicious.*

pernoctō, [nox], 1, *pass the night.*

perpetuus, a, um, [per + peto], *continuous, uninterrupted, unbroken; permanent, perpetual.* in perpetuum, *forever.*

persaepe, adv., *very often.*

perscrībō, ere, īpsī, īptus, *write out, copy, transcribe, engross.*

persequor, ī, cūtus, *follow up; punish, prosecute, take vengeance on.*

Persēs, ae, m., *Perses* or *Perseus,* king of Macedonia.

perseverantia, ae, [persevero, *persist*], f., *steadfastness, persistence, perseverance.*

persōna, ae, f., *mask, rôle ; character ; person.*

perspiciō, ere, spexī, spectus, [per + specio, *gaze*], *perceive ; see through ; discern ; observe, see, note.*

persuādeō, ēre, suāsī, suāsūrus, *persuade, convince.*

perterreō, ēre, uī, itus, [terreo, *frighten*], *terrify, alarm.*

pertimēscō, ere, muī, *become afraid, be alarmed ; fear, dread.*

pertinācia, ae, [pertinax, *persevering*], f., *persistence ; obstinacy, stubbornness.*

pertineō, ēre, uī, [per + teneo], *pertain, concern, bear on, belong ; tend.*

perturbō, [turbo, *agitate*], 1, *confuse, disturb, agitate.*

pervādō, ere, sī, sum, [vado, *go*], *go through ; reach, extend, fill.*

pervagātus, a, um, [pervagor, *spread through*], *widespread.*

perveniō, īre, vēnī, ventum, *come, arrive ; reach, attain to.*

pestis, is, f., *plague, pestilence ; pest, curse, bane ; ruin, destruction.*

petītiō, ōnis, [peto], f., *attack ; thrust, aim.*

petō, ere, īvī or iī, petītus, *seek, beg, request ; aim at, attack.*

petulantia, ae, [petulans, *impudent*], f., *wantonness, impudence.*

Philippus, ī, m., *Philip*, king of Macedon ; also *Philippus*, a Roman family name.

philosophus, ī, [Gr. φιλόσοφος], m., *philosopher.*

Pīcēnum, ī, n., *Picenum*, a district of eastern Italy.

Pīcēnus, a, um, *Picenian, of Picenum.*

pietās, ātis, [pius, *dutiful*], f., *devotion, loyalty ; uprightness.*

pila, ae, f., *ball, ball-playing.*

pinguis, e, *fat, heavy, dull.*

Pius, ī, m., *Pius*, a Roman surname.

placeō, ēre, cuī, citūrus, *please.* placet, *it pleases, it is one's pleasure, it seems best, it is determined.*

plācō, 1, *appease ; satisfy, conciliate, reconcile.*

plānē, [planus, *level*], adv., *plainly, clearly.*

plēbēs, ĕī, see plebs.

plēbs, plēbis, (or plēbēs, ĕī or ī), f., *common people, people, populace.*

plēnus, a, um, adj., *full.*

plērumque, [plerusque], adv., *generally, mostly, for the most part.*

plērusque, raque, rumque, [plerus, *very many*], chiefly in pl., *very many, most.*

Plōtius, ī, m., *Plotius*, a Roman gentile name.

plūrēs, plūrimus, comp. and superl. of multus.

plūrimum, [plurimus], adv., *most, very much.* plurimum posse, *be very strong.*

plūs, comp. of multus. plus valere, *be more powerful.*

poena, ae, [cf. punio], f., *punishment, penalty.*

Poenī, ōrum, m., *the Carthaginians.*

poēta, ae, [Gr. ποιητής], m., *poet.*

poliō, īre, īvī, ītus, *polish ; finish, embellish.*

polliceor, ērī, itus, *promise, pledge.*

Pompejus, eī, m., *Pompey*, a Roman gentile name.

Pomptīnus, ī, m., *Pomptinus*, a Roman family name.

pōnō, ere, posuī, positus, *place, put, set, pitch; stake, hazard; lay down.* positus, *placed, located, situated; dependent upon.*

pōns, ontis, m., *bridge.*

pontifex, ficis, m., *priest, pontiff, pontifex.* **Pontifex Maximus,** *high priest.*

Pontus, ī, m., *Pontus*, a district in northern Asia Minor on the coast of the Euxine Sea; it was the kingdom of Mithridates.

popīna, ae, f., *a cook-shop, tavern, dive.*

populāris, e, [populus], *of the people, popular, democratic.*

populus, ī, m., *people, tribe, nation.*

porta, ae, f., *gate, entrance.*

portus, ūs, [cf. **porta**], m., *harbor, port.*

possessiō, ōnis, [possideo, *possess*], f., *possession, occupation; lands, property, estate.*

possum, posse, potuī, [potis, *able*, + sum], *be able, can, have influence, avail, be powerful.* **plurimum posse,** *be very powerful.*

post, adv. and prep. with acc., *after, afterwards; behind; since; within.*

posteā, [post + eā], adv., *afterwards.*

posteāquam, conj., *after.*

posteritās, ātis, [posterus], f., *the future, future time; posterity.*

(posterus, a, um), [post], nom. sing. not used; *following, next.*

in posterum, *for the future.*

posterī, m. pl., *descendants, posterity; future generations.*

posthāc, adv., *hereafter, in future, henceforth.*

postrēmō, [postremus], adv., *finally, at last, last.*

postrēmus, a, um, [superl. of posterus], *lowest.*

postulō, 1, *demand, ask; beg, request.*

potēns, entis, [possum], *able, powerful, influential.*

potestās, ātis, [potis], f., *power; office, authority; opportunity, possibility; permission, privilege.*

potior, īrī, ītus, [potis, *able*], *become master of; obtain possession of, secure, obtain control.*

potissimum, [superl. of potius], adv., *especially, in particular.*

potius, [potis], comp. adv., *rather.*

prae, prep. with abl., *before; in comparison with.*

praebeō, ēre, uī, itus, [prae + habeo], *offer, furnish, afford; exhibit, show.*

praeceps, cipitis, [prae + caput], *headlong; headstrong, rash.*

praeceptum, ī, [praecipio], n., *precept, instruction, teaching.*

praecipiō, ere, cēpī, ceptus, [prae + capio], *enjoin upon, give a precept.*

praecipuē, [praecipuus], adv., *especially.*

praecipuus, a, um, [prae + CAP, take], *especial.*

praeclārus, a, um, *distinguished, famous, illustrious, glorious, noble; excellent, admirable, fine.*

praecō, ōnis, [prae, cf. **voco**], m., *herald.*

praecŏnium, ĭ, [praeconius, of a herald], n., heralding, celebration.

praecurrō, ere, cucurrī, cursum, run before; outstrip.

praeda, ae, [prae + HED, grasp], f., plunder, booty.

praedātor, ōris, [praedor, plunder], m., a plunderer, robber.

praedicātiō, ōnis, [praedico, proclaim], f., praising, praise.

praedicō, [dĭco, proclaim], 1, proclaim, declare, assert, say; celebrate.

praedīcō, ere, dīxī, dictus, say before; predict, foretell; say at the outset, say first.

praeditus, a, um, [prae + datus, given], gifted, endowed.

praedium, ĭ, n., farm, estate.

praedō, ōnis, [praeda], m., robber, pirate, freebooter.

praefectūra, ae, [praefectus], f., praefecture.

praefectus, ĭ, [praeficio], m., commander, praefect.

praeferō, ferre, tulī, lātus, bear before, carry before; put before, set before, prefer.

praeficiō, ere, fēcī, fectus, [prae + faciō], set over, put in charge of.

praemittō, ere, mīsī, missus, send on ahead, send in advance.

praemium, ĭ, [prae + emo], n., first choice; prize, reward, recompense.

Praeneste, is, n. and f., Praeneste, a Latin town; the modern Palestrina.

praepōnō, ere, posuī, positus, set over, put in charge of.

praescrībō, ere, īpsī, īptus, prescribe, enjoin upon, direct, command.

praesēns, entis, [praesum], at hand, in person, present; providential.

praesentia, ae, [praesens], f., presence.

praesentiō, īre, sēnsī, sēnsus, see in advance, look forward.

praesertim, adv., especially, particularly.

praesideō, ēre, sēdī, [prae + sedeo], preside over, watch over.

praesidium, ĭ, [praeses, guard], n., protection, defence, assistance, support; guard, garrison; force.

praestāns, antis, [praesto], eminent; preëminent, superior.

praestō, adv., present, at hand.

praestō, āre, itī, itus, exhibit, show; render, vouchsafe, guarantee, assure.

praestōlor, 1, wait for.

praesum, esse, fuī, be before, be in command of.

praeter, prep. with acc., past, beyond; contrary to, besides, except.

praetereā, [praeter + eā], adv., besides, moreover.

praetereō, īre, iī, itus, pass over, omit.

praeteritus, a, um, [praetereo], past. praeterita, n. pl., the past.

praetermittō, ere, mīsī, missus, let go, let pass, pass over, omit.

praeterquam, adv., further than, beyond, besides, except.

praetextātus, a, um, [praetexta, bordered toga of children], wearing the toga praetexta; in childhood.

praetextus, a, um, [praetexo, weave a border], adj., bordered, edged. As noun, f., toga prae-

texta, or toga bordered with a purple stripe, the dress of curule magistrates and of children up to the seventeenth year.

praetor, ōris, [prae + eo], m., *praetor*, a Roman judicial officer.

praetōrius, a, um, [praetor], *of the praetor, praetorian*. **cohors praetoria**, *bodyguard*.

praetūra, ae, [praetor], f., *praetorship, office of praetor*.

prāvitās, ātis, [pravus, *crooked*], f., *crookedness; depravity, wickedness*.

precor, [prex, *prayer*], 1, *pray, entreat*.

premō, ere, essī, essus, *press, oppress;* pass., *be hard pressed, be burdened, be beset*.

pretium, ī, n., *price; reward; money, bribe*. **operae pretium**, *worth while*.

(prex, precis), f., nom. and gen. obsolete; used mostly in pl., *prayers, entreaties*.

prīdem, adv., *long ago*. **jam prīdem**, *now for a long time*.

prīdiē, adv., *on the day before, the previous day*.

prīmō, [primus], adv., *at first*.

prīmum, [acc. neut. of primus], adv., *first, at first, in the first place*. **quam primum**, *as soon as possible*. **ut primum, cum primum**, *as soon as*. **in primis**, *especially*.

prīmus, a, um, [superl. of prior], *first, first part of; foremost, front, beginning of*.

prīnceps, cipis [primus + CAP, *take*], adj., *first, foremost, chief;* as noun, *leader, chief;* pl., *leading men*.

prīncipium, ī, [prīnceps], n., *beginning*.

prior, us, comp., [cf. **pro**], *former; first*.

prīstinus, a, um, *former, previous*.

prius, [prior], adv., *before, sooner, previously, earlier*.

priusquam, conj., *before*.

prīvātus, a, um, [privo], *private, in unofficial station, in private life; personal, individual*. As noun, *a private citizen*.

prīvō, 1, *deprive*.

1. **prō**, interj., *O! By!*
2. **prō**, prep. with abl., *before, in front of, on the front part of; in behalf of, for; instead of, in place of; as; in return for; in proportion to, in comparison with; according to; in consideration of; in view of*. **pro consule**, *as consul, proconsul*.

proavus, ī, m., *great-grandfather*.

probitās, ātis, [probus, *good*], f., *uprightness*.

probō, [probus, *good*], 1, *approve, prove, commend*.

procella, ae, f., *storm, tempest; tumult*.

prōcessiō, ōnis, [procedo], f., *an advance*.

procul, adv., *far off, at a distance*.

prōcūrātiō, ōnis, [procuro, *take care of*], f., *caring for, charge*.

prōdeō, īre, iī, itūrus, *go forth; appear*.

prōdigium, ī, n., *omen, portent; monster*.

prōdigus, a, um, *lavish, openhanded*.

prōdō, ere, didī, ditus, *hand down, commit, transmit*. **memoriae proditum**, *handed down by tradition*.

proelium, ī, n., *battle, fight.*

profectiō, ōnis, [proficiscor], f., *setting out, departure.*

profectō, [= pro facto], *for a fact; actually, surely, certainly, assuredly.*

prōferō, ferre, tulī, lātus, *bring forth, bring forward, produce.*

professiō, ōnis, [profiteor], f., *declaration, registration.*

prōficiō, ere, fēcī, fectus, [pro + facio], *accomplish, achieve.*

proficīscor, ī, fectus, [prŏ, collateral form of prō, + FAC, *make*], *set forth, depart, march out, proceed.*

profiteor, ēri, fessus, [prŏ, collateral form of prō, + fateor], *declare, make declaration; give notice, announce; offer.* se profiteri, *volunteer.*

prōflīgō, [pro + fligo, *strike*], 1, *strike down, prostrate, overwhelm.* prōflīgātus, a, um, *unprincipled, abandoned, profligate.*

profugiō, ere, fūgī, *flee forth, flee.*

prōfundō, ere, fūdī, fūsus, *pour forth; squander; offer up, sacrifice.*

prōgredior, ī, gressus, [pro + gradior, *step*], *go forth, advance.*

prohibeō, ēre, uī, itus, [pro + habeo], *keep from, keep off; check; protect, defend; prevent.*

prōicio, ere, jēcī, jēctus, [pro + jacio], *cast forth, cast out, expel.*

proinde, adv., *therefore, accordingly.*

prōlātō, [prolatus, *postponed*], 1, *postpone, put off, procrastinate.*

prōmulgō, 1, *announce, publish, give notice of.*

prōpāgō, [pro + PAG, *fasten*], 1, *establish; propagate, rear; add; extend, prolong.*

prope, adv., *near, almost, well-nigh.*

propius, adv., comp. of prope.

prōpōnō, ere, posuī, positus, *set before, propose.*

proprius, a, um, *one's own, peculiar, special, characteristic, belonging to; in accordance with.*

propter, [prope], adv. and prep. with acc.: 1) Adv., *near, near at hand.* 2) Prep. with acc., *on account of.*

proptereā, adv., *on that account.* propterea quod, *because.*

prōpugnāculum, ī, [propugno, *fight before*], n., *bulwark.*

prōpulsō, [propello, *drive away*], 1, *avert, ward off.*

prōscrīptiō, ōnis, [proscribo, *advertise*], f., *notice of sale, sale; proscription, confiscation.*

prōsequor, ī, cūtus, *escort, attend.*

prōsperē, [prosperus, *favorable*], adv., *fortunately, successfully.*

prōspiciō, ere, exī, ectus, [pro + specio, *look*], *look out for, provide for; foresee.*

prōsternō, ere, strāvī, strātus, [sterno, *stretch out*], *throw down, overthrow; ruin, destroy.*

prōstrātus, a, um; see prosterno.

prōsum, prōdesse, prōfuī, *be of advantage, assist, benefit.*

prōvidentia, ae, [provideo], f., *foresight, forethought.*

prōvideō, ēre, vīdī, vīsus, *foresee; look out, provide, arrange, take precaution, make provision; look out for, guard against.*

prōvincia, ae, f., *province.*

prōvinciālis, e, [provincia], *of a province, provincial.*

prŏvocŏ, 1, *call out, challenge;*
assail.

proximus, a, um, [prope], superl.
of propior, *nearest, next, follow-*
ing, last.

prūdēns, entis, [for providens],
foreseeing, wise; with adverbial force, *purposely, con-*
sciously.

prūdentia, ae, [prudens], f., *fore-*
sight, wisdom.

pruīna, ae, f., *frost.*

pūblicānus, a, um, [publicus], *of*
the public revenue. As noun,
m., *publican, farmer of the rev-*
enues.

pūblicātiŏ, ōnis, [publico, *con-*
fiscate], f., *confiscation.*

pūblicē, [publicus], adv., *publicly,*
officially.

Pūblicius, ī, m., *Publicius,* a
Roman gentile name.

pūblicŏ, [publicus], 1, *make be-*
long to the people, confiscate.

pūblicus, a, um, [pūbēs, *youth,*
able-bodied young men, citi-
zens], *of the citizens* or *state;*
public. res publica, *the state,*
government, commonwealth;
common weal.

Pūblius, ī, m., *Publius,* a Roman
praenomen.

pudet, ēre, uit or puditum est,
impers., *it causes shame; one is*
ashamed.

pudīcitia, ae, [pudicus, *modest*],
f., *chastity, purity, modesty.*

pudor, ōris, [cf. pudet], m.,
shame, sense of shame, honor.

puer, erī, m., *boy.*

puerīlis, e, [puer], *of boys, of*
boyhood.

pueritia, ae, [puer], f., *boyhood.*

pugna, ae, f., *fight, battle.*

pugnŏ, [pugna], 1, *fight, engage in*
combat; contend.

pulcher, chra, chrum, *beautiful,*
fair, glorious, noble.

pulvīnar, āris, [pulvinus, *cush-*
ion], n., *a couch of the gods;*
shrine.

pūnctum, ī, [pungo, *prick*], n.,
puncture; point; instant.

Pūnicus, a, um, adj., *Punic, Car-*
thaginian.

pūniŏ, īre, īvī, ītus, [poena], *pun-*
ish.

pūrgŏ, 1, *make clean; cleanse,*
purify; acquit.

purpura, ae, [Gr. πορφύρα], f.,
purple; purple garments.

purpurātus, a, um, [purpura], *clad*
in purple. As noun, *courtier,*
prime minister.

putŏ, [putus, *clear*], 1, *clear up;*
think, deem, regard, consider,
believe.

Q. = Quīntus.

quā, [abl. of qui], adv., *where.*

quaerŏ, ere, sīvī, sītus, *seek; ask,*
inquire; aim at.

quaesītor, ōris, [quaero], m., *an*
investigator, examiner.

quaesŏ, defective, *I beg, I beseech,*
I entreat; please.

quaestiŏ, ōnis, [quaero], f., *inves-*
tigation; question; court.

quaestor, ōris, [for quaesitor], m.,
quaestor, a Roman financial
officer.

quaestus, ūs, [quaero], m., *gain,*
profit, advantage.

quālis, e, [cf. qui], interrog. and
rel. adj. : 1) Interrog., *of what*
sort? of what nature? 2) Rel.,
such as, as. talis . . . qualis,
such . . . as.

quam, 1) Interrog., *how?* 2) Rel., *as much as, as;* with comparatives, *than;* with superlatives, *as . . . as possible.*

quamdiū, adv., *as long as.*

quamquam, (quam quam), conj., *though, although; and yet.*

quamvīs, [quam + vīs, from volo], adv. and conj., *however, however much, though, although.*

quandō, [cf. quis], indef. adv., *at any time.*

quantus, a, um, [quam], interrog. and rel. adj., *how greatly? how much? as great as, as much as;* with tantus, *as.* quanto opere, *how greatly? how much?* quantum, acc. as adv., *how much, how greatly.*

quantuscumque, tacumque, tumcumque, rel. adj., *however great.*

quāpropter, adv., *on account of which, wherefore.*

quārē, or quā rē, interrog. and rel. adv., *wherefore, why, on account of which.*

quārtus, a, um, [quattuor], *fourth.*

quasi, [quam + si], adv., *as if.*

quassō, [quatio, *shake*], 1, *shake violently; shatter.*

quattuor, indecl., *four.*

que, conj., *and.*

quemadmodum, [quem ad modum], adv., *how? as.*

querēla, ae, [queror], f., *complaint.*

querimōnia, ae, [queror], f., *complaint.*

queror, ī, questus, *complain, complain of.*

1. quī, quae, quod, rel. pron., *who, which, that, what.*

2. quī, quae, quod, interrog. adj., *what? what sort of?*

quia, conj., *because.*

quicquam, see quisquam.

quicquid, see quisquis.

quīcumque, quaecumque, quodcumque, indef. rel. pron. and adj., *whoever, whatever, whichever.*

quid, see quis.

quīdam, quaedam, quiddam and quoddam, indef. pron. and adj., *a certain.*

quidem, adv., *indeed, to be sure, at least.* nē . . . quidem, *not even.*

quiēs, ētis, f., *rest, quiet, repose.*

quiēscō, ere, ēvī, ētus, [quies], *keep quiet, be still.*

quiētus, a, um, [quiesco], *tranquil, undisturbed.*

quīn, [abl. qui + ne], conj., *by which not, that not, that, from.*

Quīntus, ī, m., *Quintus,* a Roman praenomen.

quīntus, a, um, [quinque], *fifth.*

Quirīs, itis, generally in pl., *Quirites, fellow-citizens.*

1. quis, quid, interrog. pron., *who? what? which?* quid, *why?*

2. quis or quī, qua or quae, quid or quod, indef. pron. and adj., *any one, anything, any.*

quisnam or quīnam, quaenam, quidnam or quodnam, interrog. pron. and adj., *who, pray? what, pray?*

quispiam, quaepiam, quidpiam or quodpiam, indef. pron. and adj., *any one, anything, any.*

quisquam, quicquam (quidquam), indef. pron., *any one; anything.*

quisque, quaeque, quidque or quodque, indef. pron. and adj., *each.*

quisquis, quicquid (quidquid), indef. pron., *whoever; whatever.*

1. **quō,** [quī], interrog. and rel. adv., *whither, to what place, where.* **quō ūsque,** *how far?*

2. **quō,** [quī], conj., *in order that, that.* **quō minus,** *by which the less, by which not, in order that not, from.*

quoad, [quo + ad], adv. and conj., *as long as; as far as.*

quōcumque, adv., *whithersoever.*

quod, [qui], conj., *because, since, on the ground that; that, in that; as to the fact that.* **quodsi,** *but if.*

quō minus, (**quōminus**), see **quō.**

quondam, adv., *formerly, once.*

quoniam, [quom (= cum) + jam], conj., *inasmuch as, since, because.*

quoque, adv., *also, too.*

quot, indecl., *how many? as many as, as.*

quotannīs, [quot + annus], adv., *every year, yearly.*

quotiēns, [quot], adv., *how often? as often as.*

quotiēnscumque, adv., *as often soever as, however often.*

rapīna, ae, [rapio], f., *robbery, plunder, rapine.*

rapiō, ere, puī, raptus, *seize, snatch; hurry, hurry away, hurry along.*

ratiō, ōnis, [reor, *reckon*], f., *a reckoning; account; consideration; interest; method, system, systematic pursuit; theory, theoretical knowledge; plan, policy, purpose; character, nature, tenor; way, manner, course; means; reason; view; relation.* **rationem habere,** *have regard.*

Reātīnus, a, um, *of Reate,* a Sabine town.

recēns, entis, *fresh, recent.*

recessus, ūs, [recedo, *withdraw*], m., *retired spot, nook, corner.*

recipiō, ere, cēpī, ceptus, [re- + capio], *take back; receive; take upon oneself, undertake.* **sē recipere,** *betake oneself, retire.*

recitō, [re + cito, *urge on*], 1, *read aloud, read.*

reclāmō, 1, *cry out against, object, protest.*

recognōscō, ere, gnōvī, gnitus, *recognize; go over, review.*

recolō, ere, coluī, cultus, *cultivate again, revive, review.*

reconciliātiō, ōnis, [reconcilio, *reestablish*], f., *reëstablishment.*

recondō, ere, didī, ditus, *hide away, conceal.*

recordor, [re- + cor, *heart*], 1, *recall, call to mind.*

recreō, [creo, *make*], 1, *make anew, restore.* **se recreare,** *recover oneself;* pass., *be born again.*

rēctā, [rectus], adv., *straightway.*

rēctē, [rectus], adv., *rightly, fittingly, properly, with reason.*

recuperō, 1, *recover, regain.*

recūsātiō, ōnis, [recuso], f., *refusal, objection.*

recūsō, [re-, cf. **causa**], 1, *object, refuse.*

redāctus, see **redigo.**

reddō, ere, didī, ditus, *give back, return, restore; render, bestow.*

redeō, īre, iī, itūrus, *to go back, return.*

redigō, ere, ēgī, āctus, [red- + ago], *force back; reduce.*

redimiō, īre, ītus, *encircle, crown.*

redimō, ere, ēmī, ēmptus, [red- + emo], *buy back; ransom; buy up, farm.*

reditus, ūs, [redeo], m., *return.*

redundō, [undo, *surge*], 1, *to run over, overflow, be drenched, swim; redound, fall upon.*

referō, referre, rettulī, relātus, *bear back; report, lay before; requite, repay.* gratiam referre, *show gratitude, make a return.*

rēfert, ferre, tulit, [res + fero], impers., *it concerns, it is of advantage.*

refertus, a, um, [refercio, *stuff full*], *filled, full.*

reficiō, ere, fēcī, fectus, [re- + facio], *make over; revive, refresh, make.*

refūtō, 1, *refute, disprove.*

rēgālis, e, [rex], *of a king.*

rēgiē, [regius], adv., *tyrannically.*

Rēgīnī, ōrum, m., *the Regians, inhabitants of Regium, in southern Italy.*

regiō, ōnis, [rego, *direct*], f., *a direction, line; region, quarter, district, tract, country.*

rēgius, a, um, [rex], *of a king, of the kings; royal.*

rēgnō, [regnum], 1, *reign.*

rēgnum, ī, [cf. rego], n., *royal power, rule, sway, mastery; kingdom.*

regō, ere, rēxī, rēctus, *make straight; guide, direct; govern, control.*

reiciō, ere, rejēcī, jectus, [re + jacio], *hurl back; reject, spurn.*

relaxō, [laxo, *undo*], 1, *relieve, relax.*

relevō, 1, *lighten, relieve.*

religiō, ōnis, f., *religion; upright-*

ness, conscientiousness, scrupulousness; scruple.*

religiōsus, a, um, [religio], *sacred, holy, revered.*

relinquō, ere, līquī, līctus, *leave, leave behind, abandon; leave undone; omit, pass over; overlook, disregard.*

reliquus, a, um, [cf. relinquo], adj., *remaining, remainder of, the rest; future.* reliquum est, *it remains.*

remaneō, ēre, mānsī, *remain, stay behind; continue.*

rēmex, igis, [remus, *oar*, + ago], m., *rower, oarsman.*

remissiō, ōnis, f., *relaxation; mildness.*

remissus, a, um, [remitto], *relaxed; indulgent, mild.*

remittō, ere, mīsī, missus, *send back; give back, restore.*

remoror, [moror, *delay*], 1, *delay; fail to overtake.*

remōtus, a, um, *removed from, at variance with.*

removeō, ēre, mōvī, mōtus, *remove, banish; do away with, set aside.*

renovō, [novo, *make new*], 1, *renew, revive.*

renūntiō, 1, *report, announce; declare elected.*

repellō, ere, reppulī, repulsus, *to drive back, drive away, repel; ward off.*

repente, [repens, *sudden*], adv., *suddenly.*

repentīnus, a, um, [repens, *sudden*], *sudden, unexpected.*

reperiō, īre, repperī, repertus, [re- + pario], *discover, find.*

repetō, ere, īvī, ītus, *ask back, demand, claim, ask; retrace, go back* (in thought).

reportō, [porto, *bear*], 1, *bring back; win.*

reprehendō, ere, endī, ēnsus, [prehendo, *seize*], *lay hold of; censure, blame.*

reprimō, ere, pressī, pressus, [re- + premo], *press back; repress, check.*

repudiō, [re- + pes, *foot*], 1, *trample on, spurn, reject.*

repugnō, 1, *fight against, oppose.*

requiēs, ētis, f., *rest, repose.*

requīrō, ere, sīvī, sītus, [re- + quaero], *ask, ask for, seek; inquire; demand, require; long for, desire; note the absence of, miss; seek in vain.*

rēs, reī, f., *thing, matter, affair; situation, consideration, fact; circumstance.*

resecō, āre, cuī, ctus, [seco, *cut*], *cut back; cut off.*

reservō, 1, *save, preserve.*

resideō, ēre, sēdī, [re- + sedeo], *settle down, remain behind.*

resignō, [signo, *seal*], 1, *break the seal; destroy.*

resistō, ere, stitī, [sisto, *cause to stand*], *resist, withstand; survive.*

respiciō, ere, spexī, spectus, [re- + specio, *gaze*], *look back, look back upon.*

respondeō, ēre, spondī, spōnsus, [spondeo, *promise*], *answer, reply; be a match for.*

respōnsum, ī, [respondeo], n., *an answer, reply, response.*

restinguō, ere, īnxī, īnctus, [stinguo, *put out*], *quench, extinguish, put out.*

restituō, ere, uī, ūtus, [re- + statuo], *set up again; restore.*

restō, āre, stitī, *remain, be left.* restat, *it remains.*

retardō, 1, *retard, hinder, check, delay.*

reticeō, ēre, cuī, [re- + taceo], *be silent, keep silence.*

retineō, ēre, tinuī, tentus, [re- + teneo], *hold, retain, maintain, preserve, keep.*

retorqueō, ēre, sī, tus, [torqueo, *twist*], *twist back, turn back.*

retundō, ere, rettudī, tūsus, [tundo, *beat*], *beat back, dull, blunt.*

reus, ī, m., *one accused, defendant.*

revertor, ī, versūrus, (perf., revertī), [verto, *turn*], *turn back, return, come back.*

revincō, ere, vīcī, victus, *defeat; refute.*

revocō, 1, *call back, recall, encore; revive; call away.*

rēx, rēgis, [cf. rego, *rule*], m., *king.*

Rhēnus, ī, m., *the Rhine.*

Rhodius, a, um, adj., *Rhodian, of Rhodes,* an island in the Aegean Sea; m. pl. as noun, *the Rhodians.*

rīdiculus, a, um, [rideo, *laugh*], *laughable, ridiculous, absurd.*

rōbur, oris, n., *oak; vigor, strength.*

rōbustus, a, um, [robur], *strong, hardy.*

(rogātus, ūs), [rogo], m., used only in abl. sing., *at the request.*

rogō, 1, *ask, request;* of a bill, *propose, enact.*

Rōma, ae, f., *Rome.*

Rōmānus, a, um, [Roma], *of Rome, Roman;* m. pl. as noun, *Romans.*

Rōmulus, ī, m., *Romulus,* the mythical founder of Rome.

Rōscius, ī, m., *Roscius*, a Roman family name; *Quintus Roscius Gallus*, a celebrated actor at Rome.

Rudīnus, a, um, *of Rudiae*, a town in Calabria.

rudis, e, *rude; ignorant, inexperienced.*

ruīna, ae, [ruo], f., *fall, collapse, ruin.*

rūmor, ōris, m., *rumor, hearsay, report.*

rumpō, ere, rūpī, ruptus, *break.*

ruō, ere, ruī, *fall; rush.*

rūrsus, [for revorsus, from re- and vorsus], adv., *again; on the other hand.*

rūsticor, [rusticus], 1, *go to the country.*

rūsticus, a, um, [rus, *country*], *of the country, rustic, rude.*

sacer, sacra, sacrum, [cf. sancio, *make inviolable*], *sacred;* n. pl. as noun, sacra, ōrum, *sacred rites, ceremonies.*

sacrārium, ī, [sacrum], n., *chapel, sanctuary, shrine.*

sacrōsānctus, a, um, *consecrated by religious rites, sacred, holy.*

saeculum, ī, n., *age, generation.*

saepe, [abl. of saepēs, *density, thickness, frequency*], adv., *with frequency, often, frequently.*

saepiō, īre, psī, ptus, [saepes, *hedge*], *hedge in; surround, protect, guard.*

sagāx, ācis, *sharp, keen, alert.*

Salamīniī, ōrum, m., *the people of Salamis*, in Cyprus.

saltō, [salio, *leap*], 1, *dance.*

saltus, ūs, m., *woodland pasture, pasture.*

salūs, ūtis, [cf. salvus], f., *health,* *welfare, prosperity, preservation, safety, deliverance.*

salūtō, [salus], 1, *greet, salute, pay one's respects to.*

salvus, a, um, [cf. salus], *safe, sound, saved, preserved, unharmed; secure.*

Samos or Samus, ī, f., *Samos*, an island in the Aegean Sea.

sanciō, īre, sānxī, sānctus, *make inviolable, enact, ordain.*

sānctus, a, um, [sancio], *made sacred; sacred, hallowed, holy, inviolable; upright, conscientious.*

sānē, [sanus], *indeed, certainly, surely; to be sure; confessedly, admittedly; for aught I care.*

sanguis, inis, m., *blood; murder, bloodshed.*

sānitās, ātis, [sanus], f., *soundness; sanity, sense.*

sānō, [sanus], 1, *make sound, heal, cure, remedy; restore.*

sānus, a, um, *sound, healthy; sane, sober.*

sapiēns, entis, [sapio, *be prudent*], *sensible, wise, discreet.* As noun, *wise man, philosopher.*

sapienter, [sapiens], adv., *wisely, judiciously, discreetly.*

sapientia, ae, [sapiens], f., *wisdom, insight, judgment, discretion, prudence.*

Sardinia, ae, f., *Sardinia*, an island in the Mediterranean Sea.

satelles, itis, c., *an attendant; henchman, minion, accomplice.*

satietās, ātis, [satis], f., *sufficiency, satiety.*

satiō, [satis], 1, *satisfy, glut, satiate.*

satis, adv. and noun, *enough, suffi-ciently, sufficient, quite, alto-gether, somewhat, rather.*

Sāturnālia, iōrum, [Saturnus], n., *the festival of the Saturnalia*, in December.

Sāturnīnus, ī, m., *Saturninus*, a Roman family name.

saucius, a, um, *wounded.*

saxum, ī, n., *rock, stone.*

scaena, ae, [Gr. σκηνή], *stage, theatre.*

scaenicus, a, um, [scaena], *of the stage, theatre.*

scelerātē, [sceleratus], adv., *crimi-nally, wickedly.*

scelerātus, a, um, [scelero, *pollute*], *wicked, impious, accursed, infa-mous, vicious.*

scelus, eris, n., *a wicked deed, crime, sin, enormity, wickedness.*

sciēns, entis, [scio], *knowing, aware; skilled, skilful;* with ad-verbial force, *purposely, con-sciously.*

scientia, ae, [sciens], f., *knowl-edge, skill, familiarity.*

scīlicet, [scī, licet], *you may know; in fact, of course, to be sure.*

sciō, īre, īvī, ītus, *to know, be aware, understand.*

Scīpiō, ōnis, m., *Scipio*, a Roman family name.

scortum, ī, n., *harlot, prostitute.*

scrība, ae, m., *clerk, secretary.*

scrībō, ere, scrīpsī, scrīptus, *write; describe, commemorate; com-pose; enroll.*

scrīptor, ōris, [scribo], m., *writer, author, historian.*

scrīptūra, ae, [scribo], f., *writing, recording; pasture tax.*

sēcēdō, ere, cessī, cessūrus, *with-draw, depart.*

sēcernō, ere, crēvī, crētus, *separate, sever; distinguish; exclude.*

secundus, a, um, [sequor], *follow-ing, next; second; favorable, successful.* res secundae, *good fortune, prosperity.*

secūris, is, [seco, *cut*], f., *axe.*

sed, conj., *but, yet.*

sedeō, ēre, sēdī, sessūrus, *to sit.*

sēdēs, is, [cf. sedeo], f., *a seat; dwelling-place, home, habitation, abode.*

sēditiō, ōnis, [sed-, *apart,* + īre, *go*], f., *dissension, revolt, insur-rection, riot.*

sēdō, 1, *settle, put down, stop.*

sēdulitās, ātis, [sedulus, *busy*], f., *persistency; officiousness; im-portunity; zeal.*

sēgregō, [grex, *herd*], 1, *separate; exclude.*

sējungō, ere, jūnxī, jūnctus, *sepa-rate, dissociate.*

sella, ae, [cf. sedeo], f., *seat, chair, bench.*

semel, adv., *once.*

sēmen, inis, [cf. sero, *sow*], n., *seed.*

sēminārium, ī, [semen], n., *a nurs-ery; hot-bed.*

semper, [sem-, *one,* + per, *through; in one continuous act*], adv., *ever, always, continually.*

sempiternus, a, um, [semper], *everlasting, eternal, imperisha-ble, perpetual.*

Semprōnius, a, um, *Sempronian.*

senātor, ōris, [senex], m., *sena-tor.*

senātōrius, a, um, [senator], *of a senator, senatorial.*

senātus, ūs, [senex], m., *senate.*

senectūs, ūtis, [senex], f., *old age.*

senex, senis, m., *old man.*

sēnsus, ūs, [sentio], m., *feeling,
perception, sensation, consciousness; purpose.*

sententia, ae, [sentio], f., *opinion,
view, conviction; purpose; proposition, motion, proposal; verdict, decision; meaning, purport.*

sentīna, ae, [SEM, *draw out;* cf.
simplum, *bailer*], f., *bilge-
water; dregs, refuse.*

sentiō, īre, sēnsī, sēnsus, *perceive,
note, mark; think, feel, be conscious; understand; intend;
cherish* or *entertain sentiments.*

sepeliō, īre, pelīvī, pultus, *bury;
ruin, overwhelm.*

sepulcrum, ī, [cf. sepelio], n., *grave,
tomb.*

sequor, ī, secūtus, *follow; engage
in; pursue; comply with.*

sērius, comp. of sero.

sermō, ōnis, [sero, *weáve*], m.,
*conversation, talk, discourse,
words, utterance, speech; report.*

sērō, [serus, *late*], adv., *late.*

serpō, ere, serpsī, *creep; extend,
spread.*

Sertōriānus, a, um, *of Sertorius,
Sertorian.*

sertum, ī, [sero, *twine*], n., *garland.*

servīlis, e, [servus], *of a slave, of
the slaves, servile.*

Servīlius, ī, m., *Servilius,* a Roman gentile name.

serviō, īre, iī, ītum, [servus], *be a
slave; yield to, pander to; follow, obey; be made subjects;
subserve.*

servitium, ī, [servus], n., *slavery;*
pl., *bands of slaves.*

servitūs, ūtis, [servus], f., *slavery,
servitude.*

servō, 1, *save, rescue; preserve,
maintain; watch.*

servus, ī, m., *a slave.*

Sēstius, ī, m., *Sestius,* name of a
Roman gens.

sevērē, [severus], adv., *strictly,
harshly, severely.*

sevēritās, ātis, [severus], f., *strictness, sternness; harshness, severity.*

sevērus, a, um, *strict, severe, stern;
dignified, august.*

sexāgintā, indecl., *sixty.*

sī, conj., *if.*

Sibyllīnus, a, um, adj., *of a Sibyl,
Sibylline.*

sīc, adv., *so, thus, in this manner.*

sīca, ae, [cf. seco, *cut*], f., *dagger.*

sīcārius, ī, [sica], m., *assassin,
murderer.*

Sicilia, ae, f., *Sicily.*

sīcut or sīcutī, adv., *just as, as.*

Sīgēum, ī, n., *Sigeum,* a promon-
tory in the Troad near the
Hellespont.

significātiō, ōnis, [significo, *indicate*], f., *indication, sign, portent.*

signum, ī, n., *mark, sign; seal;
statue; standard, ensign.*

Sīlānus, ī, m., *Silanus,* a Roman
family name.

silentium, ī, [silens, *still*], n.,
silence, stillness. silentio, *silently.* tanto silentio, *so quietly.*

sileō, ēre, uī, *be silent; leave unmentioned.*

Silvānus, ī, m., *Silvanus,* a Roman family name.

silvestris, e, [silva, *forest*], *wooded,
woody.*

similis, e, *like, similar.*

similiter, [similis], adv., *similarly,
in like manner.*

simpliciter, [simplex, *simple*], adv.,
simply, in simple fashion.

simul, adv., *at the same time, at once.* simul atque or ac, *as soon as.*

simulācrum, ī, [simulo], n., *a likeness, image, portrait, statue.*

simulātiō, ōnis, [simulo], f., *pretence, guise.*

simulō, [similis], 1, *pretend, feign.*

simultās, ātis, [simul], f., *hostility, animosity.*

sīn, [si + affirmative -ne], conj., *but if.*

sine, prep. with abl., *without.*

singulāris, e, [singuli], *single; singular, special, unique, matchless, extraordinary.*

singulī, ae, a, [SEM, *one*], distributive, *one apiece, one each; single, separate, each, several.*

sinō, ere, sīvī, situs, *set, place; permit, suffer, allow.*

Sinōpē, ēs, f., *Sinope,* a city of Asia Minor on the Euxine Sea.

sinus, ūs, m., *curve, hollow; bosom; bay, gulf.*

sitis, is, f., *thirst.*

situs, a, um; see sino.

sīve or seu, [si + -ve], conj., *or if.* sive (seu) . . . sive (seu), *if . . . or if, whether . . . or, either . . . or.*

Smyrnaeus, a, um, *of Smyrna.* As noun, m. pl., *the inhabitants of Smyrna.*

sōbrius, a, um, *not drunk, sober.*

societās, ātis, [socius], f., *partnership, union, alliance; companionship; league.*

socius, a, um, [cf. sequor], *sharing, associated with;* as noun, *partner, associate, ally, accomplice, confederate;* pl., *the provincials.*

sodālis, is, [cf. sedeo], m., *table*

companion, companion, comrade, boon companion, crony.

sōl, sōlis, m., *sun.*

sōlācium, ī, [solor, *console*], n., *solace, comfort, consolation.*

soleō, ēre, itus sum, *be wont, be accustomed.*

sōlitūdō, inis, [solus], f., *loneliness, solitude; wilderness, desert.*

sollicitātiō, ōnis, [sollicito], f., *instigation, tampering with.*

sollicitō, [sollicitus], 1, *rouse, incite, instigate, tamper with.*

sollicitūdō, inis, [sollicitus], f., *disquiet, concern, anxiety, solicitude.*

sollicitus, a, um, [sollo-, *all,* + citus, *agitated*], *agitated, disturbed, troubled, concerned, solicitous, anxious.*

solum, ī, n., *ground, soil, earth.*

sōlum, [solus], adv., *only, alone.* non solum . . . sed or verum etiam, *not only . . . but also.*

sōlus, a, um, *only, alone.*

solūtiō, ōnis, [solvo], f., *payment.*

solūtus, a, um; see solvo.

solvō, ere, solvī, solūtus, *loose, release, set free, exempt; pay.*

somnus, ī, m., *sleep.*

sonō, āre, uī, itus, [sonus], *sound, utter.*

sonus, ī, m., *a noise, sound.*

soror, ōris, f., *a sister.*

sors, tis, f., *lot, allotment, destiny.*

spargō, ere, sī, sus, *scatter; mix; spread abroad, extend.*

spatium, ī, n., *a space, extent; span, time, period.*

speciēs, ēī, f., *sight, appearance.*

speculātor, ōris, [speculor], m., *spy, scout.*

speculor, [specula, *watch-tower*], 1, *keep watch, observe.*

spērō, [spes], 1, *hope, hope for,
expect.*

spēs, spĕī, f., *hope, expectation.*

spīritus, ūs, [cf. spiro, *breathe*],
m., *breathing, breath; air;
spirit; inspiration, afflatus;* pl.,
arrogance, pride.

splendor, ōris, [cf. splendeo,
shine], m., *radiance, splendor;
glory, honor.*

spoliō, [spolium], 1, *strip; plunder, despoil, rob.*

spolium, ī, n. ; usually spolia,
ōrum, pl., *spoils, booty, plunder.*

sponte, abl. of an obsolete spōns,
f., *of one's own accord, on one's
own initiative, voluntarily.*

Spurius, ī, m., *Spurius,* a Roman
praenomen.

stabiliō, īre, īvī, ītus, [stabilis],
establish, make secure.

stabilis, e, [cf. sto], *stable, fixed,
secure.*

stabilitās, ātis, [stabilis], f., *sta-
bility, security.*

Statilius, ī, m., *Statilius,* name of
a Roman gens.

statim, [sto], adv., *on the spot,
forthwith, immediately, straightway, at once.*

Stator, ōris, [sto], m., *stay,
guardian, support, protector;*
epithet of Jupiter.

statua, ae, [sto], f., *image, statue.*

statuō, ere, uī, ūtus, [status, sta-
tion], *set, place, put, establish;
set up, erect; decide, determine,
resolve.*

status, ūs, m., *standing, condition,
status.*

stimulus, ī, [STIG, *prick*], m., *goad;
stimulus, incentive.*

stīpendium, ī, [stips, *coin,* + pendo,
weigh], n., *pay, wages* (of sol-

diers), hence *military service,
campaign.*

stirps, pis, f., *stock, stem; source,
root.*

stō, āre, stetī, stātūrus, *stand.*

strepitus, ūs, [strepo, *rattle*], m.,
noise, din, rattle.

studeō, ēre, uī, [cf. studium, *zeal*],
be zealous, be eager, desire.

studiōsē, [studiosus], adv.,
eagerly, carefully.

studiōsus, a, um, [studium], *fond
of, a connoisseur of.*

studium, ī, [cf. studeo], n., *zeal,
interest, effort; study, pursuit;
desire, eagerness; sympathy, devotion, loyalty, support, par-
tisanship; effort.*

stultitia, ae, [stultus], f., *folly,
foolishness.*

stultus, a, um, *foolish, silly,
stupid.*

stuprum, ī, n., *uncleanness, debauchery, lewdness.*

suādeō, ēre, sī, sūrus, *advise, recommend; persuade.*

sub, prep. with acc. and abl., *under.*

subeō, īre, iī, itus, *undergo, incur,
meet; suffer.*

subiciō, ere, jēcī, jectus, [sub +
jacio], *place under; apply to;
offer, submit.*

subigō, ere, ēgī, āctus, [sub + ago],
subdue, vanquish.

subitō, [subitus, *sudden*], adv.,
suddenly.

subjector, ōris, [subicio], m.,
forger.

subolēs, is, f., *offspring.*

subsellium, ī, [sub + sella], n.,
bench.

subsidium, ī, [subsīdo, *remain behind*], n., *reserve, reinforcement,
support, resource, assistance.*

subsum, esse, *be under, be con-cealed.*

succēdō, ere, cessī, cessūrus, [sub + cedo], *come under; suc-ceed, take the place of.*

sufferō, sufferre, sustulī, sublātus, [sub + fero], *suffer.*

suffrāgium, ī, n., *voting-tablet, vote, ballot.*

suī, reflexive pron., *himself, her-self, itself; themselves; him, her, it; them.*

Sulla, ae, m., *Sulla,* a Roman family name; especially *Lucius Cornelius Sulla,* the dictator.

Sulpicius, ī, m., *Sulpicius,* name of a Roman gens.

sum, esse, fuī, futūrus, *be.*

summa, ae, [summus], f., *pre-eminence, leadership.*

summus, a, um, superl. of superus, *highest, greatest, very great, most distinguished, most im-portant, complete, supreme.*

sūmō, ere, sūmpsī, sūmptus, [sub + emo], *take, take on oneself, assume; appropriate.*

sūmptuōsē, [sumptuosus], adv., *lavishly, extravagantly.*

sūmptuōsus, a, um, [sumptus], *costly, sumptuous.*

sūmptus, ūs, [sumo], m., *expense, expenditure, cost, outlay.*

superbē, [superbus], adv., *haught-ily, insolently, arrogantly.*

superbus, a, um, [super + BHU, be], *proud, haughty, insolent, arrogant.*

superior, ius, [comp. of superus], *upper, higher; former, preced-ing, past.*

superō, [superus], 1, *be superior to, conquer, defeat, overcome; surpass, exceed.*

supersum, esse, fuī, futūrus, *be left over, survive, remain.*

superus, a, um, [super, *above*], *higher, upper.*

suppeditō, [sub+pes], 1, *furnish, supply.*

suppetō, ere, īvī, ītus, [sub+peto], *be at hand, be in store.*

supplex, icis, [sub + plicō, *fold*], m., *kneeling, suppliant.* As noun, *suppliant.*

supplicātiō, ōnis, [supplico, *kneel*], f., *kneeling, supplication; thanksgiving.*

supplicium, ī, [supplex], n., *kneel-ing; punishment, penalty, tor-ture.*

surgō, ere, surrēxī, surrēctus, [sub + rego], *arise.*

suscēnseō, ēre, suī, [succensus, *angry, excited*], *be angry, be in-censed.*

suscipiō, ere, cēpī, ceptus, [subs (= sub) + capio], *take up, un-dertake; incur, suffer.*

suspectus, a, um, [suspicio], *sus-pected, an object of suspicion.*

suspīciō, ōnis, f., *suspicion, mis-trust.*

suspicor, 1, *mistrust, suspect.*

sustentō, [cf. sustineo], 1, *sup-port, maintain; defer, put off, delay; feed, nourish, maintain.*

sustineō, ēre, tinuī, tentus, [subs (= sub) + teneo], *sustain; en-dure.*

suus, a, um, [sui], poss. pron., *his, her, its, one's, their; his own, her own,* etc.

Syria, ae, f., *Syria,* a district of Asia.

T. = Titus.

tabella, ae, [dim. of tabula], f.,

little board, waxed tablet for correspondence; pl., *letter, document.*

taberna, ae, f., *booth, shop.*

tābēscō, ere, buī, [tabeo, *melt away*], *waste away, pine away.*

tabula, ae, f., *board, tablet* for writing; *document, record;* pl., *archives.* **tabulae novae,** *new accounts.*

tabulārium, I, [tabula], n., *record office.*

taceō, ēre, cuī, citus, *be silent, be silent about, leave unmentioned.*

tacitē, [tacitus], adv., *silently, in silence.*

taciturnitās, ātis, [taciturnus, *silent*], f., *silence.*

tacitus, a, um, *silent, speechless.*

taeter, tra, trum, [cf. **taedet,** *it disgusts*], *foul, loathsome, disgusting; abominable.*

tālāris, e, [talus, *ankle*], *reaching to the ankles.*

tālis, e, adj., *such.*

tam, adv., *so, so much, so very.*

tamen, adv., *yet, nevertheless, still, however.*

tametsī, [tamen + etsi], conj., *although, though.*

tamquam or **tanquam,** adv., *as if, as though, as it were, as.*

tandem, [tam], adv., *at length, at last;* in questions, *pray.* **tandem aliquando,** *finally.*

tangō, ere, tetigī, tāctus, *to touch, strike, hit.*

tantopere or **tantō opere,** adv., *so greatly, so much.*

tantum, [tantus], adv., *only.* **tantum modo,** *only, merely.*

tantus, a, um, [tam], adj., *so great, so much; as great, as much.* **tantī est,** *it is worth while.*

tardē, [tardus, *slow*], adv., *slowly.*

tarditās, ātis, [tardus, *slow*], f., *slowness, delay.*

tardō, [tardus, *slow*], 1, *delay, hinder.*

Tarentīnī, ōrum, m., *the inhabitants of Tarentum.*

tēctum, ī, [tego], n., *roof, shelter, dwelling, house, abode; building.*

tegō, ere, tēxī, tēctus, *cover; protect, guard.*

tēlum, ī, n., *missile weapon, weapon; spear, dart.*

temere, [loc. of obsolete **temus,** *darkness;* lit. *in the dark*], adv., *blindly, rashly, hastily, easily, recklessly.*

temeritās, ātis, [temere], f., *rashness, heedlessness, thoughtlessness.*

temperantia, ae, [temperans, *restrained*], f., *self-restraint, self-control, moderation.*

temperō, [tempus], 1, *restrain oneself; moderate, temper.*

tempestās, ātis, [tempus], f., *weather; bad weather, storm, tempest.*

tempestīvus, a, um, [tempus], *timely, suitable; early.*

templum, ī, n., *consecrated place; temple.*

temptō, 1, *test, try, make trial of; tempt; attack, assail; attempt.*

tempus, oris, n., *time, period, season; moment, occasion, juncture; circumstances; need, necessity.* **ex tempore,** *extemporaneously.*

tendō, ere, tetendī, tentus, *stretch, stretch out.*

tenebrae, ārum, f., *darkness, shades, obscurity.*

Tenedos, ī, f., *Tenedos,* an island near the Troad.

teneō, ēre, tenuī, *hold, keep, maintain; hold fast;* pass., *be caught, be involved, be guilty.* memoriā tenere, *remember.*

tenuis, *thin; poor, humble, weak.*

ter, adv., *three times.*

terminō, [terminus], 1, *bound, limit; end.*

terminus, ī, m., *boundary, limit.*

terra, ae, f., *earth, ground; land, country, region.* orbis terrarum or orbis terrae, *the world.*

terror, ōris, m., *fear, terror, fright, alarm, dread.*

tertius, a, um, [ter], *third.*

testāmentum, ī, [testor], n., *will.*

testimōnium, ī, [testis], n., *testimony, evidence, proof.*

testis, is, c., *witness.*

testor, [testis], 1, *invoke, call to witness.*

Teutonēs, um, m., *the Teutons*, a Germanic people.

Themistoclēs, ī (is), m., *Themistocles*, the famous Athenian statesman.

Theophanēs, is, m., *Theophanes*, of Mytilene in Lesbos, who wrote an account of Pompey's exploits.

Ti. = Tiberius.

Tiberīnus, a, um, adj., *of the Tiber.*

Tiberis, is, m., *the Tiber.*

Tigrānēs, is, m., *Tigranes*, king of Armenia.

timeō, ēre, uī, *fear, be afraid, be afraid of; be concerned.*

timidē, [timidus], adv., *timidly, modestly, with reserve.*

timidus, a, um, [cf. timeo], *timid, shrinking.*

timor, ōris, [cf. timeo], m., *fear, dread, alarm, apprehension.*

Titus, ī, m., *Titus*, a Roman first name.

toga, ae, f., *toga*, the distinctive dress of the Roman citizen; *peace.*

togātus, a, um, [toga], *wearing the toga; in the garb of peace.*

tolerābilis, e, [tolero], *endurable, tolerable.*

tolerō, 1, *bear, endure.* tolerandus, a, um, *endurable.*

tollō, ere, sustulī, sublātus, *lift up, raise up, exalt; take away, remove, carry off, steal.*

Tongilius, ī, m., *Tongilius*, a Roman gentile name.

Torquātus, ī, m., *Torquatus*, a Roman family name.

tot, indecl., *so many.*

totiēns, (totiēs), [tot], adv., *so often, so many times.*

tōtus, a, um, adj., *the whole, entire, all.*

trāctō, [traho], 1, *haul, handle; treat, manage, conduct;* pass., *be engaged in, involved in.*

trādō, ere, didī, ditus, [trans + do], *to give up, turn over, hand over, surrender, deliver; hand down, transmit, teach.*

trahō, ere, trāxī, trāctus, *draw; draw on; impel, influence; involve.*

tranquillitās, ātis, [tranquillus], f., *quiet, peace, tranquillity.*

tranquillus, a, um, *calm, tranquil, peaceful.*

Trānsalpīnus, a, um, *beyond the Alps, Transalpine.*

trānscendō, ere, dī, [trans + scando, *climb*], *to climb over, cross.*

trānsferō, ferre, tulī, lātus, *bear across, transport, transfer.*

trānsigō, ere, ēgī, āctus, [trans + ago], *finish, consummate, complete.*

trānsmarīnus, a, um, [trans + mare], *across the sea.*

trānsmittō, ere, mīsī, missus, *send across; cross over; hand over, entrust, commit; devote.*

trēs, tria, *three.*

tribūnal, ālis, [tribunus], n., *platform, judgment-seat, tribunal.*

tribūnus, ī, [tribus, *tribe*], m., *tribune, officer of the plebs.*

tribuō, ere, uī, ūtus, *assign, allot; allow; pay, award; attribute; entrust, confer.*

trīduum, ī, [cf. tres + dies], n., *three days.*

triumphō, [triumphus], 1, *triumph, celebrate a triumph; rejoice.*

triumphus, ī, m., *triumph, triumphal procession.*

tropaeum, ī, [Gr. τρόπαιον], n., *trophy.*

trucīdō, 1, *butcher, murder, slaughter; execute.*

tū, tuī, *thou, you.*

tuba, ae, f., *trumpet.*

tueor, ērī, *watch over; secure, maintain, protect, guard, defend.*

Tullius, ī, m., *Tullius,* a Roman gentile name.

Tullus, ī, m., *Tullus,* a Roman family name.

tum, adv., *then, at that time; thereupon; further, besides.*

tumultus, ūs, [tumeo, *swell, rise up*], m., *uprising, revolt, insurrection; uproar, tumult, confusion, excitement.*

tumulus, ī, [tumeo, *swell, rise up*], m., *mound, hillock.*

tunc, [tum + ce], adv., *then, at that time.*

tunica, ae, f., *tunic,* a garment worn next to the toga.

turbulentus, a, um, [turba, *mob*], *disorderly; confused, chaotic.*

turma, ae, f., *troop* of cavalry.

turpis, e, *ugly; shameful, disgraceful, base, infamous.*

turpiter, [turpis], adv., *shamefully, basely, disgracefully.*

turpitūdō, inis, [turpis], f., *baseness, dishonor, disgrace, shame.*

tūtō, [tutus], adv., *safely, in safety.*

tūtor, [tueor], 1, *guard, protect, defend.*

tūtus, a, um, [tueor], *safe, protected, secure.*

tuus, a, um, [tu], poss. pron., *thy, your.* tuī, ōrum, m. pl., *your followers.*

tyrannus, ī, m., *tyrant, despot.*

ūber, eris, n., *udder, breast.*

ūbertās, ātis, [uber, *rich*], f., *richness, fertility.*

ubi, relative and interrog. adv., *where; when, as.* ubi primum, *as soon as.*

ubinam, interrog. adv. of place, *where? where, pray?* ubinam gentium, *where in the world?*

ubīque, adv., *anywhere, everywhere.*

ulcīscor, ī, ultus, *punish, avenge.*

ūllus, a, um, [dim. of unus], *any, any one.*

ultimus, a, um, [cf. ultra, *beyond*], superl. of ulterior, *farthest, remotest, most distant, last.*

ultrō, adv., *beyond; of one's own accord, voluntarily.*

Umbrēnus, ī, m., *Umbrenus,* a Roman family name.

umquam (unquam), adv., *at any time, ever.*

ūnā, [unus], *together with, along, with, at the same time.* ūnā cum, *together with, along with.*

unde, rel. and interrog. adv., *whence, from which.*

ūndēquīnquāgēsimus, a, um, [undequinquaginta, *forty-nine*], *forty-ninth.*

undique, adv., *from all sides, on all sides, everywhere.*

unguentum, ī, [unguo, *anoint*], n., *unguent, perfume.*

ūnicē, [unicus], adv., *singularly, especially.*

ūniversus, a, um, [unus + versus, *turned*], *all together, whole, entire.*

ūnus, a, um, num. adj., *one; only one, only, alone, sole, single; same.*

urbānus, a, um, [urbs], *of the city, in the city, city.*

urbs, urbis, f., *city; the city* (Rome).

ūsquam, adv., *anywhere.*

ūsque, adv., *as far as, even.* usque ad, *up to, until.* usque eo, *to such an extent, to such a degree.*

ūsūra, ae, [utor], f., *use, privilege; interest.*

ūsūrpō, [usu + RAP, *seize*], 1, *use, employ, practice; mention.*

ūsus, ūs, [utor], m., *use, practice, experience; advantage.*

ut or utī, adv. and conj.: 1) Interrog. adv., *how?* 2) Rel. adv., *as, just as.* 3) Conj., *when, as; that, in order that; so that; though;* with verbs of fearing, *that not.* ut . . . sic, *as . . . so; though . . . yet.* ut primum, *as soon as.*

uterque, utraque, utrumque, [uter + -que], *each; both.*

ūtilis, e, [utor], *useful, effective, advantageous, expedient.*

ūtilitās, ātis, [utilis], f., *usefulness, advantage.*

utinam, [uti + nam], adv., *oh that! would that!*

ūtor, ī, ūsus, *use, employ, make use of; avail oneself of, take advantage of; enjoy, indulge in; exercise, observe; find.*

utrum, [uter], conj., *whether.*

uxor, ōris, f., *wife.*

vacillō, 1, *waver, totter, stagger.*

vacuēfaciō, ere, fēcī, factus, [vacuus + facio], *empty, make empty, clear, vacate.*

vacuus, a, um, [cf. vaco, *be empty*], *empty, vacant, free, lacking.*

vadimōnium, ī, [vas, *pledge*], n., *security, bail.*

vāgīna, ae, f., *scabbard, sheath.*

vagor, [vagus, *strolling*], 1, *stroll, wander about, rove.*

valdē, [for validē; cf. validus, *strong*], *greatly, completely, thoroughly.*

valēns, entis, [valeo], *strong, stout, vigorous, powerful.*

valeō, ēre, uī, itūrus, [cf. validus, *strong*], *be strong, be powerful, have influence, avail.* ad laudem valere, *to redound to one's glory.* plus valere, *to have more influence, have greater weight.*

Valerius, ī, m., *Valerius,* a Roman gentile name.

valētūdō, inis, [valeo], f., *health.*

vāllō, [vallum, *rampart*], 1, *intrench, fortify.*

varietās, ātis, [varius], f., *variety, difference.*

varius, a, um, *varied, various, diverse.*

vāstātiō, ōnis, [vasto], f., *devastation, destruction.*

vāstitās, ātis, [vastus, *waste*], f., *destruction, desolation.*

vāstō, [vastus, *empty*], 1, *lay waste, ravage, desolate.*

vātēs, is, c., *seer, prophet.*

vectīgal, ālis, [cf. **veho**, *carry*], n., *impost* on goods carried; *tax, tribute; revenue.*

vectīgālis, e, [vectigal], *paying tribute, tributary.* As noun, m. pl., *tributaries.*

vehemēns, entis, [veho], *eager, earnest, vigorous, vehement, impetuous, imperative.*

vehementer, [vehemens], adv., *eagerly, earnestly, vigorously, severely, vehemently, impetuously, violently; greatly, very, extremely.*

vel, [volo], conj., originally, *if you wish; or.* **vel . . . vel**, *either . . . or.* Adv., *even, very.*

vēlum, ī, n., *sail; awning.*

vēna, ae, f., *vein.*

vēndō, ere, didī, ditus, [venum, *sale*, + do], *sell.*

venēficus, a, um, [venenum+FAC, *make*], *poisonous.* As noun, m., *poisoner.*

venēnum, ī, [Venus, goddess of love], n., *love-charm, philter; drug; poison.*

vēneō, īre, iī, vēnitūrus, [venum, *sale*, + eo], *go to sale, be sold.*

veneror, 1, *pray, pray to; adore, worship.*

venia, ae, f., *indulgence; pardon.*

veniō, īre, vēnī, ventum, *come.*

ventus, ī, m., *wind.*

venustās, ātis, [Venus, the goddess], f., *loveliness; charm, grace.*

vēr, is, n., *spring.*

(verber), eris, n., *lash;* mostly in pl., *flogging, scourging.*

verbum, ī, n., *a word.* **verba facere**, *speak.*

vērē, [verus], adv., *truly, really; rightly, with reason.*

verēcundia, ae, [verecundus, *modest*], f., *modesty.*

vereor, ērī, itus, *reverence, respect; fear.*

vēritās, ātis, [verus], f., *truth.*

vērō, [verus], adv., *in truth, in fact, really; but, but in truth, but in fact.* **jam vero**, *further, furthermore.* **immo vero**, *nay rather.*

versor, [freq. of verto], 1, pass. of **versō**, āre, *turn about; be employed, engage, be engaged; move about; dwell, linger; be rampant, run riot; find oneself; be involved.*

versus, ūs, [verto, *turn*], m., *line, verse.*

vērum, [verus], *but, but in truth, but yet.*

vērus, a, um, *true, genuine, real; well-founded.* **vērum**, ī, n., as noun, *the truth.*

vespera, ae, f., *the evening, eventide.*

Vesta, ae, [Gr. Ἑστία], f., *Vesta,* goddess of the hearth.

Vestālis, e, adj., *of Vesta, Vestal.* As noun, **Vestalis**, f., *Vestal, Vestal Virgin.*

vester, tra, trum, [vos], *your, yours, of you.*

vēstīgium, ī, [cf. vestigo, *track*], n., *foot-print, trace;* pl., *vestiges, remains, ruins.*

vetus, eris, *old, former, ancient; veteran; of long standing.*

vetustās, ātis, [vetus], f., *length of time, lapse of time; antiquity; long standing.*

vexātiō, ōnis, [vexo], f., *harassing; trouble, distress, outrage.*

vexō, [veho, *carry*], 1, *shake, agitate; annoy, distress, plague, trouble, harass, disturb.*

via, ae, f., *way, road; course, path.*

vibrō, 1, *shake, brandish.*

vīcēsimus, a, um, [viginti, *twenty*], *twentieth.*

vīcīnus, a, um, [vicus], *neighboring.* As noun, vīcīnus, ī, m., *neighbor.*

victor, ōris, [vinco], m., *victor.* As adj., *victorious.*

victōria, ae, [victor], f., *victory.*

vīcus, ī, m., *village; street, quarter.*

vidēlicet, [vidē licet], adv., *one may see, of course, obviously, manifestly, I fancy, I suppose;* often with ironical force.

videō, ēre, vīdī, vīsus, *see, note, perceive, observe; understand; see to it, look out, take care;* pass., *be seen; seem, appear; seem best.*

vigeō, ēre, uī, *thrive, flourish.*

vigilāns, antis, [vigilo], *watchful, vigilant, attentive, alert.*

vigilia, ae, [vigil, *watchful*], f., *watch, keeping awake, vigil;* watch, as a fourth part of the night; *night watch, guard, sentinel.*

vigilō, [vigil, *watchful*], 1, *watch, remain awake, sit up; lie awake; watch for.*

vīlis, e, *cheap, paltry.*

vīlitās, ātis, [vilis], f., *cheapness.*

vīlla, ae, f., *a country-house, farm-house.*

vinciō, īre, vinxī, vinctus, *bind, fetter; restrain.*

vincō, ere, vīcī, victus, *conquer, be victorious; overcome, overpower, defeat, subdue, vanquish; prevail over; exceed, surpass.*

vinculum, ī, [vincio], n., *bond, fetter, chain;* pl., *chains, imprisonment, confinement, prison.*

vindex, icis, c., *avenger, punisher.*

vindicō, [vindex], 1, *claim, lay claim to; punish; defend, rescue.*

vīnum, ī, n., *wine.*

violō, [cf. vis], 1, *injure, harm, wrong, violate.*

vir, virī, m., *man; hero; husband.*

virgō, inis, f., *a maid, maiden, virgin.*

virtūs, ūtis, [vir], f., *manliness; character; bravery, courage, heroism, valor, endurance; ability, energy; worth; excellence; virtue;* pl., *merits, heroic deeds.*

vīs, vis, f., *strength, power, might; violence, force; weight, influence; number, quantity, multitude;* pl., *strength, power.*

vīscera, um, n. pl., *vital organs, vitals.*

vīsō, ere, sī, sus, [video], *to go to see, visit, witness.*

vīta, ae, [cf. vivo, *live*], f., *life.*

vitium, ī, n., *a fault, defect, failing; vice.*

vītō, 1, *avoid, shun, evade, escape.*

vituperātiō, ōnis, [vitupero, *blame*], f., *blame, censure, charge.*

vīvō, ere, vīxī, *live.*

vīvus, a, um, [cf. vivo], *alive, living.*

vix, *hardly, scarcely, barely, with difficulty.*

vixdum, adv., *scarcely yet.*
vocō, [cf. **vox**], 1, *call, summon.*
volitō, [volo, *fly*], 1, *fly about, flit
  about.*
volō, velle, voluī, *be willing, wish,
  desire; purpose, intend.*
Volturcius, ī, m., *Volturcius*, one
  of the Catilinarian conspirators.
voluntārius, a, um, [voluntas],
  voluntary.
voluntās, ātis, [volo], f., *will, desire, wish, choice, preference;
  disposition, inclination, purpose; good will, loyalty, support;
  assent, consent.*

voluptās, ātis, [volo], f., *pleasure,
  satisfaction, delight.*
vōsmet, emphatic for **vōs**.
vōtum, ī, [voveo, *vow*], n., *vow,
  prayer.*
vōx, vōcis, f., *voice, utterance,
  command.*
vulgō, [vulgus, *common people*],
  generally, usually.
vulnerō, [cf. **vulnus**], 1, *wound,
  offend.*
vulnus, eris, n., *wound, affliction,
  grievance.*
vultus, ūs, [volo], m., *expression;
  countenance, features, looks.*